De nederzetting

Van dezelfde auteur:

Krokodil van de aanslagen
Hydromania

Assaf Gavron

De nederzetting

Uit het Hebreeuws vertaald door Sylvie Hoyinck

Nieuw Amsterdam *Uitgevers*

Voor Hila, Galli en Maja

De vertaler ontving voor deze vertaling een werkbeurs van het
Nederlands Letterenfonds

**N ederlands
letterenfonds
dutch foundation
for literature**

Oorspronkelijke titel *Hagiv'a*. Sifree Aliat Hagag, Jediot Acharonot en
Sifree Chemed, Israël
© Assaf Gavron 2013
© Nederlandse vertaling Sylvie Hoyinck / Nieuw Amsterdam *Uitgevers* 2014
Alle rechten voorbehouden
Omslagontwerp Annemarie van Pruyssen, www.amvp.nl
Omslagbeeld © Trevillion
Foto auteur © Fana Feng
NUR 302
ISBN 978 90 468 1699 8
www.nieuwamsterdam.nl/assafgavron

Inhoud

Over de spelling van Hebreeuwse termen

De spelling van de Hebreeuwse termen die in Nederland ingeburgerd is en die zijn beslag heeft gevonden in Van Dale en het Witte Boekje, is veelal de Jiddisje variant. Jiddisj was de voertaal van het (Oost-) Europees jodendom (de Asjkenaziem) en is dus niet van toepassing op joden die niet uit die contreien komen. *De nederzetting* speelt zich af in Israël, waar driekwart van de mensen *niet* van Asjkenazische afkomst is, maar een Sefardische achtergrond heeft. De Jiddisje uitspraak wordt in Israël niet gebruikt.

In deze vertaling is er daarom voor gekozen consequent de transliteratie van het Hebreeuws te gebruiken, volgens de woordenlijst van Sofeer en de richtlijnen die erin beschreven staan voor woorden die niet in die lijst zijn opgenomen. De plaatsnamen zijn eveneens getranslitereerd, met uitzondering van Jeruzalem en Haifa. Voor Arabische woorden zijn dezelfde transcriptieregels gehanteerd als voor het Hebreeuws.

De nederzetting

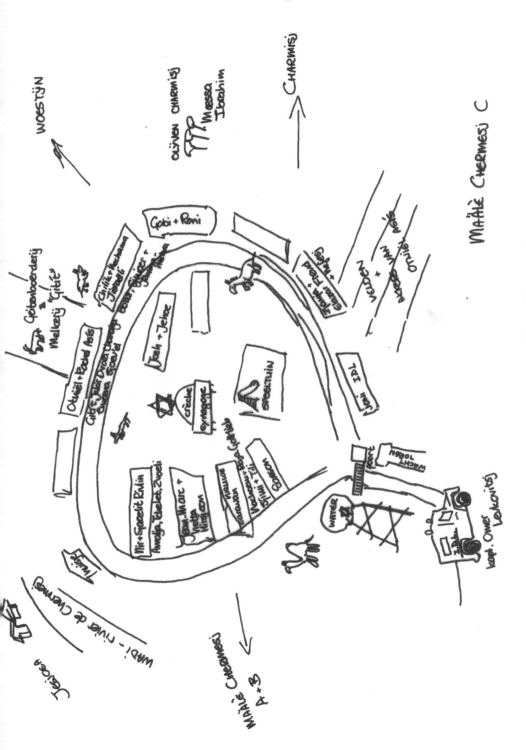

DE VELDEN (PROLOOG)

Eerst waren er de velden. In die dagen woonde Otniël Asís in Maälè Chermesj, hield met veel genoegen een geit en kweekte rucola en cherry-tomaatjes. De geit was bestemd voor de kinderen, de rucola en tomaten voor de salade van Rachel, zijn vrouw. Otniël zag dat het goed was, verafschuwde zijn baan als boekhouder en vond een stukje land binnen het gebied van de nederzetting om zijn teelt verder te ontwikkelen. Maar het perceel grensde aan wijngaarden waarvan de druiven werden gebruikt voor de ambachtelijke wijn die een van de bewoners maakte en verkocht aan restaurant De Gouden Appel en aan andere chique restaurants in Tel Aviv en, naar eigen zeggen, zelfs verkocht in de Dordogne en Parijs. De wijnboer keek misprijzend en beweerde dat hij van de gemeente een vergunning had gekregen voor het planten van meer druivenstokken op het perceel dat Otniël had gevonden, aangezien zijn druiven een buitengewone kwaliteit kregen door de grond, de koude winters en aangename zomernachten, een uniek *terroir*, die zijn wijn een nootachtig bouquet en body bezorgde.

Otniël gaf zich gewonnen en ging wandelen in de omgeving, want hij had een grote liefde voor Israël, een grote liefde voor eenzaamheid, een grote liefde voor het gebed en een grote liefde voor wandelen. Aangezien hij zijn baan eraan gegeven had, kon hij zijn baard en haar laten groeien en alle dagen in blauwe boerenkleding gekleed gaan. Hij wandelde langs beekjes, door kloven en over de toppen van de naburige heuvels; hij kwam op een groot, vlak, niet al te steenachtig terrein dat niet in gebruik was voor de olijfbomen van het naburige Palestijnse dorp Charmisj en zei: 'Dit zullen mijn velden worden.'

Hij begon te experimenteren: komkommer en tomaten, peterselie en koriander, courgettes en aubergines, radijsjes en zelfs romainesla. De gewassen lieten hun hoofd hangen in de zomerzon, stonden stokstijf in de winterkou en vielen ten prooi aan muizen en schildpadden, totdat Otniël uitkwam bij asperges op de akkers en paddestoelen in de kas, en natuurlijk de rucola en cherrytomaatjes die Rachel, zijn vrouw, en zijn dochters Gitít en Dvora aten alsof het snoepjes waren.

Hij vroeg een vergunning aan bij de gewestelijke raad om op die plek een boerenbedrijf te vestigen en een zeecontainer te plaatsen als kantoor en opslagruimte. En aangezien de militaire autoriteiten eisen dat de burgerlijke autoriteiten hiervoor vergunning afgeven tenzij de plannen nog vallen onder de wetgeving uit de Mandaatstijd, zei Otniël Asís: 'Uit 't Mandaat, natuurlijk, net wat jullie zeggen, Joden.' En zo kreeg hij zijn vergunningen zonder dat de burgeroverheid daar weet van had.

Hij verhuisde zijn geit, sloot een leninkje af om er nog vijf te kopen, begon hun fijne melk te melken en in emmertjes mee naar huis te nemen om met Rachels hulp te experimenteren met het maken van toetjes en kaas. Genietend zei Otniël bij zichzelf: 'Op een goede dag zal hier een kleine, moderne melkerij staan. En zal ik hier ook wijnstokken planten en een betere wijnmakerij beginnen dan die van mijn voormalige buurman, hij zal zijn ogen uitkijken, hij met die Dordogne van hem!'

Het Nederzettingenbureau van de Wereld Zionistische Organisatie zette een 20kW-generator op zijn naam en daarna vroeg hij een vergunning aan om een wachthuisje neer te zetten, nadat de Ismaëlieten uit Charmisj van zijn gewassen hadden gestolen. Otniël hield een paar keer zelf de wacht met zijn pistool, een Desert Eagle Mark vii, maar meestal stond het wachthuisje er verlaten bij aangezien de oogst maar één keer was gestolen, waarna hij met een paar vrienden naar het dorp was gereden, een beetje als een dolle was tekeergegaan, in de lucht had geschoten en waarschuwend had geroepen: 'Wie het waagt!'

Een van die vrienden was Oezi Sjim'oni geweest, een forse, bebaarde Jood, een vaderlandslievende man die vele jaren daarvoor samen met Otniël op de Jeruzalemse middelbare zionistische jesjivaschool had gezeten, naast het Merkaz Harav, voordat Otniël het gebruikelijke pad verliet en bij een commando-eenheid van de inlichtingendienst ging. Sjim'oni overreedde Otniël een nederzetting te stichten. Otniël had zo zijn bedenkingen, want hij had slechts een vergunning voor een boerenbedrijf en een wachthuisje. 'Maak je daar maar geen zorgen om,' zei

Sjim'oni. 'Waar haal ik het geld vandaan voor de bouw, voor huizen en transport?' vroeg Otniël. Waarop Sjim'oni zei: 'Ik heb een donatie gekregen van een goede Jood die in Miami woont.'

In diezelfde tijd was Otniël bezig met plannen om in Maälè Chermesj een echt huis te bouwen, maar was verstrikt geraakt in langdurige bureaucratische complicaties met de gemeentelijke bouwmeester, een dwarsliggende buurman en een corrupte makelaar. Uiteindelijk zei hij tegen Rachel, zijn vrouw: 'Ze kunnen me allemaal de pot op.' Hij had genoeg van de vermoeiende bureaucratie, de welig tierende, gezapige burgerlijkheid van Maälè Chermesj en van de dagelijkse gang naar zijn landerijen, twee kilometer heen en twee terug. Hij hield van de heuvels en van de wind en van het oeroude landschap en hij had heimwee naar de pioniersgeest uit zijn jeugd: uitstapjes naar Chevron en Kirjat Arba, reizen naar Jamiet* in de Sinaï, voordat dat zo dramatisch ontruimd werd, sjabbat in de nederzettingen die te lijden hadden onder Palestijns terrorisme tijdens de Eerste Intifada, de stormachtige anti-Oslo-demonstraties waarbij ze klappen en waterkanonnen van de oproerpolitie te verduren kregen. Hij ging in op Oezi Sjim'oni's voorstel, die ergens twee stacaravans van tweeëntwintig vierkante meter vandaan haalde. Met de hulp van een ervaren lasser laste Otniël zijn caravan, het kantoor-magazijn en het wachthuisje aan elkaar en verhuisde Rachel en de kinderen. Oezi Sjim'oni vestigde zich met zijn gezin in de andere caravan. Gezamenlijk gingen ze naar het handelsregister in Jeruzalem en stichtten een onderneming, de 'Agrarische Coöperatie Chermesj'.

Daarna werd er een toegangsweg gebaand naar de heuveltop. Kolonel Giora, bevelhebber over die sector en vriend van Otniël uit hun periode bij de commando's, beweerde dat hij niet op de hoogte was van de aanleg van de weg. Die werd expres zó aangelegd dat hij niet zichtbaar was vanaf de weg, vanuit Maälè Chermesj B, vanuit de diepe kloof van de wadi of vanaf de top van de heuvel. Maar korte tijd later, na een telefoontje met een vriend bij de afdeling Grondmechanica, plaatste de Dienst Openbare Werken een vangrail, aangezien de weg langs een steile, gevaarlijke helling liep.

De kolonel vertelde dat hij op een winterse avond via de radio de

---

* Zie verklarende woordenlijst achterin

13

mededeling kreeg dat er vijf prefabstacaravans van vierentwintig vierkante meter naast het boerenbedrijf van Asís neergezet waren. Toen hij bij het terrein aankwam, trof hij daar vrachtwagens en stacaravans aan. Volgens hem hadden de kolonisten hem de doorgang met zijn dienstauto belet. De voorzitter van de gewestelijke raad was erbij gekomen, er waren verbale confrontaties gevolgd en lelijke woorden naar het hoofd van de kolonel geslingerd, omdat hij de burgerautoriteiten had gebeld om te informeren wat het leger met de situatie aan moest. Er werd hem verteld dat er geen vergunning was voor het plaatsen van de caravans. Maar evenmin was er een vergunning om ze van het terrein te verwijderen. De soldaten hadden de mensen in militaire voertuigen geladen en naar elders vervoerd – en derhalve kwam in de dossiers van het leger en van het ministerie van Veiligheid te staan dat de voorpost ontruimd was. De volgende dag waren de kolonisten teruggekomen en moest de kolonel zich bezighouden met dringender zaken.

En zo werd de voorpost gekoloniseerd.

De vijf caravans werden verhuurd door woningcoöperatie Amidar; dankzij haar contacten met de assistent van de minister was daarvoor door het ministerie van Huisvesting een vergunning verleend aan de voorzitter van de gewestelijke raad. Hoewel het vreselijk koud was, waren er muggen. De behuizing was tijdelijk, maar de bewoners voorzagen de ramen van horren, zetten er houten deuren in, gebruikten een graafmachine om toegangswegen te graven, verhardden paden en bestemden een van de bouwsels tot synagoge. (Een Jeruzalemse synagoge die haar interieur vernieuwde, doneerde het oude, inclusief een *aron hakodesj*, een heilige ark, in goede conditie. Een van de mannen bracht een Torarol mee, zonder te vertellen waar hij die vandaan had.) 's Nachts, na hun noeste arbeid van de dag, liepen ze wacht, want de Palestijnen uit het naburige dorp hielden alle activiteit argwanend in de gaten. Er was nog geen waterleiding of elektriciteit en de bewoners moesten het zien te redden met een roestige, lekkende watertank en olielampen. Af en toe deed een berghyena zich te goed aan voedsel en kleding. Ook klipdassen en ratten kwamen graag op bezoek.

Twee families trokken na een paar weken weer weg. De families Asís en Sjim'oni hielden stand en de derde volhouder was Chilik Jisraëli, een student politicologie van eind twintig, wiens magere gezicht werd gesierd door een smal brilletje en een snor. Chilik was opgegroeid in Maälè Chermesj, maar had tabak van de burgerlijkheid daar. Hij verlangde naar pionieren en lossing van het land, en betrok een van de caravans met zijn vrouw en twee jonge zoontjes. Maar waar twee joden zijn, zijn drie meningen, en waar drie joden wonen – godbeware. Chilik vroeg Sjim'oni naar de donatie van de rijke man uit Miami. Want Sjim'oni scheen geld binnen te harken voor de bouw en de ontginning, maar het was niet duidelijk hoeveel precies, of wie wat kreeg en waarvoor. Oezi Sjim'oni wendde zich tot Otniël om zich te beklagen over 'dat brutale ventje dat ik hier heb uitgenodigd en het nu waagt om allerlei vragen te stellen'. Otniël knikte, maar toen hij thuiskwam en het met Rachel besprak, besefte hij dat de jongeman pertinente vragen stelde. Hij ging terug naar Sjim'oni en probeerde antwoorden te krijgen. Hoeveel geld is er? Kunnen we een krachtiger generator aanschaffen? Misschien een veiligheidshek neerzetten? Nachtverlichting installeren? Sjim'oni bromde dat hij 'het zou regelen' en 'het komt wel goed'. Otniël was er niet van overtuigd.

Op een dag deelde Sjim'oni vanuit zijn auto aan Otniël en Chilik mee dat binnenkort twee nieuwe gezinnen in de leegstaande caravans zouden trekken. Verbaasd vroeg Chilik: 'Wie zijn dat dan? En wie heeft besloten hen te accepteren en volgens welke criteria?' Sjim'oni gaf hem een priemende blik, streelde zijn volle baard en zei: 'Ventje, als je zulke vragen blijft stellen, lig je er straks uit.'

Vanaf dat moment trokken Otniël en Chilik samen op. Toen ze het probeerden te onderzoeken, werd duidelijk dat het verhaal van het budget uit Miami grotendeels in duisternis was gehuld. De zware verdenking begon te knagen dat Oezi niet helemaal koosjer omging met de kas van de coöperatie. Otniël was ziedend. Hij was wel vaker tegen gesjoemel aan gelopen, maar ten nadele van de kolonisatie van Israël? Was er dan niets meer heilig? Hij ging geen directe confrontatie aan. In plaats daarvan begon hij aan touwtjes te trekken: Sjim'oni had tamelijk veel connecties, maar ook Otniël kende mensen in de Jesja-raad en was benaderd om voorzitter te worden en secretaris van Maälè Chermesj. Langzaam maar zeker boette Sjim'oni aan invloed in.

Op een dag was Otniël in zijn Renault Express op weg naar zijn boerderij. Sjim'oni's hond zat midden op de weg aan zijn oor te krabben. 'Waarom? Waarom hij? Wat heeft hij gedaan?' schreeuwde Sjim'oni, die met zijn gezin naar buiten was gekomen bij het horen van de doordringende kreten van het beest.

'Hij liep me ineens onder de wielen, ik kon niet meer remmen,' zei Otniël, terwijl hij hem zonder een spoor van berouw strak aankeek. En daarna voegde hij eraan toe: 'Hoe zit het met de coöperatie, Oezi? Hoe staat het met de kas?' Sjim'oni keek hem alleen maar aan. Hij trok zijn pistool, richtte en maakte met een schot een einde aan het lijden van de hond. 'Kom,' zei hij tegen zijn gezin en hij liep terug naar zijn huis. De volgende dag pakte hij alles en iedereen in en verliet de heuveltop in Sjomron. Hij noemde Chilik en Otniël 'verschrikkelijker dan Korach'.

Zo bleven er twee gezinnen over, verenigd in hun liefde voor het land en hun opvattingen over het karakter van de plek en hoe die gerund moest worden, maar zonder financiële middelen. Het geluk begon ze toe te lachen. Aangezien een Israëliër overal waar hij woont recht heeft op bescherming en een zeker gebied rondom zijn terrein verboden terrein wordt voor Palestijnen, arriveerden soldaten van het IDL om te waken over de families Asís en Jisraëli en de drie lege caravans. Hun bagage bestond uit een wachthuisje, een watertoren en een generator, die vele malen krachtiger was dan die van het Nederzettingenbureau. Otniël vroeg zijn maatje sectorcommandant Giora om een gunst: om de elektriciteit van de generator en het water uit de watertoren te mogen gebruiken voor de caravans. Giora krabde zich eens en zei: '*Sure,* waarom niet?'

Op het Nederzettingenbureau van de Wereld Zionistische Organisatie waren ze uitermate ingenomen met het idee van een boerenbedrijf: wie kon bezwaar hebben tegen verse asperges, paddestoelen en ambachtelijke geitenkaas, om van de pure pioniersgeest van weleer nog maar niet te spreken? De ambtenaren op het bureau keurden de uitbreiding van Maälè Chermesj C met terugwerkende kracht goed en namen de boerderij zelfs op in de lijst goedgekeurde nederzettingen – waar hij verscheen als 'Geitenboerderij Zuid-Chermesj' – op voorwaarde dat een van de caravans werd weggesleept. Dat gebeurde uiteindelijk niet omdat er een gezin arriveerde dat erin trok, hoewel ook zij het na een paar weken voor gezien hielden.

De goedkeuring gaf woningcoöperatie Amidar de mogelijkheid om meer caravans over te brengen.

En de posterijen om een gemeenschappelijke brievenbus neer te zetten.

En de afdeling Grondmechanica om de Dienst Openbare Werken te instrueren een en ander te asfalteren op dagen dat de inspecteurs van de directeur niet in de buurt waren.

En het ministerie van Landbouw om Otniël de status van agrariër en een quotum stromend water toe te kennen.

En de secretaris van de rekenkamer van het ministerie van Financiën om Bank Tefachot te instrueren hypotheken te verstrekken op woon-eenheden aldaar, die automatisch een vergunning van het ministerie van Huisvesting inhielden om verharding aan te leggen, met als gevolg dat de radius die verboden was voor Palestijnen automatisch uitgebreid werd.

En Amana, de kolonistenbeweging van Goesj Emoeniem, om haar ogen te openen, initiatieven te ontplooien en criteria vast te stellen voor het ontginnen van grond.

Op een dag arriveerde er zelfs een combine, een gift van een Duitse organisatie van christenen die graag de Groot-Israëlgedachte steunden.

Als gevolg van een vlucht van een linkse organisatie waarbij lucht-foto's werden genomen, kwamen er telefoontjes van het ministerie van Veiligheid, Binnenlandse Zaken, Huisvesting en het kantoor van de premier: wie had het besluit genomen om een nieuwe nederzetting te stichten in Israël? Van wie was het land en welke rechten konden erop gelden? Was het terrein Israëlisch grondgebied, geannexeerd grond-gebied, gebied waarvan de status niet vastgesteld was? Privébezit dat was geconfisqueerd om veiligheidsredenen? Palestijns privébezit dat was aangekocht? Palestijns privébezit dat niet was aangekocht? En als het Palestijns privébezit was – was het voorheen dan agrarisch gebruikt of niet? Regulier, geregistreerd, uit de Mandaatstijd? Wie had er een ver-gunning afgegeven? Was het formele proces gevolgd van een plan, waren de tekeningen van een architect geïnspecteerd door de Bouwinspectie en, zo ja, waren ze goedgekeurd? Over welk gebied had deze nieuwe nederzetting jurisdictie? Wat vond de districtscommissaris? Wat was het oordeel van de procureur-generaal? Wat zei de jurisprudentie? En de sector, wat vond die ervan? En had men wel met het bureau van de commandant gesproken?

Zoveel vragen!

Beleefd werd uitgelegd dat er slechts sprake was van een boerenbedrijf, gelegen op het grondgebied van Maälè Chermesj, althans – grotendeels; de uitbreiding van de nederzetting bestond tenslotte al, dus daarvoor was geen vergunning van staatswege nodig zoals bij een nieuwe nederzetting, en er viel niets te vrezen. Je kunt je voorstellen hoe het is gegaan. Otniël Asís wilde de paddestoelen, asperges en rucola kweken die diezelfde linkse rakkers voor hun salades gebruikten of samen met de zalm pocheerden voor hun Tel-Avivse avondeten, dus voilà. En trouwens, de boerderij was opgenomen in de vervolgrapportage van 'Vrede Nu' en verscheen zelfs op de interactieve kaart van de krant *Haärets*. De inspectiedienst van de burgerautoriteiten vaardigde een bouwstop uit voor de woonhuizen.

Hetgeen leidde tot een vloed telefonische verzoeken van mensen die zich wilden aansluiten.

En tot een vergunning voor Amidar, uitgegeven door de assistent voor Nederzettingszaken van de minister van Veiligheid, om nog twee caravans neer te zetten.

En tot assistentie door het departement voor Dorpsopbouw van het ministerie van Huisvesting.

En tot een geoormerkt budget van de gewestelijke raad.

En zo arriveerden er nog meer gezinnen, jonge stellen en vrijgezellen; mensen die van Israël hielden, van rust, van de natuur en van weinig financiële lasten. Niets ging ondershands – het protocol voor vestiging en verdeling van de grond hing in de synagoge, voor iedereen zichtbaar! – maar vastgelegd werd er niets. Van tijd tot tijd klonken er dreigende geluiden over ontruiming of werd er een vermanend vingertje geheven: tsk-tsk-tsk. Op de heuveltop werden kinderen geboren en zo bloeide de moderne pioniersgeest en werd Maälè Chermesj C groter en groter.

EEN DRIETAL ARRIVEERT MIDDEN OP DE DAG

De colonne

Een heuveltop. Wittige aarde, gloeiend heet, bijna leeg: geelbruin gespikkeld met rotsen, eenzame olijfbomen, groenachtige zachte vlekken
van na de regen. In het midden wordt de heuvel in tweeën gesneden
door een smalle eenbaansweg vol gaten. Op de kronkelige weg klom
en daalde langzaam een caravan achter op de laadbak van een grote
vrachtwagen. Een gele Palestijnse taxi met groene nummerborden
kroop er ongeduldig achteraan. Achter de taxi hotste een stoffige witte
oude Renault Express met stickers op de ruiten, die verkondigden: MIJN
GOLANI DEPORTEERT GEEN JODEN, CHEVRON EENS EN VOOR ALTIJD
en OSLO-VERRADERS VOOR HET GERECHT. Hij werd bestuurd door
Otniël Asís: met baard, grote keppel en net zo stoffig als zijn auto. In
het kinderzitje op de achterbank zat zijn jongste zoon van drie, Sjoev̇el,
tranen met tuiten te huilen omdat zijn zakje Cheetos in een scherpe
bocht was gevallen en noch zijn vader noch hijzelf kans zagen het van
de vloer op te rapen. Een van de slaaplokken van het jongetje zat onder
de gele kruimels. Het vierde voertuig van deze toevallige colonne, die
ad hoc samengesteld was geraakt op de slechte weg door de heuvels van
Jehoeda, was het nieuwste model legerjeep met daarin de sectorcommandant kapitein Omer, en zijn team.

Er kwam een steile helling. De vrachtwagen nam gas terug, de motor
brulde en trok hem langzaam omhoog – even snel als de kudde geiten
die onverstoorbaar naast de weg liep. De taxichauffeur mompelde wat
in het Arabisch, toeterde, maakte een gevaarlijke inhaalmanoeuvre om
een paar seconden later een lekke band te krijgen – een dof bonkend
geluid van wringend rubber, een hotsende auto, een vloekende chauffeur. De taxi hield stil en blokkeerde de weg. Jeff McKinley, correspon-

dent van *The Washington Post* in Jeruzalem, stapte eruit. Hij was op weg om een hoge minister van het Israëlisch kabinet thuis te interviewen in een nederzetting zo'n zes kilometer verderop vanaf het punt waarop ze gestopt waren. McKinley keek op zijn horloge en veegde een pareltje zweet van zijn brede voorhoofd. Gisteravond had zijn vader verhaald over de sneeuw die in Virginia gevallen was en hier stond hij in februari te zweten. Over tien minuten was zijn afspraak bij de minister thuis. Hij had geen tijd om te wachten tot de lekke band gemaakt was. McKinley stak de chauffeur een biljet van vijftig sjekel toe en zette koers naar de liftersplaats die hij enige tientallen meters verderop zag liggen.

Alsof het zweet, de tijdsdruk, zijn zware ademhaling die getuigde van zijn afnemende conditie en de grote noodzaak van een dieet allemaal nog niet genoeg waren, stond er al iemand op de liftersplaats, die als eerste aan de beurt was voor een taxi of een lift: naast een grote koffer stond een man in een keurig pak, zijn armen over elkaar, een blinkend witte glimlach om zijn lippen waarover Hebreeuwse woorden rolden die McKinley niet begreep.

Nog voordat McKinley de liftersplaats bereikte, had de vrachtwagen-met-daarop-de-caravan de gestrande taxi gepasseerd, gevolgd door de stoffige Renault Express en de legerjeep. De Renault toeterde en stopte.

'Hallo Joden!' riep Otniël Asís.

'Waar ga je naartoe?' vroeg de man met de koffer aan de bestuurder.

'Naar Maälè Chermesj C,' antwoordde Otniël Asís terwijl hij een blik wierp op het blauwe pak en vervolgens op de ogen van de man, die hem moe toeschenen.

'Echt waar? Is dat even boffen, makker,' zei de man en hij tilde de zware koffer van het vale asfalt.

'Doe me een plezier, *chabibi*,' vroeg de bestuurder, 'help de jongen even, zijn Cheetos zijn op de grond gevallen.' En daarna wendde Otniël zich tot de Amerikaan. 'En jij, kerel?' vroeg hij.

McKinley vroeg: '*Can you get me anywhere near Yeshua, where Minister Kaufman lives?*'

'*Wot?*' antwoordde Otniël.

'*Settlement?*' probeerde McKinley uit te leggen toen herhaling van de eerste zin niets opgeleverd had.

'*Sètelmènt, sètelmènt, jès!*' antwoordde Otniël met een glimlach. '*Pliez, pliez.*' McKinley kende de omgeving niet goed genoeg om te weten dat op de heuvels niet alleen Maälè Chermesj en haar twee dochters B en C lagen, maar ook Giv'at Ester met uitbreidingen, Sedee Gavriël en Jesjoea, de nederzetting waar de minister woonde. Hij werd achterin gepropt, naast het kind.

De colonne nam een bocht: caravan-op-vrachtwagen, sectorcommandant met zijn team in de jeep en het stoffige bestelautootje met daarin een kolonist en zijn zoontje, en twee lifters: een Amerikaan en een Israëliër. Deze weg was nog smaller en steiler dan de vorige, wat de kleinere ertoe veroordeelde voort te kruipen op het tempo dat door het grote voertuig werd voorgeschreven. Uit kapitein Omers blik, die strak op de achterkant van de caravan was gericht, sprak een zekere vrees dat de stacaravan los zou raken van de vrachtauto waarop hij getransporteerd werd en de auto's erachter zou verpletteren. Hij keek op zijn horloge en wierp een blik in de zijspiegel.

'Zeg eens, ken ik jou ergens van?' vroeg Otniël aan de lifter die Hebreeuws sprak. De man keek lang naar het grote hoofd van de bestuurder en de grote keppel die erop prijkte. 'Ik weet niet… Mijn broer woont bij jullie. Maar we lijken helemaal niet op elkaar,' antwoordde hij. Otniël liet nogmaals zijn blik rusten op de man met het zwarte haar en richtte hem toen weer op de weg. De lifter schoot hem te hulp: 'Gabi Cooper, ken je die?' De bestuurder fronste zijn voorhoofd. 'Die hebben we niet bij ons. We hebben Gavriël. Gavriël Nechoesjtan. Een man die goud waard is, een koningszoon. Hij werkt bij me op de boerderij.'

'Nechoesjtan?' vroeg Ronni Cooper. Nu was het zijn beurt om zijn voorhoofd te fronsen.

Ongeduldig keek de Amerikaanse journalist op zijn horloge.

Aan het eind van de langzame beklimming van de helling kwam het toegangshek van Maälè Chermesj A in zicht. De drie voertuigen gingen erdoorheen, sloegen rechts af op het plein en vervolgden hun weg door de inmiddels gevestigde nederzetting met stenen huizen, geplaveide wegen en een industrieterreintje: een wijnmakerij, een paardenfokkerij en een timmermanswerkplaats. Ze gingen verder over een desolate heuvel totdat ze de caravans van de dochternederzetting Maälè Chermesj B in het vizier kregen, waarna de asfaltweg ophield en een onverharde weg steil afdaalde naar de wadi, die overstak en aan de andere kant weer omhoogklom.

'Papa, klaar!' verkondigde Sjoevèl Asís toen de Cheetos op waren. In de auto verspreidde zich een weeïge stank.

'Heb je wat geproduceerd, lieverd?' vroeg de vader aan zijn zoon.

'*Allah jistor,*' siste Ronni Cooper, 'wat is dit voor oord?'

Jeff McKinley probeerde zijn opkomende misselijkheid te bedwingen.

Van onder de wielen stegen wolken gelig stof op naar de strakblauwe hemel erboven. Na enkele haarspeldbochten kwam een watertoren met daarop een slordige davidster in zicht, direct daarna een wachttoren van het leger en tot slot de elf caravans van de nederzetting, gelegen rondom een cirkelvormige weg. Bij de toegangspoort stond soldaat Joni, met zijn geweer dwars voor de borst en de hand op de kolf, die de binnenkomers verwelkomde met een jongensachtige glimlach onder zijn Ray-Ban zonnebril.

Van alle kanten staarde een woest landschap terug: de woestijn van Jehoeda in al zijn pracht en glorie, zijn droge heuvels met verborgen aan hun voeten de Dode Zee en daarachter, aan de horizon, de bergen van Moab en Edom. Het terrein op de voorgrond was spaarzaam bespikkeld met dorpen en nederzettingen en verderop verrezen de afgeplatte heuveltop van het Herodion en de huizen van een grote Palestijnse stad, gedeeltelijk ingepakt door een reusachtige grijze betonnen muur, als een cadeautje dat niet opengemaakt kan worden.

Een groot geïmproviseerd bord stond voorbij de ingang, waarop in een wat kinderlijk handschrift zwierig in het Hebreeuws en het Engels stond geschreven: WELKOM IN MAÄLÈ CHERMESJ C.

De ceremonie

Toen de Renault Express van Otniël zijn bestemming bereikt had, vroeg Jeff McKinley waar het huis van minister Kaufman was. Otniël maakte het gebaar met duim tegen wijs- en middelvinger dat 'wacht even' betekent en riep in de richting van het huis: 'Rachel! Verzamel alle kinderen en kom naar de ceremonie!' En daarna zei hij tegen McKinley: *'Joe kom wiz us – wie hev amèriken gai.'*

En zo liep Jeff McKinley met Otniël en Rachel Asís en hun zes kinderen naar de nieuwe speeltuin van Maälè Chermesj waar het zoemde van de hoogwaardigheidsbekleders en inwoners en daar legde Josh, de beloofde Amerikaan, aan McKinley uit dat minister Kaufman in de nederzetting Jesjoea woonde, aan de overkant, precies aan de andere kant van de wadi. Je kon zijn met tegels beklede villa zien liggen, wees hij, hemelsbreed was het minder dan een kilometer, maar met de auto nog een flink aantal bochtige kilometers rijden. McKinley keek op zijn horloge, zag hoeveel te laat hij was, haalde zijn mobiel tevoorschijn, belde de assistent van de minister, legde de vergissing uit en verzocht de afspraak te verschuiven. Hij kreeg nul op het rekest, de minister moest over een uur in Jeruzalem zijn en hij hield er helemaal niet van om opgehouden te worden, waarop McKinley zich uit de grond van zijn hart verontschuldigde. Nadat het gesprek was beëindigd, keek hij op en dwaalde zijn blik over de menigte, tot hij verrast stilhield bij een lange man met een indrukwekkende buik en zware, keurig gekamde wenkbrauwen, en hij zei tegen Josh: 'Zeg, is dat niet Sheldon Mamelstein?'

Het speeltuintje zag eruit alsof het door een Monty Python-achtige goddelijke hand van gigantische afmetingen vanuit de hemel neergezet was; een goedverzorgd en welvarend stukje New York dat getransplanteerd was op het lichaam van een hulpeloze bedoeïenennomade: een vierkant groen gazon ter grootte van een basketbalveld met een stel goed geoliede houten schommels die geluidloos en efficiënt bewogen, een uitgebreid complex van glijbanen en een drietal veerwippen, een in de vorm van een zeehond, de tweede in die van een haan en de derde, wellicht de best passende bij het landschap, van een kameel.

Wekenlang waren arbeiders bezig geweest om de speelplaats in het centrum van Maälè Chermesj C neer te zetten – voorbereiden van de grond, zoden neerleggen, toestellen monteren en zelfs het installeren van vuilnisbakken en een mededelingenbord, zoals dat het nieuwe centrum van maatschappelijke activiteiten van de nederzetting toekomt, en vandaag werd dit werk afgerond met een officiële inwijdingsceremonie in aanwezigheid van de gulle gever en voorstander van kolonisatie, de heer Sheldon Mamelstein uit New Jersey, het parlementslid Oeriël Tsoer en plaatselijke notabelen.

Een kille wind floot door de microfoon en vanaf daar via een stel grote luidsprekers de koude lucht van de speeltuin in. De meeste bewoners van de nederzetting en hun gasten waren daar aanwezig, zo'n veertig man. De kinderen renden rond tussen de speeltoestellen totdat ze door hun ouders meegenomen werden om in kinderwagens of op het gras te gaan zitten en naar de toespraken te luisteren.

'Tot voor kort, nauwelijks vijf jaar geleden,' begon parlementslid Tsoer, 'was er hier niets, behalve keien, jakhalzen en gedoornde pimpernel.' Naast hem stond de gulle gever, Sheldon Mamelstein, met zijn hoofd gebogen in de richting van Josh, voormalig inwoner van Brooklyn met rood haar en dito baard, die simultaan voor hem tolkte.

'Maar nu staan we hier, in de maand Sjevat van het jaar 5769, en vergapen we ons aan jullie werk: met jullie bewonderenswaardige vasthoudendheid, de noeste, goede arbeid die jullie hebben verzet, de waarden van de pioniersgedachte en jullie onwankelbare geloof in de heiligheid van het land, hebben jullie, lieve inwoners van Maälè Chermesj C, een juweel van een nederzetting gebouwd...'

Het parlementslid Tsoer liet een pauze vallen. De wind floot in de microfoon en echode over de heuvel. Sheldon Mamelstein hief zijn hoofd op en streek over zijn hals. Zwangere vrouwen en dienstplichtige soldaten verplaatsten hun gewicht van het ene been op het andere. Kinderen vroegen of ze al op de toestellen mochten spelen. Ouders antwoordden dat ze nog even moesten wachten. Kapitein Omer dacht: hoezo Sjevat 5769, waarom niet gewoon februari 2009?

Na Tsoer volgden er nog een aantal functionarissen die een paar woorden van dank uitspraken, en als laatste greep de gulle gever Mamelstein de microfoon en vertaalde Josh zijn woorden in rudimentair Hebreeuws, zwaar verminkt door zijn accent. Er klonk bescheiden applaus.

Aan Mamelstein viel de eer ten deel het bord met zijn naam en de datum te onthullen. Tactvol negeerde hij de spelfout in zijn naam – een overbodige H achter de S in zijn achternaam, zoals gebruikelijk in Israël – waarna hij bij het bord gefotografeerd werd, samen met het parlementslid, met mensen uit de nederzetting en met een paar kinderen. En daarmee was de ceremonie ten einde. De kinderen stortten zich op de nieuwe toestellen. De ouders riepen: 'Voorzichtig.' Vrouwen bespraken zwangerschappen, adviseerden elkaar over de kiddoesjwijn en praatten elkaar bij over wat er in de moedernederzetting op school gedaan werd. Vaders kletsten over het proefschrift van Chilik, de Volvo S80 van het parlementslid en dat het vervangen van een zuigerkop bij Faríd in het naburige dorp Charmisj de helft goedkoper was. Over een paar minuten zouden ze voor het middag- en avondgebed langzaamaan hun gang maken naar de synagogecaravan beneden naast het pleintje waar iemand een ronde stapel keien had neergelegd. Het parlementslid Tsoer koutte met Mamelstein en probeerde een afspraak met hem te maken. Otniël stelde de notabelen voor de voorpost te bezichtigen. Het parlementslid keek op zijn horloge en zei: 'Oei oei,' haakte een bluetooth-oortje in zijn oor, drukte mensen haastig de hand, zwaaide ten afscheid en stapte in zijn auto. Nadat ze allemaal de wegrijdende Volvo S80 hadden nagekeken, wendden ze hun blik de andere kant op naar het lagere gedeelte van de heuveltop, waar ze tot hun verbazing ontdekten dat een reusachtige vrachtauto daar een nieuwe caravan aan het lossen was met een hoop herrie, geschreeuw en afgemeten bewegingen en ze vroegen zich af hoe die vrachtwagen daar kwam, van wie die caravan was, en waarom hij juist vandaag arriveerde. Maar voor ze de kans kregen om het hem te vragen, was de chauffeur gekeerd en ging zijns weegs.

De rondleiding

Otniël Asís, de oudste bewoner van de voorpost, nog steeds in het werkhemd en de werkschoenen die hij die ochtend had aangetrokken, leidde de bezichtiging samen met Chilik, die er opgedoft bij liep, zijn haar gekamd en in een ruitjesoverhemd, en Natan Eliav, secretaris van de moedernederzetting Maälè Chermesj. De roodharige Josh vergezelde de Amerikaanse miljonair voor wie hij tolkte. Naast hen stapte de sectorcommandant, kapitein Omer, die gekomen was om 'iets belangrijks' met Natan en Otniël te bespreken en Otniël had hem beloofd dat ze direct na de rondleiding die hun hooggeëerde Amerikaanse gast beloofd was, tijd voor hem hadden. Jeff McKinley van *The Washington Post* had zich bij het groepje gevoegd. Niemand toonde enige belangstelling voor hem: de bewoners waren in de veronderstelling dat hij bij Mamelsteins entourage hoorde en Mamelsteins mensen dat hij bij de nederzetting hoorde. In de achterhoede sjokten een paar verveelde kinderen mee.

De delegatie liep door de kleine voorpost: wijnstokken, vijgcactussen, rucola, de synagogecaravan, de geitenstal en de biologische akkers van Otniël Asís. Verspreid tussen de erven en de caravans lag rotzooi: fietsen zonder wielen, een loopband die op zijn zij lag, een half Peugeotje 104 met op de achterkant nog steeds stickers met BEGIN MOET PREMIER WORDEN en DHGZH WE HOUDEN VAN U, bankstellen, koelkasten en opgerolde tapijten. Over dit alles heen het alom aanwezige, onbevatbaar majestueuze, wilde landschap dat leek te schreeuwen en soms te fluisteren en te spelen: Dit is de woestijn. Dit is de Bijbellezing. Dit is in den beginne.

'Wat een lucht!' zei Sheldon Mamelstein en hij zoog zijn longen helemaal vol. In het licht van de invallende schemering zag het landschap eruit als een maanlandschap. Hier konden ze zich de schepping voorstellen, alsof het universum zó gevormd was en daarna aan zichzelf overgelaten. 'Magnifiek,' hijgde Sheldon Mamelstein, terwijl zijn entourage stil werd van de pracht.

Ineens stopte Mamelstein abrupt en wees verbaasd. 'Een kameel!'

'Dat is een kamelenmerrie,' zei Otniël, wat Josh enige problemen opleverde bij het vertalen.

'Is ze van een van de families?'

'Van Sasson,' antwoordde Otniël zonder verder uit te weiden. In plaats daarvan zei hij: 'Hier, we zijn bij mijn huis aangekomen. Kom binnen voor een kopje koffie.'

Het huis van de familie Asís bestond uit dezelfde eenvoudige caravan waaraan het eerste wachthuisje was vastgelast. Mettertijd was de zeecontainer eraan vastgemaakt en de caravan uitgebreid met een houten veranda en gedeeltelijk bedekt met jeruzalemsteen: alles bij elkaar telden de afzonderlijke delen iets meer dan zeventig vierkante meter. Dit huis werd intensief bewoond door acht zielen: Otniël, zijn vrouw Rachel, en hun kinderen in leeftijd variërend van zestien tot twee: Gitít, de tweeling Jakir en Dvora, Chananja, Emoena en de kleine Sjoev'el. In het huis heerste de gebruikelijk wanorde van speelgoed en kinderboeken, een verzameling niet bij elkaar passende meubels – in de loop van de jaren samengesteld uit giften of opgepikt van straat – en een boekenkast met joods religieuze boeken, die stond op de wat golvende en sleetse vloer. De grote ramen en de veranda keken uit over de droge woestijn en een paar huisjes aan de rand van het Palestijnse dorp Charmisj.

Het huis raakte tot barstens toe vol. Rachel serveerde koffie en taart. De zon was onder, de kou drong door kieren en gaten en de elektrische kachel werkte op volle toeren. In de open ruimte onder de caravan gierde de wind tussen de gereedschappen en opgeslagen voorraden. Waar de muren niet voorzien waren van een laag steen boden de dunne gipswanden geen noemenswaardige geluiddemping of isolatie.

Mamelstein vroeg: 'Is deze voorpost legaal?'

Otniël wisselde een blik met Chilik, glimlachte in zijn baard en antwoordde: 'Alle nederzettingen zijn legaal. Ze zijn allemaal begonnen met medeweten en toestemming van de overheid. Wij zijn een wijk van Maälè Chermesj, we vallen onder haar jurisdictie.' Hij wees in de richting van het moederdorp. 'En buiten dat,' vervolgde de oudstgediende van de bewoners, 'kan Maälè Chermesj C niet illegaal zijn.'

De miljonair grinnikte en zijn entourage volgde hem na. Otniël had uitstekend in de gaten wie Sheldon Mamelstein was en hoe hij over de zaken dacht. En tegelijkertijd kon een man in zijn positie het zich natuurlijk niet veroorloven om betrokken te raken bij activiteiten die als onwettig konden worden uitgelegd. 'Wat wil dat zeggen: "Maälè Chermesj C kan niet illegaal zijn"?'

'Maälè Chermesj C kan niet illegaal zijn, aangezien het volgens de gegevens van het ministerie van Veiligheid jaren geleden is ontruimd. In wezen bestaat deze voorpost niet. Maar er is hier wel een boerenonderneming met een vergunning, die recht heeft op bescherming door het leger.'

Mamelstein trok een wenkbrauw op, wendde zijn blik naar de officier en de soldate die op de veranda stonden, verzonken in het versturen van sms'jes met hun telefoons. Daarna werd de wenkbrauw weer neergelaten en verbreedde zijn mond zich in een glimlach. 'Maar staat het leger niet onder auspiciën van het ministerie van Veiligheid?' vroeg een van Mamelsteins adviseurs zich af.

'Jawel, maar wat dan nog? Volgens het ministerie van Veiligheid is de nederzetting ontruimd. Het leger huldigt het standpunt dat er hier Joden wonen, en dus staat er een wachttoren en zijn er soldaten.' Hij wierp een blik op kapitein Omer, die nu druk in gesprek was. 'Het Nederzettingenbureau van de Wereld Zionistische Organisatie heeft de oprichting van de landbouwonderneming geregeld. Daarvoor zijn geen vergunningen nodig. Het bureau heeft ook via de gewestelijke overheid een generator georganiseerd en het leger heeft voor water gezorgd. Het ministerie van Huisvesting heeft via Amidar voor het merendeel van de caravans gezorgd. De rechterhand heeft geen flauw benul van wat de linker doet. Mazzel voor ons.' Otniël glimlachte terwijl Josh een en ander in het Engels herhaalde. Ook Chilik glimlachte, nipte van zijn Nescafé en zette het glas voorzichtig op tafel.

Toen ze het huis verlieten, inspecteerde de miljonair de natuurstenen muur die de onderste helft van de caravan bedekte en schudde zijn hoofd van verbazing. Kapitein Omer probeerde opnieuw iets tegen Otniël te zeggen. 'Vijf minuten en dan zijn we hier klaar. Dacht je soms dat het ons ook niet snel genoeg voorbij kan zijn?' siste Otniël.

Ze liepen langs de wacht- en de watertoren terug naar de nieuwe speeltuin. 'Kijk nou, wat is daar aan de hand?' vroeg de rijkaard ineens, zijn vinger uitgestrekt naar een van de huizen. Iedereen draaide zich om en zag de caravan van Elazar en Zjania Freud, die als een parkinsonpatiënt van top tot teen stond te schudden tegen de donker wordende hemel.

'Ahh!' zei Otniël Asís. 'Je moet weten dat wanneer de caravan schudt en alles binnen heen en weer beweegt, het geen aardbeving is, maar een wasmachine!' Zodra de vertaling Mamelstein oren bereikte, schoot hij in een schallende lach die iedereen aanstak en zelfs een glimlachje teweegbracht om de lippen van de legerofficier. '*I must tell Norma about this!*' zei de Amerikaan tegen zichzelf terwijl hij zich op zijn dijen sloeg.

Men nam afscheid met wederzijdse woorden van dank, omhelzingen en kussen, klauterde in een voertuig om in een wolk van stof te verdwijnen. De correspondent van *The Washington Post* liep onopvallend in de richting van de toegangspoort van de nederzetting. Hij had bedacht dat hij een lift kon vragen aan een van Mamelsteins mensen, maar kwam tot de slotsom dat hij liever niet wilde dat ze wisten wie hij was.

'Nu, mijn beste,' wendde Otniël zich tot kapitein Omer Levkovitsj, 'kun je me vertellen wat je op je lever hebt.' Hij keek naar de officier met de zachte blik en het lichte haar.

Omer deed de aktentas open die hij onder zijn arm droeg. 'Ik heb hier,' hij hield een document uitgestoken, 'een terreindemarcatieorder, uitgevaardigd door de bevelhebber van het centrale hoofdkwartier.'

'Een demarcatieorder? Wat zeg je daar?' Otniël keek wantrouwend naar het papier. 'Wat is dat?' mengde Chilik zich in het gesprek en hij wierp een blik op het vel dat Otniël vast had.

'Een demarcatieorder,' bevestigde de sectorcommandant, en omdat hij exact wist wat er in de hoofden van de ervaren kolonisten omging, vervolgde hij: 'Je bent niet gestopt met illegale bouwactiviteiten. Geen burgerlijke overheid. Dit gaat niet om het neerhalen van een paar gebouwen – jullie weten best dat er al jaren dergelijke bevelen op jullie caravans rusten en dat niemand die uitvoert, omdat ze weten dat jullie gewoon andere laten komen ter vervanging. Daarom is er een demarcatieorder uitgevaardigd. Niet de gebouwen, maar het hele terrein moet ontruimd worden. Ontdaan van alle bewoning. Van alle roerende goederen. En alle gebouwen moeten afgebroken worden. Dacht je soms dat de rechterhand niet weet wat de linker doet?'

Otniël las de order:

Achttien dagen na publicatie van dit decreet is ieder mens verblijvend op het gebied waarop het decreet betrekking heeft gehouden het te verlaten. Ten tijde van publicatie treedt met onmiddellijke ingang het volgende in werking: absoluut verbod op bouwactiviteiten in het gebied waarop dit decreet betrekking heeft, of de aanvoer van goederen of personen naar het gebied teneinde bouwactiviteiten uit te voeren.

Op de order prijkte de handtekening van de bevelhebber en eraan vastgemaakt zat een kaart met het gedemarqueerde terrein: heel Maälè Chermesj C, en alle gebouwen en landbouwgronden die erbij hoorden. Otniël hield op met lezen en keek Omer vijandig aan. 'Lekkere richteren hebben jullie. Nou goed. We zullen bezwaar moeten aantekenen bij de commissie Beroep van het leger, en als dat niet helpt, dienen we een verzoek in bij het Hooggerechtshof, en als we daar verliezen, wachtten we een jaar of twee totdat de order verjaard is, zo God het wil. Want jullie zullen ons toch niet met geweld ontruimen, nietwaar?' Hij zocht Omers gezicht af naar een sprankje van een glimlach of sympathie, maar vond die niet. In plaats daarvan had hij een nieuwsgierige blik en ontsnapte hem een voorzichtige vraag: 'Wat zijn richteren?'

Otniël zoog lucht naar binnen en liet die ontsnappen in een diepe zucht. 'Dat zijn agressieve dramkoppen,' snauwde hij en toetste het nummer in van de voorzitter van de raad.

'Succes en sjabbat sjalom,' antwoordde de sectorcommandant, gaf zijn chauffeur een teken om te starten en klom in de jeep. Bij de poort stopte hij naast de soldaat. 'Joni, pak aan, en zeg tegen je manschappen dat ze ze vanavond op elk gebouw van de voorpost ophangen,' zei hij en overhandigde hem een stapel vellen met de proclamatie van de order.

Hij liet de Amerikaanse journalist, die met zijn duim omhoog bij de ingang stond, instappen en reed de helling af in de wind en de donker wordende schemering na zonsondergang. Soldaat Joni verplaatste zijn blik van de verdwijnende jeep naar de vellen papier in zijn hand, en sloot de poort.

De broers

Ronni Cooper was niet aanwezig geweest bij de ceremonie. Toen Otniël Asís hem had afgezet bij de caravan van 'de enige Gavriël in de nederzetting', trok hij zijn koffer uit de laadbak en rolde hem over het slechte asfalt, een afstand van enkele meters, naar de caravan. Hij ging door het hek, liep door het vergeelde tuintje en arriveerde bij de deur van de caravan met een bescheiden bordje erop: 'Welkom bezoekers'. De deur was niet op slot. 'Gabi? Gabi?' riep hij en checkte de vertrekken in de caravan. Hij snoof eens – het rook er vreemd, verspocht. Zijn ogen werden naar een zwarte vlek in de hoek getrokken. Hij reed zijn koffer naar de ruimte aan de rechterkant die eruitzag als een woonkamer, en ging ruggelings op de verhoogde matras liggen die dienstdeed als bank. Hij keek naar het plafond, blies een stroom onzichtbare lucht uit, deed zijn ogen dicht en vervolgens weer open. Hij wendde zijn blik naar het eenvoudige boekenplankje. Zijn ogen gleden over de rij boeken en lazen wat er op de ruggen stond: heilige geschriften in rode banden waar hij niets van begreep: de *Zohar*, de *Sjoelchan Aroech*, traktaten van rabbi Nachman van Breslau, de *Gids der Verdoolden* van Maimonides, *Sefer Hamidot, Orot* van rabbi Kook. 'Gabi?!' riep hij toen hij dacht dat hij wat hoorde, maar hij kreeg geen antwoord.

Gavriël was aanwezig geweest bij de inwijdingsceremonie van de speeltuin en vanaf daar doorgegaan naar de synagoge voor het middaggebed en daarna blijven kletsen. Pas toen hij thuiskwam, ontdekte hij tot zijn verbazing de grote koffer, die een kwart van het vloeroppervlak in zijn woonkamer innam en zijn oudere broer die luid snurkend op zijn rug lag, zijn gezicht als dat een slaperige vis naar het plafond gekeerd. Gabi keek naar zijn broer. Naar de rijzende en dalende borstkas, de lippen die bij iedere snurk trilden. De in volkomen rust verstrengelde vingers op zijn borstkas, zijn grote voeten gestoken in sportsokken die wit waren geweest en waarvan de hielen versleten waren tot gaas. Zijn blik dwaalde terug naar de grote koffer. Ronni, mijn broer. Hij glimlachte naar hem en trok hem aan zijn neus. Ronni antwoordde met een snurk.

Gabi begon voor zichzelf een kop thee te maken. Hij deed het licht aan. Als hij wat gedronken had, zou hij avondeten maken en daarna het avondgebed gaan bidden. Hij deed de waterkoker aan, die minutenlang reageerde met een steeds luider wordend gegrom tot hij eindelijk aan de kook kwam en de schakelaar terugsprong. Hij hing een theezakje van Wissotski in een glazen kopje met een dun oortje, en roerde er, rammelend met een lepeltje, suiker door.

'Maak mij er ook een, wat het ook moge zijn,' klonk een krakende stem uit de woonkamer.

'Heb ik al gedaan.' Hij liep de woonkamer binnen en zette een glazen kopje, waarin de suikerkorrels nog over de bodem wervelden, op de plank bij Ronni's hoofd. 'Thee,' zei hij en ging in de fauteuil aan de andere kant van de kamer zitten. Hij sprak de zegenspreuk 'door wiens woord alles ontstaan is', blies op zijn thee en nam voorzichtig een slokje. 'Welkom, broer. Langgeleden.'

Ronni ging zitten, rekte zich uit en probeerde de mist van de slaap vanwege de jetlag te verdrijven. 'Hwoea!' gaapte hij luidruchtig. Hij pakte het kopje en nam slurpend een slok. 'Zoet,' zei hij.

Hij keek naar zijn broer, die nog steeds glimlachte. 'Ik moet hier een poosje blijven.'

'Dat had ik al begrepen. Door de koffer.'

'Ja.' Beiden dronken in stilte. Wat is dat voor grote, witte keppel met een pompon erbovenop? dacht Ronni; 't baardje is nog wat mottig, maar al wel iets te lang; en slaaplokken – die zie je toch alleen in Mea Sjearim? Maar stiekem moest hij erkennen dat dit uiterlijk zijn broer goed stond, de orthodoxie voegde zich op een natuurlijke manier naar het lichaam van zijn broer, die slanker was dan hij, het paste bij zijn dromerige bruine ogen en zijn lichte huid. Van hen tweeën had Ronni er altijd uitgezien als een echte kibboetsnik, met zijn donkere compacte bouw en zijn zelfverzekerde, soms arrogante blik, maar ook als de gemakkelijkere van de twee, de broer die altijd op het punt van glimlachen leek te staan.

'Heb je soms iets van een koekje?'

Gabi keek naar de keuken, hoewel dat eigenlijk niet nodig was. Koekjes had hij niet. Het zwijgen werd dieper, nu en dan onderbroken door het geluid van slokjes thee. Uiteindelijk keek hij Ronni langdurig aan. 'Wat is er gebeurd?' vroeg hij. 'De laatste keer dat we elkaar spraken was op je veertigste verjaardag. Toen zei je dat je het druk had en dat je terug zou bellen, en sindsdien heb ik niets meer van je gehoord. Dat was een half jaar geleden. En daarvoor – bij je vorige verjaardag. Hoor je niet in Amerika te zitten?'

Ronni stond op van de bank. Keek door het raampje naar buiten. De wind loeide onder de caravan. 'Wat een uitzicht, hè? Prachtig.' Hij draaide zich om en keek zijn broer aan. 'Hoe zit het met jou? De vent die me een lift gaf zei dat je een gouden kerel bent. Een koningszoon.'

Gabi lachte. 'De beste, God zij gezegend. Fantastisch.'

'Fantastisch? Wat is er zo fantastisch?'

'Fantastisch. Alles. Is fantastisch. Ik ben blij dat je hier bent.'

'Dus ik kan hier een tijdje blijven? Dat fantastische is niet een meisje of zo?'

'Jij vindt dat iets fantastisch per se met een meisje te maken moet hebben?'

'Ik wil alleen maar weten of ik hier een tijdje kan blijven.'

'Je kunt hier blijven zolang je wilt.'

'Waarom trek je een gezicht? Kun jij je broer niet te gast hebben?'

'Ik trek helemaal geen gezicht.'

Ronni liep het kamertje uit naar de centrale ruimte van de caravan. 'Waar is de wc?'

Gabi bleef zitten in de fauteuil, een eenvoudige getimmerde stoel uit de jaren zeventig van de vorige eeuw met een versleten bruine bekleding – zijn meubilair had hij door de jaren heen gevonden in de straten van Jeruzalem – en dronk zijn thee. Hij hoorde de dikke straal urine regelrecht in het water van het toilet klateren – Ronni had nooit geprobeerd het geluid te temperen door op de porseleinen wand van de toiletpot te richten. Hij sloot zijn ogen.

'Geen lange gezichten,' zei Ronni toen hij terugkwam. Hij pakte zijn kop thee. 'Ik heb je altijd geholpen als je dat nodig had.'

'Ik trek geen lang gezicht,' antwoordde Gabi kalm, 'maar hoe had je geweten dat ik hulp nodig had, terwijl we jarenlang geen contact hebben gehad?' Ineens heerste er duisternis in de caravan. Gabi stond op en keek uit het raam. 'De generator is uitgevallen,' zei hij. 'Het komt in ieder geval niet door mijn waterkoker, dus we hebben thee om de duisternis door te komen.'

'Ik ga een ommetje maken,' zei Ronni. Op de tast zocht hij zijn weg naar de deur van de caravan en toen hij zijn broer passeerde, keerde hij zich ineens naar hem toe, spreidde zijn armen en zei: 'Kom hier, geef me een knuffel.' De knuffel was wat werktuigelijk en kort; in het donker bleef hun gezichtsuitdrukking verborgen, maar die van Gabi was wellicht een tikje te weifelend en die van Ronni te geforceerd. 'Het is goed dat je bent gekomen,' zei de jongste van de twee toen ze zich uit de omhelzing losgemaakt hadden. Ronni gaf geen antwoord. Hij ging naar buiten en trok de deur achter zich dicht met een harde klap die de caravan deed schudden. Gabi besloot het avondgebed thuis te bidden.

De nacht

De caravans waren donker. Heel de heuveltop was donker. De diepe stilte, de duisternis, de geluiden uit het Palestijnse dorp – het was allemaal zo anders in vergelijking met zijn leven van de laatste jaren, en tegelijkertijd riep het een diep gevoel van herkenning op, misschien door zijn jeugd in de kibboets. Ronni voelde zich uitgewrongen door de lange reis en de jetlag.

Aan de rand van de voorpost werd er op een gitaar gespeeld. Een klaaglijke, langzame melodie, bijna feestelijk. Het leek Ronni alsof hij de klanken naderde. Hij liep langs een paar mensen en herkende de man die hem een lift had gegeven. Die stond buiten bij zijn huis naast een jongen met een groene keppel en een pokdalig gezicht. 'Goedenavond,' zei Ronni.

Otniël Asís glimlachte. 'En, heb jij je broer, de tsadiek, gevonden? Was hij het?'

'Ja, ja, bedankt.'

'We gaan kijken wat er met de oude generator aan de hand is. Heb je zin om mee te gaan? Misschien hebben we nog een extra handje nodig.' Ronni Cooper liep achter Otniël en diens zoon Jakir aan naar de ingang van de nederzetting. Soldaat Joni was er al, met een zaklamp, terwijl een van de andere soldaten de generator startte. 'Hoelang moeten we nog wachten voordat de stafofficier van het elektriciteitsbedrijf ons op het net aansluit,' mopperde Otniël terwijl er licht aanflikkerde in de nabijgelegen caravans. 'Er zijn hier kinderen. Er zijn hier vrouwen. Elke keer dat de generator uitvalt, beven die van angst.'

Ronni bleef achter het groepje aan sjokken, dat van de toegangspoort terugliep naar het centrum van de nederzetting. Toen ze de nieuwe caravan passeerden, zei Otniël tegen Joni: 'Wist jij dat er een nieuwe caravan zou arriveren?'

'Nee,' antwoordde de soldaat.

'Omer heeft er niets over gezegd?'

36

'Omer heeft geen woord tegen me gezegd, behalve dat ik de nieuwe orders moet ophangen. Hij was de hele tijd bij jullie.'

'Klopt,' zei Otniël en hij wreef in verwondering over zijn baard. 'Interessant.' Hij nam de zaklamp van Joni over en bescheen de donkere caravan. 'Heel interessant,' mompelde hij. Hij liep om de caravan heen. 'Die vent heeft hem gewoon hier afgeladen, zonder met iemand te overleggen. Er is hier geen fundering, geen aansluiting voor elektriciteit, water of het riool. Hallo,' riep hij, 'is hier iemand?' Hij kwam bij de deur en klopte erop. Er zat geen klink aan.

Ronni maakte zich van hen los en liep verder. Na een paar minuten realiseerde hij zich dat hij de nederzetting verlaten had en dat de duisternis dieper werd. Hij kreeg het gevoel dat hij te ver van de beschaafde wereld geraakt was, keerde om en liep terug. De klanken van de gitaar klonken luider, iemand speelde nog steeds met trieste opgewektheid. Heel even leek het Ronni toe alsof hij de melodie herkende, maar ineens hield de muziek op.

'Halt!' beval een onverwachte stem hem vanuit de duisternis. Hij keek om en zag op ongeveer tien meter afstand een schriele jongen. Pas een seconde later zag hij de flonkering van een wapen dat op hem was gericht, en nog een paar seconden later de gitaar die onder het wapen hing. 'Of ik schiet,' voegde de jongen eraan toe, terwijl hij probeerde de beving in zijn stem te camoufleren.

'Schieten hoeft niet,' zei Ronni en hij stak zijn handen in de lucht. Hij was moe en duf, en wist niet of hij geamuseerd of perplex moest zijn vanwege het feit dat de jongen met de gitaar een wapen op hem richtte. Ondanks de kou voelde hij hoe zweet zich her en der op zijn lichaam verzamelde, maar desondanks antwoordde hij zelfverzekerd: 'Ik loop alleen wat rond te kijken.'

'Wat heb je hier te zoeken? Wat valt er te kijken, en dan ook nog in het donker?' De jongen kwam dichterbij, nog steeds aarzelend.

'Misschien kun je dat ding uit mijn gezicht halen?'

De jongen bewoog zijn hand niet. 'Eerst moet je uitleggen wie je bent. De generator valt uit en ineens verschijnt er hier een verdacht persoon. Ik moet de procedure volgen.'

'Ik ben hier een tijdje op bezoek, bij mijn broer.'

'Wie is je broer?'

'Gabi. Gabi Cooper.'

'Gabi Cooper? Die hebben we hier niet.' De loop van het pistool kwam nog een paar centimeter dichter bij Ronni's voorhoofd.

'Eh, hij heeft zijn naam veranderd. Gavriël... eh, Gavriël... verdomd, ik weet niet...'

'Gavriël Nechoesjtan? Waarom zeg je dat niet meteen? Ja, ik zie de gelijkenis.' Hij liet het pistool zakken. 'Je vergeeft me dit wel, toch? We zitten hier namelijk midden in een zee vol neefjes en die trekken er altijd in het donker op uit. Wil je een koekje?'

De koekjes waren gebakken door de Zjanja Freud, een wiskundelerares, die in de caravan naast de toegangspoort van de nederzetting woonde, samen met haar man Elazar, commandant in ruste, die met computers werkte en opgegroeid was in een nederzetting aan de andere kant van Jeruzalem. Zjanja Freud bakte altijd koekjes voor de soldaten, die ze op een dienblad achterliet in de wachttoren. 'Niet dat ik soldaat ben,' zei Nir Rivlin, uitgerust met een gitaar en een pistool, terwijl Ronni zich te goed deed aan chocoladekokoskoekjes. Hij legde de situatie uit: meestal waren er vier tot zes soldaten in de voorpost; een ervan was vast – Joni – en de rest wisselde. Zij namen de meeste wachtdiensten voor hun rekening, maar soms hielpen de bewoners 's nachts. De wachtdiensten van de bewoners werden eerlijk verdeeld over de mannen, hoewel er een paar waren die andermans wachtdienst verwierven – meestal waren het de mannen met een gezin, die de jongeren en vrijgezellen die wat meer vrije tijd hadden, betaalden om hen te vervangen. 'Niet dat ik vrijgezel ben,' benadrukte hij. Hij had een gezin, maar hield met plezier de wacht, en bovendien had hij geen geld om wachtdiensten af te kopen. Hij was student, leerde voor chef-kok bij het Centrum voor Koosjere Kookkunst in Jeruzalem, en volgende week had hij een examen snijtechnieken. Vorige week had hij een workshop basisbeslag gevolgd: zanddeeg, korstdeeg, gistdeeg... Nir Rivlin praatte zoveel dat de uitgeputte Ronni op zeker moment voorstelde: 'Misschien kun je wat spelen?' Nir pakte de gitaar op en vroeg: 'Wat wil je horen?' Na een korte discussie werden ze het eens over 'Perfect Day' van Lou Reed.

Ze zaten op een doorgezakte bank die iemand ooit eens had weggedaan en staarden naar de sterren die boven de donkere woestijn flonkerden. De generator zoemde monotoon.

'Spelen en bidden de andere wachters ook tijdens de wacht?' vroeg Ronni.

'Ieder doet wat hij wil. Je kunt twee uur lang peinzend rondlopen, soms wat studeren of bidden. Ik speel. Er zijn er die een dvd bekijken op een laptop. Of gewoon hier zitten, sigaretje erbij, kopje koffie. Soms een gesprekje aanknopen met iemand die buiten loopt of langsrijdt.'

'En mijn broer?'

'Gavriël? Een groot tsadiek is-ie. Hij vraagt altijd om de wacht van middernacht en dan bidt hij Tikkoen Chatsot. Weet je wat dat is? Ooit gehoord van 'getuigen in de nacht van uw trouw'? Het bidden van het rouwgebed ter herinnering aan de vernietiging van de Tempel? Je bent echt totaal seculier, hè? De nacht is in principe de tijd van afzondering, de tijd waarin de wereld verlost is van verstoringen. De tijd om de goede geest van de kwade te scheiden. Soms staat hij op de wachttoren en reciteert de traktaten van rabbi Nachman. Soms zien we hem naar de rand van de heuveltop lopen, waar helemaal niemand is, alleen hij, de sterren en de woestijn. Daar praat hij met God. "Want in afzondering gaat hij over van een toestand vol zorgen naar een toestand van vreugde." Wil je een hijs?'

Uit zijn binnenzak haalde Nir een joint die hij voor de wachtdienst had gerold. Hij trok er luidruchtig aan, blies een smalle straal rook naar boven en gaf hem door aan Ronni. 'Kruiden: het geluid van de liederen en de lofprijzingen van de kruiden, elk kruid zegt een gedicht op voor de Heer, gezegend zij Hij, zonder gesmeek, zonder vreemde gedachten, zonder er ook maar iets voor terug te krijgen. Wat is het prachtig en prettig om hun gezang te horen en wat is het goed toeven te midden van hen die de Heer met ontzag dienen. Geen slecht spul, hè?'

De duisternis was gitzwart en ondoordringbaar zoals duisternis kan zijn, ver van de grote, verlichte steden; er was geen straatverlichting in de voorpost. Je kon de kikkers horen kwaken, de sprinkhanen horen tjirpen, de cicaden horen zingen; af en toe hinnikte er een paard in zijn stal ('dat is Killer, van Jehoe') of blaften er ergens honden op een erf ('dat zijn Beilin en Condoleezza, van Otniël') of huilde er een kind ('misschien Nefesj, misschien Sjoev'el'). 's Nachts, als het hartje winter was, vertelde Nir, sloeg de regen oorverdovend naar beneden en woei het zo hard dat de wind de caravans dreigde op te tillen en mee te nemen de lucht in. Op zomernachten werden er in het naburige dorp bruiloften, feesten en festivals gehouden en dan schetterde de muziek, roffelden de trommels en brachten de zangers aaneengeregen octaven ten gehore die tot aan het hart van de hemel reikten en nog verder. En soms ging dat gepaard met een behoorlijke portie vuurwerk dat primitief oogde maar indrukwekkend klonk. Het joeg Condi, Beilin, Killer en de kleine kinderen zo'n schrik aan dat ze hun eigen lange symfonie aanhieven, en liet de mannen op de voorpost uit hun bed springen om met hartkloppingen naar hun wapens te grijpen.

En dan was er ook nog, vooral in de kleine uurtjes van de nacht, de stilte. Wanneer iedereen in zijn caravan was, na het avondeten, het douchen en het naar bed brengen van de kinderen; nadat men het journaal gekeken had, gelezen, al het werk klaar was en iedereen was gaan slapen onder flinterdunne dakjes waarboven krachtige sterren stonden. Tijdens de slaap stijgt de ziel op naar gene zijde, wordt goddelijk, de slaap maakt de weg vrij naar dieper begrip, grotere kennis en wijsheid...

'Het wordt tijd dat ik ga slapen,' gaapte Ronni. 'Ik zit nog steeds op de Amerikaanse klok, helemaal tegenovergesteld.' Nir Rivlin wierp een verbaasde blik op hem, alsof hij Ronni helemaal vergeten was. Hij keek op zijn horloge en zei: 'Het is bijna middernacht, einde van de wacht!' Hij diepte een briefje op uit zijn zak. 'Eens kijken wie mij aflost... Ah! Jouw lieve broer! God zij geprezen. Kom, dan halen we hem uit dromenland.'

Bij de caravan zagen ze Gabi, die de duisternis in stapte. Met onzekere stappen liep hij in de doordringende kou over de heuveltop, in zijn hand een kop koffie die snel afkoelde. Flarden Arabische muziek werden meegevoerd op de wind.

'Hallo, tsadiek!' zei Nir.

'Hallo-hallo,' antwoordde Gabi's vermoeide stem. Zijn blik dwaalde van Nir Rivlin naar zijn broer Ronni, bleef daar enige seconden verbaasd hangen en keerde toen terug naar Nir. 'Hoe gaat het met Sjaoelit?'

'God zij geprezen.'

'Wanneer is de bevalling?'

'Met Gods hulp. Begin negende maand.'

'Tsssss…' glimlachte Gabi, 'afwachten of het een kind van Adar of Nisan wordt.'

Ze stonden er alle drie zwijgend bij. Blijkbaar was zelfs Nir, die de voorgaande twee uur onophoudelijk had gekletst, te moe om nog iets te bedenken om te zeggen. Uiteindelijk zei Gabi: '*Jalla*, ga slapen mannen, welterusten.'

De ochtend

Toen Gabi thuiskwam na het ochtendgebed lag Ronni nog steeds in de woonkamer te slapen. Voorzichtig legde hij het tasje met zijn gebedsriemen weg, maar zijn broer werd wakker van het rinkelende lepeltje in het glas.

'Goedemorgen,' zei Gabi. 'Thee?'

'Koffie,' antwoordde de schorre stem van zijn broer. 'Wauw. Ik wist even niet waar ik was. Wat heb ik diep geslapen.'

'Slaap is zoet en goed,' citeerde zijn broer rabbi Nachman. 'Het komt door de stilte.'

Ronni haalde een sigaret uit een lichtblauw pakje. Gabi keek er aarzelend naar. 'Zal ik een raam opendoen?' vroeg de oudste broer, maar toen Gabi opstond om het open te maken, zei hij: 'Is het niet te koud voor een open raam?' Gabi deed het toch open. 'Luister, ik heb niet veel te eten in huis, ik wist niet dat je zou komen. Als ik straks in Maälè Chermesj kom, dan breng ik wat mee. Maar het is vrijdag, er is weinig tijd.' Hij bedacht wat. 'Heb je misschien een auto? Dan kan ik nu even gaan, voor mijn werk.'

'Ik heb helemaal niets,' antwoordde Ronni. Gabi trok een wenkbrauw op.

'Zeg eens, hoe zit dat met Gavriël Nechoesjtan?' vroeg Ronni en blies een straal rook richting de hor. De rook sijpelde er langzaam doorheen, alsof het de grenzen aftastte.

'Dat ben ik.'

'Hoezo? Gavriël, dat begrijp ik. Maar hoe zit dat met Nechoesjtan?'

'Cooper is Nechoesjtan, wist je dat niet? Onze voorvaderen in Duitsland moeten vast en zeker met koper gewerkt hebben. Koper is het sterkste materiaal ter wereld.'

Ronni's wenkbrauwen schoten omhoog van verbazing. Gabi keek naar het lichaam van zijn broer, dat losjes in de fauteuil hing; weliswaar niet meer zo gespierd als vroeger, maar nog steeds mannelijk: een dichte, borstelige dos haar, manen die zijn gebruinde borst streelden. Zijn broer was breder dan hij, korter dan hij, behaarder dan hij. Een vreemde zou de gelijkenis op het eerste gezicht niet hebben gezien, zou misschien bij de vorm van hun bruine ogen zijn blijven hangen, hoewel Ronni's warme, vrolijke blik hemelsbreed verschilde van de aarzelender, onschuldiger blik van zijn jongere broer. Gabi vervolgde: 'Iemand heeft me verteld dat bij de volgende ijstijd – en die komt er zeker, want God laat de natuur cycli doorlopen – de hele wereld bedekt wordt met een kilometersdikke laag ijs. Die ijslaag heeft een immens gewicht en zal de hele wereld zoals wij die kennen samenpersen tot een schil van enkele centimeters. Alles zal tot stof worden. Maar wie tijdens die ijstijd naar het hart van de aarde graaft en in dwarsdoorsnede het twee centimeter dikke laagje bekijkt van wat ooit de mensheid is geweest, zal voornamelijk koper zien. En dat komt omdat wij zoveel van dat materiaal gebruiken, en omdat het zo sterk is. Al het andere zal tot stof verworden, tot helemaal niks. Maar het koper blijft intact.'

'En wat zegt dat over onze familie? Dat we sterk zijn?' Ronni liet zijn kleine lachje horen. Gabi haalde zijn schouders op.

'Heb je het ook bij Binnenlandse Zaken veranderd?'

'Nee.'

Een paar minuten dronken ze in stilte. Daarna vroeg Gabi: 'Wat bedoel je met: "Ik heb helemaal niks"? Wat is er gebeurd?'

'Dat is een lang verhaal.'

'Vertel.'

Ronni opende de hor en gooide zijn peuk naar buiten. 'Niet nu, daar hebben we later wel tijd voor. Je moet naar je werk, toch?'

'Ja. Maar ik wil wel weten wat er met mijn broer gebeurd is. En het zou fijn zijn om te weten hoelang jij hier denkt te blijven. Zit je in de problemen?'

'Nee, nee, het is prima, er is niks gebeurd. Ik had gewoon wat frisse lucht nodig. Wie is dat? Wat een blik heeft hij.' Hij wees naar een foto ter grootte van een grote briefkaart op een van de planken in de boekenkast, een zwart-witfoto van een bebaarde man met een bonthoed. 'De ogen branden gaten in me.'

Gabi keek naar de foto. 'Dat is Harav, de rabbijn.'

'Harav? Harav wie?'

'Rabbi Avraham Jitschak Kook. Wat een gloed, hè?' Gabi's blik keerde terug naar zijn broer. 'Maar waarom verander je van onderwerp? Is het "helemaal niks" of een "lang verhaal"?' Toen hij geen antwoord kreeg, ging Gabi naar zijn kamer en keerde, gekleed in blauwe werkkleding over zijn tsietsiet, terug. Hij ging zitten om de veters van zijn zware werkschoenen te strikken. Daarna stond hij op en glimlachte. 'Goed, we hebben het er later over. Ik moet nu echt weg.'

'Maak je geen zorgen,' zei Ronni, 'ik ben je niet lang tot last. Ik moet alleen even bijkomen. Met beide benen op de grond komen. En daarna verder. Hoe dan ook,' hij stak zijn hoofd uit het raam en keek in de rondte, 'ik ben niet geschikt om al te lang op zo'n plek te wonen.'

Gabi glimlachte. 'Oké, ik ben weg. Fijne dag.'

'Fijne dag, Gavriël Nechoesjtan!' Ronni barstte in lachen uit, maar zodra de deur achter Gabi's rug dichtgevallen was, verdween de lach van zijn gezicht.

'Wat een krankzinnige ochtend,' hoorde Gabi Sjaoelit Rivlin tegen Nechama Jisraëli zeggen toen hij langs de twee zwangeren liep en een hoofdknikje gaf zonder hen in de ogen te kijken. De zon scheen aangenaam in zijn nek. Hij liep langs de nieuwe caravan en daarna langs de nieuwe speeltuin. Wat was God toch rechtvaardig. Als Hij zijn broer naar hem toegestuurd had op een dag vol nieuw begin en vreugde voor de nederzetting, dan moest dat wel een zegen zijn. Iets trok zijn aandacht. Een schoentje. Hij pakte het op van de grasmat in de speeltuin. Nimrod, maat 23. Hij bracht het naar de crèche en vervolgde zijn weg naar de boerderij van Otniël, die al buiten stond, een hand boven zijn ogen tegen de zon, in de andere zijn mobiel, die hij tegen zijn oor drukte. 'Kom, kom, Nechoesjtan!' joeg Otniël hem op zodra hij hem zag. 'We moeten de kratten voor Moran klaarmaken. Seconde, ik ben even aan de telefoon.'

Vrijdag is een korte dag en is het moeilijk om mensen bij de overheid te pakken te krijgen, maar – godzijdank – had Otniël Asís het mobiele nummer van een aantal belangrijke mensen. De belangrijkste daarvan was het parlementslid Oeriël Tsoer, die gisteren bij de inwijding van de speeltuin had gesproken. 'Goedemorgen Oeriël, Otniël hier... Ja... Dank je wel... Zeg eens, weet jij soms iets over een demarcatieorder die we gisteren hebben gekregen?... Demarcatie, demarcatie... Kapitein Omer... Berkovitsj, nee, Levkovitsj... Ja, na de ceremonie... Dat is goed, dank je wel. Maar wel voor sjabbat? Mijn dank is groot.'

Otniël beleefde vele minuten aan de telefoon die ochtend, terwijl Gavriël naast hem de kratten met groenten en toetjes inpakte voor Moran, de groothandelaar. Natan Eliav, de secretaris van Maälè Chermesj A, die persoonlijk telefoontjes had gepleegd met Dov, het hoofd van de districtsraad, met het hoofdkwartier en met nog een aantal functionarissen, legde uit dat er sprake was van een vergissing wat de caravan betrof. Hij was bestemd voor een andere voorpost, Giv'at Jesjoea, de uitbreiding van Jesjoea dat aan de andere kant van de wadi lag, maar de vrachtwagenchauffeur was verkeerd gereden, had met niemand overlegd, de caravan gewoon gelost op de eerste de beste plek die hem vrij leek en was haastig uit de voorpost vertrokken.

En het verwijderen van de caravan zou nog enige tijd gaan duren. Gisteren was er een transportvergunning van kracht geweest, maar geen vergunning om een fundering neer te leggen, die het lossen en het plaatsen mogelijk hadden moeten maken. Intussen was er blijkbaar een bouwvergunning afgegeven, dankzij een van onze jongens bij het ministerie van Huisvesting, maar de minister van Veiligheid had zich er persoonlijk mee bemoeid en was niet bereid om nogmaals een transportvergunning te verstrekken. Blijkbaar had iemand met hem gepraat, had iemand het aan hem gelekt, wie weet, misschien zit er een informant van de Sjabak, de Veiligheidsdienst, bij jullie, suggereerde Natan Eliav, en Otniël dacht: misschien wel, dat zou me niet verbazen, maar wie? Misschien die ene kerel, Gavriëls broer? Hij wierp een schuine blik op Gavriël die naast hem aan het werk was, overwoog of hij wat zou zeggen, maar hield zijn mond. Je kon nooit weten. Hoe dan ook, vertelde Natan verder, de minister van Veiligheid geeft geen toestemming voor transport, dus eigenlijk zal die nieuwe caravan dankzij de antinederzettingenbeslissing van de minister voorlopig in de voorpost blijven staan en misschien konden ze op de wachtlijst kijken en een nieuw gezin uitnodigen zich erin te vestigen.

Otniël wist precies in welke lade de wachtlijst lag; zijn vrouw Rachel stond aan het hoofd van de toelatingscommissie van de nederzetting, samen met Chilik Jisraëli. Hij besloot een paar dagen te wachten en als de minister van Veiligheid bij zijn standpunt bleef geen transportvergunning af te geven, dan zouden ze er een nieuw gezin laten intrekken. Hij ging Gavriël helpen met de kratten.

Parlementslid Tsoer belde hem uiteindelijk terug. 'Die order heeft te maken met de scheidingsmuur,' zei hij.

'Wat?!' Otniël was verbaasd. Weliswaar liepen er landmeters, architecten, officieren en allerlei hekkenbouwers rond, maar dat deden ze al jaren en niemand sloeg nog acht op hen. 'Ik dacht dat ze hem hier in deze omgeving niet zouden bouwen.'

'Ik weet niet of ze hem ook echt gaan bouwen, maar blijkbaar is er besloten iets in die richting te ondernemen en naar wat mij is uitgelegd, moet die afrastering door de olijfgaard van jullie buren in Charmisj lopen.'

'Maar wat heeft dat met ons te maken?' vroeg Otniël verwonderd.

'De grond die onteigend wordt voor de scheidingsmuur en de veiligheidszone ernaast, die loopt gedeeltelijk over jullie landerijen.'

'Maar hoe is dat nou toch mogelijk?' riep Otniël. 'Sinds wanneer loopt die afscheidingsmuur door Israëlische nederzettingen? Hebben jullie daar in Jeruzalem nooit gehoord van democratie en fundamentele mensenrechten?'

'Je hebt gelijk,' zei de parlementariër, 'gewoonlijk gebeurt dat niet. Dit keer wordt er ook particuliere Palestijnse grond gevorderd, maar blijkbaar zitten jullie daar gedeeltelijk op. En er is nog een probleem. Jullie nederzetting staat niet op de kaart.'

'Wat zeg je me nou?' Maar zowel Otniël als Tsoer wisten dat het zo was en dat het zo beter was; de kaarten konden maar beter niet bijgewerkt worden en de luchtmacht kon maar beter geen foto's maken. Dat scheelde een hoop gezanik. Dat wisten ze allebei uit hun lange ervaring met kolonisatie.

'Bovendien,' zei Tsoer, 'is links naar het ministerie van Veiligheid toegestapt en maken ze heisa over hoe het kan dat de scheidingsmuur door een Palestijnse olijfgaard loopt, terwijl ernaast een illegale neder- zetting ligt die recentelijk nog is uitgebreid met een speeltuintje, nieuwe caravans en wat dies meer zij. Dus de minister van Veiligheid wil goed overkomen en hij heeft tegen ze gezegd dat ook die nederzet- ting verdwijnen zal, en heeft je een demarcatieorder gestuurd. Volg je me?'

Otniëls ene hand drukte het telefoontoestel tegen zijn oor, de an- dere hield hij tegen zijn voorhoofd. Hij probeerde te bedenken wie de minister van Veiligheid over de speeltuin had kunnen vertellen. En welke nieuwe caravans? Er was er maar één gearriveerd en dan nog per vergissing...

'Kort en goed, sjabbat sjalom, goede vriend. Als ik jou was, zou ik me er niet te veel zorgen over maken. Volgende week zien we verder. Blijf sterk. De groeten aan het linkse tuig, haha!'

'Welk links tuig?'

'Weet je dat niet? Het linkse tuig houdt een demonstratie in dat Arabische dorp bij jullie, vanmiddag.'

Otniël deed zijn ogen dicht en wreef erover. Alsof hij nog niet ge- noeg te doen had voordat sjabbat begon. 'Maar... waartegen demon- streren ze dan? Zij hebben toch gekregen wat ze wilden? Er is immers een order tegen ons uitgevaardigd, nietwaar?'

'*Ana aärif?* Weet ik het, weet jij het. Tegen de muur. Tegen de voor- post. Vóór de olijven van de Palestijnen. Hebben die linksen niet ge- noeg om op vrijdagmiddag over te demonstreren in Jehoeda en Sjom- ron? Ik vertrouw op jullie. Jalla, mijn beste, het is een korte dag. Sjab- bat sjalom.'

De demonstratie

Die punt, die spits, dat uitsteeksel. Wat was het waardoor hij er zo opgewonden van werd? Zijn ogen werden er aldoor naartoe getrokken, ook al wist hij dat het niet beleefd was; maar hij had het niet in de hand, zijn ogen deden het zelf, gleden altijd daarnaartoe, als eerste. De beste dagen waren die aan het eind van de winter, wanneer de strelende ochtendzon zoete, valse hoop wekt, je uitnodigt om luchtige kleren aan te trekken, zich dan herinnert dat de lente nog niet aangebroken is, achter de wolken verdwijnt, en het ineens koud is.

Hij hield er vooral van te ontdekken dat er geen obstakels zijn, geen hindernissen, dat ze daar direct zijn, meteen achter de dunne katoenen stof. Een aanblik mooier dan ontblote borsten, want ontblote borsten laten niets aan de verbeelding over; ze kunnen te klein zijn, of te groot, asymmetrisch, hangend, uitgerekt. Ontblote borsten hebben de neiging eruit te zien naar wat ze echt zijn: met vet omgeven melkklieren, en met vet omgeven melkklieren deden hem niks. Boezem deed hem ook niks. Boezem is een woord voor vrouwen en kinderen. Maar borsten is een mannenwoord. En als ze verborgen zijn door iets duns en minimaals van zijde of doorschijnende katoen, dan begon zijn bloed te kolken.

Dat is wat Ronni zag onder het shirt waarop geschreven stond DE BEZETTING MAAKT ZWAK, ongehinderd op en neer gaand, groot, sappig, met in het midden, afgetekend in de stof, harde, vlezige tepels, volumineus en ervaren; de tepels van iemand die zich bewust was van hun aanwezigheid en hun waarde.

Toen hij eergisteren San Francisco had verlaten om er niet meer terug te keren, was luchtige kleding een verre herinnering. En nadat hij in Israël geland was en vanaf Ben Goerion naar het oosten was gegaan, had hij gedacht dat dit soort beelden, die in de lente in Tel Aviv welig zouden tieren, in de nederzetting waar hij naar op weg was niet zouden voorkomen. Maar er waren nog geen vierentwintig uur voorbij of hij stond met de armen over elkaar in een grote olijfgaard van het Palestijnse dorp naast de voorpost van zijn broer, tegenover tientallen demonstranten die met borden zwaaiden waarop stond: TEGEN DE SCHEIDINGSMUUR en KOLONISTEN GA NAAR HUIS – GENOEG MET DE ILLEGALE VOORPOSTEN!, terwijl zijn ongehoorzame ogen zich niet konden losmaken van de glorieuze tors van de demonstrante, totdat hij ze ertoe dwong. Zijn blik ging omhoog naar haar vriendelijke, zij het wat varkensachtige gezicht, naar de borden, opzij naar een groepje dorpsbewoners, om alleen maar te constateren dat een van hen zijn ogen exact op de juiste hoogte had. Hun blikken kruisten elkaar – VOORUIT MET ILLEGALITEIT! GENOEG MET DIE AFSCHEIDINGS-BH!

EINDE AAN DE TIETENONDERDRUKKING! – en een glimlach van waardering voor de tieten en een gedeeld geheim lag om hun lippen. Er zijn dingen die boven de politiek en rechtvaardigheid staan.

Ronni's blik zwierf vervolgens verder omhoog, verder weg, en stopte opeens vol verbazing: het Herodion. Het viel hem op hoe rond en volmaakt die heuvel was, hoe hij pront omhoogstak uit de vlakke woestijn, licht en uitnodigend: een borst! Een borst midden in de woestijn! Ik ben naar de juiste plek gekomen, dacht Ronni terwijl hij om zich heen keek naar de heuvels met hun zachte rondingen, delicate krommingen en hun dons-na-de-regen. Een paar dagen later zal Nir hem vertellen dat Josef ben Matitjahoe in hoogsteigen persoon over het Herodion had geschreven dat het eruitzag als een vrouwenborst.

De leider van de demonstratie, een magere, bebrilde jongen met een vooruitstekende vierkante kin, riep een medley van leuzen in een megafoon: 'Stop de bouw van de muur, stop het opslokken van Palestijnse grond, stop de uitbreiding van nederzettingen onder auspiciën van de regering, kolonisten: we hebben genoeg van jullie!' Hij stond aan het hoofd van een groepje jongeren in Merets-shirts, een paar anarchisten, een enkele grijsharige oudgediende van Vrede Nu, en de aantrekkelijke demonstrante. Aan de andere kant zag Ronni een paar bekende gezichten, waaronder ook dat van Gabi. Ronni ging naar hem toe en legde zijn hand op zijn schouder. 'Broertje, wat een *action!*'

'Ik ben blij dat je het naar je zin hebt,' zei Gabi met een glimlach. Hij legde uit waarom zo weinig mensen van de voorpost de moeite hadden genomen om te komen: het is vrijdag; de vrouwen zijn taart en brood aan het bakken voor de kiddoesj en staan te koken voor de volgende dag, kinderen helpen bij het koken of passen op hun jongere broertjes en zusjes, de mannen komen terug van zaken in Jeruzalem.

'Wie is die oranje dame?' vroeg Ronni en hij wees met zijn wenkbrauwen naar een koloniste met een oranje hoofddoek.

'Ah, natuurlijk, Netta Hirsjzon zal geen gelegenheid voorbij laten gaan,' zei Gabi. Ze kwam met snelle pas aangelopen, positioneerde zich tegenover de demonstranten en begon te roepen: 'Schaam je! Verra-

ders van Israël! Basta! Jullie heerschappij is voorbij! Jullie hebben je
kans gehad en die heeft tot deze catastrofe geleid. Peres, Rabin, Oslo,
jullie hebben het allemaal gehad. En nog durven jullie je mond open
te doen? Wat een gotspe! Jullie moesten je schamen dat je je smoel hier
durft te vertonen, na wat jullie het volk hebben aangedaan!'

Een vrouw reageerde op haar met: 'Landjepikkers! Misdadigers!
Jullie roven het budget voor stadsontwikkeling en armen! Soldaten
moeten hun tijd aan jullie verspillen! Jullie maken ons te schande in
de wereld, dit land heeft genoeg van jullie, kan jullie niet uitstaan!'

Netta reageerde met: 'Slaapwandelaars! Niemand laat zich wat aan
jullie gelegen liggen! Wat een zelfverachting! Wat een inschikkelijkheid
jegens de Arabische vijand! Jullie hebben geen God, jullie hebben geen
toekomst! Rot op, je bereikt hier toch niks, stelletje kolerelijers!'

En de andere vrouw: 'Ik veracht je, je leeft van ons geld, van ons
bloed en onze belastingen, het zijn onze kinderen in dienst die jullie
beschermen, en dan durf je nog te klagen? Kijk naar jezelf, je leert je
kinderen niks anders dan haat en beestachtigheid! Wat is er gebeurd
met *Heel Israël is bevriend?* En met *Heb uw naaste lief als uzelf?* Stop
de haat, stop de afscheidingsmuur!'

En op dat ene punt verschilde Netta niet met haar van mening. Ze
had van Otniël en Chilik gehoord dat de geplande muur inbreuk zou
maken op de landerijen van hun nederzetting. En trouwens: die muur
betekende een grens, en dat betekende voortgang in het ontstaan van
een Palestijnse staat op Israëlisch grondgebied, en dat was principieel
al te schandalig voor woorden. 'Ja, stop de muur!' riep Netta, en de
linkse activiste riep: 'De afscheidingsmuur mag hier niet komen!' terwijl de koloniste gilde: 'De afscheidingsmuur mag hier niet komen!'
Heel even waren beide dames verenigd, als uitersten die elkaar ontmoeten in een cirkel, maar de saamhorigheid werd ras verstoord toen
er een soldaat op de demonstrante afliep en de demonstrante schreeuwde: 'Hoe heet je, stuk stront, je mag me niet aanraken!'

Netta keek toe hoe ze wegliep, ondertussen met zachte stem, haast
als tegen zichzelf mompelend: 'Jullie hebben geen God' en: 'Ga terug
naar waar je vandaan kwam.' Ze keek op haar horloge en haastte zich
huiswaarts voor een mani-en-pedicure-voordat-het-sjabbat-is, die ze
afgesproken had met een klant in Maälè Chermesj A.

Afgezien van Netta en haar opponente was het een kalme demonstratie. De soldaten die uit de voorpost waren gekomen, hadden niets te doen. Toen de menigte zich verspreidde, volgde Ronni de aantrekkelijke demonstrante. Hij zag hoe ze op de Palestijn toeliep die eerder naar haar had gekeken. Klootzak. Welke deal werd daar gesloten? Ronni kwam dichterbij. De vrouw betaalde de Palestijn en pakte een groot blik. En nog iemand in een shirt met STOP DE BEZETTING haalde biljetten tevoorschijn en ruilde die voor een groot blik. Hij kwam nog dichterbij. De behaloze dame keek hem aan en hij beantwoordde haar blik. 'Schaam je,' snauwde ze en liep weg. De Palestijn volgde haar enkele seconden met zijn blik, keek Ronni vervolgens aan en knipoogde.

'Wat zit daarin?' vroeg Ronni, naar de blikken van de Palestijn knikkend.

'Olijfolie, bijna voor niks,' zei de Palestijn.

'Hoeveel is bijna voor niks?'

'Achttien liter, driehonderd sjekel.' Snel maakte Ronni een berekening in zijn hoofd. Iets meer dan vijftien sjekel per liter, minder dan vier dollar. Echt goedkoop.

'Kun je er tweehonderdvijftig van maken?'

De Palestijn glimlachte. 'Nee. Driehonderd sjekel. Dat is bijna voor niks.' Ze keken elkaar aan; Ronni hield zijn blik vast in de hoop dat de Palestijn zou toegeven. Hij dacht terug aan een college aan de School for Business Management in New York, waarbij de docent had gezegd dat elke zakelijke onderhandeling, of het nou afdingen op de markt was of een fusie van grote bedrijven, een duel was met lichaamstaal als doorslaggevende factor. De Palestijn beantwoordde zijn blik en liet niet af.

'Hoe heet je?' Ronni trok een wenkbrauw op richting de olijfboer.

'Moessa Ibrahim,' zei Moessa Ibrahim. Het was een compacte man met een witte snor en dito haar, dat hoog op zijn schedel begon en een groot contrast vormde met zijn gebruinde huid.

'Klasse. Ronni Cooper, aangenaam,' zei Ronni Cooper en hij stak zijn hand uit. Moessa schudde die. 'Dus je zegt dat ik je onder de juiste omstandigheden naar beneden krijg tot tweehonderdvijftig?'

Moessa glimlachte. 'Heb ik gezegd dat er omstandigheden zijn?'

Ronni haalde zijn portemonnee tevoorschijn, een portemonnee die hij eens in New York in de sneeuw had gevonden, en deed die open. '*Wallah*, broeder, kijk, mijn laatste sjekel spendeer ik nog aan die olijfolie van jou.' Hij kwam op exact tweehonderdtweeënnegentig sjekel uit in biljetten en munten, en haalde verontschuldigend zijn schouders op. Misnoegd nam Moessa de handvol aan en Ronni laadde het blik op zijn schouder en keerde zich om.

Sjabbat

Sjabbat daalde over de heuveltop neer als een hoofddoek op haar: zacht en aangenaam.

De soldaten gingen rusten. De linkse activisten gingen weg. Het bestelbusje van Moran, de groothandelaar, was westwaarts gereden met in de laadruimte de kratten asperges, champignons, cherrytomaatjes, rucola en dozen met yoghurt en geitenkaas; allemaal voorzien van het merk 'Boerderij Gitít', vernoemd naar de oudste dochter van het geslacht Asís, en Morans adres in Sjomron.

Samen met de slungelige Jakir Asís viste Gabi een groot zeildoek op met daarop STOP DE UITBREIDING VAN NEDERZETTINGEN MET PERMISSIE VAN DE REGERING; die zouden ze gebruiken om de velden van Otniël mee te omheinen, waar al zeildoeken hingen met STOP DE BEZETTING en TWEE STATEN VOOR TWEE VOLKEREN, als reactie op het grote doek met N NA NACH *NACHM* NACHMAN ME'OEMAN dat door de Palestijnen uit Charmisj gebruikt werd bij de olijfoogst.

Sjabbat vlijde zich over de heuveltop als een sluier over de schouders van een bruid, even geruisloos en luchtig.

Met een blik van achttien liter olijfolie dat in zijn schouder sneed, begaf Ronni zich naar de caravan van zijn broer. In de lucht rook het naar eten dat gekookt werd. Het vluchtige geritsel van de weekendbijlagen weerklonk. Een klein meisje dat in een hangmat in zoete slaap gewiegd was. De honden Condoleezza en Beilin kluivend op een bot. Uit een gezinsauto vol kinderen en tassen kwam een bezoekend gezin gerold dat ergens vandaan gekomen was om de sjabbat op de heuveltop door te brengen.

In Gabi's caravan werden de laatste wereldse handelingen verricht

– het mobieltje werd uitgeschakeld, de warmhoudplaat ingeschakeld, schakelaars werden aan- of uitgedaan, het toiletpapier werd in losse velletjes gescheurd – voor de eerstvolgende vijfentwintig uur. De sjabbat naakte op het moment dat de generator uitviel. De generator viel uit en kwam weer tot leven, luttele minuten voor tijd. Het alarm uit verafgelegen wijken dat aangaf dat sjabbat in ging, was nauwelijks te horen. Sjabbat daalde neer, als de ondergaande zon, vergezeld van fluisterende winden.

'Wa's dat?'

'Achttien liter voor tweehonderdnegentig sjekel, een goeie deal,' zei Ronni. 'Van mij, broertje, je mag zoveel gebruiken als je nodig hebt. Dit is genoeg voor maanden.'

'Ik dacht dat je geen geld had. En opeens geef je driehonderd sjekel uit aan olie?'

Ronni haalde een sigaret uit zijn hemelsblauwe pakje. 'Ik had het nog precies.'

Verbijsterd keek Gabi hem aan. 'Heb jij je laatste driehonderd sjekel aan olijfolie gespendeerd?! En nu?'

Ronni haalde zijn schouders op en trok een paars biljet uit zijn sok. 'Niet mijn allerlaatste, kijk maar, ik heb nog vijftig over. En nog een paar dollars. Maar ondertussen heb ik een beetje hulp nodig.'

'Maar ik begrijp het niet. Waar moet ik het vandaan halen? Wat ik verdien is precies genoeg voor de caravan en eten. En waarom van de Palestijnen? We hebben hier zelf uitstekende, Hebreeuwse ambachtelijke olijfolie. Is er soms niet genoeg olijfolie van Joden? Ik heb er wat van in mijn keuken.'

Ronni ging naar de keuken. Hij zocht in de kastjes, tot hij het gevonden had. Het prijsje zat er nog op. Snel maakte hij een rekensommetje in zijn hoofd en sperde zijn ogen open. 'Man! Dat is twee keer zoveel!'

'En dan ook nog vlak voor sjabbat?' ging Gabi verder. 'Je komt zomaar, zonder aankondiging opduiken, vertelt niet wat er aan de hand is en zegt dat je blijft. Ik heb je welkom geheten, maar nu vraag je opeens om geld… Je had toch miljoenen verdiend in Amerika? Wat is daarmee gebeurd?'

Ronni rookte zwijgend en keek naar buiten, naar de olijfgaarden van Charmisj. Zijn hersens waren nog steeds berekeningen aan het maken.

'En ik heb liever dat je niet in huis rookt, zeker niet op sjabbat.' Gabi ging naar zijn kamer en haalde zijn witte kleding tevoorschijn.

Ronni drukte zijn sigaret uit en riep hem na: 'Kijk, ik heb hem uitgedrukt.'

'Waarom ben je hier gekomen?'

'Wil je dat ik ga?'

Gabi liep de woonkamer in, zijn overhemd dichtknopend. 'Nee, ik ben blij dat je hier bent. Maar wat is er gebeurd?'

De broers wisselden een lange blik. Geen van beiden keek weg. Uiteindelijk glimlachte Ronni. 'Ik zei al, helemaal niets. Ik heb gewoon behoefte aan lucht, meer niet.' Aan de glimlach kwam een einde, maar niet aan de blik.

'Waar ben je in verzeild geraakt, Ronni?' De twijfel in Gabi's ogen nam toe. 'Komen ze je zoeken?'

'Nee, nee, geen zorgen. Zo was je altijd al, onnodig bezorgd. Rustig maar.'

Gabi hield aan. 'Ik maak me geen zorgen. Een oog dat ziet, een oor dat hoort en al je handelingen worden opgeschreven. Kom je bidden? Je kunt in ieder geval helpen om het minjan vol te maken, mochten we mensen tekortkomen.'

Ronni glimlachte. 'Tuurlijk. Wat een vraag. Ga nou maar, ik weet waar de synagoge is. Ik trek alleen even een overhemd aan en dan kom ik ook. Begin maar vast zonder mij.'

Toen de deur van de caravan achter Gabi dichtviel, stond Ronni op, liep naar het raam naast de deur, lichtte het gordijn op en zag zijn broer het pad af lopen. Een alziend oog, een horend oor, waar liep hij over te neuzelen? Hij grinnikte. Hij ging terug naar de woonkamer, linea recta naar de plank waarop zijn broer de mobiele telefoon had neergelegd. Ronni zette het apparaat aan, ging op de bank zitten, de telefoon in zijn hand, en kneep zijn ogen stijf dicht. Hij probeerde zich een nummer te herinneren dat hij al heel lang niet gebruikt had. Ten slotte toetste hij het in.

'Hallo.'

'Ariël? Ronni hier.'

Een pauze van drie, vier seconden. 'Ronni!? Wat? Waar ben je? Ongelofelijk, *ja allah*. Ben je op bliksembezoek?'

'Ja. Nee... Doet er niet toe. Ik leg het je nog weleens uit, ik heb nu een beetje haast. Alles goed met je?'

'Typisch jij, ja allah.'

'Ben je nog steeds getrouwd? Nog steeds bij het kantoor? Nog steeds op zoek naar investeringsmogelijkheden?' Ronni wist dat de antwoorden bevestigend zouden zijn; Ariël was een van de meest stabiele mensen die hij kende. Behalve wat haarverlies en het krijgen van kinderen was bij hem alles zoals het altijd al was. En daarom had hij hem gebeld. Hij was een kleurloze accountant, hoorde niet bij de kringen uit Tel Aviv waaraan Ronni wilde ontsnappen. Ariël woonde trouwens in Herzelia.

'Heb je een investeringsmogelijkheid?' vroeg Ariël. Ronni glimlachte bij zichzelf.

'Driehonderd sjekel voor achttien liter olijfolie, is dat een goeie prijs?'

'Ik zal het nakijken. Is het goeie olijfolie?'

'Wat heet goed? De crème de la crème onder de olijfoliën. Rechtstreeks uit de boom getapt.'

'Biologisch? Biologisch doet het goed momenteel.'

'Natuurlijk. Oorspronkelijk biologisch.' Ronni keek naar het etiketloze blik.

'Van welke perserij?'

'Perserij? Ronni en Moessa BV. Wat heet een perserij?' zei Ronni.

'Moessa? Waar zit je? Goed, gun me een paar minuten, dan kom ik bij je terug. Je hebt me nogal overvallen op vrijdagmiddag, maar ik weet wel iemand die ik kan bellen. Wacht even.'

Ronni scharrelde ondertussen in zijn koffer en vond een net overhemd. Op het toilet rolde hij deodorant in zijn oksels, spoot wat parfum op en trok het overhemd aan.

'Een schijntje,' meldde Ariël toen hij terugbelde. 'In Tel Aviv kost goede olijfolie de consument minstens veertig sjekel per liter, en er beginnen olieboetiekjes te verschijnen, heb je die daar gezien? Het is waanzinnig. Ik heb een vriend die in zo'n winkel meedoet, zo'n olijf-olieboetiek. Aan de Rothschild. Ken je het?'

'Ik ben al jaren niet in Tel Aviv geweest, Ariël. Daarom bel ik jou juist.'

'Kort en goed, hij zei tegen me dat ik tien stuks moest laten komen, om daarmee de markt te verkennen. Ronni en Moessa, zei je? Waar zitten die?'

'Luister. Ik weet niet of ik op korte termijn tien stuks kan organise-ren. Laat me hier even met de mensen praten. Dan zien we wat ik kan doen.'

'Maar echt lekker? Biologisch? Puur? Helemaal virgine of extra vir-gine, of hoe dat ook moge heten?' vroeg hij.

'Ik spreek je later nog, Ariël. Ik moet gaan.'

Sjabbat daalde neer over de heuveltop als regen, vol en vers.

Terwijl Ronni flink doorstapte zag hij niemand, maar het gezang van de gebeden leidde hem naar het grote gebouw in het midden van de nederzetting dat uit twee met elkaar verbonden caravans bestond. Daarbuiten heerste absolute stilte, alleen een windvlaag liet soms een zeil flapperen.

De beide delen van de synagoge waren vol leven en gebed. De man-nen, met hun lange baarden, wapperende tsietsiot, hun keppels die in grootte geëvenaard werden door hun gelukzalige zelfverzekerde glim-lach, baden in rap tempo. Hij herkende Gabi vooraan, dicht bij de Torarol, verzonken in zijn God, krachtig van voor naar achter wiegend: dit was geen gebed, maar een gesprek, een kreet, een huilbui, een ex-tatisch applaus. Een staat van vervoering waardoor een mens van zichzelf losraakte. Even leek hij te huilen, te lachen, zijn gezicht vol lijden, dan weer vol vreugde. Vanaf de achterste banken bekeek Ronni zijn broer met een mengsel van verwondering en trots. Verwondering omdat de jongen de beste was, de beste van de voorpost in wild gebed; nog even en de hele caravan zou over de kop gaan door alle beweging. En trots omdat de jongen compleet was, gelovig. Hij zag eruit alsof het hem goed ging, alsof hij zijn plek gevonden had. Dat hoopte hij ten-minste.

Na een paar minuten verloor Ronni zijn interesse. Hij kon het gebed niet volgen. Hij glipte naar buiten, beheerste zich, stak geen sigaret op en stond naar de spelende kinderen te kijken. Een jongetje vroeg wie hij was. 'Ronni,' zei hij. 'En jij?' 'Chananja Asís,' antwoordde het kind. Chananja Asís keek nieuwsgierig naar Ronni's niet-witte kleding en de stoppels op zijn gezicht. 'Hoe oud ben je?' vroeg hij. 'Veertig-en-een-half. En jij?' 'Veertig-en-een-half? Van wie ben jij de opa?' Ronni moest lachen.

Toen hij terugkeerde naar de achterste banken, hoorde hij twee bebaarde mannen met gedempte stem praten over Mamelstein en de burgerautoriteiten. Ronni bladerde door de sjabbatsbrieven die over de tafels verspreid lagen. Ineens stonden de bebaarde mannen op en begonnen samen met alle anderen te zingen. Ronni ging staan zodra zij gingen staan, en ging zitten als zij dat deden. Binnen de kortste keren hield hij zijn pogingen de meute te volgen voor gezien, want hij realiseerde zich dat het niemand wat kon schelen. Hij genoot van de synagoge, hij bladerde in de sjabbatsbrieven, keek geïnteresseerd naar de biddende mannen en werd getroffen door de mengeling van gemeenschaps-kuddegedrag (allemaal zingend, allemaal wiegend in gebed, allemaal in het wit gekleed) en individualisme (in de kleding, het keppeltje, de bewegingen bij het bidden, de manier waarop ieder zijn ogen bedekte bij het 'Sjma Jisraël').

Er was een etmaal verstreken sinds hij de Verenigde Staten ontvlucht was. Hij glimlachte vermoeid, liet de herrie die de afgelopen maanden in zijn hoofd gezoemd had langzaam afnemen. Hij zou hier een tijdje blijven. In de natuur tot rust komen, uitrusten. Misschien kon hij eens kijken wat er te doen viel met die Moessa en zijn olijfolie? Misschien kon hij de nieuwe caravan betrekken die op de voorpost was gearriveerd? Hij sloot zijn ogen terwijl om hem heen de mannen luidkeels en steeds luider hun God toezongen. Ja, dacht hij. Dat is wat hij zou doen. Alle rotzooi achter zich laten. Hij had geen haast om ergens naartoe te gaan. Hij moest eerst zijn leven weer op orde krijgen.

Er klonk een vrolijke melodie, een chassidisch lied. In eerste instantie opende Ronni zijn ogen niet eens; voor hem mengde het zich met het gebed, maar toen voelde hij het: eerst de verandering van sfeer, de verbijsterde blikken van de biddende mannen, en daarna het trillen in zijn zak. Hoe kwam die telefoon daar? En wie belde er op sjabbat-avond? Met een geschrokken blik overzag hij de synagoge. Zouden ze weten dat hij het was? Zouden ze de beltoon herkennen als die van Gabi? Ja, natuurlijk wisten ze het. Hij liet zijn hoofd hangen, stond op en haastte zich naar de deur, terwijl de melodie – later zou hij ontdek-ken dat het 'Er brandt een vuur in Breslau' van Israël Dagan was – steeds luider werd en de blikken in zijn nek brandden.

Eenmaal buiten nam hij op. Het was Ariël. Hij had nog eens nage-dacht over het idee en het leek hem een knaller. Wanneer kon hij komen om de olie te zien en te proeven, vroeg hij.

KORTSLUITING IN DE BOVENKAMER

De torren

Iedere zomer werd de kibboets onder de voet gelopen door zwarte torren. Stevige kevertjes, met zes of acht dunne pootjes, hij wist nooit precies hoeveel poten spinnen of kevers hadden, die over de grijze betonnen paden marcheerden; om een of andere reden liepen ze daar liever dan op het gras, net als de mensen. Ze stonken enorm, een zware stank; misschien scheidden de beestjes iets af, misschien was het de geur van de ongelukkige slachtoffers die onder de laarzen van de kibboetsbewoners waren platgestampt of anderszins aan hun eind gekomen. Achteraf bezien waren er twee dingen die in het geheugen waren blijven hangen: de enorme stank en het buitengewone schouwspel van honderdduizenden zwarte lijfjes op het kale, gladde beton tussen de huisjes, die kamers genoemd werden, en de prachtige gazons die door papa Jossi met het team van de groenvoorziening werden verzorgd.

Van zijn vader en moeder daarentegen had hij geen enkel beeld, geen enkele geur of klank om zich aan vast te klampen, slechts biologische feiten. Namen, leeftijden, doodsoorzaak, lengte, haarkleur. Waar kwam die vloed kevers vandaan? Van de berg, zei mama Gila. En waarom kwamen ze naar de kibboets? Om eten te zoeken, om schaduw te zoeken, zei papa Jossi. Mama Gila en papa Jossi – in tegenstelling tot een echte moeder en vader. Het was nooit een geheim geweest, nooit een slepende geschiedenis weggemoffeld tot op zekere dag, als hij op tienerleeftijd is, de man-van-wie-hij-dacht-dat-het-zijn-vader-was hem meeneemt voor een ritje en hem vertelt dat hij niet zijn vader is. Geen geschiedenis van paniek afgewisseld met tranen: waarom hebben jullie het me niet verteld? Dit was niet een verhaal van kinderen die achter je rug smiespelen en ginnegappen tot op een dag een van hen met een vleugje nieuwsgierigheid, misschien wreedheid, tegen hem zegt: Weet je, mijn vader heeft me bezworen het niet aan je te vertellen, maar hij zegt dat jouw vader en moeder niet jouw echte vader en moeder zijn, waarna hij in huilen uitbarst en vraagt: Hoezo, mijn vader en moeder zijn niet mijn echte vader en moeder, dat kan toch niet? Om daarna naar huis te gaan om het te gaan vragen. Dan kijken ze elkaar aan met een blik van: het moest er een keer van komen, we konden het niet tot in eeuwigheid geheimhouden, en papa die zijn hand vasthoudt en tegen hem zegt: 'Gabi, moet je luisteren.'

Nee, zo'n verhaal was het niet. Mama Gila en papa Jossi hadden vanaf het begin mama Gila en papa Jossi geheten, geen mama en papa, en de achternaam van Ronni en Gabi was altijd Cooper geweest – tot Gabi hem jaren later verhebraïseerde – en ongeveer gelijk met de eerste woorden die ze hoorden, hadden Ronni en Gabi vernomen hoe het met hun echte ouders zat.

Hij herinnerde zich hoe zijn broer Ronni 'Mama Gila! Mama Gila!' riep, toen hij hem had gevonden aan de andere kant van de rondweg die parallel aan het hek van de kibboets liep, waar de pruimenbomen stonden. Hij had twee levende, zij het gehavende, kevers in zijn mond. 'Mama Gila! Mama Gila! Gabi eet kevers!'

'Wát?!' klonk een gil uit het huis. Het moet haar nagegeven worden dat ze vlug reageerde; eerst door te gillen en vervolgens in haar nacht-pon naar buiten te rennen om hem in haar armen te sluiten. Ze werd niet boos, ze gaf hem geen tikken op zijn bips, ging niet tekeer over de grote broer die niet op zijn broertje had gepast, maar spoelde gauw Gabi's mond uit, gaf hem daarna sap en een snoepje tegen de nare smaak en keek hem aan. Hij glimlachte naar haar, doodgemoedereerd, misschien wat nieuwsgierig, waarop zij in een verbijsterde lach schoot.

Toen papa Jossi thuiskwam, tilde hij de peuter op in zijn gebruinde armen van het werken in de zomerzon en zei: 'Wat hoor ik nou, kleine kannibaal?' De kleine Gabi kon nog niet praten, maar lachen kon hij wel en dat is wat hij deed. Nadien noemde papa Jossi hem af en toe 'kannibaal' en dat gebeurde steeds vaker toen hij bloederige steaks begon te verorberen die papa Jossi op de barbecue klaarmaakte met Onafhankelijkheidsdag en andere feestdagen in het voorjaar, en zelfs nog toen hij een paar jaar later vegetariër werd na een incident waarbij nog een paar zwarte torren in zijn mond terechtkwamen, van de-zelfde soort als hij die ene dag opgegeten had. Papa Jossi komt thuis na het werk, tilt de kleine Gabi op, noemt hem kannibaal en alle ge-zinsleden lachen voluit: het plaatje van een warm gezin uit de jaren zeventig van de vorige eeuw.

Zijn eerst herinnering is die van de torren in zijn mond, en ook de volgende herinneringen hebben te maken met zijn mond. Er was altijd wat met zijn mond. De roze beugel bijvoorbeeld, die zijn bovenlip naar voren drukte zodat zijn tanden konden doorkomen. Het was een heel bijzondere beugel die niemand nog kende, ook de taaljuf niet. 'Gabi Cooper, heb je kauwgom in je mond?'

'Nee, juf.'

'Wat heb je daar dan?'

'Het is geen kauwgom, juf.'

'Kom hier en laat me eens zien wat het is.'

Hij liep van zijn stoel naar de juf, trok zijn lip naar voren om haar de roze plastic beugel te laten zien en probeerde ondertussen te zeggen: 'He his geen kauwgov, juss,' daarbij het geginnegap van de andere kin-deren zo veel mogelijk negerend.

Ringen, bruggen, alle soorten rechttrekkers, blokbeugels, nachtbeu-gels, buitenboordbeugels, die helemaal over je hoofd heen gingen – ook zo een had hij gehad, en de sluiting was met spijkerstof overtrok-ken zodat het er stoer uitzag. Ja, stoere, zevenjarige Gabi, met zijn slotjes en een met spijkerstof beklede beugelband, die helemaal niet leek op een beugel, maar meer op een lampenkap die elk moment aan het plafond gehangen kon worden, met in het midden een bungeldend verlichtingselement dat Gabi Cooper heette en met zijn blinkende, zij het scheve tanden de kamer moest verlichten. Er staan beelden in zijn hoofd gegrift om heel verschillende redenen: de reisjes met mama Gila naar de orthodontist die eens in de week een naburige kibboets aan-deed, of naar Kirjat Sjmona of zelfs naar Haifa, voor verdere behande-ling; hoe hij samen met Ronni over de paden in de kibboets liep op weg naar het zwembad of de eetzaal; Sjimsjon Cohen, naar de kibboets teruggekeerd na een gevangenisstraf van tien jaar omdat hij iemand had vermoord tijdens een ruzie in het leger, die ze tegenhoudt, Gabi aankijkt en glimlachend zegt: 'Wat is dat? Een vogel?'

Sjimsjon Cohen was tegen de tijd dat hij vrijgelaten werd de meest besproken figuur in de kibboets. Het merendeel van de kinderen konden zich hem niet herinneren – ze waren nog niet eens geboren of nog heel klein toen hij de gevangenis in ging – maar allemaal kenden ze het verhaal en in de dagen voor zijn vrijlating groeide de angst in de harten van de kibboetskinderen, en om eerlijk te zijn ook in die van de volwassenen, tot ongekende hoogte. Zijn terugkeer verliep probleemloos en iedereen zei hoe rustig en vriendelijk hij was en hoe goed hij eruitzag. En iedereen had het over de videorecorder die iemand voor hem uit Libanon had meegebracht, en hoe niemand in de gemeenschap daar iets van durfde te zeggen, hoewel er mensen waren die vonden dat hij het videoapparaat naar de televisiezaal zou moeten brengen, want wat was dat nou, dat hij zo in zijn eentje in zijn kamer zat te kijken, om maar niet te spreken van de geluiden die dat apparaat voortbracht. Ronni en zijn vriend Tsiki hadden het gehoord, toen ze het hadden gewaagd 's nachts onder zijn raam te gaan luisteren, en zij waren niet de enigen.

Daar stond Sjimsjon Cohen, gekleed in een wit hemd, met zijn krullen, tatoeages op zijn schouders, lang voordat iedere jongen zijn schouder liet tatoeëren, en stoppelige wangen. Hij beantwoordde in alle opzichten aan de mythologie, aan de meest angstaanjagende fantasieën. De man die met zijn eigen handen een andere man vermoord had, omdat hij hem kwaad gemaakt had. Dus wat kun je tegen zo'n vent zeggen, een week nadat hij uit het gevang gekomen is, als jij elf bent en hij vraagt of je zevenjarige broertje een vogel is?

'Ja,' zei Ronni tegen hem.

Sjimsjon had gelachen en gevraagd: 'Wie zijn jullie?' Ronni had met trillende stem geantwoord en Sjimsjon Cohen had even nagedacht en gezegd: 'Ah ja, de kinderen die... en zo.' Ronni had geknikt, met tranen in zijn ogen, en ten slotte had Sjimsjon hem over zijn bol geaaid en gezegd: 'Pas goed op die vogel, hè?' En Ronni had opnieuw geknikt.

Sindsdien had de vrijgelaten gevangene, telkens als hij Gabi zag, hem een brede glimlach geschonken en liefdevol in zijn wang geknepen, maar waar Ronni's hart nog steeds op hol sloeg elke keer als hij de schorre stem hoorde of de grote tatoeage zag, benaderde Gabi hem als een van de volwassenen, en zelfs een van de aardigeren.

Torren, stank, gloeiende hitte onder blote voeten en een zwembad in de zomer. Modderige laarzen, stromende regen en straalkacheltjes in de verblijven van de kinderen in de winter. Beugels, de districts-school, uitstapjes naar de Golanhoogte, mama Gila, papa Jossi, hun kamer en Sjimsjon Cohen. En: Ofirs Jemenitische vader die, als het zijn beurt was om de kinderen naar bed te brengen, de kinderen voor-las uit Russische geschiedenisboeken, die van zichzelf het idee had dat zijn stem slaapverwekkend was, maar die Gabi angst aanjoeg. En dan rende hij midden in de nacht altijd van zijn kinderkamer naar die van Ronni, die hem half slapend in bed nam en dan vielen ze met de armen om elkaar heen in slaap. En: opstaan als de naar-bed-brenger-van-dienst was vertrokken in de overtuiging dat ze allemaal sliepen, en dan koffie maken en popcorn in een koekenpan op een gasbrandertje tot alle korrels uit elkaar spatten in slordige bloemkooltjes. En: je opslui-ten in de koelcel bij de eetzaal, 's nachts met de tractor naar de prui-menboomgaard rijden, of tampons stelen van de meisjes om die in een glas water te hangen. Niemand kon beweren dat ze geen gelukkige jeugd hadden gehad.

De duikplank

In de grote vakantie tussen de achtste en de negende klas werkte Ronni Cooper in de koeienstal. Dat was de populairste werkplek in de kib-boets en hij had zich er vrijwillig voor gemeld, uiteraard, en werd geaccepteerd vanwege zijn gebruinde, zich ontwikkelende spierbun-dels, de ernst die hij toonde en zijn basketbalvaardigheden. Daardoor was de kibboets opgeklommen in het jeugdklassement van Opper-Galilea en was hij de ster van de kibboets geworden, wat vooral indruk had gemaakt op Baroech Sjani, de secretaris van de koeienstal en fervent basketbalfan. Het was de zomer waarin Orít, Ronni's klasge-note en het mooiste meisje dat hij kende, haar maagdelijkheid verloor – met beleefde dank aan deze zelfde Baroech, die twee jaar eerder af-gezwaaid was uit een commando-eenheid van de Generale Staf. Het gebeurde op een zomerkamp aan het strand van de kibboets aan het Meer van Kinneret, bij de bananenplantages. Ronni Cooper was een van de weinigen die weet had van de zich ontwikkelende romance tussen de drieëntwintigjarige man en het veertienjarige meisje, omdat hij haar in het holst van de nacht in zijn slaapzak had zien glippen. Hoewel Ronni zijn maagdelijkheid die zomer niet verloor – meisjes waren daar over het algemeen vroeger mee dan jongens – veranderde hij in de koeienstal onder leiding van Baroech in een jonge vent. Zijn broertje, een kind nog, hoorde de heldendaden vol bewondering aan: onderhoud van de omheiningen, het drenken van de kudde op bloedhete dagen, bemesten en zaaien, een koe in beweging krijgen die midden op de steile kronkelweg van Teverja naar Galilea was blijven staan. Ronni stond iedere ochtend om half vijf op en reed mee in de auto van de koeienstal naar de weidegronden van de kibboets. Om zeven uur kwamen ze allemaal ontbijten in de eetzaal en daarna gingen ze terug naar de weide. Met het middageten kwam iedereen weer naar de eetzaal en om drie uur ging Ronni slapen, behalve op basketbaldagen, want dan gaf Baroech hem eerder vrij. Schoolkinderen werkten uiteraard alleen in de vakanties op de afdelingen van de kibboets, maar soms als het druk was vlak voor de slacht of als er nieuwe kalveren werden opgenomen, haalde Ronni Baroech over om ook op schooldagen een beroep op hem te doen.

Die zomervakantie had Gabi nog een beugel. Het waren de laatste twee jaren van het meerjarige orthodontieproject; het zwaarste deel had hij al achter de rug. Tegen het eind van de vakantie, toen de vakantiereizen en zomerkampen voorbij waren, was de oplettendheid van de volwassenen op een dieptepunt. Ze hadden het warm, ze hadden het druk, ze wilden alleen maar in hun kamers vertoeven met de aircoapparaten die die zomer aangeschaft waren – niemand begreep hoe ze ooit zonder hadden gekund. En de kinderen die buiten rondrenden zonder airco maakten er het beste van in die laatste dagen van de vakantie en zwierven rond. De maanden van niet-aflatende hitte had hun brein tot haast ondraaglijke hoogte opgekookt. De asfaltwegen zinderden en ook op de grijze betonnen paden kon je niet met blote voeten lopen. Gabi en zijn vriendjes Jotam en Ofir liepen op blauw-wit gestreepte slippers, met grote handdoeken over hun schouders en enkel de driehoek van een zwembroek aan hun tengere, gebruinde lijven. De warmte plakte aan hun huid. Jotam keek strak naar het pad en probeerde op zo veel mogelijk kevers te trappen. Ook die waren aan het eind van hun vakantie, aarzelend, tuimelend, hun walgelijke stank zo sterk dat het niet meer stoorde, zo sterk dat niemand – afgezien van een toevallige bezoeker – er zelfs nog maar op lette. Jotam was aan het tellen sinds ze uit de eetzaal gekomen waren: elf, twaalf, dertien. Ofir zei: 'Ik had die idioot een opdoffer moeten verkopen,' en Gabi voelde hoe zijn gezicht rood werd en de woede weer opkwam, maar hij zei alleen maar: 'Hij krijgt zijn verdiende loon nog wel, maak je geen zorgen.'

'Tuurlijk,' zei Ofir, 'hij heeft erom gevraagd.'

'Veertien en vijftien met één stap,' zei Jotam.

Ofir zei: 'Ik had hem de hüttenkäse in zijn gezicht moeten smeren.' Gabi dacht: waarom heb je dat dan niet gedaan?, maar zei niks. De grote duikplank, drie meter beton, kwam in zicht en vanuit de verte was een figuur te zien die vanaf de rand een achterwaartse salto maakte.

'Wie springt daar?' vroeg Gabi.

'Ik geloof dat het die ene vrijwilliger is, je weet wel,' zei Ofir.

'De vriend van Orít,' zei Jotam.

'Hij is haar vriend niet,' antwoordde Ofir.

'Hoe weet jij dat?'

'Wedden?'

Die ene jongen, Ejal, stond bij de hüttenkäse. Wat heeft die, vroeg Gabi zich af. Waarom staat hij zo stokstil? Staat hij na te denken over hoeveel hüttenkäse hij zal opscheppen, of zomaar te dromen? Hoe dan ook, hij hoeft er niet aan de grond genageld te staan. In welke klas zou hij zitten?

'In welke klas zit hij? vroeg Gabi naderhand, op weg naar het zwembad.

'Wie?'

'Ejal.'

'Die gaat naar de tweede, hij zit bij mijn zus in de klas.'

Dus Gabi had gewacht tot Ejal in beweging kwam en toen had Ofir hem een zet tegen zijn schouder gegeven, een zet die pijn deed.

'Wat wil je?' Gabi had zich geïrriteerd naar Ofir omgedraaid. 'Hoe zit het? Waarom loopt niemand door? Wat is er met die hüttenkäse?' De formica dienbladen met houtopdruk stonden zij aan zij op de metalen plank voor de grote bakken met eten. Op hun bladen stonden blauwe borden met afgekoeld, hard geworden roerei dat aan de randen al begon te verkleuren, een tomaat en een komkommertje, en een bestek. Alleen hüttenkäse ontbrak aan het perfecte ontbijt. 'Schiet es op,' zei Ofir. Gabi gaf de jongen, Ejal-die-naar-de-tweedegaat, een zet tegen zijn schouder.

'Hé! Wat wil je, knaagtand?' reageerde Ejal en hij keek Gabi strak aan. Naderhand hing Ofir de grote held uit en vroeg zich af waarom hij hem de hüttenkäse niet in zijn gezicht had gesmeerd, maar in werkelijkheid hadden Jotam en hij voornamelijk staan gniffelen op het moment dat het gebeurde en afgewacht hoe Gabi zou reageren. Alsof ze niet zijn vrienden waren, alsof die brutale vlegel het niet tegen alle drie de jongens, drie jaar ouder dan hijzelf, had gehad. Maar ze giechelden en Gabi zei: 'Wat zei je?' De jongen zei: 'Knaagtand,' en bleef hem aankijken. Zonder angst. Gabi gaf hem een zet tegen zijn schouder, maar niet hard genoeg want de jongen wist overeind blijven en te zeggen: 'Hé, goed hoor, wacht even, knaagtand, ik pak alleen maar wat hüttenkäse, even geduld,' waarop Ofir en Jotam weer moesten lachen en Gabi, uit pure verwarring, geduldig bleef wachten. Hij was rood aangelopen, en Ejal, die zich gesterkt voelde door het gegiechel, zei: 'Hüttenkäse blijft toch aan je beugel hangen, dus wat wil je nou eigenlijk?' en voegde eraan toe: 'Knaagtand.' Een paar vriendjes naast hem probeerden hun lachen te smoren.

'Vijftien,' rapporteerde hij Jotam toen ze al vlak bij het zwembad waren.
'Vijftien had je al gehad,' zei Ofir.
'Ja? Zestien dan.'
'Joh, hoe komt het dat die idioot geen opdoffer heeft gekregen?' herhaalde Ofir. Gabi's oren waren nog steeds rood.

In de eetzaal nam Ejal hüttenkäse en daarna schepte Gabi zijn bord op, naast het roerei, en ging zitten. Ofir en Jotam deden hetzelfde en namen naast hem plaats.

'Zag je die brutale aap?' zei Ofir toen hij was gaan zitten, alsof hij het antwoord niet kende, alsof hij niet wist dat iedereen hem had gezien, en ook gehoord, die brutale aap, alsof Jotam en hij geen deel uitmaakten van Gabi's vernedering.

'Die kinderen hebben geen greintje respect,' zei Jotam en Ofir zei: 'Dat had je niet over je kant moeten laten gaan,' en Jotam zei: 'Knaagtand...' En grinnikte. Ofir grinnikte steeds met hem mee en uiteindelijk grinnikte ook Gabi, al ging dat niet van harte. Na het gegrinnik pelde Jotam zijn kaasdriehoekje uit, beet erin, gooide het zilverpapier van de verpakking in het tafelemmertje en zei: 'Voor het eerst dat ik die gehoord heb.' Zijn gegrinnik ging over in een lach en Ofir deed mee, terwijl Gabi's gegrinnik overging in de glimlach van een boer met kiespijn. Het was natuurlijk niet voor het eerst dat Gabi die gehoord had. Alle mogelijke namen had hij al gehoord: ijzervreter, hekwerk, goudtand, baleinenbek, vogelkooi, Jaws, lampenkap, straalkachel, en ja, knaagtand, beslist een van de populairdere. Maar hij was niet gewend zulke brutaliteiten van een eersteklasser te horen. Waar ging het heen?

We kwamen bij het zwembad, liepen via het zwarte hek naar het grasveld. We passeerden de overdekte badmeestersstoel, waar Orít met haar vrijwilliger zat, en Zahavi en nog een vrijwilliger met een ringetje in zijn rechteroor, die volgens Ronni Omer heette en een homo was, maar daarna werd er gezegd dat hij de vriend was van Dana uit de elfde, dus toen begreep ik het niet meer. We liepen verder, achter langs de springplanken – het lage springplankje van een meter hoog, waar de kindertjes van af sprongen en de drie meter hoge betonnen, waar op dat moment niemand op stond – en we liepen nog verder om de hoek van het zwembad heen naar onze gewone plek, onder een van de acacia's op het gras. We gooiden onze handdoeken neer, schopten onze slippers uit en gingen direct naar de hoge duikplank. Bovenop kon je de achterkant van de sporthal zien en het gestuiter van de basketbal horen, bonk bonk bonk, en het gepiep van de sportschoenen die van richting veranderen op de pvc-vloer, skwiep skwiep skwiep, misschien was het Ronni? Nee, Ronni was bij de koeien, iemand anders was aan het gooien, het bonk bonk springt over naar mijn hoofd, ik heb het warm, de zon is heet, ik heb dorst, maar niks gedronken en daar is hij, daar staat hij met al zijn vriendjes: Ejal, die volgende week overgaat naar de tweede. Ik stond boven op de hoge duikplank, achter Jotam en Ofir, Jotam had zijn telling afgesloten op zeventien dode kevers, ik sta op het randje en kijk naar Ejal, zijn vriendjes kijken naar mij en glimlachen, maar ik kijk strak naar hem en hij glimlacht inmiddels niet meer. Ik kijk niet naar het groenige water, maar recht vooruit, woesj, met een boog duik ik voorover in het water, kom er met druipend haar uit. Jotam en Ofir liggen op hun buik op rietmatten in de zon, maar ik wil nog een keer, ik klim direct de trap van de duikplank op, kom boven, loop langzaam naar de rand, hij en zijn vriendjes springen nu van de lage duikplank, ernaast, en ik doe alsof ik niet kijk, maar kijk ondertussen vanuit mijn ooghoek naar wat daar gebeurt, zie dat hij wat zegt, naar me kijkt en lacht, zijn vriendjes lachen, hij heeft vast iets briljants als 'knaagtand' gezegd, ik wacht, kijk vanuit mijn ooghoek, wacht tot hij in het water springt; als je vanaf de hoge naar links springt, kom je in het gebied van de lage terecht, bonk bonk bonk van de basketbal, het piepende skwiep skwiep skwiep, ik doe een paar passen naar achteren om vaart te maken en schuins zie ik dat Ejal springt; terwijl hij nog in de lucht hangt, neem ik een sprint en spring boven op hem, recht boven op hem, pak aan, stoere jongen, en terwijl ik in de lucht zweef hoor ik niks, geen gebonk en geen geskwiep, alleen het suizen van de lucht in mijn oren, de zon op mijn rug en de waterdruppels die nog van de vorige sprong van me af stromen, ik zweef in de lucht, vouw me op, breng mijn benen naar voren en land op zijn hoofd, ik zal je eens laten zien wat een knaagtand is, haha, grote held, zo grappig toch, knaagtand? Pak aan, die knaagtand zal je eens een lesje leren, hier heb je je verdiende loon, veel plezier in de tweede klas.

De valk

Gabi ging steeds vaker in zijn eentje naar de heuvel aan de andere kant van de rondweg, voorbij het hek en voorbij de pruimengaarden. Jaren vóór zijn nachtelijke eenzaamheid op verafgelegen heuveltoppen, voordat hij wist dat de eenzaamheid de grootste, hoogste deugd was. Destijds had hij andere redenen. Zijn broer Ronni bereikte uiteindelijk de leeftijd waarop het leeftijdsverschil van vier jaar niet meer viel te overbruggen. De jaren waren voorbij dat de grote broer zijn jongere evenbeeld beschermde, hem in zijn bed nam, dat hij kracht putte uit zijn relatie met hem, de alvermogende op het gebied van spreken, begrijpen, de alvermogende met genoeg spierkracht om onweersproken zijn wil op te leggen. Dus bleef Gabi nog kind terwijl Ronni, in ieder geval in zijn eigen ogen, een jonge vent werd en heel langzaam opging in zijn eerste echte meeslepende verliefdheid. Op Jif'at, een meisje van een andere kibboets, die in zijn jaar zat op de regionale school; hij kende haar al sinds de eerste klas, maar in de tiende raakten ze ineens bevriend en werden ze onafscheidelijk. Jif'ats kamergenote op de kibboets bracht haar tijd meestal door bij haar soldatenvriendje in Haifa, dus gingen Ronni en Jif'at na school naar haar kamer en na het avondeten naar een kroeg om bier te drinken en te darten met de vrijwilligers of ze gingen naar optredens van T-Slam in kibboets Ajelet Hasjachar, van Hagasjasj Hachiveer in kibboets Kfar Bloem, van Sjlomo Artsi in Tsamach, van de Bootleg Beatles in de pub van de kibboets of naar thuiswedstrijden van Opper-Galilea met de dodelijk accurate scorer Brad Leaf (Ronni speelde inmiddels niet meer actief, tot groot verdriet van Baroech Sjani en de rest van zijn fans in de kibboets). Jif'at kwam twee of drie keer naar de kibboets, maar Ronni stelde haar niet voor aan zijn broertje of aan mama Gila en papa Jossi.

Die waren er ook zelf schuld aan dat hij zo veelvuldig naar de heuvel ging. De kamer van mama Gila en papa Jossi was geen thuis. Ze woonden er nog wel, deelden een bed en liepen gezamenlijk naar de eetzaal, maar Gabi wist dat ze nauwelijks meer met elkaar spraken. Als ze dat al deden, gebeurde dat meestal schreeuwend en als ze klaar waren met schreeuwen, vertrok papa Jossi op zijn ronde, die – afgaand op wat Gila schreeuwde – ook inhield dat hij bezoekjes bracht op de kamers van vrijwilligsters en arbeidsters van de groenvoorziening, terwijl mama Gila achterbleef in hun kamer om te drinken en te roken.

Zelfs als het ouderlijk huis overliep van harmonie en liefde, bracht Ronni blijkbaar de meeste tijd door in de naburige kibboets en ondernam Gabi tochten naar de heuvel. Want op de leeftijd die Gabi en Ronni nu hadden, veranderde de betekenis van 'stiefouders'. Na een jeugd waarin de notie van 'echt' versus 'stief' geen betekenis had, want mama was mama en papa was papa – die wáren er gewoon – was de tijd aangebroken waarin dat wat stak en diep van binnen pijn deed, een luide, duidelijke stem kreeg: Jullie zijn mijn ouders niet! Het was de leeftijd waarop ook echte kinderen zich vervreemdden en afstand namen, zich afvroegen hoe er zelfs maar de geringste mogelijkheid van een band kon bestaan tussen hen en het stel volwassenen dat deed alsof ze autoriteit over hen kon uitoefenen. Voor adoptiefkinderen was het des te eenvoudiger te rechtvaardigen dat ze afstand schiepen – naar de kamer van een meisje uit de naburige kibboets of naar de heuvel aan de overkant, of waarheen dan ook.

Ook Gabi kreeg een vriendinnetje, Nogá, en ook hij smaakte het genot van zijn eerste kus bij het kampvuur op Lag Baomer achter de tractor naast de verpakkingsloods. Maar een maand later vroeg Jotam hem of hij er bezwaar tegen had als hij haar vriendje werd. Hij zei dat het goed was en sprak niet langer met haar, wat een beetje vreemd was omdat Jotam zijn kamergenoot was en hij haar regelmatig zag. Op een keer stond Jotam te douchen en zat zij op zijn bed te wachten, terwijl Gabi op zijn eigen bed een boek lag te lezen. Op de radio werd het programma van Menachem Perri uitgezonden, *Warme choco*, en die draaide een liedje van de Thompson Twins. Gabi wist dat ze dol was op dat liedje, maar nog steeds zei hij geen stom woord. Hij begreep niet helemaal waarom iedereen wild was van meisjes, hoe Ronni er zó in kon opgaan, onbereikbaar werd en vreemd deed, vanwege een meisje. Dus Jotam ging met Nogá en Ofir ging met andere vrienden om, en de onvervalste waarheid was dat Gabi graag alleen was. Zich afzonderde. Graag langzaam de heuvel op klom, zijn schaduw op de grond bekeek, zich liet vallen in het licht van de zon of de maan of de straatlantaarns. Nadacht. Met zichzelf praatte. Dingen ontdekte en vond.

De valk vond hij op de heuvel. De valk was gewond aan zijn poot, misschien was hij gebeten door een slang? Of misschien had een veel groter dier hem verwond in de strijd? Gabi zag de valk op de grond liggen, met zijn hoofd draaien, met zijn vleugels fladderen. Hij liep ernaartoe en keek ernaar, keek er nog wat langer naar, wist niet wat hij ermee aan moest, ging op een rotsblok zitten en keek. Toen hij zag dat de valk hem niks kon doen, kwam hij een beetje dichterbij, hurkte en stak een vinger uit naar zijn kop. De eerste paar keren trok de valk terug, maar hij kon zich niet echt bewegen. Gabi zag dat zijn poot gebroken was en nadat hij een paar keer geprobeerd had zijn kop te aaien, pakte hij hem voorzichtig op. De valk klapperde paniekerig met zijn vleugels en probeerde zich te verweren, maar Gabi suste hem: 'Sssssj... sssssj' en liep naar beneden naar de kibboets.

Hij bracht de valk onder in een kamer van het kinderhuis die niet gebruikt werd, een magazijntje. Daarna liep hij met Jotam naar de eetzaal en vroeg: 'Hoe komen we erachter wat hij eet?' Jotam zei dat zijn ouders in hun kamer een vogelencyclopedie hadden en als het daar niet in stond, zou hij het aan zijn vader vragen. 'Oké,' zei Gabi, 'misschien kun je die encyclopedie meebrengen, dan kunnen zien we hoe een valk er precies uitziet. Volgens mij is het een valk, maar hoe zou ik dat precies moeten weten, we zien ze immers altijd van ver, in de lucht.'

Toen hij met de valk naar beneden liep, had Gabi nog gedacht het tegen niemand te vertellen, het zou zijn geheimpje zijn en hij zou de valk op spionagemissies sturen en hem boodschappen en briefjes laten brengen aan zijn bondgenoten. Maar die avond prees hij zich gelukkig dat hij het juist aan Jotam had verteld. Niet alleen was zijn vader een vogelaar en had hij een encyclopedie, waardoor ze konden vaststellen of het een valk was en waaruit ze veel konden leren, Jotam herinnerde zich bovendien vagelijk dat er in de berging van zijn ouders een grote kooi stond waarin ooit twee papegaaien hadden gewoond, Pinches en Simches, die zijn vader had toen Jotam nog klein was. Jotam vond hem, een beetje vuil en roestig en helemaal niet zo groot, maar uitstekend geschikt als eerste huisvesting voor de valk, en bracht hem naar hun kamer.

Het bleek dat ze duiven moesten zien te vinden, want valken houden van dat vlees, zei Jotams vader terwijl hij naar de basketbalwedstrijd tussen Maccabi en Squibb Cantù zat te kijken. De encyclopedie gaf nog andere mogelijkheden – duizendpoten, schorpioenen, hagedissen, slangen, kikkers, vleermuizen en sprinkhanen – maar duiven leken Jotam en Gabi smakelijker en makkelijker te pakken te krijgen; er waren duiven op de kibboets, op de daken en op de elektriciteitspalen. Jotam en Gabi haalden hun grootste katapult tevoorschijn, een van de

vele die ze met veel geduld hadden gemaakt van de kleurige geplasti-
ficeerde elektriciteitskabel die op het terrein van de kibboets waren
weggegooid door de arbeiders van het elektriciteits- of het telefoonnet,
en gingen naar het veld naast het kinderhuis. De duiven zaten op de
kabels uit te rusten. De jongens installeerden zich, pelden een manda-
rijntje en begonnen te schieten met propjes mandarijnenschil; nauw-
keurige, snelle projectielen die voorhanden waren.

Ze raakten niks. Jotam stopte een partje mandarijn in zijn mond en
zei: 'Dit werkt niet.' Gabi was het met hem eens en nam twee partjes.
Ze aten in stilte. Boven hen koerden de duiven. 'Wat eet een valk nog
meer?' vroeg Jotam.

'Ingewikkelder beesten dan duiven.'

'Laten we het met steentjes proberen,' stelde Jotam voor en hij pakte
een kiezel.

De steentjes raakten niks. Gedesillusioneerd liepen ze terug naar
het kinderhuis.

Bij het avondeten zag Gabi Ronni. Ronni was alleen en kwam naast
zijn broer zitten. 'Hoe gaat het?'

'Gaat wel,' zei Gabi neerslachtig.

'Wat gaat wel?' Gabi vertelde over hun pogingen om duiven te vangen. 'Waar hebben jullie duiven voor nodig?' vroeg Ronni.

'Die hebben we gewoon nodig,' zei Gabi.

Ronni rook naar sigaretten en zijn haar was lang geworden. Hij
dacht even na en zei toen: 'Goed.' En nadat hij nog wat nagedacht had,
zei hij: 'Ik kom morgenochtend bij jullie langs en dan gaan we duiven
zoeken.'

Ronni arriveerde met de luchtbuks waarmee Tsiki uit zijn klas altijd op
vogels schoot en naar verluidt ook op katten. Ze volgden hem naar
buiten de kibboets, naar een oude karavanserai. Op het dak van de serai
hadden zich tientallen duiven verzameld die af en toe opvlogen en weer
terugkwamen om op de elektriciteitskabels te landen. Ronni kwam zo
onopvallend mogelijk dichterbij, ging stevig staan, legde aan, kolf tegen
schouder, sloot een oog, legde zijn vinger om de trekker en begon te
schieten. Tegen de tijd dat de duiven beseften dat ze in een oorlogs-
zone zaten en vluchtten, waren er al twee pechvogels gesneuveld.

De jongens wisten niet dat je niet zomaar een duivenlijk voor een valk neer moet leggen. De valk keek naar het plompe duivenlijf en vervolgens naar hen. Als hij schouders had gehad, had hij die vast en zeker opgehaald. Als hij lippen had gehad, had hij zeker bête geglimlacht. De jongens vervoegden zich weer bij Jotams vader, die hun uitlegde dat het om het vlees van de duif ging. Ze keken elkaar aan. Logisch. Wie wil er nou veren eten? Maar aan de andere kant: was het niet het werk van de valk om het beest te plukken? In de vrije natuur zijn er immers ook geen koks die het eten voor hem klaarmaken. Toen ze een uur later terugkwamen, verkeerde de duif nog in exact dezelfde staat. De valk had zich er niet aan gewaagd. Gabi pakte de duif, nam die mee naar het grasveld naast het kinderhuis en sneed eerst de kop eraf met het grote zakmes dat Ronni voor zijn bar mitswa had gekregen en aan hem had gegeven, vervolgens de poten en ten slotte de vleugels. Terwijl hij de vogel aan stukken sneed, probeerde hij niet door zijn neus te ademen of te kijken naar wat hij aan het doen was. Jotam bleef achter hem staan. Nu sneed Gabi de buik open, haalde de ingewanden eruit, sneed zo goed als hij kon de borstfilet eraf en ontdeed die van de kleine botjes. 'Breng eens een bord,' zei hij. Hij sneed verder, hoorde hoe voetstappen zich verwijderden en weer terugkwamen en hoe er naast hem een bord werd neergezet. Gauw smeet hij het in stukken verdeelde vlees erop, stond op en bracht het bord met hoog gestrekte armen en bloederige handen naar het kamertje. Hij zette het in de kooi en ging zijn handen wassen. Toen hij terugkwam, was het bord leeg. Als de valk een tong had gehad, was er zelfs geen spoortje bloed achtergebleven.

Ronni liet zich nauwelijks meer zien op de kibboets en toen Gabi hem op zekere dag te pakken kreeg in de pauze op school in het rookhol achter het schoolgebouw legde Ronni hem uit dat hij voorlopig niet op de kibboets zou zijn en dat hij de luchtbuks niet nogmaals kon lenen en ook niet voor Gabi kon vragen, want die was te jong om ermee te schieten. Dus toen de valk het vlees van de twee eerste duiven had verorberd, moesten ze een betere methode bedenken. Met zaden en andere duivenlekkernijen waarover ze hadden gelezen in de vogelencyclopedie lokten ze duiven naar het raam van het magazijntje in het kinderhuis en zodra zich er genoeg hadden verzameld, schrokken ze ze op, zodat ze naar binnen vlogen en dan deden ze het raam dicht. Het leek behoorlijk slim, maar eigenlijk was het tamelijk simpel, want duiven – zo ontdekten ze – waren heel dom. Ze lieten ze een paar dagen in de donkere ruimte om ze blind te maken. Dan ging Gabi de ruimte binnen om een duif te pakken, wat heel gemakkelijk was in die kleine ruimte en omdat ze blind waren, en nam hem mee naar het gele stoppelveld naast het kinderhuis. Hij hield de kop van de duif tussen duim en wijsvinger van zijn rechterhand, hief die arm hoog boven zijn hoofd, maaide er een keer of vier, vijf mee rond om vaart te maken en slingerde zijn arm vervolgens naar voren terwijl hij de kop tussen zijn vingers vasthield. De snelheid rukte de kop van het lijf, dat een meter of vijf à tien verder vloog en met nog fladderende vleugels op de grond neerkwam. Gabi keek dan naar de kop in zijn hand, plantte een lucht-zoen op de snavel en gooide hem weg, waarna hij naar het warme, stuiptrekkende lijf liep en het met zijn zakmes openmaakte, de stukken goed vlees afsneed, op een bord legde en aan de valk voerde. Naar-mate hij meer ervaring en expertise opdeed en koelbloediger werd, nam de hele operatie slechts enkele minuten in beslag. Jotam hielp met het plaatsen van de verlokkingen voor de duiven en het naar binnen jagen. De rest van het werk liet hij aan Gabi over: het vangen, het rondzwaaien, het onthoofden, het weggooien van de kop en het klaar-maken van het vlees.

Het ging zo door tot de jaarcoördinatrice in de klas geruchten op-ving die de meisjes elkaar gruwend vertelden, en die kwam verifiëren. Ze zei tegen Jotam en Gabi dat ze geen valk konden houden op hun kamer, dat ze hem meteen vrij moesten laten en dat het helemaal niet in orde was dat ze er niet mee naar een dierenarts waren gegaan; wie wist wat voor ziekten het dier bij zich droeg en waar hadden ze hem eigenlijk vandaan en dan dat gedoe met die duivenmoorderij – het kon zo niet langer. Toen ze daarna wegliepen, zei Jotam tegen Gabi dat hij toch al genoeg had van die valk en Gabi was het met hem eens. De coördinatrice was precies op tijd gekomen. Ze overwogen hem op de heuvel los te laten, maar dachten dat hij nog steeds last had van zijn poot en dus gaven ze hem aan een kibboets met een diergaarde. Daar-na gingen ze naar het kamertje en verleenden tweevoudig gratie aan de twee blind geworden duiven die daar opgesloten zaten.

De kaak

Niet lang na de valk werd Gabi ontvoerd toen hij in zijn eentje in de richting van de heuvel over het stoppelveld liep. Hij wist niet wie hem ontvoerde. Een man, volwassen, fors, met harige armen en grote handen – dat kon hij allemaal voelen, en de volgende dagen bekeek hij de armen van de mannen in de kibboets nauwkeurig. De ontvoerder dekte met twee handen Gabi's ogen en mond af en hield hem een paar minuten lang stevig vast met een kracht die vele malen groter was dan Gabi's verweer, tot het tot Gabi doordrong dat hij zijn lot maar beter kon ondergaan. Toen liet de ontvoerder één hand los en verving die onmiddellijk door een zakdoek: eerst een in zijn mond en daarna een over zijn ogen. Daarna trok hij Gabi's armen naar achteren en bond die achter zijn rug vast met een tiewrap; Gabi hoorde het aantrekken van het stugge plastic.

Hij werd naar voren geduwd, lopend. Omdat hij meer dan eens in het holst van de nacht door dit gebied had gestruind, wist hij dat hij door de pruimenbomen naar het eind van de boomgaard geleid werd, waar een zandweg liep, en daar werd hij in een open wagen, een pick-up of een jeep, geladen (in de dagen die volgden bekeek hij niet alleen alle harige armen nauwkeurig, maar ook het wagenpark van de kibboets, op zoek naar aanwijzingen). Hij werd naar het zuiden gereden, naar het eind van de plantages en daarna naar de koeienweiden.

De hele rit werd er geen woord gesproken. Hij werd ook niet geslagen. Alleen zijn mond werd volgestopt met zwarte kevers en misschien ook met andere soorten vlees, insecten, zand, stenen, vloeistoffen die roken als urine van bepaalde beesten, kneedbare vaste substanties waarvan de scherpe, geconcentreerde smaak verried dat het misschien om de uitwerpselen van bepaalde beesten ging, en hij werd gedwongen het door te slikken. Zwarte torren in ieder geval, want de volgende dag in het ziekenhuis werden stukjes van hun poten gevonden tussen de beugel die zijn tanden nog altijd sierde, en zo te zien ook een kikker, want in de maagspoeling die werd gedaan, dreef iets dat op een kikkerpoot leek. Hoelang hij ontvoerd was geweest, kon hij zich niet herinneren. Op zeker moment tussen het braken en weer vullen van zijn mond was hij alle gevoel voor tijd en plaats kwijtgeraakt. Hij werd niet geslagen, maar echt zachtzinnig ging het er niet aan toe. Hij wist niet hoeveel mensen het waren geweest, in ieder geval was er de grote vent die hem gevangen had, en een chauffeur, want de vent bleef naast hem zitten tijdens de rit. Misschien waren het er nog meer geweest. Hij probeerde niet te denken aan de dingen die in zijn mond gepropt waren, probeerde hun stank en zurige smaak uit te bannen. Jaren later realiseerde hij zich dat het blinddoeken een zegen was geweest, omdat afkeer van voedsel meestal niets te maken heeft met de smaak, maar met hoe het eruitziet. En toch, ondanks die zegen, besefte hij wat ze aan het doen waren. Hij voelde de mieren op zijn armen en later op zijn tong. De kevers herkende hij, misschien beleefden zijn smaak-papillen een flashback naar zijn experiment als peuter. De rest van de substanties had aangevoeld als dingen die je normaal gesproken niet in je mond stopt – te droog, te glad, te bijtend, maar hij had geprobeerd om niet na te denken, hij at, braakte, at en braakte. Ze hadden hem vastgebonden en geblinddoekt achtergelaten bij de kamer van zijn pleegouders.

De laatste keer dat hij in het Ziv-ziekenhuis was geweest, was ongeveer twee maanden eerder, toen zijn ouders, onderwijzers en ongeveer de hele kibboets hem hadden gedwongen Ejal te bezoeken. Papa Jossi was met hem meegegaan. Ze waren bij het bed gekomen en het enige dat Gabi had gezien waren Ejals ogen, met zwarte cirkels eromheen. De rest van zijn gezicht had in het gips gezeten en zijn lichaam was on-zichtbaar onder de deken in het kinderbed. Het was een paar weken na het begin van het schooljaar geweest en Ejal was nog steeds niet in de tweede klas begonnen, maar de kinderen en zijn onderwijzers kwa-men bij hem aan het bed om hem les te geven, dingen uit te leggen en te vertellen. De ogen waarmee Ejal hem aankeek, stonden koud en uitgeblust. Ze zagen er heel anders uit dan de ogen die hem zo brutaal en overmoedig hadden aangekeken bij de hüttenkäse, toen hij Gabi 'knaagtand' genoemd had. Het vervulde Gabi met blijdschap en tevre-denheid, alhoewel hij zijn best deed dat niet te laten blijken. Ejals vader en moeder, die allebei Jona heetten – een curieuze samenloop van omstandigheden die tot vele grapjes in de kibboetskrant en in de eet-zaal leidden – hadden aan de andere kant van het bed gestaan. Papa

Jossi had hem een por tegen zijn schouder gegeven. Hij had de ouders en daarna Ejal aangekeken.

'Sorry,' had Gabi gezegd en daarna had hij zich niet meer kunnen inhouden en was in lachen uitgebarsten.

Papa Jossi snauwde scherp: 'Gabi!' Ejal wendde zijn blik af, terwijl zijn ouders geschokt met hun hoofd schudden.

Na de ontvoering was iedereen ervan overtuigd dat het een wraakactie was van iemand die Ejal na stond. Een andere reden om op die manier wraak te nemen op Gabi was er niet. Uiteraard deed niemand onderzoek en vond niemand het nodig om aangifte te doen bij de politie. Stel je voor; het ontvoeren en mishandelen van een jongetje mag dan misschien tegen de wet zijn, maar vuile was hang je niet buiten. De kibboets was in het bezit van een pracht van een wasmachine. Ook toen Gabi boven op Ejal was gesprongen, had niemand aangifte gedaan. Pas vele jaren later kwam Ronni erachter wie verantwoordelijk was geweest voor de ontvoering.

Ejal had een gebroken kaak. Nog maandenlang had hij moeite om zijn mond open te doen. In het begin kon hij niet eten omdat zijn ondertanden scheef stonden en op zijn kiezen drukten. Hij moest jarenlang corrigerende operaties aan zijn kaak en mond ondergaan en heeft nooit meer kunnen fluiten of gapen. Zolang Gabi in de kibboets woonde en hem tegenkwam op de betonnen paden, in de eetzaal of bij het basketbal, herinnerde zijn scheve gezicht hem aan wat hij had gedaan en wat hem in reactie daarop was aangedaan. De geschokte blikken van de mensen in de kibboets, tientallen paren ogen die hem bij iedere maaltijd in de eetzaal aanstaarden. De verhouding met zijn vrienden, met de jongens van wie hij had gedacht dat het zijn vrienden waren. Zelfs bij Jotam en Ofir duurde het lang voordat ze weer met hem praatten, hoewel zij het waren geweest die tegen Gabi hadden gezegd dat hij het niet over zijn kant moest laten gaan, zij hadden zijn gevoel van vernedering aangewakkerd en de vlam ontstoken waardoor hij met gestrekte benen vanaf de hoge betonnen duikplank sprong, recht in het gezicht van het brutale jongetje.

Hem kwam niemand opzoeken in het Ziv. Hem stuurden ze geen snoep, en niemand kwam bij zijn bed zitten helpen om gemist schoolwerk in te halen. Hij kon zich geen bezoekers herinneren, behalve mama Gila, papa Jossi, zijn broer Ronni en diens vriendin Jif'at. Ze legden een sonde aan en spoelden zijn maag nog twee keer. Er werd bloed- en urineonderzoek gedaan om er zeker van te zijn dat er geen sprake was van voedselvergiftiging, darmontsteking of andere kwalijke invloeden vanwege de niet voor consumptie geschikte dingen die hem gevoerd waren. Het bleek dat hij inderdaad besmet was met toxoplasmose, maar de arts beweerde dat hij dat al heel lang in zijn lichaam had, dat de besmetting veel ouder was dan de ontvoering en de mishandeling. Had hij ook voor de mishandeling soms de gewoonte om torren en andere kruipende beesten te eten? Nee. Was hij in contact geweest met duiven of hun uitwerpselen? Gabi hield op met zijn hoofd te schudden.

Nadat hij enkele dagen later ontslagen was, bleef hij met grote regelmaat overgeven. Na een eerste poging om op Onafhankelijkheidsdag een stukje gegrilde steak in zijn mond te stoppen, werd hij door zulke sterke braakneigingen bevangen dat hij ophield vlees te eten; alle vlees van alle dieren, of die nu zwommen, vlogen of liepen, veroorzaakte een zware misselijkheid. Hij kon zich er nauwelijks toe zetten salades, kazen en eieren te eten. Een paar jaar lang beleefde hij weinig genoegen aan eten. Deze keer zou de herinnering aan de torren hem lang vers in het geheugen blijven. Hij was immers geen twee meer, voorbij het stadium dat ervaringen hun sporen nalieten in zijn bloed, maar snel uit het geheugen gewist werden. Hij was twaalf en als de poten van de torren in je beugel haken, als de bobbelige huid van een kikker trillend op je tong ligt, als je met je lippen de slijmerigheid van een naaktslak voelt, dan vergeet je dat niet zo gauw.

Jona, Ejals vader, had gladde armen. De vaders van Ejals vrienden hadden gladde armen. De vrijwilligers hadden gladde armen. Baroech Sjani had dikke harige armen, maar Baroech was een vriend van Ronni en Ronni verzekerde hem dat er nul kans was dat Baroech zoiets zou doen. De dikste en harigste armen in de nederzetting waren die van Sjimsjon Cohen. En Sjimsjon Cohen, dat wist iedereen, had in zijn leven wel ergere dingen gedaan dan een paar torren in de mond van een twaalfjarige stoppen. Gabi, die altijd vriendschappelijk met hem omging en niet bang voor hem was zoals de andere kinderen, probeerde die theorie te testen. Iedere keer dat hij hem zag, zei hij gedag, glimlachte naar hem en probeerde heel dicht bij hem te komen zodat hij kon ruiken, checken of hij de zoete geur van de aftershave herkende of de zurige zweetlucht. De uitkomsten waren niet eenduidig. Sjimsjon bleef hartelijk, glimlachte en kneep hem in zijn wang zonder blijk te geven van vijandigheid of boosheid. Maar Sjimsjon werkte samen met Jona – Ejals moeder, niet zijn vader – in de avocado's, dus er was een mogelijk verband.

Een paar dagen nadat hij uit het ziekenhuis was ontslagen, toen Ronni hem samen met Jif'at in het kinderhuis kwam opzoeken, viel het Gabi ineens op hoe mooi ze was. Hij begreep wat Ronni in haar zag en waarom hij elk vrij moment met haar doorbracht. Haar diepe, bruine ogen glimlachten bezorgd naar hem, haar tanden lachten om Ronni's grapjes, haar hoofd knikte bij zijn belofte om wraak te nemen, voor Gabi te zorgen, want met ons valt niet te spotten. Vanuit zijn bed, half liggend, zag Gabi hoe Ronni's hand steeds de hare raakte en hoe hij telkens opzij leunde om haar te kussen en een kus terugkreeg.

Als hij niet bij haar was, dan praatte Ronni over haar. Ze waren bijna altijd bij elkaar. Zaten naast elkaar in de les, omhelsden elkaar en zoenden in de pauzes totdat ze een waarschuwing kregen van de mentrix, ze spijbelden bij lessen om in de gang van de bovenverdieping te zoenen en spijbelden bij tochtjes om achter te blijven op de kamer in de kibboets, in bed, om elkaar aan te raken en urenlang te praten. Zij wist hem beter aan te raken dan hij dat zelf kon, ze beweerde dat hij haar eerste was en hij dacht dat ze óf niet de waarheid sprak en ervaring had óf dat ze een natuurtalent was, want haar greep en haar manier van strelen was perfect; ze wist precies hoe stevig, hoe zacht, welk tempo, wanneer sneller te gaan en wanneer langzamer. Haar eindeloze zoenen voerden hem naar een paradijs waaruit hij niet wilde terugkeren, het gevoel van haar lichaam op het zijne, het gewicht, de geur, het lange bruine haar, was dronkenmakend.

De eerste keer dat ze het deden, was toen ze zestien geworden was. Er waren meisjes die er vroeger bij waren, zoals de mooie Orít met Baroech Sjani, aan het strand van het Meer van Kinneret tussen de achtste en de negende klas in en een aantal van Jif'ats vriendinnen in de kibboets, maar zij had tegen hem gezegd: pas als ik zestien word. Hij had het geaccepteerd en was blij dat hij haar eerste zou zijn, dat ze van hem was. Ook een deel van zijn vrienden had de eerste vuurdoop al achter de rug, maar hij had geen haast, hij kwam niets tekort en in de winter zou het gebeuren.

Winter in de kibboets. De regen sloeg hard op het dak van de regionale bus van Opper-Galilea, de kou drong door de spleten tussen de ramen en de sponningen. Jechiël de chauffeur met zijn eeuwige grijze zonnehoedje floot zachtjes onder zijn snor, op de voorruit bewogen de grote ruitenwissers onhandig asynchroon heen en weer en kwamen met een klap beneden aan, om en om, om en om. Nadat de bus de ontsmettingsbak tegen mond-en-klauwzeer bij de ingang voorbij was, reed hij verder en probeerde zo dicht mogelijk bij het kinderhuis te komen, maar toch bleef er een stukje weg over. De kinderen sprongen uit de bus en liepen met haastige tred, voorovergebogen, een paar meisjes hadden paraplu's, sommige jongens beschermden hun hoofd met hun schooltas, terwijl anderen zich er niets van aantrokken en met geheven hoofd tussen de druppels door liepen. Het was zo grauw dat het bijna donker leek. Op de weg, op de terrassen en in de open gedeeltes stonden grote modderplassen. Een zware geur steeg op uit de aarde, ontsnapte aan de heuvels en kronkelde uit de plantages die de kibboets omringden. Gabi en Jotam gingen snel naar hun kamer en Ofir ging met ze mee. De regen bracht hen samen; geen tochten naar de heuvel, geen vriendinnetjes, geen zwembad; onophoudelijke regen heeft dat vermogen te troosten, opnieuw te herenigen. Ze bladerden door de tijdschriften die Ronni zijn broer een paar weken geleden had gegeven, met plaatjes van compleet naakte vrouwen erin, en in een haveloos boekje van Sjlomit Efroni dat hij eens op het centraal busstation in Tel Aviv had gekocht, met verhalen over volledig blote vrouwen. Ronni had tegen Gabi gezegd dat het tijd werd dat hij over dergelijke dingen leerde, toen hij een vuilniszak met kranten en boeken bracht, maar Gabi wist dat Ronni alleen maar zijn kamer wilde opruimen voor het geval Jif'at zou komen, want hij wilde geen slechte indruk maken.

De jongens zaten alle drie met een tijdschrift of boekje in de hand geconcentreerd en in stilte te lezen. De enige geluiden waren van de regen die tegen de jaloezieën sloeg, het straalkacheltje dat eens in de zoveel tijd een metalige zucht slaakte en het geritsel van een bladzijde die werd omgeslagen. Jotam lag uitgestrekt op zijn eigen bed, Gabi en Ofir hingen elk in een hoek op dat van Gabi. Jotam kuchte en Ofir vroeg: 'Wat is dat voor nattigheid?'

'Welke nattigheid?' vroeg Gabi en hij keek naar het plafond. 'Lekt het?'

'Nee, in die verhalen.' Ofir wees naar het tijdschrift dat hij vast had. 'Als ze zeggen dat de vrouw nat is, waar is ze dan nat van?'

Jotam liet het boekje van Sjlomit Efroni van het centrale busstation zakken. 'Dat betekent dat ze bereid is,' zei hij, 'dat ze wil.'

'Ja, oké, dat snap ik wel. Maar wat is dat dan voor nattigheid?'

Er viel een stilte in de kamer die het geroffel van de regen en het zuchtende kacheltje benadrukte. De drie jongens keken naar de gedrukte woorden en dachten na. 'Zou het zweet zijn?' suggereerde Ofir en hij beaamde toen: 'Ik denk dat het zweet is.'

'Zweet?' vroeg Gabi, en hij keek naar zijn vriend die in kleermakerszit op het bed zat.

'Hoe kom je erbij,' oordeelde Jotam. 'Het is bloed.'

'Bloed?'

'Tuurlijk. Het is in het lichaam. Je gaat, zeg maar, het lichaam binnen. En binnenin zit bloed. En eens in de maand is er menstruatie, dan komt al dat bloed naar buiten en dan heb je tampons nodig. Vertel me nou niet dat jullie dat niet weten.'

'Ja, dat weten we wel, maar...'

'Maar waarom bloedt het dan als je het de eerste keer doet? Want al dat bloed wordt tegengehouden door het maagdenvlies en als dat stukgaat komt het naar buiten.' Gabi en Ofir keken naar Jotam terwijl ze zich het beeld voorstelden.

'Maar dan nog,' zei Gabi, 'kan het geen plas zijn? Want de plas komt toch ook daarvandaan, niet? Dus als je daar een vinger of iets anders in steekt...'

'Nee, echt niet. Geen plas. Die plas zit ergens anders en die komt alleen naar buiten als je moet. Ik zeg het je: dit is bloed,' zei Jotam.

Ofir was niet overtuigd. ''k Weet niet, het lijkt me niet logisch. Ik denk dat het toch zweet is. Het klinkt als zweet.'

'Wat klinkt als zweet? Lees es voor,' eiste Jotam.

Ietwat ongemakkelijk ging Ofir een paar regels terug en las het stukje voor over de nattigheid van de vrouw.

'Echt,' zei Gabi, 'het klinkt echt meer naar zweet dan naar iets anders.'

'Nee,' oordeelde Jotam, hoewel hij inmiddels wat minder overtuigd klonk.

'Ik zal het Ronni vragen,' zei Gabi, de enige van het drietal die een oudere broer had aan wie hij het kon vragen. Ze verdiepten zich weer in hun lectuur.

Jif'at werd zestien. Ronni en zij waren op zijn kamer, want ze wilde het niet bij haar, wilde niet dat iemand die ze kende iets zou horen of zien. Hij had geregeld dat zijn kamergenoot die nacht in een andere kamer sliep. Na een paar biertjes begonnen ze elkaar te liefkozen en te ginnegappen als altijd, maar ze waren gespannen, opgewonden, vanavond zou het gebeuren. Hij deed zijn broek uit waaronder hij een boxershort droeg met een wijd opengesperde krokodillenbek. Jif'at moest lachen, betastte de krokodil, sloeg haar ogen op naar de zijne en trok hem zijn onderbroek uit. Daarna trok hij de hare uit, bekeek haar, rook, schoof een vinger naar binnen, meer als een kleuter die met zijn vingertje in een kwarktaart prikt dan als een minnaar, voelde de mysterieuze vochtigheid en trok zich terug, te opgewonden, verslapte, glimlachte verlegen en kuste haar op de lippen, probeerde zichzelf met de hand weer tot leven te wekken, het lukte niet. Dan maar zo, in slappe toestand, bij haar binnenkomen. Het lukte en het leek in niets op wat door de dames beschreven werd in het boekje van het centraal busstation dat hij had verbannen uit zijn kamer, of in de boeken van Dan Ben-Amots, het was helemaal niet zoals ze beloofd hadden: ze zuchtte niet en slaakte geen kreten, hij zei niet: *yeah baby*, hij was nog steeds slap, weliswaar niet helemaal, maar het leek in de verste verte niet op de toestand die hij enkel door die boekjes of Dan Ben-Amots te lezen, door eraan te denken, door naar de vrijwilligsters te kijken, door Jif'at innig te kussen, normaal gesproken makkelijk kon bereiken – behalve dit keer met alle opwinding, biertjes en spanning, maar toch kreeg hij hem erin, half slap, bewoog een keer of vijf of zes in en uit, het duurde misschien een halve minuut, kwam toen met grote gutsen klaar en grinnikte nogmaals verlegen, terwijl zij glimlachte, een beetje verward. Dat was de eerste keer.

De tweede keer, een week later, verliep al iets beter. De derde keer begon een beetje te lijken op Dan Ben-Amots. Ronni vond dat het echt goed ging. Nog een week later, toen ze hun vijfmaandse vriendschaps-jubileum vierden, kwam Jif'at niet naar school. In plaats daarvan schreef ze een brief waarin ze uitlegde dat ze in de war was, dat ze het niet meer wist, dat ze dol op hem was en zich bij hem fijn voelde, maar dat ze dacht dat ze even alleen moest zijn, het was een vreemde tijd, de vijf maanden dat ze samen waren geweest, waren de meest fantas-tische van haar leven, maar nu had ze het gevoel dat ze wat afstand moesten nemen, misschien?

Misschien? Hij klemde het lijntjespapier met de kwetsende woorden stevig in zijn hand. Hij begreep het niet. Hij las ze opnieuw, zijn hart bonzend in zijn keel. Hij nam de brief en liep naar het rookhol. Met de bel ging iedereen naar de klas en zat hij daar in zijn eentje, rook de geur van de grote pijnbomen en opgerookte peuken, herlas de brief nog een keer terwijl tranen de woorden uitsmeerden.

Sindsdien had hij hartkloppingen, telkens als hij haar zag. Werd hij misselijk toen hij hoorde dat ze gezien was in het gezelschap van Ofer, die een niveau hoger zat dan zij en uit een andere kibboets kwam, en toen hij hoorde dat ze samen gezien waren in een tent bij de Dode Zee. De lange eenzame uren in zijn kamer met zijn zwarte stereotaperecor-der en steeds weer en weer en weer luisteren naar 'I Want to Know What Love Is' van Foreigner. En naar 'Don't You Want Me?' van The Human League. En naar 'More Than I Can Bear' van Matt Bianco.

De tiende klas was optimistisch en gelukzalig rozewit gekleurd ge-weest van de eerste liefde en meeslepende ontdekkingen. De elfde klas werd gedompeld in een naargeestig grauwzwart van diepe teleurstel-ling en een hart dat aan diggelen was, waarvan een deel nooit meer zou helen en waarvan de barricades van wantrouwen en verdedigings-werken nooit meer geslecht zouden worden. Hij begon zout in open wonden te strooien. Hij begon de vragen te stellen die hij nooit eerder gesteld had, niet echt tenminste, hoewel mama Gila en papa Jossi er geen geheim van hadden gemaakt. Maar ze hadden ook niet precies verteld wat er toen voorgevallen was, een kleine tien jaar geleden, toen

Ronni een jongetje van vijf was geweest en Gabi een baby van een jaar die nog niet eens kon lopen.

De vlinders

Vlak na de Zesdaagse Oorlog kwam oom Jaron op de Golanhoogte wonen. Hoewel het een relatief korte oorlog was geweest, had hij lang genoeg geduurd om zijn rechteroog en de bovenkant van zijn rechteroorschelp op te eisen, door scherven van een handgranaat die bij een van zijn collega-parachutisten losgeraakt was tijdens de slag om Boerdzj Babíl: hij had net genoeg tijd gehad om twee stappen te nemen en de granaat de lucht in te gooien als een keeper op de elfmeterlijn – lukraak met statistisch lage dekkingskansen; in het duister zag hij niet waar of op wie het ding landde, hij wist niet waar de kreet vandaan kwam en hoorde de ontploffing niet – en Jaron kwam bij in het geïmproviseerde veldlazaret met een gigantisch verband om zijn hoofd. Een paar maanden later, toen hij definitief uit de ziekenhuizen en het leger was ontslagen, voorzien van een ooglapje à la Mosje Dajan en barstend van energie om het leven opnieuw te bestormen, zei hij tegen zijn jongere broer Asjer en tegen wie het maar horen wilde: 'Ze heeft me een oog en een oor afgenomen, nu moet ze mij er wat voor teruggeven.' Hij doelde op de Golanhoogte. De kibboetsvoorpost die hem met open armen ontving, kreeg de eerste paar jaar van haar bestaan te maken met locatiewijzigingen, zware Syrische bombardementen, nog een grote oorlog, naast de gebruikelijke problemen van een jonge nederzetting in een jonge staat. Toen Jaron zijn broer, diens vrouw Riki en zijn twee neefjes voor het eerst uitnodigde om naar de Golanhoogte te komen, woonden zijn kameraden en hij nog altijd in het verlaten Syrische legerkamp waar zij zich in eerste instantie gevestigd hadden.

Het was laat in de avond en nadat het haar eindelijk was gelukt om Ronni in slaap te krijgen, zei Riki tegen Asjer dat ze zich zorgen maakte. Dat de Syriërs bombardementen uitvoerden, erop los schoten en mensen ontvoerden, dat het echt niet veilig was om naar de hoogvlakte te reizen, al helemaal niet met twee kleine kinderen, van wie een nog maar een baby was. Asjer zei tegen haar: 'De oorlogen zijn voorbij. Volgens mij hebben de Syriërs inmiddels de hoop opgegeven daar ooit nog terug te keren.'

Ze zei: 'Maar ze blijven bombarderen.'

"t Mag geen naam hebben,' zei haar man. 'Wanneer zijn ze voor het laatst in de buurt van Jarons kibboets geweest?'

'Was dat niet een maand geleden?' vroeg ze.

'Volgens mij was het langer. Bovendien hebben ze al die tijd niemand geraakt. Het is alleen maar om angst aan te jagen. Blaffende honden bijten niet. Ze hebben verschrikkelijk slechte wapens. Ze kunnen niet eens iemand raken.'

'Behalve dan die ene ongelukkige vrouw,' zei Riki.

'Behalve die ene ongelukkige vrouw,' beaamde Asjer. Gabi liet een kreetje horen. De ouders spitsten hun oren en zwegen. Toen ze verder spraken, deden ze dat zo zachtjes mogelijk. 'Hoe dan ook,' zei Asjer, 'ik heb mijn broer beloofd dat ik zou komen. De man heeft zijn halve gezicht verloren om die plek te kunnen veroveren en heeft besloten daar zijn huis te bouwen. Daarvoor moet je waardering hebben.'

'Ik waardeer hem wel,' zei Riki, hoewel ze niet overliep van waardering voor de koppigheid je te willen vestigen op een godvergeten plek die gebombardeerd werd en ze niet dacht dat Asjer dat echt waardeerde, ondanks alle liefde die hij voelde voor zijn broer, 'maar kunnen we dat bezoek niet wat uitstellen?'

'Nee,' besloot Asjer.

Zodra ze in de kibboets van oom Jaron arriveerden, werden al Riki's bezwaren en angsten vergeten. De kinderen genoten van de kibboets. De weidse leegte, de zekerheid dat je naar buiten kon gaan en ronddolen op het erf of in de tuin, de lucht, het uitzicht, de beesten die tussen de huizen liepen: een ezel, een paard, op de grond een paar kippen en een koe. Ze zeiden tegen oom Jaron dat hij er in zijn natuurlijke omgeving leek, tevreden en gelukkig met zijn lot. De kinderen waren dol op hem en op zijn ooglapje als hij piraatje met ze speelde (Ronni speelde, Gabi lachte). Riki had op een avond zelfs tegen Asjer en Jaron gezegd dat ze er geen bezwaar tegen zou hebben de kinderen op te voeden in een kibboets in het noorden. Misschien niet direct op de Golanhoogte, zei Riki, dat – hoewel er geen enkele ontploffing had geklonken in de vijf dagen dat ze er op bezoek waren – nog steeds gold als een gebied met bombardementsgevaar en waar de joodse kibboetsen en nederzettingen die er na de oorlog waren gesticht nog altijd eenzaam, afgelegen en uiterst basaal waren; maar wellicht in een oudere, meer ontwikkelde kibboets in Galilea. Die opmerking zou oom Jaron later nog heugen.

De Coopers hadden het zo naar hun zin dat ze hun terugkeer naar Rechovot uitstelden tot op het laatste moment. Asjer en Riki moesten op zondag weer aan het werk. Aanvankelijk hadden ze hun reis zo gepland dat ze op sjabbat terug zouden gaan, op hun gemak, misschien zouden ze nog even stoppen bij het Meer van Kinneret, maar in ieder geval zouden ze zonder tijdsdruk naar huis toegaan. Maar zoals dat gaat in de laatste dagen van een vakantie, kwam sjabbat veel te snel. De kinderen genoten zo van hun oom piraat in de voormalige Syrische legerbasis, die was omgevormd tot een jonge kibboets, dat Riki en Asjer hem gelijk gaven en Ronni juichte toen oom Jaron vroeg: waarom zou je een hele dag plezier verliezen als je pas de volgende dag hoefde te werken? Waarom zou je haast maken om in een warme zweterige luidruchtige auto te stappen en het bovendien druk was op de wegen? Waarom zou je de kinderen overdag urenlang stil willen laten zitten, zonder vermaak, zodat je grote inventiviteit, regelmatige pauzes en enorm geduld nodig had? Ze hadden geen stop bij het Meer van Kinneret of ergens anders nodig als ze pas na het uitgaan van sjabbat zouden vertrekken; dan zouden de kinderen achterin slapen en de reis voorspoedig verlopen, dan konden de volwassenen met elkaar praten en als ze dan in de kleine uurtjes thuiskwamen, konden ze de kinderen in bed leggen en de volgende ochtend opgewekt en uitgerust opstaan na een geweldige vakantie. Riki en Asjer beaamden volmondig, daarin gesteund door oom Jaron en de kinderen, dat dat een veel beter plan was.

Maar het plan verliep niet helemaal goed.

Ronni was gek op de Golanhoogte. Dicht bij de kibboets, maar anders, en ver genoeg weg van Jif'at. Groener, natter en heuvelachtiger dan de Negev. Niet dat iemand het hem gevraagd had, maar het kwam zo uit dat hij bijna zijn hele diensttijd in het noorden was gestationeerd: in de buurt van Akko, in de buurt van Tsfat, in Eljakim, en als ze zo nu en dan op de Golan kwamen, wipte hij steevast aan bij oom Jaron in de kibboets, die inmiddels twee of drie keer verplaatst was sinds dat ene familiebezoek dat compleet uit Ronni's geheugen was gewist, en mettertijd uitgegroeid was tot een oudere, gevestigde kibboets.

Ieder jaar speelde een kolonel uit de kibboets van Ronni en Gabi aan de dienstplichtigen die moesten opkomen heimelijk informatie door over de AHBORIS- en intelligentietests en over hun opties in het leger, zodat ze voorbereid waren. Baroech Sjani probeerde voor Ronni een plaats te regelen bij de commando's van de Generale Staf. Hij werd ervoor gekeurd en had het gevoel dat hij het er goed vanaf had gebracht, maar blijkbaar was er iets dat hun niet aanstond in zijn persoonlijke gesprek; misschien omdat hij wees was, misschien had hij het net iets te vaak over Jif'at gehad, misschien waren de verhalen over zijn jongere broer hun ter ore gekomen. Voor de commando-eenheid van de Golani-brigade kwam hij beter beslagen ten ijs. Ook daar had Baroech Sjani een goed woordje voor hem gedaan en dit keer zette Ronni zijn beste beentje voor met een respectvol optreden, een hoge motivatie en zonder overbodige details over pijnlijke knieën in de tijd dat hij basketbalde, zijn gebroken hart of zijn jongere broer die bij tijd en wijle in de problemen kwam. Hij werd geaccepteerd voor een tweeweekse training in Peles, voorafgaand aan de basistraining waarbij één week bestond uit de keuring voor de commando-eenheid, die gold als net zo zwaar als die voor de commando's van de Generale Staf. Het enige dat hij zichzelf die hele week influisterde was dat hij moest volhouden, de eindstreep halen, als hij het afmaakte zou hij tevreden zijn, dat was genoeg. De eindstreep kwam en na een week op de basis Sjagra werd hem medegedeeld dat hij bij de commando's was toegelaten. Daarna de basistraining in Eljakim met zijn koeien, bergen, heuvels en de boomgaarden naast de basis – het eindeloze heen en weer rennen op versneld marstempo tussen de boomgaarden – met de nimmer aflatende belofte dat dit nog maar kinderspel was en dat het echte zware werk nog moest beginnen.

Hij begon als verbindingsofficier voor de teamcommandant bij manoeuvres en infanterieoefeningen: wekenlang in het veld je eigen kostje koken, een flink gewicht op je rug en in je eentje, of hoogstens met een maat, navigeren. Gevolgd door nog meer exercities, bevelen en commandanten die je op je nek zitten en heel soms wat kalmte en rust. Een jaar en vier maanden later op de basis Eljakim en oefenterrein 100 lag dat traject achter hem en kreeg hij het embleem van de panter met vleugels, of 'de lachende kat' zoals hij het noemde, opgespeld; zestien maanden van inspanning, gebroken slaap, rug en benen onder zware bepakking, geblaf en vernedering – allemaal voor een embleem.

Gabi en Jotam waren in de gymzaal. Hij gooide een bal in de basket. En nog een. En weer. Hij haalde de bal op van onder de basket of waar die maar terechtgekomen was vanaf het bord of de ring. Hij raapte de bruin-oranje bal op, helemaal glad geworden in het gebruik, dribbelde ermee om afstand te krijgen van de basket, draaide zich om, richtte, boog zijn knie, linkerhand onder de bal, rechterhand strelend voor het evenwicht en hop, daar ging de bal weer door het net en raakte – hop – de voorrand van de ring. Jotam was inmiddels een kop groter dan Gabi en sterk; hij speelde bij de junioren. Zij hadden een basket in gebruik en aan de andere kant speelden volwassenen een potje 3 tegen 3. Bonk bonk bonk stuiterden de ballen, skwiep skwiep skwiep piepten de schoenen. Jotam en hij zeiden niks. Wierpen alleen maar. Gabi was die dag om half vijf wakker geworden en had buiten op het veld gewerkt, in de tomaten. Hij had gezien hoe de zon langzaam opkwam, de koude lucht steeds verder verdampte, de duisternis steeds verder afnam terwijl de geur van de tomaten hem omhulde, aanraakte, jeuk bezorgde. Pas nadat hij er ingedeeld was, had hij beseft dat hij tomaten niet kon uitstaan. Vooral niet bij zonsopgang als het warm begon te worden en hij ze gebukt stond te plukken, de een na de ander, sommige beurs, geen eind in zicht, met hun sterke geur, tussen de harige onuitnodigende bladeren. Hij vond de kibboetsniks die er werkten en de vrijwilligers niet leuk, en ook het hoofd van deze afdeling niet, een immigrant uit Australië die Gabi behandelde alsof hij een achterlijk kind was.

Een bal van het spel van de volwassenen aan de andere kant kwam op Jotam en Gabi's helft terecht. Dat gebeurde de hele tijd en normaal gesproken gooide je de bal terug naar de andere kant en ging verder met waar je mee bezig was – no big deal. Maar als je ergens mee bezig was, maakte je dat eerst af en dan pas gooide je hem terug, of iemand van de andere kant kwam hem halen.

De bal ging over de lijn, stuiterde en rolde over de vloer bij Gabi's voeten precies op het moment dat hij richtte voor een worp. Alex uit de ploeg van de groenvoorziening die met papa Jossi werkte, kwam aangelopen om de bal te pakken, maar om niet te storen bleef hij naast de richtende Gabi staan en wachtte tot hij geworpen had. Gabi voelde hem achter zich staan. Hij hield er niet van bekeken te worden en hij had een hekel aan Alex. Hij stuiterde de bal nogmaals en richtte opnieuw. Inmiddels keken alle spelers van het potje aan de andere kant in afwachting van hun bal waarom Alex er zo lang over deed en zagen Gabi richten. Gabi keek achterom en zag de vijf zwaar ademende zwetende mannen staan kijken tot hij zou werpen. Hij liet de bal nog een keer stuiteren en richtte opnieuw, terwijl hij alle ogen in zijn rug en zijn nek kon voelen prikken. Ook Jotam was opgehouden met dribbelen, er heerste doodse stilte in de zaal, iedereen wachtte op Gabi's worp. Weer liet hij de bal stuiteren. Pakte de bal, linkerhand aan de onderkant, rechterhand aan de zijkant, vlak voor zijn neus, hij kon de tomaten ruiken, boog zijn elleboog, boog zijn knie, kneep een oog dicht en precies op het moment dat hij wilde loslaten, ontsnapte er aan Alex een ongeduldig 'kom op...' dat zijn worp volkomen verstoorde. De bal kwam met een slap boogje los van zijn handen, een miskleun, veel te zacht, veel te dichtbij, begon ver voor de basket af te dalen, waarop Alex grinnikte, vlug zijn eigen bal opraapte en er iemand opmerkte: 'Moesten we daar nou op wachten?' Iemand anders lachte en ze gaven elkaar een klap op de hand. Gabi keek naar Jotam en zag dat ook hij glimlachte om vervolgens zijn bal te gooien die met een soepel swisj door de basket ging.

Gabi Cooper verliet de zaal door de achterdeur, die uitkeek op het zwembad. Achter zich hoorde hij twee ballen ongelijk stuiteren: een van Jotam, en een van de volwassenen, bonk bonk bonk, skwiep skwiep skwiep. Hij sprong over het stukje gras van iets meer dan een meter naar het asfalt en sloeg, zonder te weten waarheen, rechts af. De geur van nat gemaaid gras belaagde zijn neus en irriteerde zijn ogen. Hij voelde in zijn zakken: een gekneusde Noblesse die iemand hem gegeven had, een paar kiezelsteentjes, een snoeppapiertje, smerig gras, een doosje lucifers en een flessenopener met een minizakmesje eraan. Hij ging op een bankje zitten, stak de Noblesse op en voelde hoe de scherpe rook zijn hoofd deed tollen en hem een naar gevoel in zijn borst gaf. Hij nam nog een trekje, van top tot teen bezweet – basketballen in je spijkerbroek is niet prettig – legde de sigaret weg, trok zijn shirt uit en droogde er zijn voorhoofd, oksels en gladde borst mee af, pakte de sigaret weer op en nam nog een duizelig- en misselijkmakend trekje. Het gebonk en geskwiep uit de gymzaal klonk zachter, het was al laat en donker geworden en hij moest schijten. Hij zou op Alex willen schijten of die kolerelijer met het mes zijn keel opensnijden. Waarom moest nou net híj de bal komen pakken? Zoals hij daar gestaan had en hem had vernederd, hem belachelijk had gemaakt, net als altijd en elke gelegenheid aangreep om hem de grond in te trappen.

Hij stond op en liep door, doelbewust, haastig, met ontbloot bovenlijf, liep langs het zwembad en de grote zaal de heuvel af in de richting van de kinderhuizen van zijn eigen en de jongste leeftijdsgroep en kwam bij de kinderboerderij. De dieren waren stil, in slaap. Maar de dieren interesseren hem niet. Hij kwam voor de tuin. Papa Jossi had het erover gehad, over de tuin bij de kinderboerderij, met bijzondere bloemen. Wat had hij ook alweer gezegd? Orchideeën, irissen, prachtige, zeldzame bloemen…

Nu weet ik het weer, ze hebben daar een tuin ingericht ter ere van de staat Israël, dát is wat papa Jossi heeft verteld. Het is het troetelkindje van de groenvoorziening, zei hij. Of had hij gezegd: Alex' troetelkindje? Ik weet het niet zeker, Alex die kolerelijer, al die kolerelijers met hun blikken, medelijdende glimlachjes, hoofdknikjes, tonggeklak en onuitstaanbare tips. De dieren beginnen wakker te worden zodra ze het geluid van mijn schoenen horen die de planten vertrappen en ze alle kanten heen schoppen, híér, geliefde planten, zo zeldzaam, hier dan, troetelkindje van de groenvoorziening, deze is voor jou, Alex, mijn zakmesje in de hand, ik snij stengels door, bloemen af, bladeren doormidden, kleine pootjes – konijnen misschien – rennen her en der, een verschrikt kalf staat me kalverachtig aan te kijken totdat ik hem met het mes dreig, maar hij verroert zich niet, pauwen spreiden hun veren, maar de dieren

kunnen me niks schelen. Ik heb het op de tuin voorzien en nadat ik ge-
stampt, gesneden, vertrapt en plat gesprongen heb, heb ik buikpijn van
zoete spanning. De ziekmakende geur van tomaten komt uit de poriën
van mijn huid, ontsnapt via mijn zweet, ik haat die geur, de dieren in-
teresseren me niet, maar de kas en de vlinders wel. Had Jossi daar wat
over gezegd? Hier is het mes, hier is het plastic van de kas, hier is een X,
ik kras er 'kindje' in! Misschien lukt het iemand om het te lezen. Ik blijf
snijden, het zakmes is te klein, ik heb een machete nodig om deze tuin
te vernielen, wat zit erin? Vlinders? Rupsen? Planten? Tientallen soorten
vlinders, poppen, zijderupsen die bladeren van de moerbei eten. Dit is
de plek, dit is het punt, ik wist wel dat ik het zou vinden, midden in de
vlinderkas, boven op de berg gescheurde zakjes en kapotte pallets die we
in de timmerwerkplaats hebben gemaakt. Daar ga ik zitten om een grote,
angstaanjagende drol te draaien. De bladeren van die avocado of wat
het ook is, zijn uitstekend geschikt om je gat mee af te vegen, net als een
nat shirt.

Rauwe emotionaliteit. Kortsluiting in de bovenkamer. Een verhoogd
testosterongehalte. Een verlaagd niveau van de neurotransmitter se-
rotonine. Verminderde werking van de prefrontale cortex: allemaal
pogingen om een biologische verklaring te vinden voor asociaal gedrag. Was er misschien iemand die wist waarover hij het had? Uiteraard kwam deze geschiedenis, God verhoede, niet verder dan de gemeenschap, er werd geen enkele poging gedaan professionele hulp in
te schakelen, dat was toch nergens goed voor. De vader van een van
de gemeenschapsleden was psycholoog, er waren bibliotheken waar je
boeken kon lenen, men had goede vrienden die gebeld konden worden
en bij wie navraag gedaan kon worden over 'problematisch gedrag van
jongeren in het algemeen'. Jossi had zelf het een en ander over psycho-
paten gelezen en besloten dat dat precies paste: hoge intelligentie,
weinig zelfbeheersing, overdreven zelfwaardering en een slecht ontwikkelde notie van berouw of verdriet. Uiteraard klopte de hoge intelligentie.
    Ronni werd de volgende dag van zijn basis weggeroepen, want wie
kon er anders nog met Gabi praten na deze rechtstreekse aanval op de
schepping van papa Jossi's handen, op het troetelkindje van de groen-

voorziening. 'Hij heeft een drol gedraaid,' had Jossi over de telefoon tegen Ronni gezegd. 'Hij heeft midden in de vlinderkas een drol gedraaid. De kas was pas deze week opengegaan, Ronni, wat voor soort beest moet je zijn om zoiets te doen? En dan ook nog op de avond voordat we naar Europa afreizen?'

Jarenlang had mama Gila iedere dag haar Broadway 100's gerookt en gewacht op de eerste reis die zij en Jossi naar het buitenland zouden maken: het klassieke Europa, een georganiseerde reis van 'Kom op reis'. Het was tevens hun verzoeningsreis, wellicht de laatste poging hun stuiptrekkende relatie te redden. Hoeveel jaar had ze niet gewacht tot zij aan de beurt waren, hadden ze gewerkt als paarden, alles gegeven, die twee musketiers opgevoed totdat ze meerderjarig waren, nu was het eindelijk: Joehoe, Rome! Hallo, Parijs! Jossi had tegen haar gezegd: 'Wat zullen we doen? Zullen we annuleren?' En ze had rook uitgestoten en gezegd: 'Wat mij betreft mag hij de kibboets afbranden, de hele boel in de fik steken tot er niks meer van over is. Maar ík ben vanavond in Wenen!'

Kort nadat de ouders richting vliegveld waren vertrokken met een ander kibboetslid dat naar Tel Aviv ging, arriveerde Ronni in zijn uniform met parachutistenvleugels, bruine baret, het lachende-kat-embleem van de inlichtingendienst, geweer over de schouder en de geur van wapenolie en mannelijk zweet. Hij stapte de kamer binnen, ging zonder omhaal op Jotams bed zitten en keek naar zijn broer die in zijn spijkerbroek en zonder shirt, hetzelfde tenue dat hij aan had gehad bij het 'incident' van de vorige avond, op zijn bed naar het plafond lag te staren terwijl hij een plastic balletje omhooggooide, opving, gooide, ving.

'Hoi,' zei Ronni.

Gabi keek opzij, het plastic balletje tegen zijn borst gedrukt. 'Heb je je vleugels gekregen?'

Ronni keek op zijn borst. 'Ja. Het embleem van mijn eenheid. We hebben het traject afgerond.'

'Gefeliciteerd.'

'Dank je. Wat is er gebeurd?'

'Ik heb geen zin om erover te praten.'

'Maar waarom papa Jossi? Wat heeft hij je gedaan?'

'Ik heb geen zin om daarover te praten. Hij heeft me niks misdaan. Dit heeft niks met hem te maken.'

'Wat hebben ze tegen je gezegd?'

Gabi trok een gezicht. 'Niks. Kortsluiting in de bovenkamer. Weet ik veel.'

'Heeft iemand hierover met je gepraat?'

'Waarvoor? Ronni, ik heb geen zin om het hierover te hebben.'

Ronni stond op en knoopte zijn uniform los. 'Heb je een handdoek? Ik doe een moord voor een douche, ik ben al sinds vanochtend aan het liften.'

'Jotam heeft een kast vol. Pak er daar maar een van.'

Toen Ronni uit de douche kwam, opgefrist en gekleed in een groen T-shirt met een fles Heineken erop, lag het plastic balletje op de gekreukte lakens van het bed, maar Gabi was gevlogen. Ronni's uniform, met het embleem van de eenheid, de parachutistenvleugels en het fonkelnieuwe embleem van de inlichtingendienst, was ook gevlogen.

De koe

Ze kwamen op hem af als vliegen op stroop. Hij hoefde zijn neus maar te laten zien, zijn duim op te steken of ze stopten: witte, rode, metallic auto's, grote en kleine, dure en rammelende, van het leger of een huurmaatschappij. Hij had nog geen twee minuten op de liftersplaats van de kibboets aan de hoofdweg gestaan of hij was al op weg naar Teverja in een Renault 4 van een jonge vent met een baard en een keppeltje. En daarna een Simca, een Subaru, gevolgd door een leger-Peugeot, 's nachts een vrachtwagen vol zuivel en tegen de ochtend een grote comfortabele snelle en stille auto, waardoor hij even weg kon dommelen.

Iedereen stelde vragen. Allemaal waren ze eenzaam in hun auto, verveeld met hun reis en het voor zich uit kijken, allemaal snakten ze naar een praatje. 'Wanneer heb je het traject afgerond, waarom heb je geen wapen, de MP zal dat kapsel van je wel kortwieken, draagt iedereen bij de commando's Palladiums? Heb je soms je tong verloren? Welk stuk linie doen jullie?' Gabi gaf geen antwoord. Hij snapte de helft van de vragen niet. Een linie doen? Hoezeer hij die vraag ook probeerde te begrijpen, het lukte hem niet die te kraken. Een linie doen? Die vraag bezorgde hem kortsluiting in zijn bovenkamer. En dus gaf hij geen antwoord. Hij zei dat hij erg moe was. Hij probeerde te dutten. Hij zei dat hij daarover niet kon praten. En ze waren teleurgesteld en verbitterd. 'Echt, je bent de eerste Golani bij de inlichtingendienst die ik hier tegenkom.' Ze wilden praten, daarvoor namen ze hem mee: om hun reis te veraangenamen. Slechts één vrouw had opgemerkt toen hij instapte: 'Je ziet eruit als een kind, het uniform staat je komisch. Heb je het soms van iemand gestolen?' Hij stond met zijn ene been binnenboord, zijn rug gebogen, nog midden in de beweging van het instappen en keek haar aan, stopte met een half glimlachje, wist niet wat hij zeggen moest. Waarop zij in lachen uitbarstte, een en al tanden, met haar handen wenkte en zei: 'Kom, kom, stap in. Let maar niet op mij. Waar moet je heen?'

Nog een vraag waar hij geen antwoord op gaf, omdat hij het niet wist. Hij antwoordde met: 'Waar ga je heen?' En als hij antwoord kreeg, zei hij: 'Uitstekend, dat komt me prima uit, vanaf daar kom ik wel verder,' en bijna altijd vroegen ze daarna: 'Waar moet je verder naartoe?' of: 'Wat is je eindbestemming?' En dan zei hij: 'Dat doet er niet toe,' of: 'Afoela is prima,' of: 'Atlit ligt op mijn route.' En vervolgens was hij binnen, in hun wereld, in hun geur, te midden van hun dingen. De afzichtelijke dingetjes die aan de spiegel hingen. Bergen kleding, kranten, flessen op de achterbank. De kleine of grotere kinderen met hun al te wijze blikken, die feilloos wisten wie hij werkelijk was: een bedrieger en geen soldaat, maar ze zeiden niks, ze stonden tenslotte aan dezelfde kant. De radio, waarmee sommige mensen per se moesten meezingen. Warme lucht uit de airconditioning die niks koelde en alleen maar bijdroeg aan de hitte die door de rammelende ruiten kwam. Hij ging maar door, steeds opnieuw stapte hij in en uit, sliep hij en werd hij wakker, glimlachte en neuriede.

Achter de liftersplaats bij Kirjat Ata vond hij in de vroege ochtend een kraantje. Hij maakte zijn Palladiums los, deed zijn olijfkleurige shirt uit en waste zijn handen, voeten en gezicht terwijl hij een liedje neuriede van Kaveret dat hij bij zijn laatste lift gehoord had, over een kind dat niet wil sporen en dan leert wat het principe is.

Het gezin Alles-is-ten-goede – een orthodox gezin dat met hun veelkoppigheid elk hoekje van de Sabra Sussita-stationwagon vulde, zodat hij helemaal niet snapte waarom ze voor hem waren gestopt en die stug volhielden: 'Kom, Jood, we vinden wel een plekje voor je met Gods hulp, Malka, David, schuif eens op!' – bracht hem naar het eerste echte tussenstation van zijn reis.

Aan de zijkant van de Sabra Sussita bungelden de knipperlichten aan hun bedrading. De bruine plastic stoelbekleding weerhield de stugge veren er niet van zich in zijn achterwerk te boren. De motor brulde en sputterde, het stuur klapperde in de handen van de vader van het gezin. De warme wind deed de halfopen ramen rammelen en voerde stof mee naar binnen. In het interieur zweefde de scherpe geur van urine die uit ten minste één luier opsteeg.

De eerste paar minuten zei niemand wat. Gespannen volgde Gabi de handen van de vader en het moeizame geklapper van de Sabra Sussita op de weg. De kinderen, Malka en David en nog twee van verschillende leeftijd, zeiden niks; misschien uit angst of achterdocht jegens de kerel van wie ze dachten dat het een soldaat was en die zomaar opeens hun leven was binnengestapt. De ouders genoten uiteraard van de kalmte en wensten die niet te verstoren, tot de moeder wat uit een tasje viste en Gabi iets toestak dat in zilverpapier gewikkeld was en vroeg: 'Boterham? Je ziet eruit alsof je honger hebt.'

Dat was het startsein om de kakofonie weer los te laten barsten; David wilde ook, Malka wilde een bagel, de twee anderen begonnen tegen elkaar te gillen en aan de haren te trekken. De vader, die besefte dat het gedaan was met het genot van de kalmte, vroeg hem: 'Waar moet je heen, tsadiek?'

De boterham in het zilverpapier zag er niet uitnodigend uit, maar Gabi was inmiddels niet meer kieskeurig. Sinds de vorige avond had hij alleen maar twee winegums op, hem aangeboden door een studente uit Haifa. Hij pelde het zilverpapier eraf en viel aan, zonder zelfs maar te kijken wat erop zat. Hij proefde challa, hij proefde creamcheese, augurk en tomaat: het was goddelijk. Uiteraard nam hij dat woord niet in de mond, maar het schoot door zijn hoofd en na drie happen om de eerste honger te stillen, vroeg hij: 'Waar gaan jullie naartoe?'

'Naar Ofra,' zei de vader.

Gabi was er niet zeker van dat hij de vader van het gezin Alles-is-ten-goede door de muur van herrie van het gezin en de auto goed had verstaan. Ofna? 'Waarnaartoe?' vroeg hij nogmaals.

'Naar Ofra,' werd het antwoord herhaald. Dit keer verstond hij het wel en hij knikte, hoewel hij nog nooit van die plaats had gehoord.

'Uitstekend. Dat ligt precies op mijn route.'

De vader keek Gabi aan via de achteruitkijkspiegel. Hij kende niet alle eenheden van het IDL, of alle geheime bases, of alle plekken waar soldaten naartoe gezonden werden. Maar één ding wist hij vast en zeker: Ofra lag op geen enkele route ergens naartoe. Hij glimlachte naar de soldaat, die hem bij nader inzien nogal jong leek, nogal moe en nogal uitgewrongen en zei: 'Met plezier, tsadiek.'

Laat op de avond begonnen Asjer, Riki, Ronni en Gabi Cooper in een Fiat 127 aan hun tocht naar het zuiden vanuit de duisternis van de Golanhoogte.

Oom Jaron tilde Ronni op de achterbank en Asjer de kleine Gabi, allebei diep in slaap, twee onschuldige baby'tjes met zachte huid. Riki omhelsde Jaron en fluisterde in zijn oor: 'Het was geweldig, Jaron, dank je wel voor de fijne vakantie,' en ging vertederd verder: 'Weet je, voordat we hierheen kwamen was ik een beetje bedrukt; ik wist niet hoe het er hier uit zou zien en ik was bang voor de raketten. Maar ik had het helemaal bij het verkeerde eind. We komen gauw terug, als het even kan.' Oom Jaron omhelsde haar en kuste haar op haar wang, terwijl hij een superieure blijdschap voelde bij het horen van die woorden. Daarna omhelsde hij zijn broer, die tegen hem zei: 'Dit was vijf uit vijf, we komen gauw terug.' Jaron moest lachen en zei: 'Dat is precies wat je vrouw me ook al in mijn oor fluisterde. Rij voorzichtig!'

Ze deden voorzichtig: ze hadden veel koffie gedronken voor vertrek, ze zorgden dat ze wakker bleven door te kletsen. Asjer zei tegen Riki dat ze wel kon gaan slapen, maar ze zei dat ze dat onder geen beding ging doen. Ze bespraken Jaron, zijn vrienden en zijn buren die ze de afgelopen dagen hadden leren kennen, ze bespraken de kibboets en de kinderen. Riki aarzelde nog steeds om tegen Asjer te zeggen dat ze het serieus meende toen ze zei dat ze de kinderen graag in een kibboets wilde grootbrengen. Misschien in Galilea. Asjer zei dat als het haar menens was, hij een paar telefoontjes zou plegen; hij had overal en nergens vrienden en Jaron ook. Ze zei dat ze het meende en op dat moment klonk het gefluit van een raket en zei ze:'O hemeltjelief.' Ze zagen iets vonkends overvliegen in de lucht, het speelde zich voor hun ogen af alsof het in de bioscoop was, daarna werd het donker en volgde een gigantische klap die de Fiat een beetje deed schudden.

Na een paar seconden zei Asjer: ''t Is voorbij, klaar.' Riki draaide zich naar hun twee engeltjes achterin, die in dromenland waren.

'Zelfs dat stoort ze niet,' zei ze tegen Asjer, die met kloppend hart herhaalde: ''t Is voorbij, klaar.'

'Hoe weet jij dat nou, dat het over is?' Ze was verbazingwekkend kalm, hoewel ze allebei beseften dat dat niet echt verbazingwekkend was; ze wisten alle twee hoe zulke dingen tussen hen gingen: zij was bang voor het onbekende, voor het gevaar dat op de loer lag, ze maakte zich zorgen om raketten voordat ze naar plekken gingen waar die plachten neer te komen, ook al was de kans daarop klein. Hij was het tegenovergestelde, wuifde de kleine kans weg, zei: 'Als er wat gebeurt, dan gebeurt het, ik ga niet mijn hele leven omgooien omdat er ergens misschien een raket neerkomt.' Maar zodra het ernst werd, op het moment dat er een raket door de lucht vloog en in hun buurt ontplofte, werd zij zakelijk en doelmatig, hield zij het hoofd koel en had stalen zenuwen, terwijl Asjer instortte, kopverloren en gestrest rondfladderde en dingen zei als: 'Ik weet het niet echt, maar zo schat ik het in.'

'Waar berust die inschatting op?' vroeg Riki, maar hij gaf geen antwoord. Hij keek naar haar en zij naar hem met een schemerende glimlach alsof ze hem uitdaagde, alsof ze wilde zeggen: je probeert jezelf alleen maar gerust te stellen, je hebt geen flauw benul of er nog een raket komt of niet, haar lippen licht omhooggekruld, enige verbazing zichtbaar in haar ogen. Daarna richtte ze haar blik weer op de weg – misschien had ze een voorgevoel van een ongewenste aanwezigheid – en hij volgde haar blik, misschien omdat hij een flits van paniek in de hare had opgemerkt, misschien trapte hij instinctief op de rem, nog voor hij de koe zag: een gigantische koe die verloren midden op de weg stond. Blijkbaar had ze de raket gehoord en de benen genomen en nu stond ze aan de grond genageld met haar grote nieuwsgierige, kleurenblinde ogen naar de koplampen te kijken die steeds dichterbij kwamen, niet in staat te beredeneren wat er stond te gebeuren, het kabaal van de raket galmde nog na in haar oren. De beide kinderen lagen nog in diepe slaap op de achterbank, hun ouders hadden hun mond open van verbijstering over het grote rund dat op hun pad stond.

De koe stierf niet door de aanrijding, maar werd toch afgemaakt toen ze een groot aantal gebroken ribben bleek te hebben. De ouders overleden ter plekke, omdat ze bekneld waren geraakt in de verkreukelde auto. En Asjer had gelijk gehad: de raket was een eenling geweest, de enige die die nacht afgevuurd was. Blijkbaar per ongeluk afgeschoten, lukraak, zonder doel, wellicht als test om angst aan te jagen.

Gabi werd vergast op een grandioos onthaal bij de familie Alles-is-tengoede. De vader van het gezin, een blauwogige solide man met een grote kale plek onder zijn keppeltje, nam hem mee op een ochtendwandelingetje nadat hij de nacht ervoor bij hen had doorgebracht en zei tegen hem: 'Luister, ik heb geen idee wie of wat je bent, maar er is een oog dat ziet en een oor dat hoort, en al je handelingen worden opgeschreven. Ik geloof niet dat je soldaat bent, je hebt er volgens mij geen idee van waar je naartoe wilt en ik weet niet voor wie of voor wat je op de vlucht bent. Maar hier heb je niets te vrezen. Wij zeggen hier altijd: "Al loopt mijn weg door het dal van de schaduw van de dood, ik vrees geen gevaar, want U bent bij mij."' Gabi begreep er niets van: de schaduw van de dood, wat was dat? En dat oor en dat oog? 'Wij ontvangen iedere Jood hier met liefde en met open armen,' vervolgde de man, 'je kunt hier net zolang blijven als je wilt. We zorgen voor eten en een bed. Als je hier langer wilt blijven, kunnen we misschien wat regelen in een caravan met vrijgezellen. We kunnen altijd hulp gebruiken bij het wachtlopen, op de bouw of in de tuinen. Vertel me alleen één ding: heb je problemen met de politie of zoiets?'

Gabi was niet blij met deze preek, maar veel meer had hij niet kunnen verwachten. Een verafgelegen plek en iemand die hem onderdak wilde verschaffen, ook al wist hij dat Gabi een bedrieger was. Maar de man had iets dat Gabi niet lekker zat. En er was iets aan de plek dat hem onrustig maakte. Misschien deed de man hem te veel denken aan de volwassenen uit de kibboets, hinderlijk, rechtschapen, trots met de absolute zekerheid van iemand die weet wat juist is en welwillend neerkijkt op wie probeert hem te bekritiseren. Hij schudde zijn hoofd. Hij had geen problemen met de politie. Bij het avondeten at hij weer met hen mee. Hij bleef nog twee nachten slapen op een matras op de grond in een kamer met twee van de kinderen. Hij was doof voor het gehuil in de nacht en voor het geschuifel van hun voetjes in de ochtend, voor het gebengs op tafel en het gerammel van speelgoed, hij merkte zelfs niets van Davids nieuwsgierigheid die hem over zijn hoofd kwam aaien en probeerde een van zijn oogleden open te maken. Hij werd nergens wakker van tot bijna twaalf uur 's middags, toen hij zijn ogen opsloeg in een vredig en leeg huis. Hij stortte zich op de inhoud van de koelkast en de broodtrommel, nam een lange douche en trok vervolgens het uniform en zijn Palladiums weer aan, doorzocht de zakken van de legerbroek, vond een gekreukte, kromme maar niet geknakte Noblesse, streek die glad tussen zijn vingers, haalde een pakje lucifers tevoorschijn, stak de sigaret op, keek om zich heen en dacht na.

Toen hij klaar was, gooide hij de peuk in een restje Nescafé in de aanrechtbak en hoorde hem sissend doven. Hij liep de ouderslaapkamer in, doorzocht de lades, vond zeshonderd opgevouwen sjekels in een gebedenboek, keek om zich heen, stopte het in zijn zak, hing zijn tas om zijn schouder en vertrok in de richting van de poort van de nederzetting. Hij haatte die plek. Maar ook dat was ten goede, zoals dat heet.

De oriëntatieloop

Een week voor de individuele oriëntatieloop werd Ronni op gesprek geroepen. Ze wilden hem tegemoetkomen, ze hadden begrip voor de bijzondere familiesituatie waarin hij zich bevond. Maar toch, zeiden ze. Er waren adoptiefouders die inmiddels terug waren uit het buitenland. Er was een kibboets. Er was een heel netwerk dat verantwoordelijkheid nam, bezorgd was en zocht. Hij moest niet de hele verantwoordelijkheid op zich nemen. Hij kon niet stad en land aflopen en verwachten dat hij één persoon kon vinden op een bevolking van vier miljoen. En al helemaal niet als die persoon zich schuilhoudt en niet wil dat hij gevonden wordt. Wat waren de kansen? Je hebt verplichtingen, zeiden ze. Je mag blij zijn dat je niet bij een reguliere eenheid zit; daar zou niemand je zoveel vrijheden gegund hebben. Dus jalla, Ronni, herpak jezelf. We hebben missies en orders, manoeuvres en exercities. We hebben een week met individuele oriëntatielopen. Ronni knikte, ja, ja, hij wist het, het speet hem dat hij zichzelf niet was de laatste tijd, maar die hele kwestie, jullie snappen het wel. We snappen het, zeiden ze tegen hem, maar toch. Ja, zei Ronni. Hij zou zich herpakken, zondag aantreden bij de oriëntatielopen en iedereen laten zien wie de echte Ronni Cooper was. Hij dacht aan alle tijd die hij had verspild, aan alle ritten, zonder dat het hem een greintje informatie opgeleverd had. Hij had er geen flauw idee van waar hij heen moest, hoe hij eraan moest beginnen. Aanvankelijk had hij overwogen om naar de politie te gaan, maar papa Jossi had hem aan de telefoon vanuit het buitenland op niet mis te verstane wijze laten weten dat hij dat niet moest doen. Dus bleef hij rondlopen met de foto van zijn broer en een eenvoudige beschrijving, hoewel Gabi het uniform met de brigade-emblemen vast al niet meer droeg. En desondanks, ook al wist hij dat de kans vrijwel nihil was, voelde hij die behoefte om urenlang onderweg te zijn, om zich voor de kop te slaan van spijt, te huilen, te denken aan alle fouten die hij gemaakt had, om de jaren dat hij zich gedistantieerd had, en dat voor Jif'at, die hoer.

Papa Jossi en mama Gila kwamen geen seconde eerder van hun reis terug dan gepland, hoewel Ronni ze al op de tweede avond van de twaalf nachten die de reis duurde in hun hotel te pakken kreeg en had verteld dat Gabi verdwenen was, en ze daarna bijna iedere avond belde om te vragen, bijna smeekte of ze terugkwamen en zo verschrikkelijk boos was geworden. In het hotel vroeg Jossi het aan Gila en Gila stootte een korte lach met rook uit, schudde haar hoofd heen en weer en vroeg: 'Zie je dit? Zie je mij? Weet je wat deze beweging betekent?' Niemand, ook Gabi niet, zou haar reis verstoren; het interesseerde haar nauwelijks dat Jossi iedere dag haastig naar de lobby ging om te zien of er een boodschap lag te wachten, of in zijn grijze haar krabde van bezorgdheid.

Maar zodra ze terug waren op de kibboets, nam Jossi het heft in handen en maakte een ops room uit zijn en Gila's kamer. Hij betrok de politie er niet bij, het was een interne kwestie, vuile was hang je niet buiten enzovoort, maar besloot wel om in de krant *Davar* een advertentie te plaatsen met Gabi's foto en beschrijving. Binnen de kortste keren begonnen mensen te bellen en anoniem waarnemingen door te geven. Er werd gezegd dat Gabi was gezien in Kirjat Ata, in Eilat, Herzelia, Teverja en Beër Toevja. Er werd gezegd dat hij een baard had, een hoed droeg, het uniform van de luchtmacht of een elegant grijs pak. Ronni stelde voor dat hij al deze aanwijzingen persoonlijk natrok, maar papa Jossi wist hem ervan te overtuigen dat hij terug moest naar zijn eenheid voor de week van de individuele oriëntatielopen en ging zelf met de bus naar het zuiden, naar Gila's broer in kibboets Revivim. Onderweg kwam hij langs alle plaatsen waar Gabi gezien was en daarna reisde hij door naar Eilat.

Het weekend voor de oriëntatieloop besloot Ronni in de kibboets te blijven om uit te rusten en zijn hoofd helder te krijgen, maar hij vervuilde het juist met heel veel Goldstar en een onverwachte dronken uitspatting die hij zich naderhand niet meer helemaal precies voor de geest kon halen, met de knappe Orít uit zijn jaargang, die op een luchtmachtbasis diende en verkering had met een vliegenier die sjabbat doorbracht op de basis. Op sjabbat sliep hij lang uit en ging vervolgens naar de ops room voor het laatste nieuws.

Op zondag ging Ronni naar de basis, en daarvandaan stapten ze allemaal in een bus die naar het zuiden ging. Zijn teamcommandant kwam een gedeelte van de reis naast hem zitten en vroeg hoe het met hem ging, hoe het met het zoeken ging, hij had de advertentie in de *Davar* gezien, had er iemand gereageerd? Hij was blij dat Ronni gekomen was, de week van de oriëntatielopen was belangrijk, het was een onderdeel van de grote legeroefeningen die door de Generale Staf gevolgd zou worden. De eenheid had in deze oefening een cruciale missie: doelbeschrijvingen en troepenbewegingen, en hij vond het belangrijk dat Ronni er helemaal voor ging. Hij wist dat Ronni talent had. En dat hij het kon. Maar hij moest zich wel concentreren. Dit was zijn kans om deze hele episode achter zich te laten – en hij besefte best hoe moeilijk dat was – en een nieuwe fase binnen te stappen, weer onderdeel te worden van deze eenheid die van hem hield en hem omarmde.

Later stond de officier op en sprak via de microfoon van de bus. 'Mannen. Tot nu toe is het allemaal nog maar een peuleschil geweest. Kinderspel. Geloof me. Wat hebben jullie tot nog toe gedaan? Sportinstructie? Schietoefeningen? Vaste order? Parachutespringen? Cursussen en exercities? Vergeet het maar. Dat stelde allemaal geen reet voor. Wat we vandaag gaan doen, dáárvoor bestaan we. Verkennen. Inlichtingen vergaren. Verkennen voor de troepen uit, oriënteren, transport. En dat alles op onbekend terrein, met het gevaar ontdekt te worden. Daarom reizen we af naar de Negev, een terrein waarin we nog niet veel aan het werk geweest zijn. Wanneer deze touringcar pssst sist en jullie de deur uit stappen, wil ik dat je de wereld laat zien uit wat voor hout een Golani gesneden is. Jullie krijgen je navigatiecoördinaten. Leer ze uit je hoofd, net zolang tot ze in je brein of op je gat gebrand staan. Jalla, laat de wereld en de Generale Staf zien wat je waard bent.'

Ronni geloofde hem en wilde de hele wereld en zelfs de Generale Staf laten zien wat hij waard was. Hij bestudeerde de kaarten en de coördinaten tot ze in zijn hersens en op zijn gat gebrand stonden. Zwijgend trof hij zijn voorbereidingen; controleerde zijn wapen, munitie, water, snoepgoed en schoenen, zijn bepakking, luisterde naar alle aanwijzingen, lette op bij alle instructies, gaf antwoord op alle vragen, hielp zijn maten en ging monter, met toegeknepen ogen en vol goede voornemens op pad.

De eerste paar kilometer voelde hij zich goed. Zijn bepakking voelde licht, zijn benen droegen hem haast spelenderwijs; hij had het zelfs naar zijn zin. Maar toen begon zich in zijn innerlijk een zwarte schaduw te roeren, in zijn gedachten, in de krochten van zijn sponsachtige hersens. Want uiteindelijk is er geen enkele hoop. Je maakt geen schijn van kans hem te verdrijven. Als je urenlang door de nacht loopt en scherp moet blijven, wakker moet blijven – dan nodig je ze uit, die gedachten; die heb je nodig om je tempo te houden, om het gewicht te vergeten en het getintel in je tenen en voetzolen; dan nodig je ze uit omdat je de tijd hebt om ze te ontwikkelen, ze in je zoemende kop te ordenen. En zo kwamen ze terug, de fouten die hij had gemaakt, de jaren dat hij zich gedistantieerd had, Jif'at, die hoer, de tranen. Hij had beloofd dat hij zich zou herpakken en als eerste aankomen, maar met een malende kop kon hij zich moeilijk concentreren. Ronni stopte, dronk wat water. Concentreren! Hij had zich op deze week voorbereid. Hij wist dat hij het kon en zijn commandant wist ook dat hij het kon. Gabi zou wel terugkomen. Het was niet zijn verantwoordelijkheid. Er waren anderen die zich zorgen maakten en die zochten. Papa Jossi regelde de zaken. En Ronni wilde onderdeel van deze eenheid blijven uitmaken. Hij viste een gekreukte Noblesse uit de zak van zijn legerbroek. Je mocht tijdens je oriëntatieloop niet roken, maar hoe moest hij anders een helder hoofd krijgen? Hij ging zitten, leunde achterover op zijn bepakking, haalde een lucifer tevoorschijn en stak de sigaret op. Eentje maar en dan zou hij verdergaan. De coördinaten doemden voor zijn geestesoog op. Het kwam goed. Hij was op de goede weg. De sterren hielpen hem en het kompas deed de rest. Hij zou als eerste arriveren alsof het niks was en de Generale Staf laten zien wat hij waard was.

Hij liep verder. Het gewicht op zijn rug nam toe. De coördinaten die in zijn geheugen en zijn zitvlees gebrand stonden, begonnen te vervagen. Hij stopte om even iets te eten. Te drinken. Te roken. Te schijten. Het kwam goed met hem. Zijn bepakking werd steeds zwaarder, ondanks dat hij het ontdeed van water, voedsel en sigaretten. Hij had al heel lang geen makkers uit zijn eenheid gezien; niet dat dat per se moest, maar meestal kwam je elkaar tegen, kruisten de wegen en liep je een tijdje samen op om wat te praten en de verveling tegen te gaan. En daarna ging ieder weer zijns weegs. Maar vannacht zag hij niemand. Alleen de sterren en het kompas. Hij zag lichten. Wat was dat? Een kibboets? Hij was drijfnat van het zweet, hij zou maar heel even zijn bepakking afdoen. Hij rustte uit. Hij dronk wat. Wilde roken, maar zijn sigaretten waren op. Zou hij ernaartoe gaan en om een sigaret vragen? Het was zo warm. Het was moeilijk ademhalen. En als de nacht straks voorbij was, werd het nog veel warmer. Hij besefte dat hij stond te trillen en te mompelen bij de omheining van een of andere nederzetting, hij riep Gabi, en dacht toen dat hij hem zag, waar was hij? Daar, daar was de kibboets, hij was op de kibboets, kijk: daar zijn de gazons, de borders die papa Jossi en de groenvoorziening zo prachtig hadden opgekweekt, kijk: het zwembad en de eetzaal en daar: de betonnen paden. Hij werd naar de lichten toegetrokken, daar was

Gabi. Gabi? Gabi keek hem aan met bevreemde blik. Gabi? Heb je een sigaret? Hij gaf geen antwoord, keek alleen maar, wat wilde hij nou eigenlijk, en waarom zag hij er zo uit. Wie was het eigenlijk?

Het was Gabi niet. Weliswaar was die op dat moment in het zuiden, in de woestijn, maar een paar honderd kilometer verwijderd van Ronni's militaire oriëntatieloop. Hij was in de Sinaï, in Ras Boerka, waar hij van de duinen naar het blauwe water rolde. Hij was er beland met een paar verrassende, dronkenmakende liften die hem van Ofra naar Beër Toevja en vandaar naar Eilat en Ras Boerka hadden gebracht. Met de zeshonderd sjekel van de familie Alles-is-ten-goede kon hij het makkelijk een paar weken uitzingen, schatte hij, vooral in Ras Boerka: zoveel hoefde hij niet te kopen. Hij was bevriend geraakt met een groepje uit Haifa, dat gezamenlijk eten, water, ijs, sigaretten en bier inkocht, gezamenlijk kookte en het eten verdeelde. Hij betaalde zijn deel en hielp mee met koken, afwassen en ijs halen. Ze hadden hem zelfs een deken gegeven waarop hij onder de sterrenhemel lag te slapen. Ze stelden geen vragen en dat vond hij het fijnst aan hen, want zo kon hij de hele dag rustig op het zand liggen. Af en toe pakte hij een duikbril en een snorkel en zwom een rondje over het rif, de stilte, de regelmatige ademhaling door de snorkel, de kleuren die voor zijn gezicht uiteenspatten, veranderden en verdwenen. Daar, onder water, vonden zijn hersenmalingen rust en koelden zijn kolkende woede en vonkende zenuwuiteinden af. Op de deken onder het met sterren bezaaide uitspansel van de woestijn lukte het hem om niet kwaad te zijn op papa Jossi en mama Gila, Ronni niet te missen, niet aan Jotam en Ofir en de eetzaal te denken. Het lukte hem om zijn ogen dicht te doen en diep te slapen tot de ochtendkou vlak voor zonsopgang.

Toen hij op een dag om het luchtbed, de duikbril en de snorkel vroeg, zei Nili, een van de meisjes: 'Hé, ik wil ook!' En hij zei: 'Kom mee dan.' Ze gingen samen snorkelen, zij op het luchtbed, haar voeten op het kussen en de duikbril in het water, hij trok zwemmend het luchtbed mee en samen keken ze naar de vissen. Het was laat in de middag, de zon was achter de heuvels in het westen verdwenen en het zicht in het water was niet heel erg goed, maar dit was de tijd dat de vissen uit het rif kwamen; ze vingen glimpen op van koraalduivels en kogelvissen en zagen een octopus, zeepaardjes, oogvlekkoraalvlinders en tweebandanemoonvissen. Gabi wees ze aan en Nili volgde met haar blik. En daarna keek ze hem aan en door het glas van de duikbril kon hij zien dat haar ogen glimlachten. Vanaf die middag zat Nili naast hem bij het eten, deed samen met hem de afwas en schoof steeds dichter naar zijn deken toe. Na een paar nachten viel ze erop in slaap en werden ze in elkaars armen wakker, elkaar beschuttend tegen de ochtendkou. Ze glimlachte, gaf hem een kusje op zijn lippen, maakte zich los en ging zonder een woord te zeggen naar haar eigen slaapzak.

Nili was niet het knapste meisje uit de groep, maar wel het betoverendste. Hun eerste echte kus deelden ze boven op het uitkijkpunt, aan het eind van hun krachten na een krankzinnige klimpartij, in de brandende zon met de heel blauwe zee die beneden hen lag. Het was een lange diepe zanderige strelende kus, ze waren allebei in zwemkleding en raakten elkaar alleen aan op de blote huid, ze durfden de grens niet overgaan of een elastiek te verschuiven; het was een zoete, smakelijke en vochtige kus. Een kus die het symbool had kunnen zijn voor een nieuwe, stormachtige fase tussen hen beiden, maar slechts een belofte bleef.

Toen ze de volgende ochtend naast elkaar op het strand lagen, bewoog de aarde. Hij keek naar haar en zij keek naar hem en ze glimlachten. Ze legde haar hand op de zijne en kneep erin. 'Voelde je dat de grond schudde?' vroeg hij. 'Ja, een aardbeving,' antwoordde ze. Om hen heen op het strand gedroeg iedereen zich zoals altijd, de zonaanbidders lagen uitgestrekt, de zwemmers zwommen, de vissen doezelden ongetwijfeld, de tenten stonden op hun plek. Nili kneep nogmaals in zijn hand en zei: 'Het is goed. Dat gebeurt hier heel vaak. De breuklijn tussen de Arabische en Afrikaanse platen.'

En precies op dat moment arriveerden er nieuwe lui in Ras Boerka. Gabi wierp een blik op het groepje en verstijfde. Een ervan herkende hij van verre: het was zijn klasgenootje Anna uit de naburige kibboets, de kibboets van Jif'at, Ronni's ex. Anna, die zo heette omdat haar vader een vrijwilliger was uit Engeland of Zweden of zo – die dag in de Sinaï herinnerde Gabi het zich niet precies, maar mettertijd zou hij haar biografie tot in detail kennen – die in de kibboets verliefd was geworden op haar moeder. Gabi bleef naar het groepje kijken dat zich installeerde op enige tientallen meters van zijn groepje uit Haifa. Alle schillen die hij van zich afgepeld had in de weken van zand, zee, vissen en Nili, keerden terug en omsloten hem.

'Wat is er?' vroeg Nili, terwijl ze een blik wierp op het nieuwe groepje. Zonder antwoord te geven, bleef hij ze volgen. Hij had haar onmiddellijk herkend, maar hij wilde er zeker van zijn dat hij het zich niet inbeeldde. Hij beeldde het zich niet in. Het was Anna met haar ronde gezicht, droevige ogen, het ene kuiltje in haar wang en haar donkere steile haar, geknipt in een coupe die hij niet kende maar die hem wel beviel, tot aan haar kaak. Anna met haar typische kibboetsloop, teenslippers, slordige spijkerbroek en blauwgrijs shirt waarop van verre het etiket van de wasserij te zien was. Jazeker, dat was Anna, en hij moest hier onmiddellijk weg. Weer op de vlucht, weer verstoppen. Hij kon er niet op vertrouwen dat ze niet terug zou gaan naar het noorden en zou vertellen waar hij zat; hij kon het niet verdragen dat iemand die hij kende zou weten waar hij was.

Met zijn lange haar zou het lastig worden mensen ervan te overtuigen dat hij soldaat was en hij was nog te jong om voor reservist door te gaan, maar toch trok hij het uniform weer aan. Het hielp hem om binnen een paar minuten een lift te krijgen nadat hij erin geslaagd was weg te sluipen met zijn tas, zonder verder van iemand afscheid te nemen op een gemompelde verklaring aan de verbaasde Nili na, die er niets van begreep. Op het moment dat hij de auto in stapte, had hij er al geen spijt meer van. Ras Boerka was het volgende hoofdstuk dat hij achter zich liet. Het was beter hier niet te blijven, zich niet te binden. Hij moest verder.

'Waar moet je heen?' vroeg de bestuurder.

'Waar ga je heen?' antwoordde Gabi.

'Naar Paran,' zei de bestuurder.

'Uitstekend, dat is precies op de route,' antwoordde Gabi zonder de flauwste notie.

'Ik moet naar Dimona,' antwoordde de volgende bestuurder. 'Uitstekend,' zei Gabi.

'Ik? Naar Beër Sjeva.' 'Ofakim.' 'Bet Govrin.' – 'Geweldig.'

En natuurlijk de vragen die erbij hoorden: 'Mogen jullie bij de commando's zulk lang haar hebben?' 'Heb je vakantie gehad of zo?' 'Pas maar op dat je niet door de MP gesnapt wordt, daar zijn er een hoop van bij het Qastina-knooppunt.' 'Sinds wanneer zit daar een Golani-basis?' Gabi deed er het zwijgen toe.

Bij het knooppunt Govrin stapte hij uit. De duisternis viel in. De bestuurder, die blijkbaar zijn aarzeling had opgemerkt, vroeg: 'Waar moet je heen, weet je zeker dat je er hier uit moet?'

'Ja, ja, zeker, dank u,' antwoordde Gabi zonder hem aan te kijken.

'Het is hier nogal een gat,' ging de bestuurder verder, 'er is hier helemaal niets. Wie weet wanneer er hier weer een auto langskomt. Waar moet je zijn? Het maakt me niet uit een stukje om te rijden.'

'Het is goed, dank u,' zei Gabi. De bestuurder gaf het op en reed naar zijn nederzetting, de herrie van de uitlaat stierf weg totdat er alleen stilte overbleef. Hij hoefde niet lang te wachten of er kwam een Peugeot-pick-up uit de tegenovergestelde richting van waar hij gekomen was. Vlak voordat de pick-up eraan kwam, stond Gabi Cooper te peinzen over de aardbeving van die ochtend, over hoe hij het zand had voelen bewegen en over hoe hulpeloos je was tegenover de onmetelijke kracht van de natuur. Wat zou er gebeurd zijn als een van die ondergrondse platen had besloten iets krachtiger te bewegen? Dan was hij pardoes onder het zand begraven geraakt. Zonder ergens acht op te slaan stak hij zijn duim op in de richting van de ronde koplampen die zijn kant op gedenderd kwamen.

Hij had inmiddels flink wat ervaring opgedaan met liften en herkende het verschil meteen wanneer hij instapte en de bestuurder de rem los liet en het gas indrukte. Het verschil in sfeer in de auto was even herkenbaar als cement in een emmer: zwaar, grijs en steeds verder uithardend. Hoe vaak was hij niet ingestapt zonder een woord met bestuurder te hebben gewisseld, zelfs geen 'waar moet je heen' en 'waar gaat u heen', dat kwam later, het was een soort onuitgesproken wet die zei dat als je je duim opstak en er een auto stopte en je meenam, het vanzelf sprak dat je een stuk van de weg deelde; de gever en de nemer, de vrager en aanbieder. Dit keer verstijfde hij en voelde zijn nekharen overeind gaan staan, agressief, als een kat klaar om bij het minste of geringste terug te slaan. Er zaten drie mannen in de pick-up. De bestuurder, de passagier, en een op de achterbank, naast Gabi.

'Waar gaan jullie heen?' vroeg hij ten slotte.

'Hier, vlakbij,' antwoordde de passagier met een Arabische tongval. 'Weet je,' zei Gabi met vaste stem, hoewel zijn keel trilde, 'ik moet hier uitstappen, ik heb wat vergeten, ik moet terug.'

'Zullen we je terugbrengen?' vroeg de man.

'Nee, nee, dit is prima.' De aardbeving, de Arabisch-Afrikaanse breuklijn, beelden van die ochtend schoten door zijn hoofd. Ineens, zomaar uit het niets, dacht hij terug aan de lift met de familie Alles-is-ten-goede. De ene man zei iets in het Arabisch tegen de bestuurder, die richting aangaf, gas terugnam en stopte in de berm. De passagier deed de binnenverlichting aan en draaide zich om naar Gabi. Ook de bestuurder keerde zich naar hem om. De man naast hem hoefde zich niet om te keren, Gabi had zijn blik op zich gevoeld vanaf het moment dat hij was ingestapt. Er hing een onaangename geur in de auto en Gabi keek met kloppend hart naar de passagier.

'Is er iets niet in orde? Iets dat je niet bevalt?'

'Nee, alles is in orde. Ik moet alleen terug naar Bet Govrin, ik heb wat laten liggen bij mijn vorige lift.'

De passagier zei iets tegen de bestuurder. De man naast Gabi voegde er iets aan toe. 'Je bent een soldaat, nietwaar?' vroeg hij en pakte het embleem van de commando's van de Golani brigade. 'Wat is dat, een kat?' Gabi gaf geen antwoord maar haalde de hand van de man niet van zijn shirt. Het zweet begon van zijn voorhoofd te druppen. Blijkbaar is dit het einde, dacht hij, en in zijn hoofd schoten Nili en haar kus voorbij, en Anna met haar nieuwe steile kapsel tegen de gele achtergrond van de woestijn, en de blauwe ogen van vader Alles-is-ten-goede.

'Wat willen jullie?' vroeg hij uiteindelijk terwijl hij de passagier recht aankeek. De bestuurder grinnikte.

'Een soldaat,' zei de passagier. 'Een uit een gevechtseenheid. Waar is je geweer?'

'Ik heb geen geweer. Ik ben geen soldaat. Ik zit nog op school. Dit is het uniform van mijn broer.' Gabi was bijna gaan snikken. 'Ik ben nog een kind. Ik ben geen soldaat.'

'Geen geweer?' vroeg de passagier. Hij zei iets in het Arabisch en de man naast hem begon zijn lichaam te onderzoeken, trok een knoop van het shirt, betastte zijn borst, een stopte een hand in zijn broek, greep hem bij zijn lid en streelde zijn balzak. *'Inta walad?* Een kind? Geen soldaat?' Gabi zat er stil bij, wachtte op de snede van het mes, kneep zijn ogen dicht en het koude zweet dat uitbrak vertelde hem dat hij een fout begaan had, zo'n grote fout, waarom was hij gaan reizen, waarom was hij gegaan, vandaag, waarom eigenlijk? De Arabieren spraken op hoge toon met elkaar. De man naast hem liet hem met rust. Gabi deed zijn ogen open en zag een auto langskomen met blauwe zwaailichten. De pick-up denderde weer met grote snelheid over de weg, de Arabieren gingen door met ruziemaken, inmiddels schreeuwden ze echt tegen elkaar. En toen zwegen ze. Hij begreep niet wat er aan de hand was. Voor de volgende kruising gaf de bestuurder richting aan, stopte in de berm, draaide zich om en wierp een priemende blik op hem. De man naast hem stapte uit, liep om de auto heen, maakte het portier aan Gabi's kant open, greep hem bij de kraag van het uniformshirt en trok hem hardhandig naar buiten. Dit is het dan, dacht Gabi, dit is mijn einde. Er ontsnapte hem een snik. De man smeet hem op de grond en gaf hem een paar schoppen tot hij in de greppel naast de weg rolde. Pas na een paar lange seconden durfde Gabi zijn hoofd boven de greppel uit te steken; met kloppend hart, zwetend en hijgend zag hij hoe de achterlichten van de Peugeot in de verte verdwenen. Toen hij begon te huilen schoten hem willekeurige woorden door het hoofd: een alziend oog, een alhorend oor, ook in de schaduw van de dood vrees ik niet.

De volgende dag hoorde hij op de radio over een soldaat die 's nachts was ontvoerd bij het kruispunt Ela. Een paar dagen later werd de soldaat niet ver daar vandaan, dood aangetroffen. Hij had een kogel in zijn hoofd, een kogel van het IDL, afgevuurd met een geweer van het IDL, waarschijnlijk dat van de soldaat zelf.

Diezelfde dag ging Gabi terug naar de kibboets. Hij liep door de toegangspoort naar binnen, uitgedost in Ronni's uniform en zijn Palladiums, met verwilderd haar en wangen die deels nog die van een zacht jongetje waren, liep regelrecht naar zijn kamer en plofte op zijn bed neer om in een lange, diepe slaap te vallen. Jotam kwam terug uit de gymzaal en naderde het bed voorzichtig om zich ervan te vergewissen dat hij niet hallucineerde. Daarna rende hij zo snel als hij kon naar de kamer van Jossi en Gila.

Ronni zei tegen Gabi dat het hem niks kon schelen. De commando's waren niet belangrijk, hij had het traject afgelegd, de ervaring gehad, *been there, done that*, en het maakte hem niet uit dat hij nu een suffe post had op de inlichtingenbasis in Tsfat. Hij was magazijnmeester, wat inhield dat hij niets deed omdat niemand iets uit het magazijn nodig had. Dus wat hij de hele week deed was restjes verf uit het magazijn halen en er de wand van zijn slaapvertrek mee verven in heel veel verschillende kleuren die om elkaar heen draaiden, kringelden, in elkaar overliepen en vermengden, een kunstwerk van vier meter vijfentwintig bij twee tachtig, in het hoekje ondertekend met: 'Ronni Cooper, de soldaat die ging en verdween' en daarbij het jaartal 1989.

'Wij hebben alleen mekaar,' zei hij tegen Gabi. 'Meer niet. Het IDL en de commando's kunnen me m'n reet roesten. Als ik dacht dat ik jou zag, midden in een oriëntatieloop, als ik die kibboets ben binnengegaan en met mensen ben gaan praten – ik herinner me er niets van, maar dat is wat ze zeggen – dan is het zoals het moet zijn. Dat is wat me geleid heeft. Jij hebt me geleid. Voor mij ben jij het allerbelangrijkste.'

'Het spijt me,' zei Gabi tegen hem en hij legde zijn hand op die van Ronni en voelde hoe zijn hart een beetje zwol.

'Jij hoeft nergens spijt van te hebben. Het belangrijkste is dat je heelhuids bent terugkomen. Dat is het voornaamste.' Bovendien, zo leerde Ronni later, was het op de inlichtingenbasis in Tsfat geweldig leuk, veel leuker dan je gat open te halen aan doorns in de Negev of de Golan om een bepaald punt te bereiken dat iemand op een kaart heeft getekend. Het was makkelijk werk en kort; 's avonds was hij vrij en hij kon naar de kibboets gaan wanneer het hem uitkwam, en de meisjes... De meisjes *jin'al dinak* – godverdomme, wat een straf.

De basistraining

Als Gabi de militaire autoriteiten had verteld over zijn vlucht en gewelddadige voorvallen, of als hij een professionele psychologische behandeling had ondergaan, had hij op voorhand al een S5 gekregen en vrijstelling van actieve dienst of zelfs de hele dienstplicht. Mensen in zijn omgeving, zoals papa Jossi, drongen er bij hem op aan dat hij dat zou doen. Maar hij wilde zich vrijwillig melden voor een gevechtseenheid en dus zei hij niks. Als eerste voorkeur noteerde hij de commando's van de Golani-brigade en als tweede voorkeur de Golani-brigade. Een derde voorkeur vulde hij niet in en hij werd ingedeeld bij de genie. Nog tijdens de basistraining werd hij overgeplaatst naar Gaza en kreeg hij een granaatwerper en traangasgranaten in zijn handen geduwd. Zijn basistrainingseenheid moest op patrouille in het vluchtelingenkamp Djabalia, een kamp dat door de officier die hun toesprak werd gedefinieerd als 'niet van belang' en daarom werd er een peloton verse rekruten uit de basistraining heen gestuurd. Zijn makkers en hij, allemaal half opgeleid, liepen in twee rijen over een brede zandweg. Van een brandende autoband steeg rook op die in hun neusgaten schrijnde. Ze gingen de straatjes van het kamp in, liepen daar tussen schreeuwende, gewelddadige roetzwarte met vodden spelende kinderen en vrouwen met brede lichamen in lange gewaden, hun ogen in hun platte gezichten stonden afgemat en onvriendelijk. Soms zag Gabi de mooie groene ogen van een meisje, maar meestal focuste hij op de hakken van de soldaat voor hem.

Vier dagen lang gingen ze op saaie, stinkende patrouilles en gebruikten geen enkele traangasgranaat. Op de vijfde dag kwamen ze jongens tegen die met stenen gooiden. De commandant stopte en maakte zich klein, de rest van de soldaten deed hetzelfde. Daarna stond hij op, zocht dekking achter de muur van een huis en gebaarde dat de rest zich achter hem moest opstellen. Er was niet voor iedereen plaats, een deel kon nog steeds geraakt worden door de stenengooiers.

'Gas!' brulde de officier. Gabi begreep niet dat het bevel voor hem bedoeld was. 'Gas!' riep de officier nogmaals, maar pas toen hij een por tegen zijn arm kreeg, sprong Gabi verschrikt op en haastte zich naar de officier. Die instrueerde hem de gasgranaten met een boog in de richting van de stenengooiers te schieten. Gabi haalde de granaatwerper van zijn schouder en herinnerde zich toen dat hij niet had geleerd hoe die te gebruiken. Bij de eerste patrouille was hem gezegd dat er geen tijd voor was en dat het hem na de patrouille zou worden uitgelegd. Maar degene die hem dat beloofde, was het vergeten en hij had er ook niet naar gevraagd. Dagen vol rustige, saaie patrouilles waren gevolgd, terwijl de granaatwerper als een lege tas over zijn schouder hing. Nu werd hij verzocht te schieten en hij wist niet hoe. De officier rukte de granaatwerper boos van hem af en liet hem zien hoe hij hem moest openen. 'Granaten,' beval hij. Granaten? Het bleek dat iemand een paar traangasgranaten in Gabi's gevechtsvest had gestopt. De officier vond ze en liet Gabi zien hoe ze in de werper gedaan moesten worden, deed hem dicht, richtte naar de lucht en zei: 'De volgende keer doe ik het niet voor je. Kom uit die paniekmodus,' en drukte op de knop.

De granaatwerper was defect. De granaat ontplofte binnenin, in plaats van enige tientallen meters afgeschoten te worden en bij het doel te ontploffen. De officier smeet de werper weg, maar de grijze rookwolk omhulde hen: voornamelijk Gabi en de officier en de onfortuinlijke soldaat bij wiens voeten de werper terechtkwam. Alle drie bogen ze kronkelend in elkaar, geschroeid door de rook die zich in hun ogen, hun neus, hun mond, hun longen vrat, tastend op zoek naar water en dekking. De rest van de soldaten stond verdwaasd om hen heen, ook zij hadden last van hoesten en tranende ogen. De stenengooiers in de verte lieten onmiddellijk hun tanden zien en lachten verrukt van leedvermaak en waagden het zelfs om dichterbij te komen. Als Doedi, een tot dan toe schriele, rustige soldaat er niet geweest was, die in de lucht was gaan schieten en had gebruld als een krankzinnige – misschien was hij echt krankzinnig – dan had deze hele geschiedenis een veel slechtere afloop kunnen hebben dan drie gewonden wegens het inhaleren van rook, die naar de kliniek op de hoofdbasis van Gaza gebracht werden en nog aan het eind van die dag ontslagen.

Na dit voorval werd het peloton rekruten teruggeplaatst naar de basistraining, maar Gabi was afstandelijk, was er niet meer echt bij. Niet alleen had hij weinig zin om gas in te ademen uit defecte granaatwerpers, hij voelde er weinig voor om anderen gas te laten vreten uit goed werkende granaatwerpers, door steegjes met een open riool of slaapkamers van straatarme families te marcheren, of stenengooiers aan te houden. Hij had er ook geen zin in om zwaar materieel van de genie te besturen, explosieven onschadelijk te maken of bruggen over water te bouwen. Het enthousiasme van zijn makkers voor de basistraining en de opgewonden woorden die ze uitkraamden wanneer ze het over mechanisatie, explosieven of wapens hadden – woorden die ze hadden gehoord van hun vrienden, broers of ooms die bij de genie hadden gediend – het deed hem allemaal niets. Hij had eigenlijk helemaal geen zin om overal en nergens naartoe te moeten in dit groene uniform. Dat had hij al eens gedaan en dat had hem bijna zijn leven gekost; of eigenlijk: het had hem alleen maar níét zijn leven gekost omdat hij geen echte soldaat was geweest. En dan die basistraining, met die dommige, gemaakte onbuigzaamheid van de officieren, de nachtelijke versnelde marsen, de belazerde bejegening en het smerige eten, het stomme wachtlopen en die achterlijke gladiolen, god, die achterlijke gladiolen. Er waren een paar jongens bij waarmee hij goed overweg kon, maar als kibboetsnik was hij een vreemde eend in de bijt en zou dat altijd blijven. En na het voorval in Djabalia was zijn positie er niet beter op geworden.

Op zekere ochtend werden ze uit hun bed gelicht, in een bus geladen en naar het hart van de woestijn gereden. Ze werden in teams verdeeld en kregen een kompas. Een hele dag in de woestijnzon, met onvoldoende water en een smerig strijdrantsoen. Alsof zo'n dag al niet erg genoeg was, zelfs als die volgens het boekje verliep, gingen er ook nog dingen mis. Twee teams liepen verkeerd en kwamen niet op tijd bij het eindpunt aan. De duisternis viel. Vuurpijlen werden de lucht in geschoten, de andere teams die dachten dat ze hun missie volbracht hadden, werden ingezet om te zoeken. Een van de zoekteams liep verkeerd en raakte zelf zoek. De soldaten en officieren waren moe, hongerig en geïrriteerd. Na veel geschreeuw, appels en straffen kwamen ze eindelijk tegen elven terug op de basis. De pelotonscommandant en twee soldaten, onder wie Gabi, gingen naar de keukens om tegen de koks te zeggen dat ze iets te eten moesten maken. De koks waren niet in de keuken; die was op slot. De pelotonscommandant en de soldaten gingen naar de barakken van de koks, bonsden op deuren, schreeuwden, smeekten om eten. De koks, die verdiept waren in een spelletje triktrak en sigaretten rookten, lachten.

'Het is te laat,' zeiden ze. 'Niemand die op dit uur nog naar de keuken gaat. Jullie waren niet op tijd, dat is jullie probleem.' Ze waren zelfs niet bereid om de sleutel te geven. De verantwoordelijke adjudant was niet op de basis – hij was naar Beër Sjeva om uit te gaan.

'Je kunt het vergeten,' zei er een.

'Moet je maar leren de weg niet kwijt te raken,' zei een ander.

'Zo gaat het er nou eenmaal aan toe bij de basistraining,' zei de eerste, waarop ze allemaal in lachen uitbarstten en verder gingen met hun triktrak. De hongerige pelotonscommandant, wiens geduld op was, ging de confrontatie aan met de hoofdkok en probeerde hem aan zijn kraag naar buiten te sleuren. De overige koks vielen de pelotonscommandant aan, sloegen op hem in, smeten hem op de vloer, schopten hem in zijn ribben en een gaf hem zelfs een knal tegen zijn hoofd. Gabi en de andere soldaat stonden erbij en keken toe, ze durfden zich er niet in te mengen. Gabi was hongerig en moe. Hij had de hele dag niks anders gegeten dan een strijdrantsoen, dat hij bovendien nog met twee anderen had gedeeld.

De pelotonscommandant kon nauwelijks nog op zijn benen staan, maar beloofde de koks dat hij ze op rapport zou slingeren. Het leek de koks geen zorgen te baren. Hij was bang dat hij een gekneusde of gebroken rib had, en ging samen met de soldaten terug naar het peloton om het slechte nieuws te brengen. Ze deelden de paar strijdrantsoenen die er nog waren met het hele peloton en daarna gaf hij ze permissie te douchen en te gaan slapen, met de belofte van goed eten in de ochtend.

Na de douche en dat weerzinwekkende ingeblikte vlees, nadat mijn buik rondjes om zichzelf had gedraaid, voelde ik in mijn hart steeds weer de schoppen die de pelotonscommandant te verduren had gekregen; niet dat ik zo bijzonder dol op hem was, maar die koks waren gewoon beesten, en ze hadden geen gelijk gehad, ze waren geen mensen, gewoon geen mensen. Die hele klotedag bleef door mijn hoofd malen onder de douche: de strijdrantsoenen, de zon, die krankzinnige mars met die verdomde kaarten en toen, toen we al klaar waren en al in de bus zaten, moesten we terug om die idioten te zoeken die de weg kwijt waren en moesten we wachten en weer lopen, alsof we vee waren. En geen mensen. Ik kon er niet van slapen. Het was al twee uur 's nachts toen ik het kluisje van Misj'ali openmaakte en er een paar stungranaten uit pakte. Ik wist dat hij ze sinds Gaza bewaard had om mee naar huis te nemen; grote, gladde granaten, paarsachtig bruin als aubergines. Misj'ali had er meer,

maar ik pakte er maar twee en daarmee ging ik terug naar de barak van
de koks. Ik wist waar de hoofdkok sliep, want dat had ik eerder al gezien.
Geen mensen. Het was er stil, op het ritmische zagende gesnurk uit een
van de kamers na. Ik verkende de kamer en versleepte stilletjes een grote,
zware houten bank, om de deur mee te barricaderen. Daarna liep ik om,
vond ik het raam en wist het open te maken. Ik haalde de borgpinnen
uit de granaten, hield de hefbomen op hun plaats, stak beide armen in
het raam, liet de granaten vallen, deed het raam dicht en rende als de
gesmeerde bliksem weg, richting mijn warme bed. Onderweg hoorde ik
de gigantische knallen die de hele barak deden schudden. Ik viel met een
glimlach in slaap.

Dit keer werd tenminste de vijand getroffen en niet hij, zoals het geval
was geweest met het traangas. De koks sprongen op door de dave-
rende knal die ze doof maakte, angst aanjoeg, ervoor zorgde dat een
de controle over zijn kringspier kwijtraakte en een ander die over zijn
blaas. In hun paniek lukte het niet de kamer uit te vluchten totdat hun
buren, die iets minder geschrokken waren, de bank wegschoven die
de deur blokkeerde. Ze werden naar de eerste hulp van het Soroka-
ziekenhuis gestuurd voor behandeling tegen shock en oorsuizen. Afgezien van de fysieke blessures keerden ze terug met hun staart tussen
de benen. Daar was hij trots op: hij had de rekening vereffend. Het
peloton – het onderzoek om de schuldige te vinden duurde maar een
paar uur – keek nu met andere ogen naar die Asjkenazische kibboetsnik, die kluns die niet wist hoe hij een granaatwerper moest bedienen.
Terwijl hij hem formeel een standje gaf over het in gevaar brengen van
mensenlevens en over collegialiteit als soldaat en mens, schonk ook
de pelotonscommandant Gabi waarderende blikken en klonk er sympathie door in zijn stem, hoewel hij dat niet kon toegeven en hoewel
zijn eigen vernedering door dit voorval in zekere zin groter werd: een
verse rekruut die de prijs van eerherstel betaalde voor klappen die hij,
de pelotonscommandant, had gekregen.

Na dit voorval kon Gabi niet in de basistraining of het leger blijven.
Na twee weken in de petoet, een ervaring op zich, rondde hij zijn
dienstplicht af die alles bij elkaar vijf maanden had geduurd. Hij zag
daar geen toekomst voor zichzelf en het was niet ingewikkeld om ont-

slagen te worden nadat hij de officieren van de geestelijke gezondheids-
zorg over de agressieve incidenten uit zijn verleden had verteld. Toen
hij uit de militaire gevangenis naar de basis terugkeerde, pakte hij zijn
plunjezak razendsnel in en was vertrokken eer het kokskwartet door-
had dat hij er was.

De toekomst

Hij ging terug naar de kibboets en trof daar zijn broer. Ze waren nu
volwassen, verzoend met zichzelf, met elkaar, de kibboets, met papa
Jossi en mama Gila. Ze keken nog steeds niet verder dan de bruine
heuvels van Galilea die de kibboets omringden. Ze hoorden bij het
bedrijf, waren gewone arbeidzame bewoners, actieve leden van de
onderneming en de gemeenschap die in eenvoudige, toereikende kamers woonden. Nadat hij afgezwaaid was, ging Ronni weer in de
koeienstal werken, waar Baroech Sjani nog steeds opzichter was. Gabi
verliet de kwekerij omdat hij walgde van de geur van tomaten. Hij
voelde zich beter thuis tussen de muren en op de vloer van de economische afdeling, waar hij een paar maanden werkte als assistent van
Dalja, die verantwoordelijk was voor de voedselinkopen van de kibboets. Hij vertrok omdat hij niet met Dalja overweg kon; hij had het
gevoel dat ze arrogant was en hem probeerde kort te houden alsof ze
bang voor hem was. Ze had het zelfs een keer over het voorval van de
duikplank en Ejals kaak gehad. Hij ging naar de fabriek, de grootste
producent van graszoden in Israël en een groot exporteur, dankzij een
patent waardoor het gras tijdens transport vers bleef. Gabi werkte er
op kantoor en had het daar prima naar zijn zin. Hij kon goed opschie-
ten met de directeur, een immigrant uit Zuid-Afrika uit de generatie
die de kibboets gesticht had, een positief ingesteld mens met gevoel
voor humor en een gigantische neus, totdat bleek dat Gabi allergisch
was voor de grassoort waaruit de zoden werden gestoken. Na onophoudelijke hoestaanvallen die leidden tot uitgebreide onderzoeken,
moest hij ook van deze carrière afscheid nemen.

Ronni sloot zich weer aan bij het basketbalteam van de kibboets,
Gabi probeerde zich aan te sluiten bij het koor. Ronni had een aantal

relatief korte affaires met vrijwilligsters en een keer met een Israëlische dame. Ze was te gast in de kibboets, een nichtje uit Petach Tikva van een van zijn kameraden uit de koeienstal, dat helemaal enthousiast werd, betoverd raakte en op bezoek kwam, maar zodra ze aangaf dat ze overwoog naar de kibboets te verhuizen en bij Ronni in te trekken, schrok hij zich lam en hield haar tegen. Gabi's toekomst met de vrouwen lag nog voor hem, afgezien van een paar vluchtige pogingen. Daarom vonden ze elkaar opnieuw, zonder het leger of een meisje of puberale spanningen die hen uit elkaar dreven. Ze spraken soms af voor het avondeten en gingen dan door naar een kroeg of een film, of even langs bij hun adoptiefouders.

Op zekere sjabbatavond, na het feestelijke maal in de eetzaal, voelde Gila zich niet lekker. Ze ging slapen, stond de volgende morgen op en voelde zich nog veel beroerder. Papa Jossi ging naar Ronni's kamer en vroeg hem hun naar het ziekenhuis in Tsfat te brengen. Onderweg naar het transportschema van het wagenpark om een sleutel te halen, kwamen ze toevallig Gabi tegen en hij sloot zich bij hen aan. Zo gebeurde het dat het hele gezin – vader, moeder en twee zoons, wie kon zich de laatste keer herinneren dat dát gebeurd was – naar het Ziv-ziekenhuis in Tsfat ging. Gila werd voor onderzoek opgenomen en de drie mannen brachten de sjabbat door in de gangen van het ziekenhuis, automaten-koffie drinkend, rokend (alleen Ronni), wandelingetjes makend in de wijk met uitzicht op het Meer van Kinneret, maar dat niet alleen, ook op Galilea en de Golan en bijna tot aan de Middellandse Zee aan toe. Zelfs de kibboets was vanaf een bepaald punt op de heuvelrug te zien, maar Gila wist dat punt niet meer bereiken; het lukte haar niet meer om terug te keren naar de kibboets die zij mede opgericht had. De kanker was in haar longen uitgezaaid en omdat ze er zo laat bij waren geweest, stierf ze een maand later.

Ronni en Gabi hadden zich al met elkaar verzoend voordat hun stiefmoeder werd opgenomen in het ziekenhuis, en nu werd hun band nog nauwer. Ze waren urenlang in elkaars gezelschap tijdens de ritten heen en terug en in de gangen van het ziekenhuis, verenigd in hun behoefte om daar te zijn en dicht bij elkaar, in hun bezorgdheid, hun verdriet, het besef hoe onvanzelfsprekend bloedverwantschap kan zijn. Soms wisten ze niet of ze naar de afdeling Oncologie gingen om mama

Gila te steunen of om tijd met elkaar door te brengen. Hoe het ook zij, ze waren samen.

De gebroeders Cooper, Ronni was inmiddels vierentwintig en Gabi twintig, waren in die tijd betere vrienden dan ooit. Tijdens hun gesprekken vulden ze de hiaten aan uit voorgaande jaren: Ejal en zijn gebroken kaak, de ontvoering, het kapotslaan van de tuin van de groenvoorziening, de liftreis naar de Sinaï en die ene lift bij het knooppunt van Bet Govrin. Ronni's traject bij de commando's, de laatste oriëntatieloop, zijn brandende liefde voor Jif'at, hun eerste keer, tweede keer, derde keer, het afscheid dat zijn hart brak. De onderlinge verhoudingen en wrijvingen: tussen kibboetsleden, Jossi en Gila, collega's bij de verschillende afdelingen van de onderneming.

'En nu?' vroeg Ronni zijn broer op een dag bij zonsondergang toen ze op de bank buiten het ziekenhuis zaten, terwijl de rook opsteeg van de sigaret die hij tussen zijn vingers hield.

'Nu?' vroeg Gabi, en hij draaide zijn pols zodat het horloge naar hem gericht was.

'Nee, niet nu meteen. Ik bedoel, straks.'

'Straks?'

Ronni keek om er zeker van te zijn dat niemand het zag en gooide zijn sigaret weg, keerde zich weer naar zijn broer met een glimlach in zijn mooie bruine ogen. 'Ja. Wat gebeurt er straks. Is dit het? Je woont in de kibboets en dat is waar je voor altijd blijft?'

'Hoezo? Heb jij soms andere ideeën?'

'Ik heb het eerst gevraagd.'

'Weet ik veel. Voorlopig is het de kibboets. Ik kijk niet al te ver vooruit. Dat verblindt me, alsof ik naar de zon kijk. Waarom zou ik?'

'Bevalt het je?'

Gabi beet op zijn lippen en wiegde met zijn hoofd van zozo, lala. 'Het gaat wel,' zei hij.

'Dat is precies wat ik bedoel,' zei Ronni. 'Ik heb hetzelfde. Wat is er mis? Schone lucht, een eenvoudig leven. Ik werk, slaap, eet, neuk. Wat wil een mens nog meer? We zullen het wel niet meer tot premier schoppen.'

'Wat is het probleem dan?'

''k Weet niet. Er is meer mogelijk, toch? Kijk eens naar de oudjes in de kibboets. Kijk naar die generatie. Die hebben wat gedáán. Die hebben iets gemaakt uit niets. Die hebben iets gedaan van historisch belang.'

'Hoezo historisch belang? Ze hebben een kibboets opgebouwd. Hadden ze soms keus? Ze hadden het zwaar te verduren gehad in Europa. Ze hadden het zwaar te verduren van de Arabieren. Dus hebben ze een kibboets gesticht en zijn ze ten oorlog getrokken.'

'Vroeger dacht ik er ook zo over,' zei Ronni. 'Dit is het dan. Er is een staat, het functioneert allemaal prima. Het is niet meer zo nodig om de zionistische droom te benadrukken. Of de Sjoa te overleven. Waarom genieten we er niet van en daarmee klaar? Moeten we soms idealen en grootse doelen gaan zoeken, alleen omdat de oudjes in de onderneming een staat hebben opgebouwd? Schei toch uit! Daarom ben ik bij die verdomde commando's weggegaan. Iedereen daar vond dat je iets moest dóén, strijden, overwinnen. Genoeg. Kijk om je heen. Het loopt toch allemaal lekker? Alles is rustig. Je mag best van het leven genieten.'

'Precies. Daarom vraag ik nogmaals: wat is het probleem?'

'Ten eerste is dat een leugen. Het loopt nooit allemaal lekker. En ten tweede, oké, dan hebben ze een staat opgebouwd en grootse dingen gedaan, van historisch belang, dingen die wij wel niet meer zullen doen. Maar dat wil niet zeggen dat ik mezelf vanuit persoonlijk oogpunt niet mag ontplooien. Iets van mijn leven maken.'

Gabi keek fronsend naar het uitzicht. 'Wat bedoel je met: vanuit persoonlijk oogpunt?'

'Iets bereiken, weet ik veel. Geld, succes. Kijk mij nou. Op mijn vijftiende was ik een basketbalster in de kibboets en ging ik in de koeienstal werken, de beste afdeling die er is. Ik ben bij de commando's gegaan, het beste onderdeel van het leger. En nu? Was dat het? Waarom zou ik mijn hele leven in de kibboets blijven zitten en al die tijd precies hetzelfde doen? Ik kan toch veel meer, of niet soms? Waarom trek je een smoel?'

'Ik trek geen smoel. Maar gewoon, toen je het had over jezelf ontplooien, dacht ik dat je het ergens anders over had. Iets innerlijks.'

'Is dat dan niet wat ik zei?'

'Niet helemaal. Jij had het over geld en succes, over wereldlijke dingen. Ik heb het over naar binnen kijken. Vragen stellen als: wie ben ik eigenlijk, wat doe ik hier eigenlijk?'

Ronni keek hem ietwat duf aan: misschien geamuseerd, misschien verbaasd, misschien allebei. 'Je hebt veel te veel psychologen bezocht, dat is jouw probleem. Weet je wat jij nodig hebt?' vroeg hij.

'Wat heb ik nodig?'

'Je moet nodig eens neuken. Hoognodig.'

'Heb ik gedaan.' Technisch gesproken was dat waar. Hij had wat vluchtigs en onbevredigends gehad met Orít, uit Ronni's jaargang, die vier jaar ouder was dan Gabi. Ze had nog steeds verkering met haar pilotenvriend, die regelmatig op sjabbat op de basis moest blijven, en zij dronk nog steeds te veel bier en werd nog altijd veel te dronken en eindigde dan bij onverwachte partners in bed. 'Onbevredigend' was een nette definitie. Traumatisch was een juistere omschrijving.

'Vergeet dat nou.' Gabi had Ronni al over Orít verteld en daarna had Ronni hem voorgesteld aan een ander meisje. Dat was iets minder vreemd geweest, omdat er minder alcohol in het spel was. Maar toch. Ronni keek naar de ondergaande zon en zweeg. 'Weet je wat? Hou op met neuken. Je hebt gelijk. Ik heb altijd al gedacht dat dat het antwoord was. Voor jou, voor iedereen. Maar misschien heb ik het mis. Nee. Jij moet verliefd worden.'

'Verliefd worden?' vroeg Gabi terugdeinzend.

'Wat ik je zeg. Verliefd. Dan weet je wie je bent en wat je hier doet. Ja. Verliefd worden. En zal ik je nog eens wat vertellen? Misschien is dat ook wel wat ik op dit moment nodig heb.' Hij stond op en rekte zich uit. 'Jalla, Gabi-gabber. In de benen. We gaan.'

'Waarheen?' vroeg de jongere broer.

'Geen idee. Maar we gaan wat van ons leven maken.'

HETE DAGEN

De order

Chilik Jisraëli kwam terug uit Jeruzalem na urenlang op zijn proefschrift te hebben zitten broeden in de Nationale Bibliotheek. De voor-
lopige titel luidde: *Pionieren, grondontginning, ideologie: de kibboetsbeweging in de Mandaatstijd als gedoodverfde mislukking.* Chilik wilde
beargumenteren dat de neergang van de kibboetsbeweging vijftig jaar
voordat die begon in te storten te voorzien was geweest door een scala
aan aanwijzingen te destilleren uit de wijze waarop de kibboetsen
waren opgericht en ontwikkeld; beginnend met het ontginnen van de
grond, de besluiten over inkomstenbronnen, de kredieten en de vrij-
gevigheid van staatswege; vervolgens het steunen op leuzen en ideologie; en ten slotte de hooghartige, aanmatigende houding van een
gesloten gemeenschap die zich verheven achtte boven en losstond van
de bevolking en naar eigen inzichten functioneerde – of zoiets. Hij
kwam terug van zijn ene-dag-in-de-week op de universiteit en luisterde genoeglijk naar Gershwins 'Pianoconcert in F-groot', toen hij
onderweg met stenen werd bekogeld. Een ervan maakte aan de pas-
sagierskant een ster in de voorruit voordat hij schuin naar boven weg-
ketste. Chilik trapte het gaspedaal diep in door de stoot adrenaline,
zijn bloed pompte door zijn hele lichaam, hij had trillende tintelende
vingers van angst en terwijl de pianist prachtig speelde, scheurde de
auto naar boven, naar Maälè Chermesj en vanaf daar naar huis, naar
Maälè Chermesj C.

Hij parkeerde bij zijn huis, stapte uit en controleerde de Mitsubishi
van alle kanten. Zijn vrouw Nechama kwam ongerust naar buiten toen
ze door het raam zag wat hij aan het doen was, de twee jongetjes in
haar kielzog. 'Wat is er gebeurd?' riep ze.

'Ze hebben de ruit kapotgemaakt, die honden.'

'Die hondenzonen. Waar? Ben je gewond?' Bezorgd bekeek ze haar echtgenoot: zijn keppeltje zat nog op zijn plek en zijn haar glad, het dunne brilletje waar het hoorde, zijn borstelige snor netjes, en er waren geen vlekken te bespeuren op het geruite hemd, de donkere broek of zijn Source-sandalen. Afgezien van een dun laagje zweet op zijn voorhoofd en schrik in zijn ogen zag Chilik er ongeschonden en gezond uit.

De buren kwamen een voor een kijken.

'Ja-chabibi, man o man,' zei Otniël en hij betastte het Desert Eagle-pistool dat achter in zijn broek gestoken zat. 'Het terrorisme steekt de kop weer op.'

'Die kop moet eraf gehakt,' zei Josh, en hij keek daarbij naar Jehoe, die boven op zijn paard tot aan Charmisj kon kijken.

'Waren het onze goede vrienden uit Charmisj? We kunnen een beleefdheidsbezoekje afleggen,' stelde Otniël voor.

'Nee, nee, het was benedenaan, voor de afslag, bij Madjzdal Toer.'

'Belialskinderen, moge hun naam weggevaagd worden,' zei Otniël. Langzaam schudde Jehoe zijn hoofd dat bedekt werd door een grote keppel waar *gazombot* – dikke, woest krullende slaaplokken – onderuitstaken.

Soldaat Joni kwam erbij en daarna Ronni en Gabi, en vervolgens Rachel Asís en haar dochter Gitít met de auto, net terug van de kruidenier in Maälè Chermesj A.

'Wat is er gebeurd?' vroeg Joni.

'Terroristen. Ze hebben weer met stenen gegooid,' zei Nechama. 'God lof voor het veiligheidsglas, ik wil er niet aan denken hoe het anders had kunnen uitpakken.'

'God verhoede,' zei Rachel en ze streelde haar nek.

'Gaan jullie onmiddellijk naar het dorp beneden, leg een uitgaansverbod op en ga huis aan huis langs,' beval Otniël Joni. 'Anders denken ze nog dat ze maar kunnen doen waar ze zin in hebben.' Joni mompelde dat hij het met Omer zou bespreken. Een paar minuten later begon het oploopje zich langzaam te verspreiden, maar niet voordat Nechama en Rachel hadden geprobeerd de schrik weg te nemen door recepten uit te wisselen voor pittige vis met aardappelen en tomatensaus.

Joni belde Omer om hem op de hoogte te stellen van het voorval.

Omer zei dat hij een patrouille naar Madjzdal Toer zou sturen om hun aanwezigheid voelbaar te maken en dat hij naar de heuveltop zou komen. 'En zeg tegen Otniël en zijn makkers dat ik geen gedonder wil. Het leger handelt dit af. Daar zijn we voor.'

'Duidelijk,' zei Joni terwijl hij om zich heen keek of Otniël nog in de buurt was. Behalve hijzelf was alleen Gitít Asís er nog, die terugliep naar de auto om de tassen van de kruidenier eruit te pakken. 'Heb je hulp nodig?' vroeg hij het spichtige meisje en hij liep naar haar toe. 'Ik moet wat tegen je vader zeggen, geef me maar wat te dragen.'

'Goed,' antwoordde ze verlegen. Hij verschoof de riem van zijn geweer, pakte alle tasjes op en glimlachte naar haar. 'Jalla, zullen we?' Ze glimlachte blozend naar hem terug en liep lichtvoetig naast hem.

Tijdens het korte stukje naar het huis werd er geen woord gewisseld. Misschien waren ze verlegen, of bang, of konden ze niks verzinnen om te zeggen. Maar dit gezamenlijke wandelingetje waar niemand acht op sloeg, rook naar lente en vanaf dat moment hing er tussen hen wat nieuws in de lucht en hadden ze oog voor elkaar, hij voor haar en zij voor hem.

Sinds sectorcommandant Omer Levkovitsj in de maand Sjevat de demarcatieorder in handen van Otniël Asís gesteld had, was er verhoogde activiteit te bespeuren in Maälè Chermesj C, ook al had die order geen echte invloed, of in ieder geval geen onmiddellijke invloed op het leven in de nederzetting. Met de hulp van de juristen van de raad en Natan Eliav, de secretaris van Maälè Chermesj A, werd bij de minister van Veiligheid bezwaar aangetekend tegen de order. Als gevolg daarvan werd uitvoering van de order verschoven van acht dagen naar 'termijn onbekend' en arriveerde een team van 'De Blauwe Lijn', de burgerautoriteit die verantwoordelijk was voor de statusvaststelling van gebieden: was het staatsgrond die door een huisvestingsorganisatie bestemd was voor huisvestingsdoeleinden (of staatsgrond met een andere bestemming), grond waarvan de eigendomsstatus in onderzoek was, of dit privéterrein was dat door Israëliërs was verworven (en zo ja, of dat gebeurd was met goedvinden van de Israëlische landautoriteit) of particuliere Palestijnse grond? Otniël, Chilik en Natan Eliav begeleidden de onderzoekers, twee vrouwen in pak en een jongeman, terwijl ze het hooggeëerde gezelschap op alle mogelijke manieren probeerden uit te leggen dat de grond waarop Maälè Chermesj C zich bevond, hoorde bij het grondgebied van Maälè Chermesj, ondanks de hemelsbrede afstand tot dat dorp. In de dagen die volgden vernam Natan Eliav van zijn bron bij De Blauwe Lijn dat de uitkomsten niet ondubbelzinnig waren. Het bleek dat de grond, zoals al bekend was, meerdere statussen had: een gedeelte, namelijk het stuk bij de toegang naar de nederzetting, was inderdaad staatsgrond en viel onder de jurisdictie van Maälè Chermesj; van een ander stuk, dat van de speeltuin en het midden van de heuvel waar de meeste caravans stonden, was de eigendomsstatus onduidelijk; het zuidelijke, lagergelegen terrein waarop een deel van Otniëls akkers lagen, was particulier bezit van een Palestijn die in Beiroet woonde; en het stuk aan de rand van de kloof van de Chermesj was eigenlijk beschermd natuurgebied, dat wil zeggen: Israëlisch grondgebied, dat niet bebouwd of bewoond mocht worden.

Zoals te verwachten was, werd het bezwaarschrift door de minister van Veiligheid verworpen. Dus dienden de juristen van de raad een verzoekschrift in bij het Hooggerechtshof. De hoop was dat er enige tijd voorbij zou gaan voordat er gevonnist werd en dat er intussen nog een paar families konden komen, Otniël zijn akkers kon uitbreiden en dat de bewoners hun caravans met steen konden bekleden. Op een dag arriveerden er vrachtwagens vol stenen, zakken zand, cement en split die hun ladingen losten, met dank aan de gewestelijke raad, en vrijwel alle inwoners begonnen ijverig met het bekleden van hun caravans ('de stenen bekleding is esthetisch, draagt bij aan de inpassing in het landschap, isolatie en veiligheid tegen, God verhoede, een verdwaalde kogel' stond in de brochure): ze bouwden steigers op, mengden cement in de enige cementmolen op wielen die van de een naar de ander werd gereden, of deden het handmatig in een kuip. Er bleef geen caravan onbekleed op de heuveltop, behalve de nieuwe caravan, Otniëls caravan die allang bekleed was en de caravan van het IDL (waarvan de bewoners juist hadden aangeboden om te helpen die te bekleden, wat door kapitein Omer afgeslagen werd, omdat dat konden worden opgevat als een permanent bouwsel en het IDL niet in verband gebracht mocht worden met permanente bebouwing zonder de daarvoor benodigde vergunningen in Jehoeda en Sjomron, en zeker niet terwijl men nog in afwachting was van een vonnis van het Hooggerechtshof). De caravanwanden leken net een soort geologische strata waaruit je het verloop van de tijd kon aflezen: gipsplaten, isolatiemateriaal, aluminium beplating, cement en jeruzalemsteen.

Op een dag, de zon stond fel aan de vrijwel wolkenloze hemel, arriveerden de mannen van de inspectie van de burgerautoriteit. Ze zagen eruit als broers: bomen van kerels, mager, met een scherpe neus. Een van hen had een gehaakt keppeltje op zijn schedel. Ze liepen enige tijd over de voorpost, vooral gefocust op het noordwestelijke deel, waarvan naar aanleiding van het bezoek van het team van De Blauwe Lijn gebleken was dat het hoorde bij het natuurgebied van de Chermesj; met het half afgebouwde houten hutje, beter bekend als 'Gabi's huisje', dat met verbazingwekkende snelheid uit de grond werd gestampt; er prijkte inmiddels al een half houten dak op. De twee bezoekers liepen eromheen, wierpen een blik op de wasbak, die aan de buitenkant naast de deur was geïnstalleerd, en op de toiletpot aan de achterkant van de hut, om vervolgens aan het eind van een kort paadje ineens stil te blijven staan. 'Ik kom toch al heel lang in de bezette gebieden,' zei de eerste boom van een vent, 'maar zoiets heb ik nog nooit gezien. Hoe zit dat met die badkuip daar?' Hij liep op de badkuip af die naast de rand van de klif in een rotsblok was verzonken.

Gabi, die gewaarschuwd was op het moment dat het duo bij zijn bouwplaats begon rond te snuffelen, zei: 'U mag er gerust gebruik van maken. Jullie zullen nooit op een mooiere plek een bad kunnen nemen.'

'Daar ben ik van overtuigd,' zei de ambtenaar grinnikend.

'Maar wat is dit hier eigenlijk?' vroeg de andere inspecteur.

'Dit is het bezoekerscentrum van het natuurreservaat van de Chermesj,' zei Otniël en hij knipoogde naar Gabi, die moest glimlachen. De sfeer was gemoedelijk. Het prachtige, bescheiden hutje aan de rand van de kloof stond te blikkeren in de zon. Tot ieders grote verbazing maakten de inspecteurs geen rapport op en werd de bouw van het huisje niet stilgelegd.

Van tijd tot tijd kwamen er gasten, meestal vergezeld door kapitein Omer, de sectorcommandant, soms ook door hun divisie- of bataljonscommandant en een of twee keer door de generaal-majoor in hoogsteigen persoon: mensen van de burgerautoriteit, het Nederzet-tingenbureau, ministerie van Veiligheid, linkse en rechtse parlemen-tariërs, en natuurlijk de mensen van de afscheidingsmuur, aannemers voorzien met notitieblokjes, landmeters met hun uitrusting en appara-tuur. Wekenlang bleven ze binnendruppelen, soms langzamer dan anders, vakmensen en belanghebbenden.

Sjabbat Hagadol, de sjabbat voor Pesach, ging voorbij en het vonnis van het Hooggerechtshof naderde. Het chameets werd verbrand, de seder-avond, waarbij op de heuveltop de transfer uit Egypte werd ge-vierd, de omzwervingen, de tijdelijke woonplaatsen van de joden over de generaties, en het bewustzijn van hun verlangens in de diaspora, kwam ten einde. De zaak van het Hooggerechtshof kwam voor en werd afgerond; het verzoek van de raad werd afgewezen. De demarcatie-order mocht worden uitgevoerd op een termijn die het ministerie van Veiligheid goeddunkte.

'Nu,' zei Otniël tijdens een vergadering van de toelatingscommissie, 'is het zaak te duimen en tot God te bidden dat er de eerstvolgende twee jaar geen termijn wordt gevonden; dat het te warm of te koud zal zijn, dat het sneeuwt, regent, dat het politiek gevoelig ligt, dat er moties van wantrouwen in de Knesset komen, dat het kabinet valt, dat we gratie krijgen van een nieuwe regering, dat er een economische crisis komt, net zolang tot de order is verjaard.'

Sectorcommandant Omer Levkovitsj kwam bij Otniël om te vertellen dat hij in Madjzdal Toer op bezoek was geweest. De *mokhtar*, de dorpsoudste, had hem verzekerd dat het een paar kinderen waren ge-weest en dat hij persoonlijk op de rust zou toezien. 'Het zijn altijd maar een paar kinderen, en altijd zal de sjeik op de rust toezien,' wierp Otniël tegen, 'en dan komt de volgende steen, en de volgende molotovcocktail en, God verhoede, eindigt het op zekere dag ernstiger dan een ka-potte voorruit. Wat zeg je dan?' Buurman Chilik, het slachtoffer van de aanval, die binnen was gekomen omdat hij de jeep van de sector-commandant had herkend die bij het huis ernaast geparkeerd stond, knikte instemmend en streelde zijn baardje.

Omer kende Otniël als geen ander. Zijn grijsgroene ogen stonden koel tegenover de verhitte blik van de kolonist. 'Het is voor ons allemaal beter als de mokhtar erbij betrokken is, de kalmte en de goede verstandhouding bewaard wordt, in plaats van het dorp af te sluiten en een peloton te detacheren om de afsluiting te bewaken, want dan gaan ze geheid vanaf de daken met stenen naar jullie gooien en dan komt er gedonder van.'

'Dan moet je maar harder optreden, zodat er geen gedonder komt. Het is onverdraaglijk dat ze auto's met stenen bekogelen.'

'Als je het onverdraaglijk vindt: er is niemand die je dwingt het te verdragen. Dit is mijn besluit en dat is definitief. Geen hard optreden of anderszins.'

'Goed,' zei Otniël met wijd opengesperde neusgaten, 'maar dan moet je straks niet verbaasd zijn.'

'Niet dreigen, ik moet nog zien dat iemand het lef heeft.'

'Goed, goed, laten we kalmeren. In orde, Omer. Dank dat je gekomen bent. Wil je nog koffie?' probeerde Chilik de gemoederen te sussen. Otniël liep nog te briesen. 'Nee, dank je,' zei Omer en hij stond op om te vertrekken.

Ze kwamen vrijwel direct terug. Een lekke band. 'Och, ja-chabibi, dan had je beter uit moeten kijken in Madjzdal Toer,' zei Otniël, 'het stikt daar van de kraaienpoten.' Omer kon er niet om lachen. Op de achtergrond was het hoefgetrappel van Killer te horen. Het wiel werd verwisseld en de jeep ging op weg. In de loop van de avond sneuvelden twee autoruiten in Madjzdal Toer en liep een auto een lekke band op. Kapitein Omers patrouille werd erbij geroepen. Gefrustreerd bekeek hij de schade en bracht via de radio rapport uit aan het hoofdkwartier.

Het huisje

Toen Gabi-Gavriël Cooper-Nechoesjtan in Maälè Chermesj C arriveerde, bood hij zichzelf aan aan iedereen die geïnteresseerd was en werd hij door Otniël Asís in dienst genomen als geitenhoeder. Al wat Gabi te bieden had was eerlijk en degelijk Hebreeuws handwerk en dat was precies waarin Otniël geloofde en waarnaar hij op zoek was voor zijn uitdijende boerderij. Gabi placht de geiten mee te nemen naar het grensgebied, bij ze te gaan zitten op de heuveltop, onder een boom of naast een bron en ze uren later, volgevreten en tevreden, terug te brengen naar de stal. Hij hield ervan om religieuze boeken te lezen, de geschriften van rabbi Nachman, te bidden en gesprekken te voeren met de Heer der wereld, ware het niet dat hij zich na verloop van tijd ging vervelen. Hoelang kun je alleen zijn met je eigen gedachten, ook al is het uitzicht nog zo mooi? Een herder is als een monnik: eenzaam, hij hoort alleen de wind, het gemekker van de kudde en het geklingel van hun bellen als ze lopen, hij ziet alleen de heuvels. Op zeker moment kwam hij tot conclusie dat hij zijn werktijd liever besteedde aan echt werk, dat hij liever zijn handen uit de mouwen stak, zijn lichaam gebruikte, met mensen praatte. En voornamelijk om zijn gewonde ziel wat rust te gunnen van het enorme gemis en de hevige schuldgevoelens over Mikki, zijn zoontje.

Met goedvinden van Otniël was hij van herder landarbeider geworden en werkte hij op de steeds grotere akkers van Asís' boerenbedrijf, dat velen van werk voorzag: zaaien, wieden, oogsten, bundelen en verpakken. Hij had ervaring met telen, in de kibboets had hij een tijd gewerkt in de tomaten, waar hij een intense haat voor koesterde, en in de bananen, waar hij dol op was, en daarom twijfelde hij en voerde een lang gesprek met Otniël over de richting van zijn carrière. 'Herders kunnen gaan en staan waar ze willen, die zijn veel spontaner en onbezorgd,' zei Otniël en Gabi was het met hem eens. Een herder was niet aan een plek gekluisterd, die verliet een veilige en vertrouwde plek voor een hoger doel; dat van verknochtheid aan de Schepper en het geestelijke leven. Een herder ziet de wereld en verbreedt zijn horizon, terwijl een boer vastzit, een slaaf is van zijn have en goed. Gabi erkende dat hij in dat stadium blijkbaar behoefte had aan vastigheid in zijn leven. 'Een landarbeider heeft een vaste en solide basis,' Otniël was het roerend met hem eens. 'En hij brengt ook iets voort: zaait een zaadje en oogst een vrucht. Hij zit niet alleen maar in de schaduw en laat het vee zijn werk doen. Ons volk leeft al sinds mensenheugenis tussen deze twee uitersten. Kaïn en Abel, Avraham en Jitschak, zelfs rabbi Elazar was aan het begin van zijn leven een landarbeider en rabbi Akiva een herder. Alleen Otniël Asís is allebei!'

'Het is vooral saai, de hele dag op de weidegrond zitten,' zei Gabi, waarop Otniël voluit lachte en hem een klap op zijn schouder gaf. Hij verzekerde hem ook dat het werk in de cherrytomaatjes iets heel anders was dan het werk in de tomaten.

Gavriël had zijn plekje gevonden in de vele eenzame uren van zijn eerste tijd op de heuveltop: een stenen richel boven de klifwand naar de Chermesj, met uitzicht over de woestijn. Op zekere nacht had hij een deken meegenomen en was hij onder de sterrenhemel gaan slapen, en de volgende dag had hij een glad plateau gevonden dat hem uiterst geschikt leek als vloer voor een hutje van hout en steen. Hij legde een paar stenen neer die de contouren van de wanden van het hutje aangaven. Als hij elke dag een paar stenen neer zou leggen, dacht hij, staat er hier op zekere dag een muur. De muur stond er na meer dan een jaar van eenzaamheid.

Tegelijkertijd begon hij in het terrein rondom de muur en de vloer kleine terrassen aan te leggen en er planten neer te zetten die Otniëls hongerige geiten en de droogte niet overleefden. Op Otniëls velden vroeg hij om gebruikte geperforeerde slangen en legde een raster voor druppelirrigatie aan, waardoor de planten mettertijd houvast kregen in de grond. De oorspronkelijke vloer veranderde hij met balken en vloerdelen in een prachtige houten veranda, die hij uitbreidde met houten muren en een dak.

Op zeker moment besefte hij dat hij zijn nieuwe, toekomstige huis aan het bouwen was: zijn droomhuis. Weliswaar klein en compact – een ruimte voor alles – maar 'Gabi's huisje', zoals het in de nederzetting heette, voldeed ruimschoots aan de bescheiden noden van zijn eigenaar en, wat belangrijker was, het was helemaal van hemzelf: met liefde en geduld eigenhandig gebouwd. Hij voelde zich een mazzelaar en kreeg maar geen genoeg van het uitzicht, van de bruin doorzichtige heuvels van de woestijn en de bergen van Edom: het was een plek van adembenemende schoonheid, dicht genoeg bij de nederzetting om zich deel te voelen van de gemeenschap en tegelijkertijd was er voldoende afstand om zijn privacy te waarborgen, deel uit te maken van de natuur en zich af te zonderen in gebed. Gabi deed alles wat in zijn vermogen lag om de hut die hij gebouwd had, te laten opgaan in het spectaculaire landschap, om het erin te laten passen en niks te bederven. Hij had nooit enig onderwijs gehad in vormgeving, voorbereiding of bouwen, maar hij had er een intuïtief talent voor.

In het huisje was plek voor een bed, een koffietafel, planken voor kleding, boeken en cd's, en zelfs voor een kleine piano die hij van iemand cadeau had gekregen, al kon hij er niet op spelen. Stroom kreeg hij van de elektriciteitspaal die vijftig meter verderop stond en er hing een peertje aan het plafond. Het toilet was buiten – de kleine boodschap ging in de natuur, de grote boodschap in een composttoilet met zaagsel. En de badkuip waarvan de inspecteurs zo onder de indruk waren, was Gabi's grote trots: hij had hem gevonden bij het grofvuil in Maälè Chermesj, een roestvrijstalen kuip ter grootte van een jongen, en hem meegenomen naar de heuveltop. Daar had hij hem zo neergezet dat hij verborgen was achter de rand van een rotsblok en de waterleiding had hij doorgetrokken uit het centrum van de nederzetting. Om beide zijkanten had hij een muurtje opgetrokken uit leem, versterkt met lege wijnflessen, en er een gebarsten ronde spiegel in gezet en een nisje gemaakt voor badspullen. Een plafond was er niet – dit was badderen onder de blote hemel! Vanaf de badkuip trok hij nog een leiding naar de wasbak die was gemonteerd op een houten tafel naast de deur. Lager dan het huisje, vijf treden naar beneden, deels natuurlijk en deels uit gehouwen steen en cement, bouwde Gabi een schaduwrijk hoekje rondom een nis in de rots, waarin een koelkastje en een fornuis stonden: de keuken, eethoek en rusthoek.

Gabi werkte langzaam, maar met hart en ziel. Sleepte met stenen, egaliseerde de grond, haalde overal en nergens materiaal vandaan, metselde hier een muurtje en daar een regeltje steen. Hij probeerde om ten minste één of twee uur per dag aan het verblijf te werken; soms stond hij extra vroeg op om erheen te gaan voordat hij naar de boerderij ging, dan weer bracht hij zijn middagpauze bij het huisje door, en nadat hij de elektriciteit had doorgetrokken en een lamp gemonteerd, was hij er soms ook 's avonds en 's nachts. Hij werkte geduldig, concentreerde zich op één ding tegelijk en voelde zich tevreden en bevoorrecht bij zelfs maar een klein stapje voorwaarts op de lange weg. Omdat iedereen in de nederzetting Gabi graag mocht, gunden ze het hem van harte en hielpen hem op verschillende manieren, zij het met extra bouwmateriaal, een helpende hand of een uurtje tijd, of met specifieke dingen als het doortrekken van de elektriciteitskabels of de waterleiding.

Het was een zaak die voor iedereen winst opleverde: waar ter wereld had Gabi nog eigenhandig zijn eigen huis kunnen bouwen, precies zoals hij dat zelf wilde, en dat ook nog bijna voor niks? Vanuit de nederzetting gezien betekende het een vrije caravan op het moment dat Gabi verhuisde en de mogelijkheid die voor een nieuw gezin te gebruiken. Buiten dat was het huisje prachtig en trok het de aandacht, het was een trekpleister voor bezoekers, politieke kopstukken en potentiële inwoners.

Ergens in de eerste dagen dat Ronni op de heuveltop logeerde, had Gabi hem rondgeleid en hem zijn huisje laten zien, waarbij hij meer ernstig dan grappend zei: 'Jouw huur bestaat eruit dat je samen met mij aan dit huis werkt, zolang je hier woont.' Ronni, die enthousiast was over wat hij 'zes windrichtingen' noemde, had toen gezegd: 'Tuurlijk, tuurlijk, wat een vraag. Ook zonder huurverplichting kom ik wel helpen. Man, laat mij hier maar werken, in deze lucht en met dit uitzicht. Het is net een droom, Amerika. Wat nou Amerika, in Amerika heb je dit niet, in Amerika...' Hij zoog de lucht diep op, keek om zich heen en zijn stem klonk wat minder energiek toen hij zijn zin afmaakte: '... heb je dit niet...'

De keren dat Ronni was komen helpen, kon Gabi op de vingers van één hand tellen. Op een ochtend in de lente vroeg hij om hulp; er zouden nieuwe balken en houtplaten arriveren. Gabi had een halve dag vrijgemaakt en een extra paar handen nodig om de balken te meten en aan elkaar te spijkeren. Ronni wierp een blik op zijn horloge en zei: 'Moet dat per se vandaag? Ariël komt eindelijk en dan gaan we de olijfpers van Moessa bekijken, het heeft even geduurd voordat ik dat georganiseerd kreeg...' Ronni keek op van zijn horloge, zag de teleurgestelde blik in Gabi's ogen en zei: 'Het spijt me, broeder, ik heb afspraken met andere mensen. Weet je wat? We doen het morgen. Zullen we voor morgen afspreken? Zulke dingen moet je me van tevoren laten weten.' Maar morgen stond Gabi een lange dag te wachten op Otniëls boerderij, en datzelfde gold voor overmorgen. Hij deed zijn schoenen aan en liep naar buiten, het 'dag' uit zijn mond klonk kleintjes.

De olie

'Ariël!' riep Ronni glimlachend toen de zilverkleurige Toyota aarzelend over de ronde weg reed. Hij zat buiten op een ligstoel naast de caravan en las de krant van gisteren die Gabi tijdens de wacht had gevonden en meegenomen had naar huis.

'Waar is het toilet?' Ariël zag groen terwijl hij haastig langs zijn vriend schoot en de caravan in stormde. 'Vertel me niet dat Gabi erop zit.'

'Gabi is aan het werk. Voel je vrij. Ik zet water op.' Ariël hoorde hem al niet meer, trok haastig zijn broek naar beneden en ging ademloos op de toiletpot zitten. 'Dat klinkt niet goed. Oi, en dat ruikt ook niet goed. Kom, laten we naar buiten gaan,' zei Ronni met in zijn handen twee koppen thee, toen Ariël van het toilet kwam. 'Hoe was de reis?'

'Ik heb doodsangsten uitgestaan. De hele weg links en rechts gekeken. Die Palestijnen rijden als gekken. Vrachtwagens, taxi's. Miljoen kilometer per uur. En dan die huizen van hun, meteen aan de weg, en dan nog wat: waar is het leger? Ik heb de hele weg zitten beven. Wat als ik een verkeerde afslag had genomen? En in een vijandig dorp was beland...?'

Ronni glimlachte, ging in zijn ligstoel zitten en gebaarde zijn vriend naast hem plaats te nemen. Hij haalde een sigaret tevoorschijn en bood die aan, maar Ariël sloeg hem af. 'Ga zitten man, en kalmeer. Het is hier rustig. Geloof me, ik heb me niet meer zo veilig gevoeld sinds de kibboets.'

Ariël hoorde de woorden nauwelijks, laat staan dat die enige invloed op hem hadden. Zijn ogen keken nog steeds argwanend rond, hij betastte iedere twee minuten alle zakken in zijn broek om te controleren of zijn portefeuille, telefoon en sleutels er nog in zaten. Ariël was een grote vent met een eivormig kaal hoofd en kleine, blauwe oogjes. Die ogen vielen uiteindelijk op de ligstoel naast Ronni en hij ging zitten. 'Je bent niet goed wijs. Ik kan nog steeds niet geloven dat je me naar dit oorlogsgebied hebt gelokt. Ik ben nog nooit zo bang geweest. Wat doet die kameel daar?'

'Het is een kamelenmerrie. Van Sasson. Vergeet het, kerel. Kijk naar het uitzicht. Haal diep adem. Dit is Israël.'

Ariël wisselde een blik met de wijze ogen van de zandkleurige kamelenmerrie en probeerde diep in te ademen. Het hielp niet. Zwijgend zaten ze thee te drinken.

'Zo, dus ze laten je hier zomaar wonen? Niemand die daar vragen over stelt?' vroeg Ariël.

'Natuurlijk worden er vragen gesteld, mensen stellen altijd vragen. Maar de mensen hier zijn tamelijk relaxed. Ik ben te gast bij mijn broer... En jij? Hoe is het op het accountantskantoor? En bij Bar Baraboesj? Zit je daar nog altijd?'

'Ja, helemaal, gewoon,' zei Ariël afwezig. Hij keek naar de wittige heuvels in de verte. 'Ja, het is hier echt mooi.'

'Oho, er begint er een te ontspannen. Nog een paar minuten en je zult zien dat je verslaafd bent aan de stilte.'

Ariël nam nog een paar minuten de tijd, deed zijn ogen dicht en leunde met zijn hoofd achterover. 'Het werkt echt,' mompelde hij. 'Wat een stilte.'

'Geloof me,' zei Ronni, 'je moet hier een pension openen. Dat zou een waanzinnige hit worden. Dichterbij dan Galilea, spotgoedkoop, stilte, uitzicht. Je moet het huisje eens zien dat Gabi voor zichzelf aan het bouwen is aan de rand van de kloof. Fantastisch.'

'Ben je gek? Welke idioot komt nou hier? Wil je deze schoonheid, rust en spotgoedkoopte verkopen aan Israëliërs? Die komen hier nooit van hun leven, die willen dat je het naar ze toe komt brengen.'

'Zoals bijvoorbeeld olijfolie van hier naar daar?'

'Bijvoorbeeld,' antwoordde Ariël retorisch.

'Jalla, laten we naar Moessa gaan.'

'Komt hij niet hierheen?' Ariëls bloeddruk en hartslag, net weer wat gestabiliseerd, schoten omhoog.

'Ben je gek geworden? Geen enkele Ismaëliet komt in de buurt van deze heuveltop. Kom, dan geef ik je eerst een voorproefje.'

De olie smaakte Ariël zoet op de tong. Toen ze op weg gingen, wees Ronni Cooper zijn vriend op het oeroude landschap en zei: 'Israël heeft een andere horizon dan de andere landen.'

'Huh?' zei Ariël.

'Laat maar, dat ben ik niet. Zo praat Gabi. Die loopt dag en nacht rabbi Nachman te citeren.'

Ze passeerden een paar bewoners, Jean-Marc Hirsjzon, Josh de Amerikaan, Nechama de kleuterleidster met de vrolijke kleutertjes, die zongen en met hun tong klakten, op één na: Sjnioer, Chilik Jisraëli's zoontje met snottebellen uit zijn neus, stond te huilen. De dorpelingen zeiden gedag tegen de beide mannen in hun stadse kleding en die knikten terug, Ronni met zijn bekende glimlach en Ariël met een blik vol verbazing. 'Zeg, zijn ze niet knetter? Doordrongen van een messianistisch ideologisch vuur? Wetteloze barbaren die samenspannen tegen de Arabieren en landjepik doen?'

'De enige gek is mijn broer, en die is er nog trots op ook!' zei Ronni, en hij citeerde zijn broer, die uitspraken deed als: 'Voor Gods liefde moet men soms dingen doen die vreemd lijken.' Ariël moest lachen en zei: 'Nog even en je wordt neo-ortho,' waarop Ronni snel antwoordde: 'God beware me.'

Ariël zei: 'Even serieus, zijn er hier geen problemen met het leger, de Palestijnen en weet ik niet wat?'

'Luister,' zei Ronni, 'natuurlijk zijn er hier enge mensen. En ik zou je niet kunnen zeggen of er hier wel of geen kahanisten zijn die er 's nachts op uit trekken om Palestijnen kwaad te doen. Maar voor zover ik het kan zien, houden de meeste mensen zich hier bezig met hun eigen zaken, werk, gezin, studie. En ook met gebed en heilige boeken.'

'Hoe is het met Gabi?'

'Hij leest rabbi Nachman. Bidt als een gek en wiegt op en neer als in een carrousel. Zwijgt veel. Bouwt een huisje. Ik weet het niet. We hebben elkaar niet zoveel gezien sinds we kinderen waren. Om je de waarheid te zeggen, bevalt het me hier wel en zo te zien hem ook. Het is een beetje krap in de caravan. Maar ik ben aan het proberen om een lege caravan te betrekken die hier staat en op zeker moment zal Gabi naar zijn huisje gaan… Kom, we steken door naar Moessa.' Ronni liep een pad tussen twee caravans af en daarna verder in de richting van de olijfgaarden.

'Weet je het zeker?'

'Hier ben je toch voor gekomen, of niet soms?'

De zon brandde witheet boven de zinderende heuvels. De afgelopen weken waren loom verstreken, de dagen waren langer geworden en hadden hun kilte verloren. De heuvels waren bedekt met een waas van klaverzuring, tot grote vreugde van de geiten en schapen van alle nationaliteiten. Achter Ariël en Ronni verdween de voorpost van Maälè Chermesj C, voor hen kwam het dorp Charmisj in zicht. Ertussenin strekten de olijfbomen van Moessa Ibrahim zich uit, vingen de lange zonnestralen op die de komende maanden korter en intensiever zouden worden en de vruchten aan hun takken zouden laten uitbotten. De knoppen waren al te zien, als foetussen in het eerste stadium van ontwikkeling. Dit jaar zou een recordoogst geven, en als je een deal wilde sluiten, moest je dat nu doen, ruim voor de oogst in de herfst.

Ariëls voorhoofd was bedekt met zweet, zijn ogen verborgen achter een zwarte zonnebril die zijn hele gezicht omsloot. 'Zijn ze niet vijandig? Weet je het zeker?'

'Rustig, schat. Moessa!'

Moessa kwam eraan en er werden *ahlan wa-sahlans* uitgewisseld en handen geschud. Ariëls hart klopte in zijn keel en hij probeerde niet al te argwanende blikken rond te strooien. Ze proefden nog een donkere sterk smakende olie en daarna zei Ronni tegen de Palestijn: 'Kom, laat ons eens zien waar we het over gehad hebben.' Ze liepen langs de grens van het dorp en de boomgaarden en sloegen toen af, de steegjes in. Ariël verstijfde, keek niet op of om en hield Ronni in het oog, voor hem op dat moment het enige bekende en veilige vertegenwoordigend.

Moessa zei: 'Dus zoals ik jou al gezegd had, er zijn misschien nog twee andere van zulke olijfpersen op de Westelijke Oever. Dit is de oudste, van steen. Zo wordt olie tegenwoordig niet meer gemaakt. Dit is van vroeger.' Tussen zijn vingers hield hij een sigaret, gestoken in een zwarte plastic sigarettenhouder.

'Ja, ja,' zei Ronni bemoedigend. 'Molenstenen, die willen we zien.'

Moessa ging verder: 'Deze, heeft mijn vader jaren mee gewerkt, voor het hele dorp. Twee jaar geleden had hij de kracht niet meer. Veel werk, veel mankracht nodig, weinig olie. Iemand in het dorp heeft een elektrische pers neergezet en iedereen doet daar zijn olijven, ik ook. Een man heeft mijn vader veel dollars geboden voor elke steen. Maar hij wilde niet. Hij wilde met zijn waterpijp zitten en zeggen dat de familie ermee moest blijven werken. Ik zei nog tegen hem, papa, neem het geld, laten we olie maken bij de elektrische pers, maar hij zei: nee, duizend jaar heeft de familie het zo gedaan, en jij zult daarmee doorgaan en na jou je zoon.'

'Zeker,' zei Ronni, 'hij had gelijk. Dit is ambachtelijk, dit is echt.' Moessa keek Ronni aan met vermoeide blik, de zwijgende Ariël zat verstopt achter zijn zonnebril, ondanks de schaduw in de smalle steegjes.

Moessa haalde een grote sleutelbos tevoorschijn en opende het hangslot aan de golfplaten deur. Krakend ging hij open. Hij trok aan een koord en aan het plafond ging een bleek peertje aan. Er hing een dikke, stoffige lucht die in je neus kriebelde. De ruimte was donker, de vloer van aarde. Twee molenstenen stonden rechtop in een bekken, eveneens van steen. Moessa legde uit: de olijven worden met de hand, met stokken en vorken uit de boom geplukt boven zeildoeken en gaan daarna in zakken. Dan op de rug van ezels naar de perserij – de beste olie gaat rechtstreeks van de boom naar de steen, *min as-sjadjar la-l chadjar*, de vrouwen sorteren de olijven en gooien de bladeren en takken en rommel weg, halen de slechte eruit en scheiden de groene van de zwarte. En dan worden de olijven onder de steen geplet.

'Moeten ze niet gewassen?' vroeg Ariël.

'Er is hier een slang die aangesloten kan op het water.' Moessa liet een dunne bruine rubberen slang zien. 'Maar water, de laatste jaren, is weinig en slap. Mijn moeder zegt dat wassen de pest is, het haalt alle smaak en kleur uit de olie. Ze zegt dat het stof en de aarde de echte smaak zijn. De regen wast genoeg. Mijn moeder en vader, zij willen geen andere olie proeven. Deze smaak kennen ze van toen ze kinderen waren. Ze verlangen ernaar terug.' Hij haalde nog een lange sigaret tevoorschijn en zette die in het sigarettenpijpje. Argwanend volgde Ariël de beweging van zijn vingers. De lucht in het schuurtje van de olijfpers was ook zo al slecht voor de ademhaling.

'Ik vertrouw op je moeder,' zei Ronni. 'Er wordt niet gewassen.' Hij knipoogde naar Ariël, die hem geschokt aankeek. Met de aangestoken sigaret werd het nog verstikkender, het kleine tralievenstertje bood geen soelaas; daar verschenen nu de smoezelige gezichten voor van nieuwsgierige kinderen, Ariël zweette, dit was het einde, waarom ben ik ook gekomen, maar toen kwam Moessa's vrouw binnen met een dienblad met glaasjes zwarte koffie, die Ariël dankbaar aannam en naar zijn lippen bracht: lekker.

'Dan doen we de olijven op de steen,' ging Moessa verder, 'binden de ezel aan de dikke balk, met bedekte ogen zodat hij niet dol wordt, en dan trekt hij de balk zo in het rond en maalt de steen de olijven, kraakt ze, dat is de natuurlijkste en beste manier, zonder messen, zonder hakselaar, niet mechanisch. Het vlees van de olijven wordt *adjina*, pulp die heerlijk ruikt. Dan scheppen we de adjina met speciale scheppen in de balen' – hij liet korven van gevlochten touw zien met een gat in het midden – 'en die stapelen we boven op elkaar op deze staaf, draaien de schroef aan en onder grote druk loopt dan de olie eruit naar dit bekken. Dat is sap en olie samen, en dat moet je laten staan zodat het scheidt, of je doet het machinaal met een separator. Als het eenmaal gescheiden is, gaat de olie in kruiken en het is goed die een tijdje te laten staan, want de olie is troebel, er zweven stukjes olijf in. Na één of twee weken zakken die en is de olie helder, en dan kan hij in blikken gegoten worden.'

Ariël wierp een blik op Ronni. Het was niet de meest hygiënische operatie. Ronni gaf hem weer een knipoog.

'Dit is de beste olijfolie,' zei Moessa. 'Maar niemand doet het meer zo, want het gaat langzaam, je hebt weinig opbrengst, je hebt een gezonde ezel nodig of een motor en het kost veel mankracht. Bij de moderne machines druk je op een knop en gaat alles vanzelf, het is schoon, en haalt meer olie uit de olijven. Begrijp je?' Ronni keek naar Ariël en streelde zijn kin. Hij keek naar het witte baardje van Moessa. 'Wat kosten die machines?'

'Zesduizend dollar voor een kleine Chinese compressor van 6 pk. Voor honderdduizend dollar heb je de beste compressor uit Italië, 6000 pk. Die haalt de meeste olie uit de olijven in de kortste tijd.'

'Maar de smaak is niet hetzelfde,' zei Ronni.

'Nee.'

'En dat is wat belangrijk is.'

'Ja. Er is wat geld nodig om dit op orde te brengen, want hij is lange tijd niet gebruikt. Een elektromotor om de molen te draaien. Een separator in plaats van laten bezinken.'

'Je zei dat de ezel hem zou laten draaien,' zei Ronni, 'ik heb jouw ezel gezien. En je hebt gezegd dat wachten en bezinken het beste is.'

'Het beste, dat heb ik niet gezegd. Bezinken duurt twee weken in plaats van een paar minuten. Ik denk dat het zonde is. En de ezel heeft een probleem met zijn hart. Hij is zwak.'

De blikken van de Israëliërs kruisten elkaar weer. Die van Ronni zei: ik heb geen nagel om aan mijn gat te krabben. Op dit moment maak ik liever een klein beetje winst zonder bezinking dan meer winst na bezinking: exclusief. Zijn mond zei: 'Voorlopig houden we het bij een minimum. Originele olijfolie, handgeperst. Exclusief. Probeer het maar met de ezel.'

'Dat is goed,' zei Moessa, 'maar dat wordt weinig olie.'

Op de terugweg wapperde Ariël met zijn zweterige shirt waaraan de geuren nog kleefden en klopte op zijn broekzakken of hij zijn portefeuille, sleutels en mobiel nog had. Hij was in een opperbeste stemming omdat hij het er levend had afgebracht en op het punt stond terug te gaan naar de heuveltop; weliswaar een voorpost in het hart van de bezette gebieden, maar in dit stadium voelde zelfs Ariël zich er veilig, omgeven door gewapende, bebaarde Joden en soldaten die toezicht hielden op de orde.

'Wat zal ik je zeggen, Ronni. Ik heb een aantal dingen nagetrokken sinds we hierover begonnen zijn. Vanuit de olijfolieboetiek aan de Rothschild hebben ze me naar de allermodernste olijfpersen gestuurd. Wat ze hier doen met stokken en stenen en ezels en kruiken die God weet hoelang moeten liggen – er is sindsdien vooruitgang geboekt. Het lopendebandwerk uit Italië is een ander verhaal.'

'Ga toch weg. Er gaat niets boven de oude manier. Natuurlijker en echter kan het niet. Een productielijn geeft tonnen olie per dag. Wij zijn exclusief, man. Mensen zijn daarnaar op zoek. "Natuurlijk" is het sleutelwoord. Eeuwenlange ervaring. Handwerk. Hoogstaande kwaliteit die niemand heeft, extra extra virgine.'

'Eerlijk gezegd staat er in Italië op het etiket een tekening van molenstenen als de olie uit zo'n olijfpers komt.'

'Precies! Zie je? Dan doen wij dat ook!'

'Ik weet niet.' Ariël keerde terug naar zijn oorspronkelijke uitgangspunt. 'Doet hij jou niet een beetje vermoeid aan, die Moessa? Met apparatuur is het preciezer, hygiënischer. Dan heb je de spoelgang...'

'Waterverspilling. Ruimteverspilling. Die Palestijnse vrouwen hier weten beter hoe ze bladeren en de slechte olijven eruit moeten halen dan welk apparaat dan ook. Dat geeft de echte smaak, met het stof, de aarde, de sigarettenrook en zo her en der een blad.'

'Er zijn gemechaniseerde vermalers...'

'En jij hebt honderdduizend dollar over? Hou toch op, er gaat niets boven molenstenen. Het succesverhaal van tweeduizend jaar oud. Net als de Joden!'

Ze bereikten de ronde weg van Maälè Chermesj C. Ariël zei: 'Hoe relatief is alles toch in het leven. Toen ik hier aankwam, stierf ik zowat van angst. Maar nu ik het Palestijnse dorp overleefd heb... Nu moet ik alleen nog maar proberen om niet aan de terugrit te denken.' Zijn blik bleef rusten op een stel kinderen, in loopauto's naast hun moeder, en hij voelde een steek van heimwee naar zijn vrouw en zoon. Daarna dwaalde zijn blik verder en bleef hangen bij de gebarsten voorruit van een auto: er zat een klein gat in waar de steen de ruit geraakt had en eromheen een flinke ster. 'Wat is dat?' knikte hij met zijn hoofd.

'Ah. Terroristen. Uit een van de omliggende dorpen. Ze hebben mijn man met stenen bekogeld toen hij terugkwam uit Jeruzalem,' zei de moeder, Nechama Jisraëli. 'God lof dat het een veiligheidsruit was.'

'Veiligheidsruit?' vroeg Ariël benepen.

'Laat dat nou maar, Ariël, hoe zit het met onze zaak?' vroeg Ronni.

Wit om de neus keek Ariël weer naar Ronni. 'In een moderne perserij wordt alles geregeld en gecontroleerd op een centraal paneel...'

'Moessa's hoofd kan elk centraal paneel makkelijk aan. Net zoals geen enkele schaakcomputer Kasparov kon verslaan.'

Ariël glimlachte, maar zei niks.

Ronni stopte. 'Ariël, luister. In de tijd dat jij rondreizen maakte langs hypermoderne perserijen heb ik naar de data gekeken. Als ik iets geleerd heb in Amerika, dan is het wel data analyseren, zakelijke modellen doorrekenen en er het maximale uithalen. Geloof me. Ik ben doorgegaan tot op het niveau van opbrengst per enkele olijf. Voor een moderne perserij heb je minstens honderdduizend dollar nodig, en daarnaast moet je nog een perceel vinden, bouwen, huur betalen. En daarna moet je de olijven kopen, vervoeren, en hoe ga je ze op de markt brengen? In flessen? In blikken? Nog meer productielijnen. En dan de olijvencommissie, om een kwaliteitserkenning te krijgen: koude persing, semi-koude persing, virgine, extra virgine. Je hebt een waanzinnige lening nodig en dan moet je nog vijf of tien jaar wachten voordat zoiets winst begint op te leveren. Is dat wat je nu wilt? Daar zijn er in elk land wel tien van, dus wat is dan jouw meerwaarde? En op de Westelijke Jordaanoever is het helemaal van de gekke om honderdduizenden dollars in een fabriek te steken en dan vijf jaar te wachten. Wie weet wat er hier over een jaar is?'

Ariël schoof zijn zonnebril boven op zijn hoofd, de zon was ondergegaan. 'Dus wat stel jij voor?'

'Je weet wat ik voorstel. Moessa doet alles. We maken een deal met hem voor een goeie prijs. We leggen ons vast voor het hele seizoen. We plakken een sticker op de blikken – ambachtelijk en biologisch, met een tekening van molenstenen, extra extra, de oermoeder van de virgine, *biladi* – lokaal, uit het hart van Palestina. Dat verkopen we dan via die olijfolieboetiek van jou aan de Rothschild voor het dubbele of zelfs meer. Dat gaat daar als zoete broodjes over de toonbank bij die heerlijke lui uit Tel Aviv.'

'Wie zegt dat de Palestijnen ermee akkoord gaan? Omdat Ronni Cooper het zegt, gaat het hele dorp meteen overstag? Je vergeet dat ze ons haten.'

Ronni wreef met zijn vingers. 'Geld,' zei hij, 'dat is het. Je geeft het ze vooraf, voor het hele seizoen. Wie zal ze zoiets aanbieden? Ik heb met Moessa gepraat. Die arme lui moeten telen, oogsten en daarna gaan ze naar de perserij die twintig procent afroomt, en daarna komt er een Palestijnse tussenhandelaar die ze verneukt en ze een belachelijk laag percentage betaalt als hij erin slaagt om het te verkopen, en hoe lukt het die tussenhandelaar om te verkopen? Aan wie zal hij het verkopen? En de Israëliërs die doen het in hun broek zodra ze een wegversperring voorbij moeten. Moessa en zijn mensen weten ook dat zich hier een unieke kans voordoet. Ik garandeer het je, Ariël, Moessa heeft me dat zelf zo gezegd.'

Ariël kauwde op het pootje van zijn bril. 'Oké,' zei hij uiteindelijk voorzichtig. 'Laten we dan eens kijken welke uitgaven we hebben: je had het erover om de olijven vooruit betalen. Een separator. Een elektromotor in plaats van de zieke ezel.'

'En die ezel kon best nog weleens in orde zijn.'

'Oké, de ezel is in orde. Flessen en etiketten. En we moeten iets doen aan marketing en distributie.'

'Zo minimaal mogelijk, minimaal.' Ronni wist dat het een verloren strijd was.

'Minimaal, natuurlijk zo minimaal mogelijk, en toch hebben we het dan over enige tienduizenden sjekels om mee te beginnen. Dertig-, veertigduizend. Laten we er wat overhead bij doen en er vijftigduizend van maken. Vijfentwintigduizend elk.'

Ronni stak snel een sigaret op. Hij kneep zijn ogen dicht tegen de rook. 'Hoe kom jij bij vijfentwintigduizend, vertel me dat eens? Je bent hier niet in Tel Aviv, maar in een Palestijns dorp in de bezette gebieden. Hier hebben we het niet over zulke bedragen. Waar moet ik zo'n kapitaal vandaan halen?'

'Ik snap het niet, wat dacht jij dan, dat het gratis was? Dit is helemaal niet veel om een onderneming met zulk potentieel te beginnen en dat weet jij, met jouw ervaring, maar al te goed.'

Ronni's gezicht stond gekweld. 'Ariël, ik kan op dit moment niet fiftyfifty met je investeren. Kun jij het startkapitaal niet inbrengen en dat we het dan later verrekenen? Ik ben met het idee gekomen en ik heb Moessa erbij betrokken. Momenteel heb ik wat liquiditeitsproblemen.'

'Ik ben best bereid meer in te brengen, maar jij moet wel iets investeren, om je goede bedoelingen te laten zien. Je kunt me dit niet alleen laten opknappen. Heb je niks meer op de bank staan? Heb je niet iets achtergelaten in Amerika?'

Ronni's gezichtsuitdrukking werd nog gepijnigder. 'Amerika is een probleem,' antwoordde hij. Hij gooide de sigaret op de grond en drukte die langdurig uit met de hak van zijn schoen. 'Ik zal kijken, proberen wat te regelen, dat is goed.' Gabi's telefoon ging en liet 'Er brandt een vuur in Breslau' uit zijn zak klinken. Hij haalde hem er met twee vingers uit om te kijken wie belde, blij met de afleiding. 'Ja, Moessa,' zei hij glimlachend, 'ja, ik luister.' Ariël stond Ronni aan te kijken terwijl die naar Moessa luisterde, keek toe hoe de glimlach van zijn gezicht gleed, zag hoe hij het gesprek beëindigde en het toestel terug in zijn zak liet glijden om daarna zijn vriend doordringend aan te kijken: 'De ezel is dood. Hij heeft een hartaanval gehad. Zojuist.'

De caravan

Woonwagens, caravans in de volksmond of verplaatsbare onderkomens in ambtenarentaal, of *Asjkoebiot*, naar de firma die prefabhuizen, keten, caravans en meer maakt, hebben allemaal ongeveer dezelfde afmetingen en proporties: eenheden van 4,25 m breed, 11 m lang en 2,80 m hoog. De vloer rust ongeveer tachtig centimeter boven de grond op een stalen frame. De wanden hebben een isolatielaag van ongeveer vier tot zes centimeter tussen een grijze betonwand en een dunne houten wand met plastic afwerking of een gipswand zonder afwerking. Het dak heeft een aluminium beschermlaag. Een ijzeren trapje met vier treden leidt naar de deur die in een van de lange zijden gezet is, die ook voorzien kunnen zijn van schuifdeuren. De caravans worden meestal zo neergezet dat de deuren naar de nederzetting zijn gericht en de ramen uitkijken op het landschap. De 54.900 nieuwe sjekels die zo'n eenheid ongeveer kost, worden meestal door het ministerie van Huisvesting betaald aan het bedrijf Amana. De huur en ozb komen op enige honderden sjekels per maand. Uiteraard zijn er variaties op de standaarduitvoering. De producenten, Engels, Duits of Israëlisch, kunnen het veranderen al naar gelang de wensen van het verantwoordelijke ministerie of hoe de wind waait, en in de nederzettingen zijn combinaties van bouwwerken met de verschillende stijlen van de afgelopen twintig jaar te vinden. De twee caravans bijvoorbeeld die Oezi Sjim'oni in het begin naar Maälè Chermesj C had gebracht en waarvan één nog steeds de basis vormde van het huis van de familie Asís – caravans van tweeëntwintig vierkante meter, ook wel *Bar'oniem* geheten, naar Oeri Bar'on – waren afkomstig uit de arbeiderscompound van de Amerikanen die het vliegveld in de Negev hadden aangelegd nadat de Sinaï was ontruimd.

De caravan die bij verrassing in Maälè Chermesj C was terechtgekomen op die winterse en feestelijke dag stond in de lente nog steeds op dezelfde plek waar hij was neergezet en zou voor het eerst bewoond gaan worden. Nadat hij per ongeluk naar Maälè Chermesj C was gebracht en de minister van Veiligheid geen aanvullende transportvergunning had verleend om hem naar zijn oorspronkelijke bestemming te brengen, had Otniël de toelatingscommissie bijeengeroepen – zijn vrouw Rachel was de voorzitter en Chilik haar rechterhand – en geïnstrueerd een nieuwe familie van de wachtlijst uit te nodigen zich in de caravan te vestigen.

Het duurde een aantal weken voordat de commissie bijeenkwam en ondertussen bleef de nieuwe caravan min of meer nieuw. Toen de eerste sjabbat na zijn komst was uitgegaan, had iemand al een manier gevonden om het slot te openen. En ineens waren er oplossingen voor defecten en tekortkomingen aan de andere caravans in de nederzetting. Een klapperende douchedeur werd vervangen. Jaloezieën. Een kraan. Een douchekop. Zelfs een vierkante meter groenig linoleum uit de keuken werd er met een scherp stanleymes uitgesneden en vond dankzij vloerlijm een nieuw onderkomen in een andere caravan, om daar een stuk te vervangen dat versleten, vervuild en kapotgegaan was door lekkage. En toch, ook zonder de bijbehorende elementen die binnen de kortste keren werden ontvreemd, waren er meerdere geïnteresseerden voor de caravan. Nog voordat Rachel het papier met de wachtlijst tevoorschijn had kunnen halen, begonnen diverse mensen van binnen en van buiten de nederzetting aan haar rokken te trekken en in haar oor te fluisteren.

Een aantal mensen op de heuveltop stelde voor van de caravan een crèche te maken, zodat de synagoge haar eigen ruimte had en de vrouwenafdeling niet langer een dubbele functie hoefde te vervullen, met het scheidingslaken dat voor het gebed werd opgehangen en voor de rest van de tijd weer weggehaald. Dat was al vanaf het prille begin van de nederzetting een heet hangijzer: wie was er belangrijker, wie had meer recht op een eigen onderkomen – de kinderen of God? In het begin waren er niet veel kinderen geweest en de synagoge was eerst gebouwd, maar nu was hun aantal toegenomen, werden ze ouder en moest er plek komen voor hun onderwijs.

Anderen voelden er meer voor immigranten uit te nodigen. Weer anderen wilden jonge stellen. En ouders met kinderen die geen leeftijdsgenootjes hadden, neigden ertoe families te zoeken met kinderen in dezelfde leeftijd. En Ronni Cooper, Gavriël Nechoesjtans broer, die op exact hetzelfde moment was gearriveerd als de caravan, die hij onderweg misschien zelfs was gepasseerd als zijn geheugen hem niet bedroog, diende een verzoek in om er tijdelijk in te trekken, om er maar heel eventjes een matras in neer te leggen, totdat de nieuwe familie gekozen was, want inmiddels vond hij het niet meer zo prettig om zijn broer zo voor de voeten te lopen. En de bevriende familie Rivlin, een jong, alleraardigst gezin uit Efrat. En familie van Zjanja Freud, immigranten uit de voormalige Sovjet-Unie die in Karnei Sjomron woonden en op zoek waren naar 'een grotere uitdaging en meer pionieren', beslist het soort mensen dat men in Maälè Chermesj C graag zag. Een paar jonge mensen uit Maälè Chermesj A belden. En Sara, een Amerikaanse, die graag een nederzetting wilde stichten maar er ook tevreden mee zou zijn als er ergens een wellnesscentrum werd gebouwd, vernoemd naar wijlen haar man, die volgens haar op een van de wegen in de omgeving was vermoord, hoewel iedereen zich het voorval herinnerde als een gewoon verkeersongeluk. En nog andere vrienden en kennissen, die ooit op de heuveltop op visite waren geweest, of erover gehoord hadden; het bescheiden onderkomen dat vlak nadat het was gearriveerd een zegen had geleken, werd een arena waarin verschillende en tegenstrijdige belangen met elkaar worstelden. Chilik Jisraëli, die vanaf Oezi Sjimoni's tijd alle gezinnen had meegemaakt die gekomen waren en later weer vertrokken, functioneerde als lakmoestest voor wie van de kandidaten het geschiktst was voor de heuveltop en zijn bewoners.

Op de een of andere manier had Ronni gehoord dat er vergaderd werd, en een gesprek aangevraagd en het gekregen, waarin hij zijn mening uiteen kon zetten: vanwege de onduidelijke status van de caravan, die bedoeld was voor Giv'at Jesjoea en waar ze hem nog steeds wilden hebben, en aangezien de zaak bij het Hooggerechtshof tegen de demarcatieorder was verworpen – wat wilde zeggen dat op enig moment de nederzetting ontruimd ging worden – misschien was het niet verstandig nieuwe inwoners hierheen te halen totdat duidelijk werd uit welke hoek de wind woei. En tot die tijd: 'Wat er ook gebeurt, laat mij er wonen. Ik ben hier al. En als het nodig is dat ik vertrek, ben ik er in een mum van tijd uit. Eerlijk gezegd is het toch al de bedoeling dat ik over een tijdje vertrek, ik weet niet, één, twee, drie maanden maximaal...'

'Totdat je dat zaakje met die olie van de Palestijnen uit Charmisj rond hebt?' vroeg Rachel, wat Chilik deed grijnzen, terwijl Otniël Asís hem een ernstige, ontevreden blik toewierp. Ronni had gehoord dat Otniël een groot voorstander was van Hebreeuwse arbeid, ook al had hij op zeker moment Thaise arbeiders in dienst gehad in de paddestoelkassen, en dat hij niet onder de indruk was van Ronni's business met Moessa.

'Ja... Nee...'

'Zeg eens,' zei Otniël en hij knipoogde naar Chilik, 'heb je hem al gevraagd naar de gedoodverfde ondergang van de kibboetsbeweging, voor jouw proefschrift?' Chiliks glimlach werd wat bitter om de mondhoeken. De laatste tijd lukte het hem niet om naar behoren aan zijn proefschrift te werken.

Ronni verloor. Het was waar dat de status van de caravan en de voorpost in zijn geheel een groot vraagteken was, maar dat was niks nieuws. Dat was precies de reden waarom er feiten neergezet moesten worden, zodat het vraagteken in een schallend en onweerlegbaar uitroepteken veranderde. Daarom had het prioriteit dat de caravan door ingezetenen werd bewoond en geen openbare functie kreeg als crèche. En dus werd er besloten de familie Gottlieb op te nemen, die bij het interview een bijzonder sympathieke indruk had gemaakt, precies het soort mensen dat ze hier zochten, een jong stel uit Sjilo met twee kinderen. De man was opticien en wilde een winkel openen in Maälè Chermesj A, de vrouw was de dochter van een rabbijn. 'We moeten ze laten weten,' zei Rachel, 'dat ze deze week voor de ontvangstsjabbat komen en wat mij betreft kunnen ze meteen daarna verhuizen, ze zijn meer dan welkom, en ze moeten maar even met mij komen praten over de dingen die in de caravan ontbreken, zodat we het daarover kunnen hebben met het Nederzettingenbureau.'

De brutale vlerken, dacht Ronni teleurgesteld. In plaats van dankjewel te zeggen dat er een normaal mens bereid is in dit godvergeten gat van hen te komen wonen, lachen ze me uit? Stelletje idioten, ze mochten die caravan in hun reet schuiven. Hij ging terug naar zijn bed, voorheen Gabi's bank, en ging er gedeprimeerd op liggen.

De bulldozers

Op een hete dag aan het begin van de maand Ijar, rond Dodenherden-king en Onafhankelijkheidsdag, eind april, kwamen de bulldozers. Een groepje bewoners verzamelde zich aan de rand van de heuveltop en keek met bezorgde blik naar de monsters die zich langzaam een weg baanden en uit de steegjes van Charmisj tevoorschijn braken als boze kuikens uit hun ei.

'Zijn dat shovels?' vroeg Elazar Freud, die door de herrie van achter zijn computer was gehaald.

Chilik maakte een afkeurend geluidje. 'Nee. D9's. Shovels hebben wielen en zijn kleiner. Deze, met rupsbanden, zijn de echte zware jon-gens.'

'Ze hebben het niet gedurfd om van deze kant komen, hè?' zei Elazar.

'Nee,' mengde Otniël zich in het gesprek, 'dat is omdat ze aan hun kant moeten werken. De scheidingsmuur komt trouwens door die olijfgaard, daar.'

'Ja, die van Moessa,' zei Ronni. 'Moge hun naam weggevaagd wor-den.'

'En ze willen ook nog op ons terrein komen, snappen jullie iets van zulk absurdisme?'

Joni kwam eraan, het geweer over zijn schouder. 'Oké, vrienden, ophouden met demonstreren.'

'Welke demonstratie?' De zes inwoners draaiden zich naar hem om en keken geconcentreerd naar het zuiden.

Joni keek van achter zijn Ray-Ban even naar het moedervlekje naast het oor van Gitít Asís en slikte. 'Nou ja, goed. Ik heb orders gekregen om jullie te kalmeren als er problemen ontstaan,' zei hij.

'Pfff... problemen,' schamperde Otniël. 'Ik wou dat er iemand hier problemen maakte.' Met een beweging van zijn duim klapte hij zijn mobiel open en belde Natan Eliav, secretaris van Maälè Chermesj A, en daarna naar Dov, het hoofd van de districtsraad, vervolgens naar het parlementslid Oeriël Tsoer enzovoort, het gebruikelijke rondje. Iedereen beloofde om eens te kijken en verslag uit te brengen. Otniël klapte het toestel dicht, dat onmiddellijk begon te rinkelen. 'Ja, Dov,' zei hij tegen het hoofd van de districtsraad. 'Ik begrijp het... Oké, en wat is het standpunt van de raad in dezen…? Nee, niet de districtsraad, de Jesja-raad.'

Het viel Otniël op dat iedereen om hem heen zweeg en op antwoord wachtte, dus zette hij hem op de luidspreker. Dovs stem was duidelijk te horen: 'In dit stadium heeft de raad besloten om het voorstel om in dezen geen standpunt in te nemen, niet aan te nemen,' zei hij. Otniël wierp een verbijsterde blik op het apparaat.

'Wat wil dat zeggen?'

'Dat wil zeggen dat we met spoed een beslissing zullen nemen over ons standpunt. Of we de regering zullen aanvallen op het besluit om de scheidingsmuur hier op te trekken en actie te ondernemen met beroep op parlementariërs en onze lobby om die te herroepen, of dat we de bouw door de olijfgaard steunen omdat we erop tegen zijn dat het gebied van de voorpost wordt aangetast, en daarmee voorkomen dat links een motie van wantrouwen kan indienen. De derde mogelijkheid is om de regering hoe dan ook te laten vallen, en erop te hopen dat de vertragingen van verkiezingen en coalitievorming en wat dies meer zij ertoe leiden dat iedereen het hele voorval vergeet.'

Otniël keek vragend naar Chilik en liet zijn blik toen naar zijn dochters Gitít en Dvora glijden. 'Wacht even,' zei hij in de telefoon, 'dus wat hebben jullie vandaag dan besloten?'

'Om de vierde mogelijkheid af te wijzen,' legde Dov uit, 'die van niks doen en afwachten hoe de zaken zich ontwikkelen en hopen dat we achteraf een vergunning krijgen voor het plan van de nederzetting, dat al een aantal maanden bij diverse commissies ligt en waarvoor het misschien juist wel de goede timing is om het goed te keuren. Als het goedgekeurd wordt, kunnen we een bouwstop uitvaardigen op basis van die vergunning. *Capice?*'

'Gesnopen,' zei Otniël en hij glimlachte naar zijn dochters.

'Dus die mogelijkheid, van geen standpunt innemen, die hebben we vanochtend afgewezen.'

'Ik ben er juist wel voor om tijd te winnen,' mengde Chilik zich in het gesprek en hij bracht zijn mond dichter naar Otniëls telefoon. 'Dat werkt meestal. In twee jaar is die demarcatieorder minder waard dan het papier waarop ze is geschreven. Eigenlijk in minder dan twee jaar tijd.' Hij keek op zijn ivoorkleurige antieke analoge horloge, met het venstertje bij de 3 waarin de christelijke datum prijkte, vertaalde dat in zijn hoofd naar het Hebreeuws en maakte een berekening: 'Een jaar en negen maanden, ongeveer.'

'Hoe het ook zij,' klonk Dovs stem, 'laat het ons direct weten als er D9's beginnen rond te walsen, dan sturen we meteen enige duizenden van de Goesj om ze tegen te houden. Ik zal ook proberen de minister van Veiligheid te pakken te krijgen. Ik heb daarstraks met Malka overlegd, zijn assistent voor huisvestingszaken. O ja, dat doet me eraan denken: hoe kan het dat de minister al weet dat jullie een nieuw gezin in de nederzetting hebben opgenomen?'

Snel zette Otniël de luidspreker uit en ging, nerveus zijn baard strelend, discreet op enige afstand van het groepje mensen staan. 'Wát?' zei hij kalmpjes in het apparaat.

'Malka vertelde dat ze wisten dat er een nieuw gezin is opgenomen. Zelfs ik wist het niet. Wanneer is dat gebeurd?'

'Ongelofelijk. Gisteren, en dat besluit hebben we pas vorige week genomen. Weet je zeker dat hij dat gezegd heeft?'

'Nou, het klopt toch? Iemand heeft het ze verteld. Doe me een lol, probeer wat minder openlijk te zijn in die dingen, dat zegt Malka ook. Dit komt onze belangen niet ten goede.'

'Zeker, zeker,' zei Otniël, terwijl er allerlei gedachten door zijn hoofd raasden. 'We zullen ernaar kijken.' Hij keerde zich om naar de aanwezigen. 'Kom, mensen, laten we kijken of de soldaten daar wat weten.'

'Uh, Otniël, ik verzoek jullie vriendelijk om hier te blijven,' klonk de zachte, zij het ietwat scherpe stem van Joni. 'Ik heb orders gekregen dat jullie niet in de buurt van de shovels mogen komen...'

'Het is in orde.' Niet alleen was Otniël Asís de oudste en gezaghebbendste persoon van Maälè Chermesj C, hij had bovendie een zware autoritaire stem en een doordringende blik, wat discussiëren met hem moeilijk maakte. Zeker voor Joni, zelfs van achter zijn Ray-Ban. 'We gaan alleen een ommetje maken. Dat is geoorloofd.'

'Ik verzoek jullie vriendelijk niet te gaan,' zei Joni, met een halsstarrigheid die respect afdwong. Ze liepen door.

'Ik moet mijn aannemer, Kemal, spreken,' zei Chilik. Het was de bedoeling dat hij binnen enkele dagen een halve zeecontainer zou krijgen om zijn huis mee uit te breiden tot een caravilla, voordat aanstonds zijn dochter werd geboren. Otniël had geprobeerd hem ervan te overtuigen een joodse aannemer en joodse arbeidskrachten te zoeken, maar was niet bereid Gabi uit te lenen. Om een aannemer en arbeiders van buiten te halen was kostbaar, dus had Chilik een deal gesloten met Kemal uit Charmisj, dat hij twee lokale arbeiders zou sturen voor bijna geen geld; geen sociale verzekeringen, pensioenafdracht, reiskosten of de rest van het gedoe dat je met joodse arbeiders had.

Otniël hield aan. Onder het lopen zei hij tegen Chilik: 'Je moet een voorbeeld zijn voor de jongeren.'

'Dat heb ik geprobeerd, Otniël, geloof me,' antwoordde Chilik. 'Maar wat heb ik voor alternatieven?'

Net als een aantal anderen op de heuveltop en in Maälè Chermesj A en B, vulde Chilik regelmatig zijn gasflessen bij in Madzjdal Toer, waar het de helft goedkoper was, en deed zijn boodschappen bij de kruidenier in Charmisj, maar Otniël was zuiver op de graat, zwoer bij Hebreeuwse productie, en was vasthoudend. 'Ik heb iemand voor je. Herzl, een uitstekend aannemer. Hij zal je een goeie prijs geven, ik zweer het. Ik regel een subsidie voor je.'

'Van wie komt die subsidie?' Chilik spitste zijn oren.

'Een speciale prijs voor studenten, vertrouw op Otni, vadertje,' zei Otniël, 'en op Herzl. Een aannemer uit duizenden. Hij levert duizend keer beter werk dan die Palestijnen en steekt je ook nog eens geen dolk in de rug.'

Joni gaf zich gewonnen. Hij belde sectorcommandant Omer om hem op de hoogte te stellen terwijl hij achter het groepje kolonisten aanliep. Zijn ogen schoten van Otniël naar de bulldozers naar de dijen en achterpartij van Gitít Asís gehuld in een stevige spijkerrok. Achter hen klonk het hoefgetrappel van Killer en Jehoe kwam kalmpjes naast hem rijden.

De beide stoffige bulldozers met gigantische rupsbanden van het merk Caterpillar D9N, die elk vijftig ton wogen, vier meter hoog waren en acht meter lang, inclusief de graafbak aan de voorkant en de ripper aan de achterkant, lagen erbij als twee leeuwen aan weerszijden van de toegang tot een koninklijk paleis. Naast de imposante gigantische stalen graafbakken die zij aan zij op de grond rustten, stonden de mensen van het team – twee officieren en twee soldaten – met een gasbrander-tje waarop ze koffie aan het koken waren. Joni liep snel op ze af en legde met zachte stem uit dat de sectorcommandant hun verzocht niet met de inwoners te praten. 'Waarom? Het is wel goed, man,' zei een van hen. 'Laat ze maar komen. Dan praten we met ze, met plezier. Zeg, is dat een rasmerrie?'

Jehoe, boven op het paard gezeten, keurde de soldaat nauwelijks een blik waardig. Otniël schonk Joni een bestraffende blik en glimlachte naar de soldaten. 'Ahlan, jongens. Als jullie iets nodig hebben, eten, drinken, dekens, wat dan ook – je hoeft er alleen maar om te vragen. We zorgen er graag voor.'

'We zijn voorzien, beste man, dank je wel, maar 't is niet nodig,' reageerde de soldaat die eerder Joni antwoord gegeven had. De strepen op zijn mouw verrieden dat hij een gewone soldaat was, geen officier, maar hij gedroeg zich alsof hij woordvoerder was van het peloton. Hij was gezet en tamelijk donker en een van zijn ogen dwaalde af als hij probeerde zijn blik te focussen.

'Dus, hoe zit het met jullie? Wanneer gaan jullie aan het werk?' Otniël kwam meteen ter zake.

'Dat weten we niet,' zei de soldaat. 'We wachten op orders.'

'En wanneer komen die orders? Vandaag, morgen?'

'Weten we niet,' antwoordde de soldaat. 'Vandaag, morgen, over een week. Met deze afscheidingsmuur weet je het nooit. We wachten op het Hooggerechtshof.'

'Nee, het Hooggerechtshof heeft de zaak afgewezen,' zei Elazar Freud.

De jeep van sectorcommandant Omer Levkovitsj arriveerde in een stofwolk waardoor de aanwezigen hun gezicht met hun handen moes-ten beschermen en begonnen te hoesten. 'Niet met ze praten a.u.b., jongens.'

'Ik wilde alleen maar weten wat er gaande is,' zei Otniël Asís. 'Jij ook goeiedag, trouwens.'

'Er gebeurt helemaal niets. Ik verzoek jullie om op te breken. De bulldozers blijven hier staan totdat we orders krijgen om met het werk te beginnen. We wachten op een reactie van het Hooggerechtshof.'

'We hebben ons beroep bij het Hooggerechtshof al verloren,' herhaalde Elazar. 'Hebben ze jullie daarvan niet op de hoogte gebracht?'

'Niet jullie zaak bij het Hooggerechtshof. Een zaak van links en Palestijnen tegen het beschadigen van olijfgaarden in particulier eigendom.'

'Aaaah...' zei Otniël glimlachend. Daarover had hij niets gehoord. Hij belde naar Dov, die beloofde het na te vragen en de jongens van Vrede Nu zo veel mogelijk te helpen bij hun zaak.

'Allah jistor, gaat die zaak bij het Hooggerechtshof daarover?' vroeg de mollige soldaat. 'Ongelooflijk. Ik snap niet wie die jokers van het Hooggerechtshof wat vraagt, of de Palestijnen, moge hun naam weggevaagd worden. Geef me vijf minuten en ik wals die bomen allemaal plat, vervloekt zij hun moeder. En als het effe kan, leg dan nog een paar van die stinkerds tussen de bomen, dan wals ik die gelijk ook even plat.'

Dvora onderdrukte een grinnik en keek met schele ogen naar haar vader, die met een glimlach in zijn blik terugkeek. Omer stapte met een rood hoofd uit zijn jeep. 'Eh, pardon, soldaat, hoe heet je?'

'Doedoe,' antwoordde de soldaat.

'Doedoe. Allereerst: sta rechtop als een officier het woord tot je richt, Doedoe. Ten tweede: ik had gezegd niet met hem te praten, had je me niet gehoord? Wil je soms overgeplaatst worden naar een tank?'

'Nee, commandant,' antwoordde Doedoe met geheven kin.

'Wie is jullie commandant? Luister jongens, ik heb veel respect voor de genie en het werk dat ze doen, maar verman je. Als ik zeg dat je je mond houdt en wacht op orders, dan is dat wat je doet, in plaats van met voorstellen op de proppen te komen. Is dat duidelijk?' Alle vier de soldaten knikten.

'Jalla, verspreiden,' zei Omer. Het groepje kolonisten begon zijn weg terug naar de voorpost, terwijl de vier geniesoldaten de ruime cabines van de bulldozers in klommen om af te koelen in de airco.

De geboorte

Sjifra de verloskundige komt op alle uren van de dag, bij alle weersomstandigheden en waar dan ook in Israël. Ze heeft geen auto of rijbewijs en ook geen enkele vrees. Alles ligt in de hand van de Heer en hoe het uitpakt met liften. Het is geen uitzondering om haar diep in de nacht die naar ochtend begint te kleuren in stromende regen of zelfs met sneeuw bij een duister kruispunt in de buurt van vijandige dorpen te zien staan. In haar ene hand de tas met instrumenten, de andere met een duim in de lucht om te liften, haar haar zit onder een kuis hoedje en haar ogen die geen angst kennen, zijn bedekt door grote dikke glazen. Hoe zou de Heer niet aan de zijde van zo'n tsadieka als Sjifra staan, die zulk heilig werk verricht? De ervaring leert dat er altijd een kolonist of een legerjeep wordt gevonden, die meestal een omweg maken om haar op haar bestemming te krijgen. Honderden baby's zijn met haar hulp ter wereld gekomen; haar ronde gezicht was het eerste wat ze zagen. Honderden kersverse moeders hebben tranen van pijn en geluk vergoten, hun hand in de hare terwijl zij ze geruststelde met een zwaar New Yorks accent dat in de loop der jaren geen cent minder was geworden: 'Goed zo, we zijn er bijna, met Gods hulp. Nog even en dan moet je persen, *darling*, je bent a *real* heldin. Kijk, daar is jouw schoonheid. Oi, als dat niet het mooiste kindje is dat ik ooit heb gezien.' Dat moment vervult haar altijd met oprechte emoties die haar de keel dichtsnoeren, dan sluit ze haar tranende ogen en dankt God dat Hij haar hier heeft gebracht, dat Hij haar bewaard heeft voor alle gevaar, dat Hij haar dit geschenk heeft gegeven, het verlossen van geweldige joodse baby's. Toen ze naar Israël was geëmigreerd had ze haar naam veranderd in Sjifra, naar de Bijbelse vroedvrouw uit Exodus, waar over haar en haar collega Pua geschreven staat: 'De vroedvrouwen vreesden God.' Ook zij vreesde Hem en Hij waakte over haar, gezegend zij Zijn naam.

Om ongeveer twee uur 's nachts werd ze wakker van de telefoon. Het was Nir Rivlin uit Maälè Chermesj C. Zij kende de voorpost wel, ze had er al een aantal prachtige kinderen ter wereld geholpen bij een overweldigende zonsopgang in de woestijn. Een echt Bijbels land-schap. Ze stond vlug op, maakte haar tas klaar en marcheerde door de motregen de vijfhonderd meter van haar nederzetting naar de snelweg. Soms konden de vaders haar komen ophalen, maar Nir kon Sjaoelit niet alleen laten en had niemand anders kunnen vinden. Sjifra moest twee keer van lift wisselen. De weeën kwamen regelmatig, maar zij was nog niet acuut nodig. Ze praatte met Sjaoelit via de telefoon, stelde haar gerust, legde uit wat ze moest doen, hoe ze moest ademhalen, hoe ze moest zitten, vroeg Nir aan de lijn en legde hem uit wat hij klaar moest zetten en hoe hij de pijn kon verminderen. Een gele taxi reed hard voorbij en ze bad met gesloten ogen tot de Heilige, gezegend zij Hij, waardoor ze kalmeerde en volkomen vredig werd. Toen stopte Menachem Politis uit Giv'at Ester; ze kon het zich niet precies herinneren, maar hij zei: 'Je hebt mijn beide dochters ter wereld geholpen, tsadieka, waar moet je heen?' En ze zei tegen hem: 'Maälè Chermesj C,' waarop hij zei: 'Geen probleem, veel geluk,' en bracht haar regelrecht naar het huis van Nir en Sjaoelit.

'Prachtig, hele mooie ontsluiting. Het gaat allemaal prima. Daar is het hoofdje vol *curls*, haha, een pracht van een dochter? Zoon?'

'Zoon,' beaamde Nir. Na twee prachtige dochters werd dit hun eerste zoon, dat wisten ze van de echo.

'Zoon, met Gods hulp.'

'Moge Zijn naam geprezen zijn,' mompelde Nir geëmotioneerd.

'Nir, *dear. Hot* water hier, *please*, niet kokendheet maar een lekkere *temperature, yes*? Dank je wel. Vorige week nog was ik in *the big* Maälè Chermesj, daar, het is goed terug te zijn. Daar komt een wee. Met de wee meepersen, inademen, *you are doing great*, Sjaoelit, dit is de derde, dat stelt niks voor, je bent een expert, je hebt me niet nodig. Nir, een doek, *dear. A tropfele* water, lieverd?'

Ook Tchelet, hun jongste dochter van tweeënhalf, was hier op de heuveltop geboren met Sjifra's hulp. Amalja, de oudste van bijna vijf, was in het Hadassa-ziekenhuis ter wereld gekomen voordat ze hierheen verhuisd waren. Oeps. De elektriciteit viel uit. Sjaoelit jammerde van schrik. 'Het is allemaal oké, *dear*. Het maakt niet uit. We zijn bijna *done, anyway*. Ik denk dat hij er bij de volgende wee al uit is, hier, hier, hier, het hoofdje is er al, kijk.' Nir probeerde zich te herinneren wie de wacht had, hij was in alle staten, stond te zweten, liep de lijst met namen op zijn mobiel langs, wie kon hij sms'en? Wie was er wakker? Ineens deed de elektriciteit het weer, blijkbaar had de wacht opgelet en de generator weer aangezet – en daar was hij, kijk daar was hij! Sjifra zweeg heel even van opwinding tijdens de laatste pijnkreet van Sjaoelit en bad tot de Heilige, gezegend zij Hij – God deed de vroedvrouwen wél; het volk vermenigvuldigde zich – en daarna zei ze met kalme stem: 'Dit is het mooiste kind dat ik ooit gezien heb. God zij dank voor Zijn geschenken.' Sjaoelit hield haar hand vast en Sjifra gaf haar een knuffel en een kus op haar voorhoofd, en daarna legde ze het donkerroze, geplooide, geschrokken baby'tje op zijn moeders hijgende lichaam. De met stomheid geslagen Nir dacht: het heeft zo lang geduurd, het is zo snel gegaan, nu ben ik al de vader van drie. De zon kwam op van achter de bergen van Moab en Edom, het land werd gevuld met gouden licht en op de heuveltop brak een nieuwe dag aan.

Sjaoelits moeder, die weduwe was geworden door een terreuraanslag, bleef thuis om op de groten te passen, terwijl Nir met Sjaoelit en de baby naar de stad reed om de pasgeborene in het ziekenhuis te laten registreren. Ze reden langzaam in de blauwe Subaru, werden bij de toegangspoort verwelkomd met een stralende glimlach en een 'gefeliciteerd!' van Joni, en nadat ze vanaf Maälè Chermesj A de hoofdweg op gedraaid waren, zei Sjaoelit: 'O, ik heb mama vergeten te zeggen waar de luiers liggen.' Nir stak zijn hand in zijn broekzak maar het mobieltje zat er niet in. Ze kwamen stil te staan in een file voor een wegversperring, en het zag ernaar uit dat het lang ging duren. De spanning liep op: Sjaoelit wilde met haar moeder praten, en Nir zou blij zijn als hij met iemand van gedachten kon wisselen over het verkeer, ze hadden hun acht uur oude baby bij zich in de auto, en geen mobiel.

'Het doet er niet toe,' zei Sjaoelit en ze vroeg hem om de radio aan te zetten op de praatzender. Het geprat kalmeerde haar, de eeuwige angst, versterkt door het gebrek aan een mobiel, werd ermee het zwijgen opgelegd. Uiteindelijk kwamen ze bij de wegversperring aan. Oude Palestijnse mannen wierpen een blik op de baby. Zwangere Palestijnse vrouwen glimlachten. Nir en Sjaoelit beantwoordden de glimlachjes onzeker. De radio-ontvangst viel weg en kwam terug, terwijl er een weeë geur door de auto trok. 'Joh, ik was helemaal vergeten dat de poep in het begin zwart is,' glimlachte Sjaoelit, zoals alleen een moeder kan glimlachen naar een bundeltje handjes, voetjes en botjes dat een zwart hoopje geproduceerd had.

De aanwezigheid van een vroedvrouw was niet voldoende voor de autoriteiten. Omdat ze niet erkend werd door het ministerie van Volksgezondheid en er bij de geboorte geen arts aanwezig was geweest, moesten Sjaoelit en Nir hun ouderschap bewijzen via een DNA-test, die weer enige tijd in beslag nam. Uiteindelijk pakten ze hun pasgeborene in, samen met de cadeaupakketten die alle pasgeborenen meekregen dankzij een fabrikant van luiers en babyvoeding, en stapten in de stoffige Subaru. Nir zette zijn keppeltje recht en streek over zijn baard, stopte een weerbarstige lok terug die uit het hoofddeksel van zijn vrouw ontsnapt was en glimlachte: 'Kijk, we hebben een zoon, die keurig netjes zoals het hoort in de computer van het ziekenhuis en Binnenlandse Zaken is geregistreerd, geaccepteerd, een echt mens dat binnenkort post begint te krijgen van het ziekenfonds en van de bank.' Toen Nir was thuisgekomen en herenigd met zijn mobiele telefoon, begon hij opgewonden te sms'en over de geboorte.

Sjabbat daalde neer over Maälè Chermesj C als een ruimtesonde op de maan: onverbiddelijk en precies.

Huize Rivlin liep over van mensen en vreugde. Sjaoelit, haar moeder de weduwe en haar schoonmoeder – de beide grootmoeders waren samen uit Beet El gekomen – hielden zich bezig met cakes in de petieterige keuken en stuurden ook ladingen naar de keukens van Netta Hirsjzon en Zjanja Freud, die weliswaar zelf voor de sjabbat stonden te koken, maar met liefde en plezier een oven of groentesnijder ter beschikking stelden (en natuurlijk meededen in de etensronde, geschonken door de voorpost aan ieder gezin waar een kind geboren was – twee weken van maaltijden die de vrouwen op de heuveltop bij toerbeurt klaarmaakten). Nir was al vanaf de ochtend heen en weer aan het rennen en had wijn gekocht en wegwerpservies en kleine bageltjes voor de kinderen, en natuurlijk ook bakjes choemoes om te snacken, want zonder kikkererwten gaat het niet. De heuveltop was een zoemende bijenkorf, allemaal ter ere van de kleine, die van zijn kant alleen geïnteresseerd was in dat ene lichaamsdeel dat zijn dorst leste in de ouderlijke slaapkamer, in zijn voeding om de twee uur en in het wiegje waarin hij zijn ledematen te ruste legde en in een voldane, zoete slaap viel.

Sjabbatavond. De synagoge zit vol. Koningin Sjabbat wordt verwelkomd. 'Lecha dodi' wordt gezongen terwijl de sjabbatsbrieven over de weekafdeling diepgaand bestudeerd worden. Avondgebed. Adon Olam. Chilik, in zijn functie als synagogehoofd, kondigde de verwelkomingsceremonie in huize Rivlin aan, en na het avondeten gingen de gemeenteleden naar de Rivlins toe. De vrouwen zaten samen met de kraamvrouw in een aparte kamer en gaven de boreling door van de een naar de ander, de mannen zaten in de woonkamer, aten choemoes en dronken arak.

De volgende dag riep Chilik Nir op naar de Tora, zegende hem en daarna begon iedereen te zingen en bad Nir 'Hagomel', het dankgebed.

Aan het einde van de achtste dag kwam de Briet Mila, de besnijdenis. De pasgeborene kreet en wurmde ter ere van de gebeurtenis. Nir wiegde hem, feestelijker uitgedost dan anders; zijn baard keurig verzorgd, zijn haar gekamd. De spanning was ondraaglijk in de minuten voor het prijsgeven van de naam van het kind:

Zevoeloen, naar Sjaoelits vader, moge de Heer zijn bloed wreken, die door terroristen was vermoord in het noorden van Sjomron.

Jedid'el, want de baby was een vriend van God, wat valt erover te zeggen, hij zal zich afzonderen in bossen en tussen rotspartijen, zijn Vriend aanroepen en een met Hem worden.

Sjir, naar het lied, want de tsadiek prefereert niet te spreken, maar kan wel zingen en prachtige liederen en melodieën spelen; uit zijn gezang stijgt de lof voor God, gezegend zij Hij, op. Want zang is de manier die ieder mens kent, vooral Nir die iedere avond voor zijn zoon gezongen had totdat hij ter wereld kwam en door zou gaan met zingen, dat beloofde hij, tot hij groot wordt en zelfstandig en er genoeg van krijgt en roept: 'Papa, hou op!' Maar dat duurt nog eventjes, God zij dank.

Aldus zal hij in Israël heten: Zevoeloen Jedid'el Sjir Rivlin. Mazal tov!

De verklaring

Na het uitgaan van sjabbat, na de Havdala, het Orach Jamim en Melavee Malka – afsluitingsceremonie, gebed en gezang – nadat de zon was ondergegaan en het heilige weer in het profane overgegaan, liepen de broers Cooper-Nechoesjtan van de synagoge naar het huis dat inmiddels hun huis was gaan heten. Ze liepen in stilte, af en toe verstoord door het onregelmatige geblaf van Condi en Beilin. Gavriël was verstoord doordat Ronni de sjabbat onteerd had. Hij vroeg zich af of hij er een opmerking over moest maken, of dat hij de rabbijn moest vragen in hoeverre hij medeverantwoordelijk was. Hij besloot een sms te sturen naar de V&A-service, de vraag-en-antwoord-service, op het mobiele nummer van rabbi Aviner: 'Seculiere man bij mij te gast; in hoeverre ben ik verantwoordelijk als hij sjabbat onteert, bv lepeltje melkservies in vleesgootsteen legt of licht aandoet?' De rabbijn zei altijd dat je alles kon vragen, dat je niet moest tobben, er niet wakker van moest liggen, want iemand die neo-orthodox was, moest een heleboel regels leren en beslissen welke daarvan hij kon accepteren. Dat ging niet zo natuurlijk als wanneer je in een orthodox huis was opgegroeid. Hij herinnerde zich het voorbeeld dat de rabbijn gegeven had: op sjabbat mag een schaar wel gebruikt worden om een pak melk open te maken dat je nodig hebt voor de maaltijd, maar niet om papier mee te knippen. Hoe moet een neo-orthodox dat weten?

Ronni gaapte. Straks kwamen ze thuis en dan ging Gabi in zijn boeken zitten lezen, de Traktaten, de Daden en de *Sjoelchan Aroech* en Ronni zal gaan liggen en zich verbazen en daarna gaan slapen. En doorslapen in de ochtend als Gabi al in de velden aan het werk is of balken vastspijkert in zijn huisje.

'Dat was mooi,' merkte Ronni op.

'Wat was mooi?' Gabi vroeg zich af of zijn broer doelde op de Havdala, het gebed of Koningin Sjabbat in haar geheel?

'Een nieuw kind. Zoals hij met eerbied en vreugde wordt ontvangen. En met liefde.'

Gabi had zijn handen achter zijn rug gevouwen. Hij glimlachte triest bij zichzelf, de pompon aan het puntje van de grote witte keppel wipte op en neer bij het lopen.

Ronni keek eens naar zijn broer. 'Zou je er niet nog eentje willen?'

Gabi gaf geen antwoord. Zijn ogen waren strak naar de grond gericht. Een bekende pijn legde hem het zwijgen op, die scherpe pijn die telkens stak als hij aan zijn zoontje dacht, dat hij al jaren niet meer gezien had. Zijn Mikki.

'Gaat het?' vroeg Ronni.

'Misschien. Misschien had ik er graag nog eentje gewild. Ik weet het niet. Alles ligt in de hand van de Heer.'

'Heeft alleen de Heer hierin een hand? Hangt het niet ook een beetje van jou af? Als je zou willen? Als je een vrouw zou zoeken?'

'Ik wacht nog.' Ronni zou nooit van zijn leven begrijpen dat een nieuw kind het kind dat je al hebt niet kan vervangen, dacht Gabi.

'Je hebt gezegd dat de rabbi Nachman tegen wanhoop en… wat was het ook weer? … verdriet en verbittering had gepredikt, en zo.'

'Zie ik er volgens jou verdrietig uit? Het lijden is een groot goed, want het is door de Heer, gezegend zij Hij, zo bedoeld en Zijn bedoeling is altijd ten goede; in alle kwaad en het lijden dat de mens, God verhoede, ervaart, schuilt goedbeschouwd de bedoeling van de Heer, gezegend zij Hij, steeds dat hem geen lijden treft, maar juist veel vreugde…'

'Ja, je lijkt me tamelijk verdrietig,' antwoordde Ronni, het citaat negerend.

'Hoor wie mij de les leest. Jij praat met mij over kinderen? Over een vrouw? Jij, die naar Amerika gerend bent en waarvoor? Geld? En zelfs dat…'

'Laten we het even niet over mij hebben. Hoe zit het met jou, Gabilè? Weet je zeker dat het je goed gaat zo?'

'Uitstekend. Het gaat me hier fantastisch. Het verbaast me dat je het vraagt. Het is een mitswa om blij te zijn. Zonder blijdschap zou ik niet kunnen geloven. Geloven is blijdschap. Verdriet leidt tot afgoderij en ketterij.'

'Mij klinkt het alsof je je best doet jezelf te overtuigen met zulke passages.'

'Ronni, je gedraagt je onbetamelijk. Je bent hier te gast, je krijgt wat je nodig hebt, een bed en eten. Alles wat ik daarvoor terugvraag is dat je de sjabbat, het kasjroet en de geboden eerbiedigt. Iedere keer onteer jij de sjabbat, we gaan ervan uit dat je het niet expres doet. Ik accepteer het, en vergeef het je. Maar heb je nu ook nog kritiek op mij?? Kun je je niet inhouden? Dat jij niet voelt wat bij mij in mijn hart brandt, oké. Maar je hoeft het niet te verachten.'

'Ik veracht het niet.' Ronni haalde het blauwe pakje sigaretten tevoorschijn terwijl ze het erf op liepen. 'Het is lekker buiten, zullen we even gaan zitten?' Ronni ging in een ligstoel zitten naast een Donald Duck-veerwip, uit een speeltuin ergens, die nu op zijn kant lag.

'Nee,' zei Gabi en hij liep de caravan binnen.

Ronni zat te roken. De duisternis werd dieper. Hij was van de nachten hier gaan houden. In het begin had de stilte hem onrustig gemaakt. In zijn slaap verlangde hij terug naar het onophoudelijke gedruis van de stad, werd hij soms wakker van het onbekende dat de stilte in zijn stiknaden verborg, van de dreiging die ervan uitging. Maar inmiddels gaf hij zich over aan de stilte van de kleine uurtjes, wikkelde zich erin als in een dekbed. In zijn hoofd liet hij de ruzie met Gabi langsglijden en ineens herinnerde hij zich de laatste keer dat hij Mikki had gezien: een klein blond levenslustig jongetje. Zijn hart kneep samen. Misschien had Gabi gelijk. Hij verdiende het niet dat Ronni hem zo op zijn kop zat.

Toen hij zijn sigaret ophad, liep hij terug naar binnen. 'Ik wilde je niet boos maken.'

'Doe dat dan ook niet. Waarom regel jij de dingen die je moet regelen niet en ga je verder? Los je je problemen op en ga verder met je leven?' Gabi sloeg zijn ogen op naar Ronni. 'Het gaat er niet om dat ik niet wil dat je hier blijft, echt niet, maar het gaat om jou. Je ligt de hele dag te slapen, rommelt wat met die verhipte olijfolie die ik niet ken en niet wil kennen, en ondertussen probeer je er geld mee te verdienen. Ik veroordeel je niet, het is jouw leven. Maar misschien moest je eens proberen jezelf te genezen van de gekte, van die verlangens. Uit het diepst van mijn hart roep ik God om jouwentwille aan, ik schreeuw en huil en smeek dat Hij je helpt, zoals Hij mij geholpen heeft.'

Ronni legde een hand op zijn broers schouder. Hij zei: 'Dank je, Gabi. Ik weet dat je het beste met me voorhebt.' Hij maakte Nescafé voor hen beiden en ze gingen in de woonkamer zitten. Voordat Gabi kans had zijn hand uit te steken naar een van de boeken, vertelde Ronni waarom hij naar de heuveltop was gekomen.

'Na het leger. Na de kibboets. Na mama Gila. Ik was een kibboetsnik in Tel Aviv. Appartementje op Sjlomo Hamelech. De goudvissen. De bar aan het Malché Jisraëlplein. Bar Baraboesj. Het compagnonschap met Oren Azoelai. Dat herinner je je, toch? De goeie tijd, de opgewekte jaren negentig: de grote ogen. Altijd meer, meer, meer: meer meisjes. Meer business. Meer geld.'

Hij vertelde over zijn ontmoeting met Idan Levinhof, die hem de ogen had geopend voor de financiële wereld van New York en hem had geholpen daar te komen. Over zijn graad in Tel Aviv en zijn MBA in New York. Over de investeringsbank Goldstein-Liebermann-Weiss en de particuliere klanten, de eindeloze dagen voor de computerschermen, de adrenaline van de handel en het geld: fantastische sommen gelds had hij verdiend, en hoe vaak hij het ook probeerde uit te leggen, Gabi begreep niet hoe het kon dat daar niets van over was, sterker nog, dat hij alleen schulden had die hij nooit van zijn leven terug kon betalen.

Het was een lange monoloog, een monoloog van iemand die het verhaal al vele keren in zijn hoofd aan zichzelf heeft verteld; iemand die de ambities, doelen en middelen eindeloos had geanalyseerd en daar nog steeds niet mee klaar is. Het speculeren, de successen, de fouten die zijn korte, pijlsnelle carrière in een dodelijke spiraal brachten tijdens een aantal maanden van de meest dramatische herfst van de Amerikaanse economie, en die hem uiteindelijk op een winterdag in februari vanuit San Francisco rechtstreeks naar de Westelijke Jordaanoever had gevoerd, met weinig anders op zijn naam dan het elegante pak van Hugo Boss aan zijn lijf en versleten sokken aan zijn voeten.

Gabi nam een slok, maar het kopje was leeg en hij keek erin als om het bevestigd te zien. 'Nou ja...' zei hij ten slotte, 'je hebt tenminste iets verteld.' Sinds Ronni was gearriveerd, hadden ze nauwelijks met elkaar gepraat, hoewel Gabi een aantal keren had geprobeerd ernaar te vragen. Eigenlijk hadden ze in hun leven maar weinig lange, intieme gesprekken gevoerd.

'En wat denk je?' vroeg Ronni.

'Je weet wat ik denk. Alles is in de hand van de Heer. Als Hij je hierheen heeft gebracht, dan is dit de plek waar je moet zijn.'

Ronni keek hem verwonderd aan, maar antwoordde niet. Hij ging naar het toilet, kwam terug en trof Gabi in dezelfde houding aan in de fauteuil, en zei: 'Je werkt veel, hè broertje?'

'Met Gods wil, gezegend zij Zijn naam.' Gabi keek op.

'Mooi, mooi, dat is goed. Enne, het is vast wel gelukt om wat apart te zetten, of niet soms? Het leven is hier niet zo duur, deze caravan, wat kost die? Driehonderd sjekel per maand, zei je?'

'Maar goed, ook de lonen zijn hier niet zoals in het midden van het land. Ik kom rond, met Gods hulp.'

Gabi begreep de stilte die heerste exact. Soms wist hij gewoon wat Ronni eigenlijk wilde. 'Ronni, ik kan je niks geven. Dat wil zeggen: ik geef je al het nodige, en dat weet je: voedsel, onkosten.'

'Dat weet ik, dat is duidelijk. En hoe zit het met het spaarplan van oom Jaron? Is daar nog wat van over?'

'Allang niet meer. Ik leef van wat ik verdien. Als ik al wat opzij kan zetten, is dat voor een heilig doel.'

'Ik heb niet gezegd dat je ergens van af moet zien, God verhoede het. Welk doel?'

Gabi wilde met Rosj Hasjana naar Uman in de Oekraïne reizen. Het was een droom die hij al een aantal jaren koesterde en die hij dit jaar ten uitvoer wilde brengen. 'Dubbel en dwars zal ik neerknielen om hem goed te doen, en ik zal hem aan zijn slaaplokken omhoogtrekken uit de diepste hel,' had rabbi Nachman gezegd over ieder die zijn graf zou komen bezoeken, en Gabi had daar meer dan ooit behoefte aan. Zijn hoofd helder te krijgen. Met zijn ogen groen te aanschouwen, op zijn schouders regen te voelen. Afstand te nemen van hier en de rebbe zo nabij mogelijk te komen. Om zich over zijn graf uit te strekken en met duizenden bij zijn gedenkteken te bidden, en ook in Kloiz, in zijn synagoge. Het dansen en zingen en de Tora, de jubelende vreugde die hij had gezien op YouTube. Zich af te zonderen in diezelfde bossen en onder diezelfde bomen als Nachman had gedaan in de schemer van zijn leven, zoals Nathan van Breslau, in navolging van de Baal Sjem Tov in Międzybórz, had gedaan bij rabbi Levi Jitschak van Berditsjev. Nachman beloofde eeuwige inkeer aan ieder die zijn monument be-zocht, een kleine gift deed voor een goed doel voor zijn zieleheil en er de Tikkoen Haklali, het gebed voor algehele inkeer, reciteerde.

'Rosj Hasjana, dat is over vier, vijf maanden? Geen probleem. Voor die tijd regel ik een normale lening van de bank, en dan zullen de eerste bestellingen ook al lopen. Zeker. Dit jaar hoef je niet van Uman af te zien, broertje, en ik zal het je nog sterker vertellen: volgend jaar ga je nog een keer, op kosten van je broer. Wat zeg je van zo'n bonus? Dat heet rente op rente!'

Gabi wist niet wat hij zeggen moest.

Tien minuten later had hij nog steeds niks gezegd. De gedachten bleven tegen het plafond van zijn hoofd uiteenspatten. Er zat immers geen enkele logica in. De schalen van de balans waren absoluut niet in evenwicht: op de ene lag zijn droom, zijn dure geld, verdiend met hard werken door de grond te bewerken en het land op te bouwen, op de andere lag een halfgaar, amateuristisch project, met Palestijnen op de koop toe, van een onverantwoordelijk persoon die de neiging had in problemen verzeild te raken. Die het contact verbroken had. Die niets van zich had laten horen toen zijn broer een heel moeilijke periode doormaakte. En meer nog dan dat: zijn manier van leven en zijn geloof enerzijds en de absolute goddeloosheid aan de andere zijde. Maar desalniettemin had zijn broer financiële problemen en vroeg om hulp; misschien was dit voor hem de enige manier om uit de problemen en in het licht te komen? Moest hij hem dat ontzeggen omwille van een handvol bankbiljetten? Misschien had Ronni gelijk en was dit een prachtige kans, een zeker rendement en kwam die lening snel terug en bovendien vermeerderd met de beloofde rente? Gabi wilde advies inwinnen bij God, bij de rabbijn, bij zijn boeken.

Ronni ging buiten op het erf een sigaret zitten roken, kwam terug, wachtte wat en zei ten slotte verbitterd: 'Waarom zeg je niks?'

'Zwijg. Er wordt gezegd dat je moet zwijgen, omdat dan de gedachte opkomt die hoger is dan het gesprokene. Dat de tsadiek liever zwijgt dan spreekt.'

Ronni schudde gefrustreerd zijn hoofd. Hij schonk een glas water in voor zichzelf bij de kraan en ging in een fauteuil zitten. Hij zei: 'Vroeger was je anders. Opener. Nieuwsgieriger. Ik weet het niet.'

'En hoe heeft me dat geholpen?'

Dit keer was het Ronni die geen antwoord gaf.

'Is het beter om een bar te drijven in Tel Aviv,' ging Gabi verder, 'om in Amerika miljoenen van je klanten en je bank te verliezen en weg te vluchten voor je verantwoordelijkheid? Om donaties bij elkaar te sprokkelen voor een of andere vermaledijde business met Palestijnen?'

'Ik ga me er niet voor verontschuldigen dat ik zaken heb gedaan en goed heb geleefd. Is jouw leven soms beter? Ben jij gelukkiger? Ben je waardevoller? En wat zeggen die waarden: zwijgen? Bidden? Op een zeker tijdstip op vrijdag ophouden elektriciteit te gebruiken? Ik begrijp het niet.'

'Ik weet dat je het niet begrijpt,' zei Gabi. Dat was een open deur.

'Leg het me dan uit. Wat brengt het je dat je onophoudelijk dingen leest en reciteert die een of andere rebbe uit de Oekraïne tweehonderd jaar geleden heeft gezegd? Die jou vertelt dat je moet zwijgen, of zingen, of blij zijn, verdomme?'

'Hij geeft me rust,' antwoordde Gabi. 'Hij geeft me stilte, liefde, blijdschap. Blijkbaar vind je dat om een of andere reden moeilijk te accepteren, misschien probeer je het expres niet te zien.'

'Misschien probeer jij het expres wel te zien?'

'Ik probeer helemaal niets. Ik voel. Ik voel me thuis.'

'Welk thuis, wat voor thuis. Wel een huis. Een illegaal huis, volgens de rechtbank. Voel je je hier ook thuis als de legerjeep die jullie bewaakt een lekke band heeft? Heb je daar een citaat voor? En hoe zit het met de wet?'

'Liever de wet niet respecteren dan de Heer.'

'En hoe zit het met respect voor mensen?'

'Jij hebt ineens respect voor mensen? Het enige dat jou toch interesseert is die belachelijke olijfolie-onderneming van je. Denk maar niet dat de mensen hier dat graag zien. Mensen praten. Vragen hoelang je blijft. Waarom we je hier te gast hebben als je met de Palestijnen samenwerkt. En jij wilt dat ik je daarvoor geld leen?' Gabi's stem schoot omhoog. Hij had deze confrontatie niet gewild, maar als Ronni zo bleef doorgaan, nou, dan kon hij de waarheid krijgen.

'Aha, dus dat is het. Ik snap het. Ik werk samen met de wrede vijand, ik ben een cynisch stuk stront zonder waarden die alleen maar geld wil verdienen. Maar hypocrisie en geweld bestrijden en samenwerken met mensen die eigenlijk gewoon arm zijn, dat getuigt van gebrek aan waarden? Dus ze praten over me? Mooi is dat. Laat ze recht in mijn gezicht met me komen praten. Laat ze me vertellen dat ik moet ophoepelen.'

Aan Gabi's gezicht was te zien dat hij niet onder de indruk was. 'Ik zie dat je de retoriek van extreem-links hebt geadopteerd. Doe me een lol. De Palestijnen zijn arm, de Palestijnen zijn heilig, de Palestijnen de Palestijnen de Palestijnen...'

'De Palestijnen hebben er zeker ook schuld aan dat je een vrouw en een kind hebt die niet in je buurt willen komen, zeker?' schreeuwde Ronni. 'De Palestijnen en de profane waarden, vleselijke verlangens en het geld. Ja? Maar de heiligheid van Israël, het bejubelen van de Heer en zwijgen – dat maakt dat je Mikki en Anna vergeet, zeker?' Ronni had nog veel meer op zijn lever, maar de blik van zijn broer, maakte dat hij ophield. Hij liep naar buiten, naar de rand van de heuveltop, naar de stralende sterren die vlogen op de wind, naar de donkere nacht. Toen hij terugkwam, lag Gabi al te slapen. Maar op tafel wachtte een cheque op Ronni.

De verdachte

's Avonds ging Gabi's telefoon. 'Met Gavriël Nechoesjtan,' nam hij op. De naam Gavriël toverde nog steeds een glimlach op Ronni's gezicht. 'Het is voor jou,' zei Gabi. De glimlach maakte plaats door een gefronst voorhoofd.

Ongeveer een uur later liep Ronni de caravan van de familie Jisraëli binnen. Nechama maakte thee met munt voor hem klaar en serveerde jamkoekjes. Hij ging zitten op de stoel die Chilik hem aanbood. 'Ik begrijp niet waarom jullie me uitgenodigd hebben,' zei hij tegen Chilik, Otniël en Jean-Marc Hirsjzon, die tegenover hem op de bank zaten. 'Wat is dit, de tweede ronde van de toelatingscommissie?' Hij glimlachte met een mond vol koekkruimels. Diep in zijn hart hoopte hij dat ze waren teruggekomen op hun besluit over de nieuwe caravan en hem zouden vragen die te gaan bewonen in plaats van de familie Gottlieb.

'Kijk, Ronni,' begon Chilik. Zijn ogen waren gericht op een punt vlak boven Ronni's hoofd, terwijl hij met zijn nagel aan zijn hoofd krabde, aan de rand van zijn keppeltje. Otniël keek hem recht in de ogen, en Jean-Marc leek gefascineerd door de krokodil op zijn roze Lacoste-shirt. 'Laten we ter zake komen. We weten dat je alles wat wij je nu gaan zeggen, niet kunt bevestigen, noch erop ingaan. Desondanks hebben we je hier uitgenodigd omdat wij het belangrijk vinden je te zeggen dat we het weten.'

'Wat weten?' vroeg Ronni.

'Moment, laat me uitpraten. Waar was ik?'

'Dat we het belangrijk vinden hem te zeggen dat we het weten,' zei Jean-Marc zonder zijn ogen van Ronni af te houden.

'Ja. We willen alleen maar dat jij weet dat wij het weten. Je kunt met deze informatie doen wat je wilt, je kunt het aan je geldschieters vertellen of niet, dat is geheel en al aan jou.' Ronni keek Chilik verbijsterd aan. 'Nou, kijk, ik wil nog wat zeggen. We waarderen jullie. Heel erg. Jullie doen zwaar en gezegend werk, dag en nacht, om de veiligheid van het land te bewaken. Inclusief de nederzettingen, de Joodse Brigade en wat dies meer zij. Desondanks is de controle wat overdreven; hoe vreemd het ook mag klinken, we zitten hier boven op de heuvel geen plannen te smeden voor het vermoorden van premiers of Palestijnen. Maar we zullen niet ontkennen dat er ongewenste factoren zijn. Onkruid. Laten we zeggen, vrienden, dat in naam van doelen die in principe positief zijn, er negatieve daden worden gepleegd, soms als provocatie, soms min of meer per ongeluk, laten we daar nu niet verder op ingaan.' Otniël knikte. 'Dus we hebben begrip voor het belang ervan. En voor de noodzaak van mensen in de nederzettingen die informatie doorspelen.'

Chilik stopte en nam een afgemeten slokje van zijn Nescafé. Vanuit een andere kamer riep Sjnioer om zijn moeder. Ronni liet een geamuseerde blik over de drie mannen tegenover hem glijden. Hij deed zijn mond open om te gaan praten, maar Chilik was hem voor.

'Kijk, die geschiedenis met de familie Gottlieb, we snappen dat je gekwetst bent. We snappen dat je die caravan tijdelijk wilde betrekken.'

'Ach, onzin. Allang voorbij,' zei Ronni.

'Het veroorzaakt problemen, begrijp je,' ging Chilik verder, de reactie negerend, 'er was een wachtlijst en wij geven de voorkeur aan jonge religieuze gezinnen, mensen op wie we op de lange termijn kunnen bouwen…' Hij keek naar zijn kameraden op de bank en wendde zich weer tot Ronni. 'We willen alleen maar zeggen, goed, jouw werk is belangrijk, doe wat je moet doen, maar als het even kan, in de huidige omstandigheden, zou het fijn zijn als je een beetje kon wachten, zodat we ons kunnen organiseren; wat hebben we nu helemaal gedaan, een aanslag voorbereid? Er is hier een caravan gearriveerd, we hebben er een familie in toegelaten, meer niet. Het is helemaal niet nodig om dat direct door te brieven aan buitenstaanders.'

Ronni wees verbaasd op zichzelf als om te zeggen: heb je het over mij? 'Ik heb iets gezegd? Aan wie zou ik moeten...'

'Hoe dan ook,' onderbrak Otniël hem, 'succes ermee, echt waar. Weet je, Ronni, je bent hier bij ons een welkome gast, bij je broer van wie we veel houden, vanuit het diepst van ons hart, en je kunt zo lang je wilt onder zijn dak blijven wonen, ja? Maar als het mogelijk is, laat ons dan onze posities coördineren, hè?' Hij tikte met zijn wijsvinger onder zijn oog.

'We weten dat je geen ja of nee kunt zeggen of iets bevestigen,' sloot Jean-Marc af, 'maar we zeggen alleen maar dat we het weten, en als het kan, hou dan rekening met ons. Dat is alles.'

De drie kolonisten dronken uit hun kopje. Jean-Marc beet in een koekje en zei: 'Mmmm... abrikoos!' Ronni begreep dat de bijeenkomst voorbij was en stond op. 'Goed, ik ga ervandoor, ja? Tenzij er nog iets is?' Otniël stond op en legde zijn grote hand op Ronni's schouder. 'We zijn klaar, *chaboeb*, ga je eigen weg. Welterusten en de groeten aan Gavriël. En Chilik,' hij wendde zich tot zijn vriend, 'misschien is het echt handig als je je door Ronni laat helpen bij je proefschrift over die kibboetsniks?'

'Met plezier,' zei Chilik, 'als Nechama gebaard heeft, heb ik vast meer tijd.'

Toen de verdachte was vertrokken, wisselden de drie blikken uit zonder iets te zeggen.

Ronni besloot een rondje te lopen op de cirkelvormige weg. Het was een frisse avond, met relatief weinig wind en het lukte hem om achter een beschermende hand een sigaret op te steken. Onderweg zag hij toevallig zijn broer, die aan de nachtwacht begon. 'Wat is er loos, broer?' vroeg Gabi.

'Alles is wel.'

'Wat wilden ze?'

'Ah, gewoon... Ik weet het niet. Ik snap het niet helemaal, eerlijk gezegd.'

'Goed, vertel het me later maar, ik ga wat spreuken lezen. Daar heb ik de hele dag op gewacht.'

Ronni keek geamuseerd naar het boek dat zijn broer in de hand had. 'Best. Maak er wat van, broertje.'

Na een paar dagen belde Ariël. Ronni lag in zijn onderbroek op bed, zijn benen omhoog, Gabi zat tegenover hem, verdiept in een van de boeken van rabbi Nachman. Zijn lippen bewogen mee en zijn ogen schitterden, hij liet zich niet afleiden door wereldlijke zaken. Ronni werd de diepe inhammen gewaar onder de grote keppel, het onvermijdelijke begin van haarverlies. Hij voelde met een argwanende vinger aan zijn eigen haar, maar alles was in orde, zijn haar groeide nog welig en donker en was inmiddels zo lang geworden dat als hij in een normaal oord had gewoond, hij naar een kapper had gemoeten. Ariël had met een molensteenexpert gesproken. Hij had twijfels. Hij had per e-mail een link gestuurd en instrueerde Ronni ernaar te kijken.

Ronni liep naar de oude laptop in de keuken en zei tegen Ariël: 'Die internetverbinding hier, alleen al daarom zou ik breken en terugkeren naar Israël.' Terwijl hij wachtte op het gefluit van het modem dat verbinding zocht, hield de stroom ermee op en de computer, niet voorzien van een deugdelijke accu, bevroor. 'Neeeeee!!! Niet! Godver! Ik heb genoeg van dit achterlijke gat! Hoe kun je zo leven? *Kassammak*! Een seconde later deed de stroom het weer en Ronni zette de computer opnieuw aan. De computer ratelde, haperde, ging verder, lichtte op, toonde het Windows-logo op een blauwe achtergrond, liet het opstartgeluid horen, deed er drie, vier minuten over om op te warmen en was toen klaar voor gebruik. Ronni klikte de internetverbinding weer aan en wachtte op de verbindingstoon van het modem, en naar de bezettoon, en de verbindingstoon en de bezettoon, tot het internet eindelijk zijn tanden in de verbinding zette met op en neer gaand gegil en gefluit. Hij deed het mailprogramma open, dat evenmin haast maakte, arriveerde bij het juiste bericht, klikte op de link die uiterst langzaam in de browser opende en hem eindelijk naar het beloofde land voerde.

Het werd hem zwart voor de ogen.

'Maak je een grapje?' vroeg hij aan Ariël, die al die tijd aan de lijn had gewacht. 'Ik dacht dat we dat al hadden dichtgetimmerd?'

'De kwaliteit van molenstenen is minder goed dan die uit moderne perserijen met centrifuges. Mijn expert zegt dat het niet voor niets is dat niemand ze meer gebruikt. Ze zijn vies, vergen meer mankracht, ze verschimmelen en de olie komt er zuurder uit, met een bijsmaak, en soms helemaal onbruikbaar. Hij zegt dat de Arabieren die aan hun traditie hechten, niet spuiten tegen de olijfvlieg...'

'Natuurlijk spuiten ze niet! Het is biologisch! Ariël, hou op met die verhipte experts uit Tel Aviv! Alle expertise ten spijt is het wel de smaak van Moessa's olie waardoor we ze in onze zak hebben. Precies om wat er in de loop der jaren in die stenen is blijven zitten. Denk je dat iemand die olijfolie komt proeven zich interesseert voor centrifuges? Wie kan het wat schelen! Je moet gewoon aankomen met goedkope olijfolie, vertellen dat het biologisch en traditioneel is, de smaak van weleer. Dat gaat als zoete broodjes over de toonbank.'

Stilte aan de andere kant.

Ronni zei: 'Wat zit jou dwars aan de deal met Moessa?'

'Ik wil de wet niet overtreden.'

'Wacht even,' zei Ronni. Hij deed korte kleding aan en een paar teenslippers en liep vervolgens naar buiten, naar het speeltuintje, waar hij op een bankje ging zitten. Er waren nog een paar kinderen aan het schommelen en glijden voordat het donker werd. 'We overtreden geen enkele wet,' fluisterde hij in de microfoon, 'we doen zaken.' Er ging een rilling van déjà vu door zijn ruggengraat. Het was nog niet zo langgeleden dat iemand exact diezelfde zin tegen hem had gezegd. 'Dit is wat het goed doet in de bezette gebieden,' ging hij verder. 'Er zijn hier geen wetten, die kun je zelf maken zoals het je uitkomt. Het is hier zo goedkoop, het is een heel ander land. China produceert voor Amerika, maar veel mensen hebben nog niet door dat je in de bezette gebieden kunt produceren voor Israël. Zo simpel dat het geniaal is.'

'Je wilt het extra vergine noemen zonder dat je daarvoor het etiket hebt gekregen van de olijvencommissie.'

'Iedereen doet dat, heb je de *Jediot* niet gelezen? Dan zetten we er niks op van gecontroleerd door de olijvencommissie, alleen maar extra vergine. Weet je wat, we zetten er "geperst" op. Precies hetzelfde, alleen dan zonder de olijvencommissie.' Hij zette zijn zonnebril af om het lange zwarte haar van Gitít Asís in ogenschouw te nemen, die haar broertje Sjoev'el liet schommelen. Over extra virgine gesproken. 'Heb je een boetiek gevonden die een bestelling van ons afneemt?'

'Weet je zeker dat je dit niet netjes wilt doen, volgens het boekje en zo?'

De zonsondergang was bijna voorbij en ging gepaard met een opstekende wind. Ronni krabde zich achter zijn oor. 'Ik heb geen puf om me te moeten bezighouden met invoerrechten en btw voordat we zeker weten dat het zaakje loopt. Dat is niet om de wet te overtreden, het is een aanloopfase. Tot we de boel op poten hebben en we weten of het wat wordt. Wou je soms beginnen met de hele papierhandel van het oprichten van een bedrijf en inschrijven bij het handelsregister en aan die klootzakken de belastingen en leges betalen, nog voordat we zelfs maar een sjekel hebben gezien?'

Stilte aan de andere kant.

'Ja allah, wat doe je degelijk.'

'Ik weet het niet, Ronni. Ik moet erover nadenken.'

'Wat valt er te denken? Kom nog een keer op bezoek. Ten eerste ligt er hier een cheque op je te wachten, voor mijn deelneming; je had gelijk toen je daarom vroeg. Bovendien, je moet je eens een beetje ontspannen, weet je? De tweede keer is het al niet meer eng, dat zul je zien. Vijf minuten in de woestijn en je zult merken dat je al anders begint te piepen. Jullie zijn toch zo gespannen, daarbeneden, woi woi woi.'

'En als we nou geen boetiek vinden die het wil verkopen? En als uitkomt dat het olie is die geperst is door een of andere Palestijn met een ezel?'

'Is dat hoe je over de olie van Ronni en Moessa spreekt? Geef het ze te proeven, en kijk dan maar eens of een centrifuge hetzelfde effect heeft. Vijfduizend jaar ervaring, er gaat niets, helemaal niets boven molenstenen!' Sjaoelit Rivlin keek op van de kinderwagen met Zvoeli na deze laatste zin, die met flink volume werd uitgesproken. Ronni glimlachte en zwaaide naar haar, ze glimlachte terug en zong verder voor het kindje. 'Ariël, ik word doodmoe van je, man. Knettermesjokke. Laten we de zaken kalm bespreken. Daarna kun je naar de boetiekjes gaan. Ik moet de boetiek nog zien die dit niet wil afnemen voor zo'n prijs.'

'Weet je wat? Misschien wel. Ik zal zien wanneer ik langs kan komen.'

Ronni grinnikte. 'Ik wist wel dat deze plek je hart zou stelen, jij stiekeme kolonist!' Hij beëindigde het gesprek terwijl hij dacht: mijn hart heeft het niet gestolen. Hij gruwde nog steeds van de uitvallende stroom en het trage internet. Hij wilde naar de kapper. En Cola Light in een glazen flesje, sigaretten, cashewnoten. Maar hoe kon je daar nu aan komen? Hoe kon je eigenlijk zo leven?

De twijfels

De avond viel op de heuveltop. Auto's kwamen door de toegangspoort, de bestuurders kwamen terug van hun dagelijkse routine van studeren, onderwijzen, de bouwmarkt in de stad; ze wuifden naar de goedlachse Joni, parkeerden naast hun huizen en laadden de tassen uit de achterbak. De wind nam toe naarmate het licht afnam, in perfecte evenredigheid. In dit seizoen kon de wind echt hinderlijk zijn, hard; hij rammelde aan de caravans, de schommels in Mamelsteins speeltuin, aan de Donald Duck op Gabi's erf, woei onder de vloeren, door het niet-bestaande raam in het koetswerk van de doorgezaagde Peugeot 104, ratelde aan het bord op het plein naast de synagoge, liet het plastic van Otniëls paddestoelkassen klapperen en droeg het geluid mee van het eenzame, geïrriteerde geblaf van Beilin en Condi en het gehuil van vermoeide baby's met honger of buikpijn. De wind bezorgde Ronni, die midden in een telefoongesprek in een T-shirt het huis was uit gelopen, kippenvel en nestelde zich in Gitíts prachtige haar. Hij tilde zand en stof op en maakte er in de verte kleine wervelwindjes mee, joeg wolken voort in de lucht en bracht af en toe een paar koude druppels natte regen mee.

Moeders en grote zussen speelden met de kleintjes, lazen verhalen voor en begonnen ze tegelijk of een voor een te wassen, de mannen gooiden de krant op een stoel en gingen even zitten, knuffelden de kinderen die bij ze op schoot sprongen en dronken een kop thee. Wie met zijn handen werkte, waste er het vuil en de zorgen van de dag van af. Anderen haalden hun vingers van het toetsenbord en wreven hun ogen uit.

Op weg naar het avondgebed omklemden ze hun gebedenboek en

zichzelf, gebogen en oprecht. Een deel reciteerde nog het middaggebed voordat het laatste licht verdwenen was, om daarna naar buiten te komen voor een rookpauze op de houten bank die onlangs uit Jeruzalem was gearriveerd, informeerden hoe het ervoor stond met de bulldozers en bevestigden geruchten. Ze verhieven hun stem en bogen hun hoofd tegen de wind, klemden hun keppels op het hoofd en gingen gauw weer naar binnen, om zich na het laatste gebed weer bij hun vrouwen en kinderen te voegen.

Nechama Jisraëli maakte omeletten klaar voor haar man Chilik en haar zoons, Boaz van vier en Sjnioer van twee. Chilik had beloofd om meer met de kinderen te helpen nu ze bijna uitgerekend was, vooral met het avondeten; ze had plannen om een tweewekelijkse Torales voor de vrouwen te organiseren op de heuveltop en hij steunde haar daarin en had verklaard dat hij zou helpen met de jongens. Maar hij had het beredruk met de ophanden zijnde ontruiming en het installeren van de Gottliebs en alles en ging ook nog eens een paar keer per week naar de universiteit omdat hij voelde dat hij voortgang moest maken met zijn vastgelopen onderzoek. Hij was begonnen in een uitstekend boek van Arthur Koestler, *Dieven in de nacht*, waarin de sfeer beschreven wordt van de kibboetskolonisatie en het lossen van het land in Galilea aan het eind van de jaren dertig: de verhouding met de Arabieren, het aankopen van grond door het Joods Nationaal Fonds, de manieren van ontginning.

En zo stond Nechama dan in haar negende maand eieren te klutsen voor een omelet, na een lange dag op de crèche met zeven kinderen. Alles ligt in de hand van de Heer, glimlachte ze flauwtjes, terwijl ze eraan dacht hoe de kinderen die ochtend 'Lecha dodi' hadden geprobeerd te zingen op instigatie van haar Boaz en Emoena Asís. Chilik kwam terug van het gebed en zei: 'Ik heb even twee minuten nodig,' strekte zich uit in een fauteuil en werd door zijn zoons besprongen. 'Neem je tijd, rust lekker uit,' zei ze, 'kinderen, vertel je vader eens wat jullie vandaag gedaan hebben op de crèche.' Ze vertelden het. Hij was vol bewondering. Na het avondeten en het naar bed brengen, ruimde ze de rommel in de keuken op, deed de afwas en stapte om negen uur haar bed in. 'Ik ben doodop,' zei ze tegen haar man, luttele seconden voordat ze toegaf aan de engelen van de slaap. Hij vouwde zijn bril op, legde die op het nachtkastje, deed vervolgens zijn keppeltje af en legde dat opgevouwen naast de bril en strekte zich naast haar uit, streelde haar bolle buik en voordat hij had kunnen beslissen of hij de opinie-pagina van de *Jediot* zou lezen, of nog een pagina of twee uit Koestlers boek, werd hij overvallen door de slaap.

In huize Asís was het rumoerig als altijd. Sjoev'el zat bij Gitít op schoot en samen spraken ze de zegen over de aardvruchten uit, waarna ze hem de salade probeerde te voeren die hij niet wilde. Hij wilde alleen maar 'appesap' en dronk ervan nadat het ingeschonken was. Otniël at salade met een lepel en telefoneerde tegelijkertijd met Moran, zijn groothandelaar. 'Jakir!' riep hij. 'Hoeveel hangop is er voor morgen besteld? Ah, nee, Jakir, cherrytomaatjes, hoeveel cherry voor morgen! Wat? Allebei? Kunnen jullie een beetje zachter doen? Chananja!'

'Moment!' schreeuwde Jakir terug. Hij zat op het internet, in Second Life, een multiplayergame waarbij elke speler een avatar maakt die door een virtuele wereld reist, dingen verzamelt – van een schoenveter tot en met een huis – en vriendschappen sluit met andere spelers. Op Second Life had Jakir een kolonistenavatar aangemaakt die een beetje op hemzelf leek, maar dan met baard. Hij had een paar vrienden ge-vonden, avatars van zionistische, gelovige Joden als hijzelf, en ze waren samen op een eiland gaan wonen dat ze 'Herrijzenis' noemden, waar ze samen een synagoge hadden gesticht. Ze baden er samen, praten er samen, hingen gezamenlijk rond en hoedden de traditie.

Zijn moeder Rachel zei tegen zijn vader: 'Waarom zit Jakir achter de computer? Hij moet komen eten. Jakir! Komen eten! Weg van die computer!'

Otniël zei: 'Wacht even, ik heb Moran aan de lijn, dit is belangrijk!'

Jakirs groepje stond op het punt om op bezoek te gaan bij Islam Online, een van de islamitische oorden op Second Life, om de Arabie-ren een loer te draaien. Hij verontschuldigde zich dat hij niet meekon, logde uit, checkte snel de bestellingen en kwam aan tafel, exact op het moment dat Emoena door Chananja van de stoel werd geduwd en ze haar hoofd stootte aan de tafelpoot, waarna ze het op een brullen zette en daarbij haar missende tand liet zien, tot Sjoev'el van Gitíts schoot af wilde om haar te troosten en Dvora Jakir adviseerde: 'De salade is voortreffelijk,' en hij zei: 'Wat is er verder nog?' en Gitít zei: 'Hangop,' en Rachel zei: 'Chananja, nu sorry zeggen!'

Netta Hirsjzon zei tegen Jean-Marc: 'Ik weet niet wat we deze sjabbat met mijn zus aan moeten. Ze eet alleen glattkoosjer. Denk je dat ik haar erover moet benaderen? Of zullen we de rabbijn vragen wat te doen?'

'Misschien moeten we gewoon glattkoosjer inkopen doen?' reageerde hij aarzelend. Jean-Marc kwam uit een volkomen seculier nest uit het district Jamiet. Zijn vader, een wijnboer die uit Frankrijk geïmmigreerd was, en zijn moeder, dochter van een partizane en een kibboetsnik, hoorden bij de stichters van Maälè Chermesj A in de jaren zeventig.

'En hoe zit dat met het servies?' vroeg Netta door.

'Vraag het maar na bij de rabbijn.'

Na het eten maakte Netta koffie, sneed taart en vroeg: 'Denk je dat het een goed idee is om haar aan Gavriël voor te stellen?'

'Welke Gavriël?'

'Nechoesjtan.'

'Gabi? Ben je gek? Dat is een neo-orthodox.'

'Jij toch ook,' gaf zij, de dochter van de rabbijn van Ofra en een van de kopstukken van de kolonisatie van Sebaste na de Jom Kippoeroorlog, terug.

'Precies, die arme ouders van jou, wil je ze met nog een opzadelen? Bovendien kenden jouw ouders de mijne, het is niet alsof ik een neoortho ben met een onbekend verleden.'

'Hij is wel heel aardig. Stil. Gelovig. Je kunt je indenken wat voor verleden hij heeft. Die geschiedenis met zijn zoon is intens verdrietig. Hij lijkt zo'n aardige vent.'

'Gescheiden.' Jean-Marc bleef advocaat van de duivel spelen.

'Daar valt niks meer aan te doen. Wat gedaan is, is gedaan. Kijk hoe hij nu is, hoe hij die vreemde broer van hem onderdak biedt. Zo geduldig.'

'Het is een beste vent, dat zeg ik niet. Maar niet iemand voor jouw zus. Hij is te oud. Ze heeft toch nog wel even?'

'Binnenkort wordt ze vierentwintig.'

'Ah.' Hij hield zijn kopje vast en dacht na. 'Ik begrijp het. Goed, ik zal nadenken of ik iemand ken.'

'Het doet er niet toe, eerst zien wat we met dat glattkoosjer moeten,' zei Netta en ze schonk hem een uitnodigend glimlachje. 'Ik ben vandaag in het mikwe geweest. Wat vind je ervan als we in plaats van mijn ouders nog een schoonzoon te bezorgen, proberen er een kleinkind van te maken?' Jean-Marcs glimlach verflauwde toen ze zich omdraaide en naar de slaapkamer ging. Ze waren het al aan het proberen sinds ze getrouwd waren, meer dan een jaar geleden, en de daad zelf was inmiddels verworden tot iets mechanisch, zakelijks, ontdaan van tederheid en intimiteit; ook Netta werd er onzeker en onrustig van. Ze wilde zo graag kinderen en hoe langer het duurde hoe meer het een obsessie werd die haar volkomen in zijn greep had. Zo nu en dan moest ze stoom afblazen – door tirades tegen Jean-Marc, door verhitte discussies met brutale linkse activisten, door te schreeuwen tegen de soldaten of die irritante ambtenaren die naar de heuveltop waren gekomen, en soms – meestal gebeurde dat op de dag dat haar menstruatie zo nodig moest verschijnen als een ongewenste gast die niemand had uitgenodigd – door te zwijgen, door zo in zichzelf gekeerd te raken dat ze alle afspraken voor schoonheidsbehandelingen afzegde, alle jaloezieën dichtdeed en zich opkrulde in bed. Maar nu, recht op het doel af.

Raja Gottlieb zat op een plastic stoel in de hoek van de kamer en kon haar tranen niet bedwingen. 'Hebben wij hiervoor ons huis verlaten, Nachi?' vroeg ze aan haar man. Ze hadden net hun kinderen naar bed gebracht. Nachoem hing onderuitgezakt op de matras in hun kale woonkamer en wilde positief zijn, maar de waarheid was dat hij geen goed antwoord had. De lijst met problemen van hun 'nieuwe' caravan was eindeloos: door de ontbrekende douchedeur overstroomde de badkamer, om nog maar te zwijgen over het gebrek aan kuisheid dat erdoor ontstond. Er was geen douchekop, wat de waterstraal onaangenaam maakte en tot nog meer overlast leidde. In de keuken was geen warmwaterkraan en Raja moest de afwas met koud water doen. Omdat er in de kamer van de kinderen geen jaloezieën waren, had Nachoem die van de ouderslaapkamer verplaatst; nu baadde hun kamer iedere ochtend om zes uur in verblindend licht. Maar misschien was meest kwetsend wel het vierkante stuk linoleum dat ontbrak in de keukenvloer. Wie had bedacht een stuk linoleum te kunnen verdonkeremanen? Nachi Gottlieb keek naar het missende vierkant waarin het vuil zich al aan de kleverige randen had gehecht. Wat een onvoorstelbare gotspe.

Hun interieur arriveerde stukje bij beetje in Nachoems auto, omdat Otniël hun had gevraagd geen grote vrachtauto te gebruiken om in deze precaire periode geen slapende honden, zoals de sectorcommandant of de pelotonscommandant die hier vaak rondloopt, wakker te maken; de soldaten bij de toegangspoort zouden een verhuiswagen zeker rapporteren, om van de linkse beweging nog maar te zwijgen, of van de inspecteurs en ook – Otniël stopte, keek om zich heen en dempte zijn stem – kan het zijn dat er een verklikker in ons midden is die onze activiteiten doorbrieft. 'En de eerlijkheid gebiedt dat ook onze buren in Jesjoea er niet blij mee zullen zijn dat er een gezin in de caravan is getrokken die in hun nederzetting had moeten staan en die wacht op een vervoersvergunning van het ministerie van Veiligheid. Daarom is het beter,' legde Otniël uit, 'om in dit stadium zo onopvallend mogelijk te werk te gaan.' Dus reed Nachi heen en weer naar Sjilo, leverde werkdagen in en laadde de auto zo goed mogelijk, maar er waren nu eenmaal dingen die niet pasten in een Nissan Navara, zoals een wasmachine. Dus deed Raja de was in de gootsteen-zonder-warmwater, of bij vrienden in Maälè Chermesj B, maar dat vond ze niet prettig meer; met twee kinderen had je iedere dag een machine vol. Ook een koelkast of fornuis hadden ze nog niet, dus was het behelpen met een koeltasje en een elektrische kookplaat, waardoor iedere avond de generator uitviel.

'Maar de mensen zijn echt heel aardig. Ze hebben taart gebracht en spelletjes voor de kinderen, en je hebt gezien dat ze in het weekblad hebben gevraagd of iedereen die wat meegenomen heeft, het terug komt brengen,' probeerde hij haar moed in te spreken. 'En Simi en Tili zijn helemaal dol op de speeltuin.' Zij reageerde met een nieuwe golf gesnuf en hij wist waarom. In Sjilo hadden ze een fantastische speeltuin voor de deur gehad, waar de kinderen zonder begeleiding heen gingen en uren speelden. 'Laten we hopen dat die verhipte wind ze vannacht niet weer wakker maakt,' troostte hij.

Nachoem was opticien. Hij hield van de combinatie van mode en lichaamsverzorging enerzijds – dat was de kant waar Raja hem behulp- zaam was: bij het uitkiezen uit de catalogi met monturen, en als ze in de winkel was hoe een montuur op het gezicht paste – en anderzijds het medische aspect; het verbeteren van het lichaam: mensen de we- reld te kunnen laten zien zoals die is. 'Het uitzicht is geweldig hier.' Hij keek naar de zwarte nacht door de kapotte hor van het raam. 'Je kunt niet van het uitzicht genieten en je over de wind beklagen. Je moet het hele plaatje bekijken,' zei hij triest.

Ronni ging wandelen. Hij hield stil bij Joni bij de toegangspoort om even samen met hem naar de radio te luisteren. 'Ga jij nooit naar huis?' vroeg hij aan de soldaat. 'Het lijkt wel of je hier altijd bent.'

Joni glimlachte. Hij had een exemplaar van *Blazer* in zijn hand. 'Deze sjabbat ga ik eindelijk naar huis.'

'En waar is dat?'

'Netanja.'

Ronni wist niks te zeggen over Netanja. Twee minuten later stond hij op, glimlachte en zei: 'Welterusten.' Buiten klemde hij zijn kaken op elkaar tegen de wind en mompelde bij zichzelf: 'Arme jongen, heeft het slechtste van alle werelden meegekregen. Israëliër en Afrikaan. Mijn God. Hij lacht tenminste.'

Onderweg naar huis stopte hij bij het huisje van Gabi en deed het kale peertje aan. Hij zag dat Gabi bijna klaar was met een houten ombouw voor het bed en herinnerde zich dat hij gezegd had dat hij er zou gaan slapen zodra er een bed was. Weliswaar had hij de waterlei- ding nog niet doorgetrokken, waren er geen meubels en was het dak nog niet klaar – Gabi wachtte op dakpannen die een vriend op een heuveltop in de buurt van Itamar hem had beloofd, prachtige groene dakpannen; de vriend moest alleen even een dak afbouwen op zijn heuveltop en dan zou hij wat overbleef aan Gabi geven – maar dat stoorde hem niet. Integendeel, hij hield van die primitieve omstandig- heden, hij was op zoek naar het pioniersgevoel en zo af en toe vond hij Maälè Chermesj C veel te gesetteld en burgerlijk, zei hij, met die met steen beklede gebouwen en zo. Ronni had hem gevraagd wat er met de caravan zou gebeuren als hij ging verhuizen. Gabi zei: 'Ik weet het niet, dat moet je aan de toelatingscommissie vragen.' Ronni trok een scheef gezicht. De toelatingscommissie en hij lagen elkaar niet zo.

Nir wiegde baby Zvoeli, terwijl Sjaoelit Tchelet waste en haar een luier omdeed en schone pyjama aantrok. Ernstig probleem: Sjosjana was verdwenen, en Tchelet was niet van zins zonder haar te gaan slapen. Het hele huis werd afgezocht: matrassen werden gekeerd, meubels verschoven, donkere hoekjes gecontroleerd, met een zaklamp op het erf geschenen – zelfs naar het traditionele chameets voor Pesach werd niet zo grondig gezocht. Uiteindelijk belde Sjaoelit Nechama op en na tien minuten roddels en prietpraat werd de cruciale vraag gesteld. Nechama dacht even na en zei: 'Het kan zijn dat Sjosjana nog op de crèche ligt.' Nir trok zijn schoenen aan, liep de nacht in, ging de synagoge binnen waar hij Jehoe en Josh trof, wiegend het avondgebed reciterend, vond Sjosjana in de crèche en bracht haar terug naar de liefhebbende armpjes van Tchelet, die haar ogen dichtdeed en binnen een paar seconden in slaap viel. Sjaoelit keek met rode ogen op naar Nir en fluisterde: 'Dank je,' en hij omhelsde haar en streelde haar schouders. Sinds de geboorte was ze verdrietig, ze beweerde dat Zvoeli haar deed denken aan haar vader die acht maanden geleden was vermoord door kogels van terroristen op de weg naar Beet El. Ze veegde de tranen af en zei: 'Nechama heeft een taart gebakken voor de Gottliebs en wij zijn ze niet eens even welkom gaan heten.'

Nir trok een gezicht en zei: 'Haal de mixer terug van Netta, dan maak ik wat.'

Jakir logde weer in op Second Life. Nadat hij de internetbestellingen voor de boerderij had geregeld, durfde niemand, ook Otniël niet, voor wie het allemaal abracadabra was, hem bij de computer weg te halen. Hij zocht zijn avatar op en keek ernaar op het scherm. Hij was tevreden: behalve een dikke zwarte baard had de avatar een witte keppel en een paard dat Killer heette en door King Meïr becommentarieerd was met: 'Supercool!' King Meïr was naar eigen zeggen – je kon immers op Second Life nooit zeker weten wie er schuilging achter een virtueel personage dat je tegenkwam – een zesendertigjarige jurist uit Dallas in Texas, wat verklaarde hoe hij het virtuele eiland Herrijzenis kon huren, voor tweehonderd echte dollars per maand. De rest van zijn vriendengroepje bestond uit jonge Joden zoals hij, of dat beweerden ze althans. De meesten waren Amerikanen en ze baden gezamenlijk in de synagoge die King Meïr op het eiland had gesticht, 'Het Vuur der Herrijzenis', en hadden het onderling voornamelijk over Arabieren. Uiteindelijk was dat wat ze vooral deden op Second Life: praten. Jij toetste het in en je personage zei de woorden in een wolkje, zoals in een stripboek; je vrienden zetten hun woorden in hun eigen wolkjes. King Meïr was de onbetwiste echte leider van het groepje en Jakir was zijn lieveling, omdat hij blijkbaar de enige echte kolonist was daar.

King Meïr, in een geel shirt met het vuistlogo van de extreme Kachpartij en het opschrift 'Kahane leeft', wilde wat reuring in het naar zijn smaak te gezapige leven van Second Life. Hij wilde de Arabieren laten zien wie de baas was. Chaos veroorzaken in hun virtuele moskeeën en de rest van hun giftige oorden. Een staaltje van Joodse kracht laten zien! Diezelfde avond vertelden de vrienden over het ommetje dat ze hadden gemaakt langs Islam Online. Ze hadden een Palestijns museum gevonden, gewijd aan de 'Kwelling van de Overheersing' en de 'Palestijnse Holocaust'. King Meïr wilde ze treffen en er gezamenlijk over nadenken hoe ze dat moesten aanpakken, hoe ze die schaamteloze types werkelijk zouden kunnen raken. Jakir en King Meïr en de anderen, Claus uit Duitsland en Menachem uit Californië en nog een paar, beraadslaagden langdurig in de gemeenschappelijke chat, tot Otniël een tedere hand op de schouder van zijn zoon legde en hem terughaalde naar de echte wereld: 'Genoeg nu vriend, tijd om te gaan slapen.'

Het oproer

Op een dag eind Sivan, een dag met gloeiende woestijnwinden, de schitterende zomer voelbaar en duidelijk blijvend, arriveerden de immense betonnen platen, de elementen om de afscheidingsmuur mee te bouwen, op de laadbakken van transporttrucks van het bedrijf Akerstein uit Jerocham. Glad en grijs, negen meter hoog, twee meter breed, met een dikte van dertig centimeter. Ze werden vlak bij de bulldozers neergezet, die al wekenlang stonden te dutten in de zon, wachtend op de dag dat de order kwam.

Otniël haastte zich zijn bronnen in de raad, in het parlement en het leger te bellen. Er werd gezegd dat ze het zouden nagaan, een staat van paraatheid zouden afkondigen en dat hij moest blijven rapporteren.

Een paar dagen later kwam het Hooggerechtshof bijeen om een vonnis uit te spreken in de gezamenlijke zaak van de inwoners van Charmisj, als de eigenaars van de olijfgaarden, vertegenwoordigd door de organisatie Recht Bestaat, tegen de bouw van de muur op het geplande tracé, die zou leiden tot het ruimen van hun olijfgaarden en waarmee ze hun broodwinning zouden verliezen. Diezelfde ochtend kwamen vele dorpsbewoners zwijgend tegenover de D9's zitten, als protest. Kapitein Omer Levkovitsj arriveerde met zijn soldaten om de orde te handhaven.

De rechtbank hoorde het pleidooi van de eiser en nodigde de eerste getuige uit voor de verdediging, de staat Israël: een brigadegeneraal met veel ervaring in veiligheidszaken, in dienst van de projectleiding van de afscheidingsmuur. De generaal werd ondervraagd over het veiligheidsbelang van de bouw van de muur op dat tracé door die particuliere olijfgaarden, waardoor de inwoners hun velden niet meer konden bereiken en afgesneden raakten van hun broodwinning. De generaal verklaarde dat het van groot en essentieel belang was dat de muur daar geplaatst zou worden. Hij spreidde een kaart uit en wees erop met een opvouwbaar-metalen-stokje-voorzien-van-een-rond-bolletje-voor-het-aanwijzen-op-kaarten, en legde uit wat het strategisch belang van dit tracé was boven dat van andere mogelijke tracés, de noodzaak om het terrein te onteigenen, wachttorens neer te zetten en een hoge betonnen muur op te richten om de nederzettingen te versterken, de vijanden af te schrikken en de welig tierende Palestijnse terreur neer te slaan.

Een officier in ruste met de rang van generaal-majoor van datzelfde leger voor dezelfde verdediging van datzelfde Israël, die veel ervaring had met de oorlogen in Israël, de Arabische vijand in zijn algemeenheid en de Palestijnse in het bijzonder, getuigde voor de eisende partij. Hem werd gevraagd of de dingen, waarvan de brigadegeneraal eerder getuigd had klopten? Bullshit, antwoordde de generaal-majoor in ruste. Hij liet zien hoe weinig nut het had op dit punt een betonnen muur te laten lopen, en legde aan de hand van de kaart uit dat het betreffende gebied kalm en vredig was, helemaal niet gevaarlijk. En wat had het voor zin om het landschap zo te beschadigen, de bevolking af te snijden van hun bron van inkomsten en daarmee woede en haat te zaaien die er voorheen niet was?

'Met alle respect voor het mooie landschap,' antwoordde de jurist van de verdediging, 'hebben we het hier wel over een strategisch punt, over mensenlevens en de veiligheid van Joodse ingezetenen...'

– 'Die daar illegaal wonen, op Palestijns privéterrein en in een natuurreservaat, die een ontruimingsbevel hebben gekregen, waarvan het beroep onlangs is afgewezen... Als u even oplet' – hij haalde zijn eigen metalen stafje tevoorschijn – 'de illegale voorpost Maälè Chermesj C komt niet eens voor op de k...'

– 'De nederzetting is een volkomen integraal onderdeel van de bouwplannen van de nederzetting Maälè Chermesj die wel op de kaart staat, en de laatste vergunningen worden naar verwachting binnenkort afgegeven...'

– 'De rechtbank zal vast en zeker graag willen weten hoe jullie op de grond feiten creëren en dan achteraf vergunningen aanvragen. Om je vingers bij af te likken, zo keurig als men zich aan de wet houdt...'

– 'Een zo gerespecteerd instituut als het gerechtshof is geen plaats voor uw cynisme...'

– 'Dat jullie het woord cynisme in de mond nemen, gaat te ver. Nog even en u vertelt me dat omwille van de democratie...'

De hoogste rechter onderbrak het gehakketak en verzocht om eerbied voor het Hof. De rechters trokken zich terug voor verheldering, advies en beraad en riepen de vertegenwoordigers naar hun kamers, wisselden met hen van gedachten en stuurden ze terug naar de zaal. Daarna kwamen de rechters en lazen het oordeel voor: het verzoekschrift was afgewezen, en het was alsof het er helemaal niet geweest was.

Otniël hoorde een reportage over het besluit op de radio en belde Natan Eliav. Natan was blij dat de rechter de linksen en de Palestijnen de gezamenlijke mond had gesnoerd en het leger zijn werk liet doen.

'Maar hoe zit het dan met ons?' vroeg Otniël.

'Hoezo, hoe zit het dan met jullie?'

'Wij willen niet dat de afscheidingsmuur dit tracé volgt omdat daar landerijen van ons liggen. Dit keer waren we het juist eens met het verzoekschrift van links.'

'… Ah. Juist. Laat me een paar telefoontjes plegen.'

Binnen een uur belde hij terug met een geruststellende boodschap: men had hem beloofd dat hoewel de beide verzoekschriften tegen de bouw van de muur op het voorgestelde tracé waren afgewezen, er moest worden gewacht tot de minister van Veiligheid besloot op welke termijn er met het werk begonnen moest worden. En aangezien de minister volgende week naar Caïro zou reizen en daarna naar Washington, en zijn hoofd momenteel voornamelijk naar het noorden stond en niet naar de Jordaanoever, was het niet te verwachten dat hij in de komende twee weken, of zelfs langer, een beslissing zou nemen over de bouw van de afscheidingsmuur.

Otniël hing op en krabde zich eens in zijn baard. Hij keek op zijn horloge. Tijd voor een kopje koffie thuis, en dan naar de melkerij. Hij wilde al een tijdje wat reorganiseren, producten verfrissen, apparatuur vervangen, maar dat was er de laatste tijd niet van gekomen door alle gebeurtenissen. Misschien zouden er eindelijk een paar rustige dagen aanbreken, zodat hij weer aan het werk kon. Hij had er een hulpboek over gelezen: *101 manieren om je onderneming te ontwikkelen*, geschreven door een of ander jong Amerikaans financieel genie, en besloten er een paar in praktijk te brengen. Hij vulde de waterkoker en haalde de schakelaar over. Ja. Hij zou naar de melkerij gaan. En vanavond zou hij met Rachel en Chilik praten en een vergadering plannen voor de planningscommissie, om de volgende stappen in de ontwikkeling van de nederzetting te bespreken: permanente gebouwen, een echte synagoge, een mikwe, toelating van families. Het water borrelde, de schakelaar sprong terug en hij roerde water, Nescafé, suiker en melk door elkaar, bracht de kop naar zijn neus. Ach… het aroma van koffie. Hij ging zitten en toen ging de telefoon.

'De shovels zijn in beweging gekomen,' rapporteerde Gavriël Nechoesjtan.

'Geen shovels, bulldozers. Wat halen ze om?' Otniëls brein was nog verzadigd met positieve gedachten.

'Ze halen niks om. Ze zijn aan het werk. Ze maken het perceel bouwrijp, zijn aan het egaliseren.'

'Wat?!'

Otniël ging naar buiten. Vanaf het punt waarop je zicht had op de heuvel ernaast, zag Otniël de bewegende bulldozers en de mensen eromheen. Chilik verscheen aan zijn zijde en samen liepen ze in de richting van de D9's. De telefoon rinkelde. De voorzitter van de raad, Dov, meldde dat de Jesja-raad een scherpe reactie had gegeven en bovendien via sms, telefoon en e-mails duizenden mensen had opgeroepen zo snel mogelijk naar Maälè Chermesj C te komen.

Otniëls halfvolle kop Nescafé stond in de keuken koud te worden.

Er waren tientallen inwoners van Charmisj ter plaatse, voor het merendeel hadden ze daar al vanaf de ochtend gezeten, een stuk of twaalf kolonisten, de beide teams van de bulldozers die een lijn aan de heuvelrand hadden getrokken – nog ver van de olijfgaarden of de voorpost – en kapitein Omer met acht soldaten.

'Wat moet dit voorstellen?' schreeuwde Otniël tegen Omer Levkovitsj.

'Heb je het niet gehoord? Het verzoekschrift is afgewezen door het Hooggerechtshof. De minister van Veiligheid heeft bevel gegeven met het werk te beginnen.'

De assistent van de minister van Educatie van de nationaal-religieuze Mafdal-partij belde Otniël. Het bleek dat de minister diezelfde ochtend een tour had gemaakt langs de onderwijsinstellingen in de omgeving, en hij was weliswaar niet van plan langs te komen in Maälè Chermesj C, maar klopten de geruchten dat op dit moment de ontruiming van de nederzetting plaatsvond? 'Het zit er dik in dat we zeer binnenkort op dat punt zijn aangeland,' antwoordde Otniël, die zijn kans schoon zag. 'Als de minister kans ziet hierheen te komen om steun te bieden en misschien een paar woorden te zeggen tegen de soldaten en de media, kan dat geen kwaad.'

'We zijn al onderweg,' zei de adviseur, en op instructie van de minister belde hij met het bureau van de premier om te eisen dat het werk stopgezet werd.

Intussen arriveerde een flink pantservoertuig, opgetuigd met een woud aan antennes, schijnwerpers en meer van dat soort apparatuur. De bevelhebber van het hoofdkwartier in hoogsteigen persoon, generaal-majoor Giora, kwam uit het voertuig gestapt, met de bataljonscommandant aan zijn zijde.

'Giora!' riep Otniël Asís.

'Otni, ben jij dat?' glimlachte de generaal van achter zijn zonnebril.

'Wallah! Je bent onherkenbaar achter die baard!' Ze omhelsden elkaar.

'Zeg Otni, zorgen jouw mensen nou weer voor problemen?' zei de generaal.

'Wij? Hoe kom je erbij. We kijken alleen maar. Maar die monsters moeten het niet wagen zelfs maar te proberen in de buurt van onze huizen te komen, daar.'

'Zit je nog steeds in Maälè Chermesj C? Wallah? Man, je bent daar in alle ernst gebleven? Waar is Levkovitsj?'

Hij liep naar Omer toe en sprak kort met hem. Ze gingen naar de bulldozers. De teams klommen naar beneden, salueerden en wisselden een paar woorden met de officieren. De soldaten van Omer scheidden de bewoners van Charmisj van de kolonisten. De Palestijnen eisten dat de Joden van hun land af gingen, maar de soldaten gaven geen sjoege en lieten ze niet voorbij de willekeurige lijn die de bevelhebber had aangegeven. Een aantal Israëlische vredesactivisten sloot zich bij de Palestijnen aan met borden die de bezetting veroordeelden. Hoe het ze gelukt was om er lucht van te krijgen, zich te organiseren en te verschijnen, weet alleen de duivel. Ronni Cooper bekeek ze nauwkeurig, in de hoop die welvoorziene linkse activiste van de vorige keer te vinden, maar hij zag haar niet.

De generaal-majoor van het hoofdkwartier en Omer kwamen terug, terwijl achter hen de D9's in beweging kwamen. 'Er wordt doorgewerkt,' zei de generaal-majoor tegen niemand in het bijzonder.

'Wat wil dat zeggen, Giora, dat er wordt doorgewerkt?'

'Doorwerken betekent doorwerken, mijn beste Otniël. Kijk,' hij draaide zich om en wees naar de bulldozers die met een slakkengang in beweging kwamen, 'ze werken door.'

'Maar waar werken ze aan? De olijfbomen omhalen? En daarna?'
De generaal glimlachte. 'Ik weet waar je op doelt, mijn beste Otniël.
Kom allemaal, dan leg ik het één keer heel duidelijk uit. Luister goed,
dan begrijp je wat we aan het doen zijn en dan kunnen jullie allemaal
– kolonisten, Arabieren, links, rechts en ook jij, mooie merrie' (waarbij hij naar Killer wees) '– omkeren en rustig naar huis toegaan.' De
groep was stil. Giora zette zijn zonnebril recht en vervolgde. 'Zoals
jullie bekend is, is besloten dat hier het tracé van de muur loopt. Daarom maken wij dit terrein bouwrijp.'

'Maar...'

'Ik was nog niet klaar. En ik weet nog steeds waar je naartoe wilt,
lieve Otniël. Het antwoord luidt "ja". De illegale voorpost Maälè Chermesj C, waarvan het beroep tegen ontruiming dat diende bij Hooggerechtshof vandaag is verworpen, zal worden ontruimd als deel van
het bouwrijp maken van het tracé voor de muur, overeenkomstig de
wet. Dat is wat "doorwerken" is. Dank u.'

'Overeenkomstig de wet?' schreeuwde de activist met de vierkante
kaak in een Merets-shirt, in zijn hand een half opgegeten sandwich.
'Akkers en velden van een dorp afpakken? Waarom bekommeren jullie je niet eerst om die wettelozen daar, voordat je tientallen mensen
van hun broodwinning berooft?'

'Broodwinning?' schreeuwde Netta Hirsjzon. 'Heb je het over
broodwinning? Laat ze ophouden met stenen te gooien en raketten af
te schieten. Laat ze ophouden met bijlen en messen aanvallen te doen
en op auto's te schieten – dan kunnen we het hebben over broodwinning.'

Giora keek eens naar de oranjebedoekte koloniste die stond te zie-
den van woede. 'Mensen, kalm toch. Ik heb de dingen duidelijk uitgelegd. Nu moeten jullie je gewoon omdraaien en rustig naar huis gaan,
zodat wij verder kunnen. Omer, breek de demonstratie op. Waarom
zijn er hier geen "jaknikkers"?'

Op dat moment verscheen de ministeriële Volvo van de minister
van Onderwijs ten tonele. De chauffeur sprong eruit om het portier
open te doen. Via het andere portier stapte Dov uit, de raadsvoorzitter.
Vlak na de Volvo arriveerden twee pick-ups van televisiestations,
waaruit mensen klommen met schoudercamera's en standaarden voor

wollige microfoons. De minister stapte op de generaal-majoor van het hoofdkwartier af. De generaal zei wat hij tegen de hier aanwezigen had gezegd. De minister van Onderwijs leek niet tevreden. Hij ging tegenover de bewoners staan en begon een geïmproviseerde speech. De televisiecamera's zoomden in op zijn gezicht. 'De regering waarvan ik deel uitmaak, zal niet helpen bij de vernietiging van nederzettingen,' verkondigde hij. 'En vooral niet van Maälè Chermesj C, een pionierswijk met voortrekkersrol in het hart van de woestijn, die ons eraan herinnert dat onze wortels diep in deze aarde liggen; die het Land Israël laat herleven: de waarden van kolonisatie en arbeid en de godvruchtige levensweg. Dat is het ware Israël, de ware zionistische pioniersgeest...'

De linkse activist met de vierkante kaak wilde ertussen komen, maar werd het zwijgen opgelegd door een televisieverslaggever.

'... namens de regering ben ik hiernaartoe gekomen om jullie moed in te spreken en de inwoners te steunen. Jullie zijn de werkelijke helden van onze tijd, de verdedigers van de Staat Israël. Ik ben gekomen om drie dingen te zeggen: Nee tegen de Arabische agressie, ja tegen de nederzettingen, ja tegen de veiligheid!' Een schamel applaus klonk vanaf de rechterzijde, smalend gefluit van linkerzijde – en van beide zijden aanzwellend. De minister gaf antwoord op vragen van de televisiereporters. Daarna wendden ze zich tot de generaal-majoor van het hoofdkwartier, die zei: 'Ik ben militair en ik volg mijn orders op. Ik heb mijn orders ontvangen, en die voer ik uit.' De bulldozers egaliseerden en verplaatsten grond, het gepiep van de rupsbanden en de knallen wanneer de schep tegen massieve stukken rots stootte veroorzaakten rillingen bij de toeschouwers. Ronni zocht Moessa met zijn ogen maar kon hem in de menigte niet ontdekken. De minister verzocht zijn adviseur opnieuw de premier aan de lijn te krijgen.

'Jalla!' gilde Netta tegen de menigte opponenten. 'Jullie hebben de minister en de generaal gehoord. Ga naar huis en laat het IDL zegevieren!'

'Hou je bek toch!' antwoordde een jonge Palestijn uit Charmisj. 'Ga zelf naar huis, hoer!'

'Wáááát?' krijste Netta. 'Neem hem gevangen, hebben jullie die terrorist gehoord?' Twee soldaten grepen de jongen en drukten hem tegen de grond. Een golf van woede ging door de inwoners van Charmisj, uitmondend in geschreeuw en een dreigende voorwaartse beweging. De soldaten reageerden door hun wapens in de aanslag te brengen en waarschuwingen te bulderen. De generaal sprak in een van de vele communicatiemiddelen in zijn pantservoertuig. Hij riep meer soldaten en oproerpolitie ter plaatse. Ondertussen probeerden Omers manschappen de boel onder controle te houden. Uit het niets verscheen een gasgranaatwerper en schoot een traangasgranaat naar Palestijnse zijde. De wind voerde de smerige stank terug naar de kolonisten en de soldaten. Iedereen bedekte zijn neus en mond. In paniek werd water doorgegeven. 'Iedereen kalm nu!' riep Omer, maar zijn stem klonk zwakjes, hoog en onzeker, zelfs via de megafoon.

Geschrokken haastte de minister van Onderwijs zich naar de generaal. Die liet hem wachten; hij was bezig met troepentransport en het tot rust brengen van het gebied. Eindelijk wendde hij zich tot de minister: 'Snel, man, het is hier nogal een toestand.'

'Ik weet dat het hier een toestand is,' zei de minister. 'Wat ik probeer te zeggen is dat het voorbij is. De premier heeft me zojuist gezegd dat hij opdracht heeft gegeven het werk te stil te leggen.'

'Wat zeg je?' De herrie van het geschreeuw, de bulldozers en de megafoons was oorverdovend.

'Ik zei dat de premier me zojuist via de telefoon vertelde dat hij bevel heeft gegeven de bulldozers moeten stoppen met het werk. Met de ontruiming. Met alles.'

De bevelhebber keek hem ongelovig aan. 'Moment, Avri,' zei hij via de radio tegen zijn stafofficier. 'Ik heb er niets van vernomen,' zei hij tegen de minister.

'Check het bij het ministerie van Veiligheid,' adviseerde de minister van Onderwijs. De generaal marcheerde richting het tumult, verwijderde zich van zijn pantservoertuig. 'Daar heb ik nu geen tijd voor. Als er nieuwe orders zijn, dan krijg ik die vanzelf.'

De bulldozers begonnen in de richting van de olijfbomen van Moessa Ibrahim te kruipen. Een siddering van woede ging door de menigte. Doedoe, de gezette machinist met zijn zwervende oog, bracht de schep op stamhoogte, vlak boven de grond en ging erop af.

'Neeeeeee!!!' werd er van alle kanten geschreeuwd. De acht soldaten en twee officieren probeerden de demonstranten lijfelijk tegen te houden, maar drie wisten te ontsnappen en renden in de richting van de bulldozer. Terwijl ze renden zwaaiden ze met hun armen en riepen ze: 'Nee!!! Stop!!! Idioot!!!' De soldaten renden achter hen aan, maar het drietal – twee mannen en een vrouw, zij met een oranje hoofddoek en een lange rok, een man met een kaffiya in een wijde broek en de derde in een Lacoste-shirt en nette schoenen – was sneller. De televisie-camera's huppelden tussen de olijfbomen, over de bergen zand en stenen; Palestijnse vrouwen krijsten; orthodoxe jongens vloekten en baden tot hun vader in de hemel; kolonisten fronsten hun voorhoofd, knepen hun ogen samen en vroegen: 'Wie zijn dat daar, verd...'

De D9N's waren aan de voorkant uitgerust met een zware graafbak uit gegoten staal met een gewicht van bijna zeven ton, twee meter hoog en bijna vijf meter breed, met aan de rand van de graafbak scherpe stalen tanden. De een na de ander, Netta, Moessa Ibrahim en Ronni Cooper klauterden via die tanden in de graafbak, die een moment later door Doedoe de geniesoldaat, zich niet bewust van de nieuwe inhoud, hoog omhoog werd gebracht.

In navolging van de hysterische handgebaren van de bevelhebber, generaal-majoor Giora, bracht Doedoe de bulldozer tot stilstand, met het hijgende drietal in de hooggeheven bak. De televisiecamera's vlogen af op de graafbak met zijn menselijke inhoud, maar ze werden door de soldaten op afstand gehouden. Eindelijk kwam de versterking opdagen en die manschappen hielpen om de demonstranten tegen te houden die leuzen schreeuwden: tegen de bezetting of tegen de terreur, voor kolonisatie of de rechten van de mens. Kapitein Omer Levkovitsj maakte oogcontact met Doedoe in de bulldozer en gebaarde hem de graafbak heel langzaam naar de grond te brengen. De drie helden werden onder luid applaus van de menigte teruggebracht naar de aarde. Netta zei iets tegen Moessa en Moessa gaf haar antwoord. Ronni, die tussen hen in stond, zei iets en ineens moesten ze alle drie glimlachen – meer in zichzelf dan naar elkaar, meer verlegen dan openlijk, maar toch.

De generaal-majoor van het hoofdkwartier voerde een telefoongesprek. Hij knikte en gaf de hoorn terug aan een van zijn officieren. Een soldaat sloeg Moessa in de boeien, andere soldaten vergezelden de andere twee bulldozerbeklimmers. De generaal liep naar zijn militairen en verzocht Omer iedereen te verzamelen. Zijn instructies waren kort. 'Jongens, we breken op', zei hij, en keerde zich om naar zijn pantservoertuig.

Jeruzalem mixed grill

Jeff McKinley, verslaggever voor *The Washington Post* in Jeruzalem, zat met wakkere ogen naar het scherm te kijken. Met zijn vlezige en vette vingers hield hij een portie geweldige Jeruzalem mixed grill van Steakhuis Chatsot vast en probeerde, net als iedere avond, het journaal in het Hebreeuws te volgen; zijn vermoeide brein herkende ongeveer een uit vijf of tien woorden. Eerst waren de beelden standaard geweest: bulldozers, soldaten, kolonisten, Palestijnen. Maar toen begon hij de gezichten te herkennen die hem vanaf het scherm aanstaarden: daar was die kolonist die hem bij vergissing een lift had gegeven naar de voorpost, en die koloniste met die oranje hoofddoek herinnerde hij zich ook nog, waarover zou ze zich zo opwinden? En daar, die man die samen met hem een lift kreeg, die toen een pak aan had gehad, en de officier die hem een lift terug van de nederzetting had gegeven en hem een paar interessante dingen had verteld terwijl ze in de legerjeep zaten. Ja, dat was de voorpost van Mamelstein, herinnerde hij zich, en daarna zette hij grote ogen op toen het toppunt van de reportage kwam: de sprong van het drietal in de graafbak van de bulldozer. De lach die aan zijn mond ontsnapte sproeide stukjes vlees en vet op zijn werktafel en de papieren die erop verspreid lagen.

Maälè Chermesj C, god, hij was het haast vergeten. Maar nu, maanden later, dacht hij eraan terug: de buitenlandcorrespondent van een krant in Washington, die het beloofde interview met de minister verknald had. Het vervangende stuk dat McKinley had voorgesteld, over Sheldon Mamelstein en de schenking die hij gedaan had voor een speeltuin in een illegale voorpost, had de aandacht van de eindredacteur even vastgehouden. Maar op exact dezelfde dag vond er in China een aardbeving plaats met duizenden slachtoffers en verongelukte een vliegtuig in Litouwen met parlementariërs uit Estland en daarmee werden de pagina's buitenlands nieuws gevuld. Twee dagen later was er een nieuwe afspraak voor het oorspronkelijke interview met de minister – dit keer ontmoette McKinley hem in de Knesset – en zo verdween het stuk over Mamelstein en de voorpost in de vergetelheid. De zoveelste Joods-Amerikaanse miljonair die een schenking deed aan de zoveelste nederzetting op de Westelijke Jordaanoever. Niet bepaald de primeur van het decennium.

Maar nu legde McKinley het stuk onopgegeten pita, een halfopen glimlachende mond, stukjes vlees, geel van de olie met kurkuma en komijn in plaats van tanden, op zijn tafel en zocht tussen zijn papieren tot hij gevonden had wat hij zocht: het visitekaartje van een van Mamelsteins assistenten, waarop Jeff op de achterkant met potlood het nummer had genoteerd van kapitein Omer Levkovitsj, operationeel commandant van de sector, wiens rood aangelopen, zwetende gezicht op dat moment van het scherm verdween om plaats te maken voor de strenge nieuwslezeres van het journaal.

Omer Levkovitsj kreeg veel telefoontjes als gevolg van zijn optreden op de televisie, die zijn gevoel van wanhoop en falen vis-à-vis wat er die middag in Maälè Chermesj C was gebeurd, alleen maar versterkten: de bemoeienis van de premier met het uitvoeren van het besluit van de rechtbank door het leger, het inpakken ten overstaan van het gepeupel. Hij zat voor de televisie, zijn blote voeten in een teiltje warm water met appelazijn tegen de voetschimmel.

Hij zou de Amerikaanse journalist met plezier te woord te staan.

Toen Jeff McKinley belde met de redacteur Buitenland in Washington, zei die: 'Wat vertel je me nou, Jeffrey? Een koloniste en een Arabier die in een gezamenlijk actie op de graafbak van de bulldozer zijn gesprongen om het leger te weerhouden de muur te bouwen?'

Dit keer had McKinley geluk: want niet alleen was de voorpost die hij bezocht had in het nieuws vanwege het voorval met de bulldozer, hij was ook nog op ander interessant materiaal gestuit over Sheldon Mamelstein en diens bemoeienis met de voorpost, wat aansloot bij een onderzoeksreportage van *The Washington Post* over donaties van rijke Amerikanen aan onduidelijke doelen overzee, die als aftrekposten konden worden opgevoerd voor de Amerikaanse belastingen, maar er kwam die dag ook nog flink wat ruimte vrij op de buitenlandpagina's omdat er een grote reportage was geschrapt.

De eerstvolgende twee uur zat McKinley te schrijven in het kleine kantoor aan de Jaffastraat, waarbij hij de mixed grill wegspoelde met Nescafé met gesteriliseerde melk, en Abadi-koekjes die hij in de pantry had gevonden. Nadat hij zijn reportage had ingestuurd en een tijdje op internet had gesurfd voor het geval de redacteur met vragen zou bellen, wandelde hij door de fris-milde Jeruzalemse nacht en kwam terecht in een schemerige bar aan de Machanè Jehoeda-markt waar hij zijn zware lijf op een barkruk hees en een glas Ballantine's met veel ijs bestelde bij de knappe kortgekapte barvrouw, die de vetvlek en de kruimels op zijn shirt negeerde en het glas met een glimlach op een viltje zette.

De weerslag

Gabi's ochtendsymfonie: begint meestal met het gepiep van de wekker, gevolgd door het gekraak van deuren, het openen van ramen, het langzaam toenemende geruis van water dat aan de kook komt in de waterkoker totdat de schakelaar terugspringt. Het geklater van een straal urine, geklots van water als er doorgetrokken wordt, een dunner straaltje water in de wasbak, tandenpoetsen, gorgelen, het oprochelen en uitspuwen van keelslijm, de ochtendscheet, het fluiten van de puttertjes. De zuigende plop van de koelkastdeur, gerinkel van een lepeltje in de thee, gekraak van een stoel onder het gewicht. Het kraken van de ongesmeerde kastdeur als hij zijn kleren aantrekt, het zuchten van de veren van het bed als hij erop gaat zitten om zijn schoenen aan te trekken (rechts eerst, dan links) en de veters te strikken (links eerst, dan rechts); het klossen van de zware werkschoenen. Het slurpend drinken van de thee. En het dichtslaan van de deur die zo krakkemikkig was dat je flink kracht moest zetten om hem te sluiten.

De eerste dagen nadat Ronni op de heuveltop was, had Gabi voorzichtig gedaan en was zich bewust geworden hoe hard de geluiden waren die hij bij het opstaan veroorzaakte. Op zekere ochtend, de tandenborstel in zijn mond, het gekras van de raven en het lied van de babbelaars in zijn oren begeleid door de fluitende wind en nu en dan het getrommel van de regen op het dak, dacht hij bij zichzelf: het is de natuur, daar valt niets tegen te doen. En dit is mijn natuur, ik ga niet iedere ochtend op mijn tenen lopen. En bovendien, Ronni brengt ook een minstens even indrukwekkende nachtelijke symfonie ten gehore van gewoel, gezucht, gesnurk en scheten. Sindsdien deed hij alle handelingen op normale geluidssterkte zonder er verder bij stil te staan; vanaf de wekker tot het dichtslaan van de deur achter hem, waarna zijn voetstappen wegstierven als hij naar de synagoge ging, in zijn hand het tasje met gebedsriemen, voor het ochtendgebed.

In het begin hoorde Ronni het hele proces en daarna absorbeerde zijn goedgeoliede slaapmechanisme de geluiden, integreerde ze, en bleef hij diep onder zeil totdat hij uren later vanzelf wakker werd.

Die ochtend was er een relatief grote groep in de synagoge, het was misschien wel voor het eerst dat er een voltallige minjan, het gebeds-quorum, was sinds de tijd dat mannen met veel omhaal gevraagd moesten worden en het op maandag en donderdag lukte een minjan bij elkaar te krijgen, hoewel men daar ook genoeg van kreeg, het sleet en algauw was het weer als vanouds. Maar blijkbaar waren ook degenen die moeite hadden met opstaan, die haast hadden, die hun gebedsriemen thuis aanlegden en het Achttiengebed reciteerden er; alsof men de behoefte voelde om samen te komen en elkaar te sterken – hoewel niemand wist waarvoor en waarom, maar er hing iets in de lucht. Het zou bijna een hele dag duren eer duidelijk werd wat het was. De zon zou haar baan helemaal afleggen, vanaf de droge heuvels in het oosten tot ze achter de verst gelegen huizen van Charmisj in het westen onder zou gaan en een hele dag van werk, gebed en studie met zich zou meevoeren – een rustige dag op de heuveltop, een gewone warme dag aan het begin van de zomer in Maälè Chermesj C.

De zon, die eeuwige zon, vervolgde haar baan naar het westen. Nadat ze Charmisj achter zich had gelaten, zwierf ze op haar ronde baan over de heuvelen van Jehoeda, daalde af naar de groene kustvlakte, naar de kust en verder naar het westen, zonder een moment te stoppen, over zeeën, continenten, eilanden en staten. Toen ze de oostelijke kust van de Verenigde Staten van het grote Amerika beroerde, weerkaatste ze in de ruiten van de gebouwen van de hoofdstad

Washington, waar trouwe bezorgers op hun fiets de kersverse laatste editie van *The Washington Post* nog dampend van de pers afleverden in tuinen, portieken en postbussen, voor kantoordeuren en op veranda's; terwijl bijeengebonden pakketten van de krant uit vrachtwagens bij winkels werden neergegooid en er over draden signalen liepen die puntjes vormden op de schermen van computers en mobiele telefoons overal ter wereld; terwijl slaperige lezers die zojuist met hun eigen symfonie waren ontwaakt hem van de drempel oppakten en bij een kop koffie, toast, ontbijtgranen doorbladerden, of in de ondergrondse, of in de auto en op kantoor – toen pas begon het vlindereffect, waarbij het ritselen van een krant in Washington een tijdje later een grote storm veroorzaakte op de heuveltoppen in Jehoeda.

'Reportage? Welke reportage? Sjoev'el, niet doen!!' vroeg Otniël zich hardop af toen het telefoontje van de voorzitter van de raad de rust verstoorde tijdens het avondeten bij de familie Asís, waarbij het tafellaken met hüttenkäse werd besmeurd, stukjes hardgekookt ei de lucht in gingen en appelsap op de vloer belandde. 'Wat vertel je me nou, Dov? Wie? Sjoev'el, Sjoev... Moment, Dov, ik bel je zo terug.' Zodra hij het rode knopje op zijn Nokia indrukte, rinkelde het apparaat met het volgende binnenkomende gesprek. Het was Natan Eliav, secretaris van Maälè Chermesj A. 'Ja Natan, ja, ja, ik begrijp het niet. Ik moet hier... Ik bel je zo... Rachel! Rachel!!!' riep hij en bij de derde keer, een teken dat het erg dringend was, stond hij op en veranderde van de orthodoxe klemtoon op de laatste lettergreep, naar de volkse klemtoon op de eerste: 'Ráchel!!!'

Die avond werd onder leiding van Rachel Asís een zitting van de planningscommissie gehouden. Sjaoelit Rivlin wiegde Zvoeli op haar schoot, Gavriël Nechoesjtan streelde zijn pluizige baard, Chilik Jisraeli maakte Nescafé en Otniël grapte: 'Is het vandaag plannings- of toelatingscommissie?' Wie wilde kon in iedere commissie zitting nemen, wat betekende dat alle commissies bestonden uit ongeveer dezelfde vier of vijf inwoners. Chilik doopte een opgerold wafeltje in zijn Nescafé toen Otniël vroeg wie er nog een update had.
    'Een update van wat?' vroeg Gabi.

'Ik weet het niet, ik kreeg allemaal telefoontjes over een reportage, misschien is er in de omgeving wat aan de hand? Ik heb nog geen kans gehad om ze terug te bellen.'

Niemand wist wat, en Rachel zei: 'Er gebeurt hier aldoor wat, laten we ons op de vergadering concentreren. Ik zal de notulen van de vorige vergadering voorlezen. Ik zou het fijn vinden als we tot een definitieve prioriteitsstelling komen vandaag.' Ze ritselde met een bedrukt vel en begon met het strenge gezicht van een onderwijzeres voor te lezen. 'Wat gloort er aan de horizon:

1. Het opzetten van een permanente behuizing voor de crèche en de kleuterschool (ministerie van Huisvesting);

2. Het opzetten van het mikwe (plaatsvervangend minister van Veiligheid);

3. Het openen van een panoramapunt, een uitkijkpunt naar de woestijn en een bezoekerscentrum op de naburige heuveltop. In een later stadium ook nog een café (overdragen aan de afdeling Openbare Werken);

4. Vaste huisvesting voor de huidige en toekomstige families (ministerie van Huisvesting);

5. Toelaten van families en het uitbreiden van het terrein van de nederzetting (Bank Tefachot);

6. Een website met diavoorstelling om donaties en interesse voor bewoning te genereren (Jakir Asís?);

7. Verzoek indienen bij de naamgevingscommissie van het ministerie van Binnenlandse Zaken om de nederzetting een nieuwe naam te geven ter onderscheid van Maälè Chermesj.'

'Dat hoort niet bij de planningscommissie,' onderbrak Otniël. 'Dat is een gemeenschappelijke project van mij met Natan Eliav, secretaris van Maälè Chermesj A bij het ministerie van Binnenlandse Zaken.'

'Welke namen heb je voorgesteld?' vroeg Sjaoelit. Ze wilde voorstellen om de nederzetting naar haar overleden vader te noemen, moge de Heer zijn naam wreken. Otniël was zich daarvan bewust, want toen het speeltuintje werd gemaakt, had ze ook al verzocht dat naar hem te vernoemen. 'Klinkt de Zvoeloen-speeltuin niet veel beter dan de Mamelstein-speeltuin?' had ze destijds gevraagd aan ieder die maar luisteren wilde. Haar verzoek was afgewezen.

'Ik heb nog helemaal niets voorgesteld. Ik wil het daar op een ander moment over hebben. Altijd komen we met de ene commissie bijeen en beginnen dan over onderwerpen uit een andere commissie. Mijn verzoek is of we een beetje orde kunnen houden.'

Er heerste een stilte. Daarna werd er toch kort over de naamgeving gediscussieerd. En daarna over vaste huisvesting voor de kleuterschool en crèche, wat hoger op de ladder van prioriteiten kwam te staan, ondanks Gavriëls bezwaren; hij stelde voor om een nieuwe synagoge te bouwen en de crèche te laten waar hij was.

Sjaoelit bracht zoals altijd de kwestie van het mikwe voor de vrouwen ter tafel. Rachel was het met haar eens. Het was niet eenvoudig in een voorpost te wonen, honderden meters verwijderd van het dichtstbijzijnde mikwe en de mitswot hanida, de regels omtrent rituele reinheid, te houden. Soms moesten de vrouwen onhandig in het donker manoeuvreren, zich achter struiken verschuilen en zich afvragen of ze een lift konden accepteren: het was gênant te beseffen dat een vreemde onmiddellijk de geur van shampoo zou ruiken en het natte haar onder de doek zag en zou weten wat ze die nacht voor plannen hadden. Otniël stond op het punt wat te zeggen, maar zijn telefoon begon te rinkelen. Hij keek erop en verontschuldigde zich: het was Dov, de raadsvoorzitter, die Otniël vertelde over een reportage over Maälè Chermesj C in een krant in de Verenigde Staten, details had hij niet, maar iemand van het ministerie van Buitenlandse Zaken had gebeld, die het weer had gehoord van iemand op de ambassade in Washington. De kwestie werd onderzocht, het was nog niet duidelijk welke krant, groot of klein, belangrijk of niet, pro of contra.

'Over Maälè Chermesj C? In Amerika?!'

'Dat is wat ze zeggen.'

'Weet je het zeker?'

'Dat zijn de geruchten.'

De aanwezigen keken verwachtingsvol naar Otniël. De vergadering was vergeten. Otniël werd belaagd met vragen. Zijn telefoon ging weer. Hij liep naar buiten en de planningscommissie liep achter hem aan. De duisternis legde de heuveltop het zwijgen op, de sterren kwamen tevoorschijn en nodigden uit het Sjma Jisraël te bidden. Ineens stond er buiten huize Asís een grote menigte die zich op een of andere manier had verzameld – geruchten. De menigte warmde op, bezwoer de onzekerheid met onophoudelijk gebabbel. Josh werd gebeld, sprak in het Engels, en langzaamaan richtten alle oren zich op hem, want het was merkbaar dat hij iets interessants vernam: hij raakte zijn voorhoofd aan en zei dingen als: 'No shit!' 'You're joking!' 'Are you sure?' en 'Unreal!', terwijl zijn flonkerende ogen van hot naar her schoten met een uitdrukking die het midden hield tussen verbazing en verbijstering. Toen hij 'bye' zei en het rode knopje indrukte, stond iedereen al om hem heen, stil te wachten op wat er over zijn lippen zou komen.

'Het was een reportage in *The Washington Post*,' zei hij. 'Een grote reportage, over de nederzetting.'

'C?' werd hem toegeroepen.

'C, C. Alleen over C. Het gaat over het speeltuintje. En Mamelstein. En het verhaal met de D9's.'

'Nou? Wat hebben ze geschreven?'

Josh keek verloren, blanco.

Het gerinkel van een ouderwetse vaste telefoon doorboorde de duisternis. Otniël haalde de hand die het apparaat vast had uit zijn zak. Hij keek op het schermpje. 'Verborgen nummer,' deelde hij mee. De menigte zweeg.

'Hallo?' zei hij, en daarna: 'Het ministerie van wat?'

En met zachte stem, terwijl hij weg begon te lopen zodat hij meer privacy had: 'Het ministerie van Veiligheid?'

De reportage

De familiesage vertelt dat de voorvaderen van Joshua Levin 'Marrano's' waren, onder dwang gedoopt: Joden die hun geloof afzwoeren en katholiek werden om te voorkomen dat ze uit Spanje verdreven werden in de vijftiende eeuw, maar die in het geheim hun joodse traditie bewaarden. In de achttiende eeuw vond een aantal familieleden zijn weg naar de Nieuwe Wereld en arriveerden via Livorno in Italië op de kust van Nuevo Mexico, dat destijds het noordelijke deel was van Mexico en tegenwoordig de staat New Mexico in de VS. De legende vertelt verder dat hoewel de familie al vele jaren katholiek was en hoewel hun bloed onuitwisbaar vermengd was geraakt met andere bloedlijnen (bijvoorbeeld met Iers bloed dat blijkbaar verantwoordelijk was voor het rode haar), werd vastgehouden aan gebruiken als het aansteken van sjabbatskaarsen, tot de overgrootmoeder van Josh in het begin van de twintigste eeuw bij toeval haar joodse wortels ontdekte, naar Brooklyn verhuisde en daar trouwde met Israël Levinovski, een chassidische jongen die kort daarvoor uit Litouwen was gekomen.

Ongeveer honderd jaar later kwamen meerdere factoren samen en veranderden het levenspad van Josh Levin: zijn leeftijd van twintig, gespannen en klaar als hij was om te rebelleren; het zionisme dat hem van de vroege ochtend tot de late avond met de paplepel werd ingegoten op de jesjiva 'Het vuur van de Tora', en zijn neiging tot heetgebakerd zijn (misschien ook het gevolg van Ierse genen). De vonk die dit alles had doen ontvlammen, was de elfde september. In zijn toenemende woede wilde hij 'iets' gaan doen. Hij emigreerde, werd kolonist in het Heilige Land van zijn voorvaderen en kwam terecht op de orthodoxe academie in Maälè Chermesj omdat een van zijn leraren in Brooklyn een vriend had die daar woonde. Josh was niet gecharmeerd van de academie, maar op een avond ontmoette hij Jehoe bij de kruidenier, hielp hem 'vijf sjekel zeventig' voor een aankoop bij elkaar te schrapen en Jehoe stelde hem voor 'om C te komen bekijken'. Josh verliet de academie – hij had toch al genoeg van het eindeloze gefilosofeer met de verschillende geledingen binnen de jesjiva – en verhuisde nog diezelfde week naar C, als caravangenoot van Jehoe.

Nu vertaalde hij de reportage die Jakir van het internet had gehaald. Otniël barstte in lachen uit toen hij de kop hoorde: SHELDON MAMELSTEIN HELPT EEN HANDJE BIJ HET OVERTREDEN VAN DE WET OP DE WILDE WESTBANK en bleef voor zich heen grinniken terwijl Josh in gebroken Hebreeuws, zichzelf steeds onderbrekend om het juiste woord te vinden in vertaling en daar niet altijd in slaagde, verhaalde over de vastgoed- en financieel magnaat die nauwe banden had met de leider van de Conservatieve Partij, en die een paar maanden geleden, in februari 2009, naar een kleine voorpost aan de rand van de woestijn gekomen was om deel te nemen aan de inwijdingsceremonie van de speeltuin die hij gedoneerd had. Otniël glimlachte nog steeds toen de reportage een beschrijving gaf van de plek, de huizen, de kleurrijke bewoners, de ceremonie en de rondleiding van de Amerikaanse miljonair. In tegenstelling tot Chilik, die niet glimlachte en zich er blijkbaar zelfs aan stoorde toen de verslaggever de neutrale beschrijvingen achterwege liet en zijn weinig verrassende politieke mening gaf: *'In zijn gevoelige speech liet de heer Mamelstein het feit achterwege dat Maälè Chermesj C gedeeltelijk is gesticht op particuliere Palestijnse grond. Een ander deel van de nederzetting staat op beschermd natuurgebied, waarop een absoluut verbod rust om er woonhuizen te bouwen.'*

Otniël wond zich nog steeds niet op toen de journalist een beschrijving gaf van de jarenlange wijdverbreide overtreding van wetten en regels op de Westelijke Jordaanoever. Maar hij verloor zijn kalmte toen de reportage met behulp van citaten van een 'hoge officier van het IDL' de historie van de voorpost begon te beschrijven. Net als Chilik schudde hij zijn hoofd over de pijnlijke onjuistheden in zinnen als: *'In 2005 werd er een kantoor neergezet voor het boerenbedrijf, gevolgd door een caravan als verblijf voor de wacht, die binnen de kortste keren het woonverblijf werd van een heel gezin.'* Maar hij werd pas echt boos toen hijzelf beschreven werd als een agrariër die biologische peterselie en tomaten teelt.

'Peterselie? Hoe komt hij daar nou bij? En tomaten? Tomaten? Geen cherrytomaatjes? Check dat even.' Josh checkte het en bevestigde: 'Tomaten!' Otniël was geschokt. 'Is hij niet goed bij zijn hoofd? Daar heb je hele andere compost voor nodig, en dan hebben we het nog niet eens over de zaden...'

De uitleg over de staatsrechtelijke achtergrond van de nederzettingen leidde tot gegaap. En tijdens het overzicht van Amerikaanse wetten – resolutie 12.947 van de regering-Clinton, die acties verbiedt die nadelig zijn voor de vrede in het Midden-Oosten; de Patriot Act van de tweede regering-Bush, die het verbiedt activiteiten te financieren die niet educatief of sportief zijn; de wet op belastingvoordeel voor Amerikaanse giften overzee – keken de toehoorders naar de lucht of stonden ongedurig heen en weer te hippen en kiezelsteentjes uit hun sandalen te schudden.

Maar toen de verslaggever uitlegde dat het belastingvoordeel op giften zoals die van Mamelstein eigenlijk betekenen dat het ministerie van Financiën en de Amerikaanse belastingbetaler illegale nederzettingen zoals Maälè Chermesj C financierden, in weerwil van het regeringsbeleid, keerden de glimlachjes terug op de gezichten van het verzamelde publiek en was er zelfs gegrinnik en applaus hoorbaar. Bij de 'onthulling' van het feit dat met het geld dat Mamelstein had overgemaakt een aantal nachtkijkers was aangeschaft door de raad klonken er opmerkingen als: 'Vossen kunnen zien tijdens de nachtwacht verstoort het vredesproces?' En: 'Wat een koningszoon is die Mamelstein!' En toen de verslaggever aan het eind van het stuk terugkeerde naar de voorpost, en verhaalde over *'de dramatische ontwikkelingen van afgelopen week'* – de bezwaarprocedure bij het Hooggerechtshof tegen het tracé van de afscheidingsmuur en het voorval met de bulldozers – luisterde iedereen weer met volle aandacht naar Josh en werd er zelfs gejuicht bij de beschrijving van de 'action' (*het voorval bereikte zijn hoogtepunt met een bizar vertoon van solidariteit: de Palestijnse eigenaar van de olijfgaard, een orthodoxe koloniste en een Israëliër wiens relatie met de nederzetting niet duidelijk is, sprongen gezamenlijk in de graafbak van de bulldozer om het kwalijke vonnis tegen te houden*). Zelfs bij Netta kon er een glimlachje af, terwijl ze met onverholen trots om zich heen keek.

Toen Josh klaar was, heerste er een tevreden gevoel in de menigte – voornamelijk over Sheldon Mamelstein. Weliswaar wist de laatste zin – '*de wirwar van de wetgeving en jurisdicties die regelrecht uit* Catch-22 *lijken te komen, maakt het de kolonisten mogelijk om zich te gedragen als sheriffs zonder wet of gebod in het Wilde Westen*' – Netta Hirsjzon een paar geïrriteerde vloeken en bij Chilik Jisraëli een bezorgde blik te ontlokken, maar dat was voor niemand nieuws; Netta was meestal geïrriteerd en Chilik meestal bezorgd.

Het eiland

Jakir zat in zijn andere leven, op Second Life, op het virtuele eiland Herrijzenis, waar hij en zijn baarddragende vrienden met grote keppels en losgeknoopte mouwen een nederzetting hadden gesticht die verboden gebied was voor vreemden – Christenen, Ismaëlieten, Amalekieten, en wie het ook maar in zijn hoofd haalde te twijfelen aan de plaatselijke wetten die zeiden dat dit Heilige grond was, Joodse grond, alleen voor hen bestemd. King Meïr wist dat de regels van de Second Life site hem toestonden Herrijzenis af te sluiten voor vreemden.

Zijn vrienden hadden gisteren weer rondgelopen in islamitisch gebied op Second Life. 'We zijn naar een moskee geweest,' zei King Meïr, de advocaat uit Texas. 'Toen we er binnengingen, hebben we niet onze schoenen uitgedaan. We hebben van die sluiers gepakt die ze daar gratis aan de vrouwen uitdelen en die omgedaan, ha!!!'

Jakir glimlachte en tikte: 'Vet!'

'Jammer dat je daar geen bommetje kunt laten afgaan,' schreef King Meïr. Zijn ogen, baard en haren waren zwart, zijn keppeltje geel, net als zijn shirt met het vuistlogo van Kach.

'Misschien valt er wat te programmeren,' tikte Jakir.

'Kun jij dat?' vroeg King Meïr. En Jakir legde uit dat het weliswaar onmogelijk was dingen of bezittingen van een andere gebruiker aan te raken zonder diens toestemming, maar dat je wel iets van jezelf kon maken om hem daarmee te treffen. Bijvoorbeeld een kopie maken van een moskee en die dan opblazen. Of een Palestijnse vlag en die verbranden. 'Awesome!' King Meïr werd enthousiast: 'Dat is een stuk beter dan met uzi's rondlopen zonder er iets mee te doen, dat heeft meer weg van een vinger uitsteken en piefpafpoef zeggen... Maar is er geen controle of beperking op zulke dingen?'

Jakir zocht en liet hem de publieksreglementen van Second Life zien: 'Het is verboden taal of afbeeldingen te gebruiken die beledigend of vernederend zijn met betrekking tot ras, herkomst, geslacht, geloof of seksuele voorkeur van een andere bewoner... Fysieke aanvallen zijn verboden op Second Life.' King Meïr gesticuleerde. 'Wat is dat voor onzin, het moet toch net het echte leven zijn? En wat als mijn gevoelens gekwetst worden door die moskee?'

Op dat moment ging de deur van de caravan open en hoorde Jakir zijn vader met zijn luide stem aan de telefoon. Hij switchte gauw naar de webpagina met bestellingen voor de boerderij. Otniël kwam achter Jakir staan, gaf hem een vriendschappelijke tik tegen de achterkant van zijn hoofd, bedekt door een bos haar waarin het groene keppeltje

bijna verdween, ging naast hem zitten, legde de telefoon op de arm-
leuning van de fauteuil en wreef in zijn ogen. 'Sorry, er was wat op-
onthoud, hoor je me, Asís?' klonk een stem uit het apparaat.

'Ik hoor je, Dov, ik hoor je,' zei Otniël, zijn hoofd achterovergeleund
en zijn ogen naar het plafond gericht. Jakir deed alsof hij verdiept was
in zijn computer.

'De minister van Onderwijs heeft me bijgepraat over de kabinetszit-
ting van vanochtend. Daar is die reportage in *The Washington Post* ook
aan bod gekomen. Het ministerie van Buitenlandse Zaken en vooral
de ambassade in Washington zullen de reactie van het Witte Huis op
de reportage volgen, en ze staan uiteraard paraat met de sterkste ont-
kenningen en dreigen met een rechtszaak tegen de krant voor het
suggereren van mogelijke wetsovertredingen en klaarblijkelijk over-
heidsfalen waarvan sprake was, of is, in het geval van Maälè Chermesj
C of welke andere nederzetting in Israël met betrekking tot de groene
lijn of overschrijding daarvan.'

'Mooi,' grijnsde Otniël terwijl hij met zijn vingers in zijn ogen wreef.

'Daarom,' ging de raadsvoorzitter verder, 'is besloten dat de minister van Veiligheid een dezer dagen naar Washington vliegt, ogenschijn-
lijk om deel te nemen aan een *fundraising and support event* van de
Joodse lobby, maar ondertussen om van dichtbij rond te snuffelen en
een spontaan bezoekje af te leggen aan de minister van Buitenlandse
Zaken, de minister van Defensie en zelfs de president zelf, als zich
daartoe een gelegenheid voordoet...' Op dat moment liet de telefoon
verstikkende geluiden horen en begaf het. Otniël keek verbijsterd naar
het roerloze apparaat. Jakir pakte het op; hij snapte wat er aan de hand
was. Hij liep naar de keuken, trok het snoer van de oplader achter de
koelkast langs, sloot de Nokia aan en legde hem op de koelkast. Zijn
vader liep snel naar het toilet, rolde deodorant onder beide oksels en
probeerde met zijn vingers zijn woeste baard te fatsoeneren. 'Jakiri,
schrijf op in de agenda dat morgen Herzl Weizmann komt, de aannemer, en dat ik Motke van het ministerie van Huisvesting bel over
een subsidie voor zijn werk.' Met rode ogen keek Otniël naar Jakir die
op de computer zat te typen, verzuchtte: 'Oké, zoon?' en liep toen de
caravan uit. Voorzichtig keek Jakir door het raam en zag hoe zijn vader
in de stoffige Renault Express stapte waarvan maar weinig mensen in

Maälè Chermesj C zich konden herinneren wat zijn oorspronkelijke kleur was; Otniël had hem al jaren niet gewassen uit overwegingen van waterbesparing.

Hij ging onmiddellijk terug naar Second Life en ontmoette er buiten de Vuur der Herrijzenis-synagoge het kleine groepje met de baarden en keppeltjes. 'Ah, Jakir, je bent weer terug,' zei King Meïr, met om zijn schouder de uzi die hij voor een paar centen in de wapenshop in de winkelzone van Second Life had gekocht. 'We waren net aan het overleggen waar we dit keer op bezoek zullen gaan, na het succes gisteren in de moskee.' Jakir hielp hem om een Arabische club te zoeken. Er was Club Sjeherazade, een nachtclub met buikdanseressen, en de Oriënt Bazaar, waar djellaba's en kaffiya's verkocht werden, en ook de Taste of Arabia, een Arabische stad met palmen, moskeeën en paarden. Het probleem was dat daar niet veel mensen rondliepen. Uiteindelijk besloot King Meïr tot de grote moskee in Taste of Arabia. Ze zouden daar binnengaan en gaan 'spammen': de moskee bedekken met davidsterren.

'Als je geen fysiek geweld kunt gebruiken, is spammen prima. Wij zijn slimmer dan zij, laten we daar gebruik van maken,' zei King Meïr en hij gaf de coördinaten van de stad. Jakir tikte de gegevens in en verscheen met zijn kameraden in de moskee. Ze werden verwelkomd door een vrouw die er niet Arabisch uitzag. Ze begroette ze met: 'Salaam aleikoem!' En zij reageerden met een vloed davidsterren: in Photoshop had Jakir een davidster gemaakt die grafisch paste bij Second Life, hem blauw gekleurd en een programmaatje gevonden dat hem eenvoudig vermenigvuldigde. Hij legde de davidster ter grootte van een muizenkeutel op de vloer van de moskee en daarna vermenigvuldigde die zich duizenden malen: de moskee vulde zich met zwevende blauwe davidsterren.

'Kom, dan doen we datzelfde bij de Oriënt Bazaar!' riep King Meïr enthousiast en hij gaf nieuwe coördinaten. Twee minuten later was ook de Bazaar gevuld met davidsterren. Het groepje baardmannen met uzi's vierde feest. Niet alleen hadden ze die afzichtelijke oorden gevuld met wat Joodse schoonheid, ze hadden ook recht gedaan aan de computers van hun eigenaars en aan ieder die die plekken bezocht. 'Je bent de beste, Jakir,' jubelde King Meïr toen ze terugkeerden op Herrijzenis, 'en je weet wat het volgende stadium is!'

Jakir lachte. Hij zou proberen te werken aan de kopie van de moskee zodat die opgeblazen kon worden, en aan de Palestijnse vlaggen die verbrand moesten worden. Misschien had hij vandaag tijd. Hij hoorde zijn vader parkeren, een minuutje later de deur opengaan en het geklos van zware werkschoenen op de vloer.

'Wat zit je daar te doen, zoon?' vroeg Otniël.

'Niks,' antwoordde de zoon.

'Hoezo, niks, ik hoorde je lachen… jalla, kom je bidden?'

'Goed,' zei Jakir en hij klikte op het kruisje in de hoek van het scherm.

De campagne

Een half uur voordat de wekker ging, stond Ariël op. Even was zijn brein mistig, tot hij helder werd, het zich herinnerde en er een lichte huivering door hem heen trok, een angstspasme dat algauw overging. Hij stond op, voerde snel zijn ochtendtaken uit, wekte zijn vrouw en zoontje en maakte ontbijt voor hen klaar.

'Wat is er aan de hand?' vroeg zijn vrouw en hij antwoordde: 'Niks, ik ben gewoon vroeg wakker geworden.' Maar ze kende hem langer dan vandaag. 'Moet je erheen?' vroeg ze en hij antwoordde meteen: 'Oi, begin nou niet. Ja, ik moet ernaartoe. Is dat een probleem? Ik heb je al duizend keer uitgelegd dat het een veilige weg is, dat het leger er rijdt, dat…'

'Dat er al twee jaar niemand vermoord is, ik weet het, statistisch gezien is de kans veel groter dat je omkomt bij een auto-ongeluk ergens in het midden van het land.'

'Papa, kijk,' zei het kind, 'kijk, papa.' Hij wees naar zijn bord, maar het was duidelijk dat hij niet echt ergens naar wees, hij probeerde alleen maar de ruzie tussen zijn ouders op te laten houden, en niet zozeer om vrede te stichten als wel uit de behoefte aan aandacht.

'Ik zie het,' zei Ariël. 'Mooi hoor, een pruim!'

'Puim!' antwoordde zijn zoon.

In de auto vroeg hij zich af: moet ik ernaartoe? Waarom heb ik een vrije dag opgenomen? Hij zocht Razi Barkai op op de radio; kolonisatie, de president van de Verenigde Staten, de premier. Niet interessant. Hij zocht het muziekstation 88FM op, de airco braakte koude lucht uit en de zon kwam nog op toen hij in oostelijke richting reed.

Op weg 443 begon zijn ontspannenheid te vervliegen. Ronni had gelijk, de tweede keer was een klein beetje minder beangstigend, maar op de 443 kreeg je echt het gevoel dat je een trap beklom. Niet zozeer vanwege de historie van de weg, als wel door de veranderingen: op het dashboard daalde de buitentemperatuur, het landschap veranderde, de heuvels werden zichtbaar, Palestijnse dorpen en dorpsbewoners doken op langs de weg. De wegversperring die hij gepasseerd was, de afscheidingsmuur aan weerskanten van de weg, terwijl hij geen flauw benul had of hij aan de andere kant van de muur reed, of erin, in een smalle corridor? Ook de lucht was anders, en voorbij Jeruzalem was het net alsof je uit een vacuüm in het gelige lichtbruin van de woestijn terechtkwam, met nog meer dorpen en moskeeën, gele taxi's en Palestijnse vrachtauto's – de groen-witte nummerborden deden zijn bloeddruk stijgen, gele lieten het weer wat dalen – en ineens ging de radio vanzelf over van 88FM naar Arabische muziek. Zijn handen klemden zich om het stuur, zijn adem stokte, zijn blik schoot over de heuveltoppen, de weg, de auto's. 'Die Palestijnen rijden als gekken,' fluisterde hij tegen zichzelf en stelde zich voor hoe een van de vrachtauto's hem meedogenloos zou raken, niet met moordlustige bedoelingen, maar door wild en onverantwoordelijk rijgedrag. Zijn telefoon ging over, maar hij durfde geen gesprek te voeren, bleef het stuur omklemmen, geconcentreerd, de afdalingen werden kronkeliger, de hellingen steiler, geen zorgen, iedere dag rijden honderden Israëliërs over deze weg en er is al jaren niemand omgekomen, en er worden nauwelijks meer stenen gegooid. Maar toch. Hij had geen veiligheidsglas, zoals de kolonisten. Zouden de Palestijnen dat kunnen weten? Hij zweette ondanks de airco, snapte niet waarvoor hij gekomen was, een zakelijk idee dat naar de filistijnen ging, net als al zijn andere zakelijke ideeën. Waarom kon hij niet tevreden zijn met het niet eens zo weinige dat hij had: accountant op een middelgroot kantoor in het centrum, getrouwd plus één. Maar misschien moest je een keer echt risico nemen om te kunnen slagen, iets doen wat niet iedereen zou doen.

De wachttorens van het leger werkten geruststellend, de daken met rode pannen kalmeerden hem, hoewel hij nooit zou hebben geloofd dat hij het zo zou ervaren. Daar was de afslag naar de nederzettingen al en buiten de gele poort die probleemloos openging voor zijn Toyota met gele nummerborden, zag hij de Palestijnse auto's en de Palestijnen zelf en hij voelde zich veilig, ook al was het niet prettig om te bekennen – hij had geen enkel probleem met de Arabieren, ze verdienden beter, hij was geen voorstander van de kolonisatie door die gekken – maar hij voelde zich een stuk rustiger en veiliger als ze binnen de grenzen van hun eigen gebied bleven.

'Hoe gaat het, broeder? Je ziet wat groenig,' zei Ronni tegen hem.

'Geef me een glas water,' antwoordde Ariël en hij liep de caravan in.

'Afijn,' zei Ariël nadat hij wat bijgekomen was. 'Goed nieuws. Drie olijfolieboetiekjes in Tel Aviv die ik heb laten proeven, willen een serieuze bestelling doen. Ze zeggen allemaal dat dit is wat momenteel goed loopt, een stevige, pittige, gekruide smaak met de geur van echte olijven. Niet zoals Italiaanse of Spaanse olie, die gelig, helder en lichter is.'

'Natuurlijk, dit is het echte product,' beaamde Ronni de woordenvloed. 'Het is niet alleen beter dan die bleke Asjkenazische, overbewerkte olie uit Europa. Dit is de beste olie in het land, de puurste, de smakelijkste. Beter dan die uit Galilea, beter dan die uit Sjomron. Dit zijn olijven die vlak bij de woestijn groeien, dit is *bab azzqaq*, het gebied met de hoogst geprezen olie! En die kost ons negen sjekel per kilo in plaats van de zestien sjekel waarvoor de goedkoopste Israëlische olijfolie gaat.'

'Je kunt hem ook voor vijftien krijgen,' verbeterde Ariël hem, maar Ronni nam niet eens de moeite erop te reageren.

Ze zaten in het tuintje van Gabi's caravan, dat uitkeek op de lagergelegen olijfgaarden van Charmisj.

'Wat houdt een serieuze bestelling in?' vroeg Ronni na enig peinzen. 'Een kuub of meer?'

'Een kuub of meer...' knikte Ronni, en hij blies rook door zijn neusgaten naar buiten. 'Keer drie, zeg je. Ik hoop dat Moessa dergelijke hoeveelheden aankan. We zijn tenslotte ambachtelijk, geen massaproducent.'

'Dat moet. Voor minder heeft het niet eens zin een voet buiten mijn airco te zetten. Maar ik maak me geen zorgen, sinds we een super-elektromotor voor hem hebben gekocht ter vervanging van zijn ezel met hartfalen. En weet je, boetiek of niet, ik heb de droom van een goed uitgeruste perserij die veel produceert nog niet opgegeven. Als we het merk eenmaal in de markt gezet hebben, kunnen we investeren in een Italiaanse productielijn en dan zitten we binnen vijf jaar helemaal goed.'

Ronni lachte bij zichzelf, want op het puntje van zijn tong lag een 'zo God het wil' dat hij op het allerlaatste moment binnenhield. Hij wuifde naar Otniël en Jakir die op de ringweg liepen, op weg naar de synagoge.

'Let op.' Ariël zocht met zijn blik naar zijn zwarte tas, stak zijn hand ernaar uit, kon er net niet bij, vloekte, stond op om hem te pakken, ondertussen voelend of hij zijn portefeuille, sleutels en mobiel nog in zijn zakken had. Uit de tas haalde hij bedrukte vellen, keek ernaar en overhandigde ze zonder een woord te zeggen aan Ronni. Die pakte ze aan, nam nog een laatste trekje voordat hij de sigaret in de asbak uit-drukte. Hij bekeek de vellen en langzaam maar zeker verscheen er een grote glimlach op zijn gezicht. Hij knikte met grote bewegingen.

'De eerste ontwerpen voor de campagne,' zei Ariël tevreden. 'Ik wil ook een schets met krantenkoppen. De mensen zullen steil achterover-slaan.'

'Of ik sla steil achterover. Wat zullen de mensen die me kennen wel niet denken als ze me zo in een advertentie zien?'

'Die zullen dat niet zo gauw zien. Het gaat niet naar de landelijke dagbladen of zo. Je weet wel, plaatselijke advertenties, posters in win-kels, dat soort werk.'

'Als ze het zien, kunnen ze hoogstens zeggen dat het gaat om een "Israëliër wiens relatie met de nederzetting niet duidelijk is".'

'Wat?'

'Zomaar,' zei Ronni, 'uit de reportage in *The Washington Post*. Zo werd ik door die klojo beschreven. Ik was er juist wel blij mee dat ze geen flauw idee hadden wie ik was of waarom ik ineens in de graafbak van een bulldozer sprong.'

'Ik heb wat over die reportage gehoord. Daarom is de minister van Veiligheid naar Amerika gereisd, toch? Misschien kunnen we die ook voor onze eigen doeleinden benutten. Misschien voor de export.' Ariël noteerde iets in een klein opschrijfboekje.

'Waarom ook niet. Benut maar raak.' Ronni bladerde nogmaals door de vellen en keek tevreden naar de foto van zichzelf en Moessa in de graafbak van de bulldozer. 'Hé,' hij bladerde terug door de foto's, 'mist hier niet wat?'

'Ja, die fromme,' beaamde Ariël, 'die hebben we eruit gefotoshopt. Ik heb erover getwijfeld, maar die kolonisten schrikken af.'

Ronni knikte. 'Samen tegen de bulldozers,' las hij de slogan onder de foto.

'Het is maar een ontwerp. Er zijn allerlei slogans mogelijk. Je hebt geen idee wat voor brochures er voor me in de maak zijn: Bijbelcitaten, symbolen, Arabische verzen, traditie, verbondenheid met de grond, gebruiken met olijfolie. Je weet niet wat je ziet.'

'Mooi, mooi. Moet je er ook nog die olijfboom van de Golani-brigade in stoppen – Ronni, de voormalige Golani, die van een arme soldaat met een olijfboom op zijn epaulet is veranderd in een olijf-producent die samenwerkt met een Palestijn. Je snapt het wel, toch?'

Ariël glimlachte beleefd terwijl zijn zwijgen vertelde: Ronni, laat de marketing maar aan mij over. Hij zei: 'Jalla, kerel, vraag jij aan Moes-sa wanneer hij die olie kan produceren?'

'Ik vraag het al,' antwoordde Ronni, een hand boven zijn ogen terwijl hij het nummer van de Palestijn intoetste. 'Ik ben al bezig.'

Zomerkamp

Ineens was het volop zomer. Het werd Tammoez, de grote vakantie begon en op sommige dagen organiseerde Nechama Jisraëli activitei-ten voor alle leeftijden (een dagje zwembad, een dagje wandelen, een dagje werken in Otniëls stal, een dagje bouwen) en gaf daarbij de grote kinderen verantwoordelijke taken. 'Zomerkamp' noemde ze het.

Op een van die dagen gingen de kinderen wandelen naar de rivier de Chermesj. Nechama arriveerde om acht uur bij de crèche met haar gigantische kogelronde buik, Boaz aan de ene en Sjnioer aan de an-dere hand. Elazar Freud bracht eerst zijn zoontje Nefesj en schoot vervolgens de mannen te hulp bij het ochtendgebed. Amalja Rivlin duwde de kinderwagen met haar broertje Zvoeli erin, naast haar liep haar zusje Tchelet en een stukje daarachter kwam hun moeder Sjaoelit die in haar mobiel kwekte, lachte en grote gebaren maakte terwijl ze zei: ''t Is van de gekke.'

Verder kwamen nog Simi en Tili Gottlieb en alle kinderen Asís op Jakir na; Gitít die gedurende de zomer als plaatsvervangend kinderleidster fungeerde, Dvora, Chananja, Emoena en Sjoev'el en zelfs Beilin de hond. Op verzoek van Nechama had ook Jehoe zich aangesloten, met zijn paard Killer onder zijn achterwerk en een Jericho 941-pistool in zijn holster. Toen het vrolijke groepje door de toegangspoort vertrok, vroeg soldaat Joni tot ieders verbazing aan Nechama: 'Mag ik mee?'

'Natuurlijk,' zei ze, 'maar moet je niet hier bij de poort blijven?'

'Er zijn nog andere soldaten,' zei Joni en hij wees naar het wachthuisje, 'en het is een rustige dag.'

'God lof,' zei Nechama. De angst dat ze een Arabier tegen het lijf liepen, was altijd aanwezig; een extra soldaat was niet verkeerd voor het gevoel van veiligheid.

De groep liep langzaam, hoeden op het hoofd, waterflessen en boterhammen in kleurrijke rugzakken: de grote kinderen liepen zelfverzekerd voorop; de kleintjes en de zwangere kleuterleidster schommelden als pinguïns; Gitít duwde de bolderkar met de allerkleinsten, die als verwennerij om beurten beschermd door Jehoes sterke armen op Killers rug mochten zitten. Ze daalden met zijn allen de zandweg af tot aan het diepste punt van de wadi tussen de heuvels van Maälè Chermesj C en Maälè Chermesj B, vanaf waar het pad afboog naar de Chermesj. Een gier zweefde boven hen, een van de twee die bijna elke dag vanaf de heuveltop te zien waren. Nechama wees ernaar en vroeg: 'Wat is dat?' en de kinderen schreeuwden enthousiast het antwoord.

Een kwartier later, bij de toegang tot de grot, op een verdroogd grasveldje naast een bescheiden bordje van het Joods Nationaal Fonds waarop stond: 'Bosje van Jennifer Schulman-Zimmermann', pauzeerden ze om boterhammen te eten en wat te drinken. Ze wasten hun handen, spraken de zegen erover uit, droogden ze af, spraken de zegen 'die brood uit de aarde laat voortkomen' en namen een hap. Nechama wees naar de planten: woestijnalsem, Noaea mucronata, prikkende ossentong, salvia, brandkruid – en: 'Kijk die dikke rouwtapuit toch eens, die daar in de schaduw uitrust.' De kinderen wierpen vermoeide blikken op het vogeltje. Tili Gottlieb en Emoena Asís, die allebei een ondertand misten, de een in een wit jurkje en de ander in een geel jurkje dat ze had geërfd van haar zus, hielden elkaars hand vast en zongen: 'Hoor! Mijn lief! Kijk! Hij komt, springend over de bergen, dansend over de heuvels.' Joni applaudisseerde zo lang dat ze verlegen giechelend van voren af aan begonnen.

Nechama plantte haar zware lijf op een rots; haar spijkerrok omhulde haar gezwollen enkels, onder haar zwarte hoofddoek parelde het zweet. 'Voorwaarts, kinderen,' zei ze. 'Straks gaan we een stukje de grot in om wat af te koelen en dan keren we om en gaan we terug.' De kinderen stonden op. 'Ik zeg het nog eens: in de grot handen vasthouden en oppassen dat je niet uitglijdt. Joni, jij loopt achteraan. Jehoe, zet je paard vast en loop met ons mee naar binnen.'

De mond van de grot kwam in zicht na een korte afdaling in de kloof, waarvan de wanden aan beide zijden steil oprezen – witte krijtrotsen met zandkleurige brokken waar doornige pimpernel en wilde tijm groeide. Een stil paar steenbokken leek verderop wel over de helling te zweven, het geritsel van vleermuizen klonk uit spleten, de patrijzen fladderden in dezelfde kleur als de grond en een verschrikte slangenooghagedis zigzagde weg bij het horen van hun voetstappen. Ze kwamen bij de ingang van de grot, een van de grote grotten in de berghelling, ooit als schuilplaats gebruikt door Makkabeeën en Romeinen, monniken en rovers, herders, verkenningstroepen en kruisvaarders; en ook door vossen, stekelvarkens, luipaarden, slangen – door elk levend wezen dat ooit voet in deze woestijn had gezet.

Op het plateau voor de rand van de grot vroeg Nechama iedereen te stoppen en naar buiten, de vallei in te kijken. Ze citeerde een stuk uit Amos, waarin het landschap wordt beschreven – 'dan zullen de bergen druipen van jonge wijn en al de heuvelen daarvan overvloeien' – en waarschuwde: 'Nu gaan we naar binnen. Ik zeg het nogmaals: iedereen houdt elkaars handen vast en is heel voorzichtig, want de vloer van de grot kan glad zijn...'

'Mama, ik moet plassen,' klonk Sjnioers stemmetje.

'Sssst… Sjnioer, ik ben aan het praten. Ga naar Joni en vindt maar een plekje.'

Ze vertelde de kinderen over de geschiedenis van de grot en hoe groot die was en daarna gingen ze naar binnen, met aarzelende, bange passen de schemering in, onder het lage, bemoste plafond.

'Mamimami,' zei Chananja Asís en hij greep Jehoes hand steviger vast. Jehoe streelde de nek van het jongetje geruststellend.

'Let op,' ging Nechama verder met haar juffenstem, 'de grot heeft drieëntwintig kamers, met veel afsplitsingen en vertakkingen, dus het is heel belangrijk langzaam te lopen en de hand van degene naast je niet los te laten.' Chananja rilde. Het licht van buiten werd steeds zwakker, geblokkeerd door de kleine lichaampjes. Binnen was het koeler en aangenaam.

Chananja jammerde: 'Ik wil terug naar buiten, terug naar buiten.'

'Stil, Chananja, het is al goed, strakjes gaan we terug,' zei zijn zus Dvora. In weerwil van de duidelijke instructies van de leidster liet ze zijn bezwete handjes los en ging een van de zijkamers in, onvervaard op de tast haar weg zoekend.

'Dvora, Dvora!' klonk de krijsende stem van haar broertje Chananja en Nechama herhaalde: 'Dvora? Waar ben je? Dvora?'

Er kwam geen enkele reactie. Ergens klonk een huiltje, en daar voegde zich een tweede en derde bij. Nechama verhief haar stem in het donker: 'Kinderen, niet bang zijn, gewoon handen blijven vasthouden.' Maar die handjes waren bezweet, klein en glad, net als de vloer. 'Volwassenen, iedereen bij de hand pakken en terug naar de uitgang!' instrueerde Nechama, bang de controle te verliezen, terwijl haar hart inmiddels snel klopte. 'Dvora? Ben je hier? Dvora!?' Ze voelde dat dit de opening was, de bron van de verleiding, voelde de stilte die geen antwoord gaf. 'Dvora?' Het gesnik van de kleintjes nam af; strelend en troostend namen Joni, Jehoe en Gitít iedereen mee terug naar de ingang van de grot.

Dvora stond verstijfd in een van de binnenkamers. Nechama hoorde gefluister, kwam de ruimte binnen en legde een hand op haar tengere schouder terwijl ze langs haar heen keek.

'Ik weet niet, iets trok mij hiernaartoe,' fluisterde Jakirs tweelingzus.

'Hoorde je wat?'

'Nee, ik heb niks gehoord. In ieder geval niets met mijn oren.'

Ze stonden te kijken, niet helemaal zeker naar wat, maar ervan overtuigd dat het iets buitengewoons was, het was moeilijk te zien in het duister, een hoopje in de hoek van de ruimte. Was hier onlangs iemand geweest en had die iets vergeten, wat was het? Dvora liep ernaartoe en strekte haar hand uit om het aan te raken: het rammelde... Munten? Dvora draaide haar hoofd en keek Nechama verbaasd aan, om daarna, een paar seconden later, haar oren te spitsen omdat er een nieuw geluid in de ruimte klonk, wat was dat? Water? Ook Nechama luisterde aandachtig, de beide vrouwen stonden naast elkaar met hun hoofd in tegengestelde richting gekeerd. Kan het zijn dat er water stroomde in de grot? Dat was toch nooit zo geweest... Het water klonk heel dichtbij en Dvora vroeg: 'Nechama? Hoor je dat?' 'Ja,' zei Nechama, en pas op dat moment drong het tot haar door: zij was het zelf, het was haar water, het vruchtwater van haar derde dochter dat midden in een grot tussen haar benen door sijpelde. Ze zei tegen Dvora: 'Ga. Langzaam. Voorzichtig. Naar de ingang. Van de grot. En zeg tegen. Gitít. En Joni. Dat ze moeten komen. Om mij te halen. En Jehoe. Moet. Naar de voorpost. Rijden. En. Chilik roepen. Dat hij. Vlug. Met de auto. Moet komen. Nu.' En daarna ging ze hijgend zitten en ging Dvora op weg.

Nechama bleef achter met haar hoogzwangere buik tussen haar strelende handen, leunde met haar wang tegen de koele muur van de grot en bewoog haar lippen in een gebed tot God; Dvora het meisje liep op haar tenen naar de ingang van de grot en riep. Jehoe galoppeerde op Killer, zijn manen en de woeste slaaplokken onder de grote keppel van de jongen wapperend in de wind; ze kwamen op het terrein en de zandweg naar de nederzetting, Killer hinnikte, de ijzeren poort ging open en paard en berijder schoten naar de vijfde caravan van rechts aan de ringweg.

Ondertussen waren Joni en Gitít de enige volwassenen in het veld. Ondanks de grote hitte droegen ze beiden lange, dikke kleding; hij het groene werktenue en zij een witte blocs met een donkere rok, tot tien centimeter onder de knie. Ze wierpen elkaar betekenisvolle blikken toe, slikten een glimlach in en Joni zei: 'Ga jij de grot in, zie dat je

Nechama vindt en help haar naar buiten, want ze heeft lucht nodig, en dan brengen we haar naar de weg.' Tegen de kinderen zei hij: 'Meisjes en jongetjes, ga zitten en drink water uit de flessen, eet het fruit en de boterhammen en snoepjes op die je in je tas hebt en laat mij proberen om contact te maken...' Hij keek op zijn mobiel, liep met zijn vinger langs de rij contacten, vond Chilik snel en drukte op de groene knop, hoewel er in de kloof geen ontvangst was. Hij bracht het apparaat naar zijn gezicht en zag door zijn Ray-Ban dat de signaalsterkte helemaal geen streepjes had. 'Kom,' zei hij tegen de kinderen, 'in de benen, dan gaan we naar het hogere veld met die hagedis, de ossentong en hoe za'atar vroeger ook maar heette.' Sjnioer barstte in huilen uit en zei: 'Waar is mama?' En Joni antwoordde: 'Mama komt straks, Gitít helpt haar.' De brave, stille, gehoorzame kinderen liepen naar boven en zelfs Sjnioer hield op met huilen, zij het dat hij van tijd tot tijd achteromkeek en naar zijn moeder vroeg. Joni vroeg aan Sjnioer: 'Wat is papa's telefoonnummer?' want hij wilde controleren of hij het juiste nummer had, maar Sjnioer antwoordde: 'Weet ik niet.' Zijn grote broer Boaz mengde zich erin en noemde het nummer, dat Joni intoetste waarna hij weer op de groene knop drukte. Ditmaal bereikte het mobiele signaal Chilik wel en Joni was juist aan het rapporteren toen Chilik buiten het raam Killers hoefslag hoorde. Terwijl Chilik bleek om de neus werd en zijn snor bijna verdween, sprong hij in de auto.

Chilik stopte op de plek waar het pad naar de grot zich afsplitste. Hij liet de motor draaien en rende naar zijn vrouw, die op Gitíts tengere schouders leunde. Samen sleepten ze haar naar de bovenkant van de steile vallei, langs het veldje waar de kinderen zaten te kijken en Boaz Jisraëli vroeg: 'Papa, wat is er met mama? Is mama dood? Is ze vermoord door terroristen?'

Chilik antwoordde: 'Nee, Boaz, God verhoede het. Alles is God zij dank in orde met mama, maar papa gaat haar nu naar het ziekenhuis brengen en zo God het wil, komen we terug met een klein zusje, zoals we beloofd hebben, toch, Boazi?' Boaz knikte en keek naar de drie volwassenen die langzaam hun weg zochten. Nechama probeerde naar haar zoon en de andere kinderen te glimlachen en iets te zeggen ter afscheid, ter kalmering, maar ineens, halverwege het veldje, werd ze overvallen door een wee die haar een verstikt gejammer ontlokte, dat overging in gesteun. Chilik keek naar de geschrokken kinderen en zei: 'Maak je geen zorgen kinderen, alles is in orde, alles... Joni! Kun jij...' Nechama beet op de kraag van haar bloes terwijl Gitít water uit een fles over haar handen schonk en met natte vingers Nechama's bezwete voorhoofd streelde.

Pas die avond, nadat de kinderen naar hun huizen waren gegaan en Gitít en Joni op de drempel van het hare stonden, kruisten hun blikken elkaar weer, gevolgd door een slap 'tot ziens', aangezien Gitít zich omdraaide om een oogje te houden op haar broertjes en zusjes; nadat Jehoe op Killer zijn ronde had gemaakt op de ringweg en zich had vergewist dat elk onder zijn eigen wijnstok en vijgenboom zat, geprezen zij Zijn heerlijkheid, en nadat de zon in de valleien in het westen was ondergegaan; nadat Chilik een opgewonden telefoontje had gepleegd om te vertellen over de bliksemsnelle geboorte van zijn prachtige en God zij dank gezonde dochter, geboren minder dan een uur nadat Nechama op het ziekenhuisbed plaats had genomen, na een paar golven van weeën tijdens de krankzinnige rit naar Jeruzalem en een heel aantal gereciteerde psalmen onderweg en aan haar bed; na het avondeten, het avondgebed en het Sjma; na de sigaret-van-na-het-eten van Ronni Cooper, waarvan de rook door de kieren van Gabi's raam naar binnen kwam; na de opgewonden verhalen van de kinderen die de dramatische momenten in de grot opnieuw beleefden – toen pas herinnerde Dvora Asís zich het vreemde hoopje dat zij en Nechama hadden ontdekt in de hoek van de grot. Ze vertelde haar moeder, vader, broertjes en zusjes erover, waarna Otniël haar een priemende blik toewierp en vroeg: 'Munten, zei je?' Dvora, die groene ogen had, knikte en Otniël zei: 'Ik wil daar wel even naartoe om er een blik op te werpen. En misschien roep ik Dovid erbij, hij heeft verstand van munten,' waarna hij een stukje spiegelei naar zijn mond bracht.

De vergadering

De minister van Veiligheid keerde terug uit Washington. Het was hem gelukt een korte ontmoeting te hebben in de diplomatieke ontvangstruimte en hij had getracht de schade van McKinleys reportage in de *Post* te beperken. 'McKinley overdrijft,' had de minister betoogd. 'Het gaat om een kleine betekenisloze voorpost van een paar gezinnen, je kunt onmogelijk beweren dat de Amerikaanse burger of het ministerie van Financiën daar iets uit eigen zak voor hebben betaald, om de simpele reden dat niemand daar iets uitgegeven heeft. Behalve Mamelstein, en dat is een particulier. En wat heeft hij daar nu helemaal gedoneerd? Een speeltuintje.'

'Maar hoe zit dat met de elektriciteit, het water, de bescherming door het leger?' had de president gevraagd, die tot groot verdriet van de minister van tevoren uitstekend gebriefd was. 'Hoe zit dat met de weg die ze aangelegd hebben? Dat is door Openbare Werken gedaan – Amerikaanse satellietbeelden bewijzen dat – niet met een particuliere donatie.'

'Ja,' had de minister gezegd, 'dat ligt gecompliceerd. Aangezien we onze burgers moeten beschermen tegen Arabische agressie, ook als zij zich daar tijdelijk gevestigd hebben, en de jongelui die in de nederzettingen zijn opgegroeid, hebben geen andere plek...' Hij probeerde niet te stotteren, maar de president had hem onderbroken: 'Ik heb gelezen dat het vooral gaat om immigranten uit de VS, Rusland, Frankrijk, en dus niet alleen om kinderen die voortzetten wat ze kennen. Het is illegaal. En hoe zit het met dat verhaal dat jullie bakzeil hebben gehaald voor de mensen die protesteerden tegen de evacuatie, omdat ze op de trekker klommen? Ik begrijp het niet,' had de president gezegd, 'ik begrijp niet hoe de dingen bij jullie werken. Is er geen wet?'

De minister had naar een van de sokken van de president gekeken. 'Het was geen trekker, meneer de president,' had hij gezegd, 'het was een D9-bulldozer.' Later beweerde hij in gesprekken, waaruit niet geciteerd mocht worden maar die uitgebreid geparafraseerd werden, dat de president niet op de hoogte was geweest van details.

De minister had verwacht dat deze ontmoeting het moeilijkste onderdeel zou zijn en dat hij daarna wat ruimer adem zou kunnen halen, maar er wachtte hem een verrassing. Eenmaal terug in Israël kreeg zijn ministerie dagelijks telefoontjes te verstouwen van de Amerikaanse ambassadeur en soms ook van de minister van Buitenlandse Zaken, om te vragen hoe het ervoor stond. Hij besloot naar Maälè Chermesj C af te reizen om de Amerikanen te laten zien dat hij wel degelijk wat deed. Hij belegde een vergadering met de generaal-majoor van het hoofdkwartier – in de praktijk de premier van Jehoeda en Sjomron – en met het hoofd van de afdeling Verijdeling van Staatsondermijning van de Sjabak, de Veiligheidsdienst, ook wel bekend als de Joodse Brigade.

'Wat moeten we met die mensen, Giora?' De minister liet zijn droeve buldogachtige blik op de generaal-majoor rusten.

Die haalde zijn schouders op. 'Weet jij het, weet ik het. Wat jij beslist, voeren wij uit.'

De minister sloot zijn ogen en wiegde zijn hoofd van de ene naar de andere kant. 'Nee, Giora. Dat weet ik. Ik vraag je wat ik moet besluiten.' De generaal-majoor gaf geen antwoord. De minister ging verder: 'Wat is er gebeurd met die bulldozers? Waarom hebben jullie bakzeil gehaald tegenover een paar gestoorden? Hoe denk je dat de wereld tegen ons aankijkt? De president zegt tegen me: "Hebben jullie daar soms geen wetten?" Snap je wat voor debacle dat is?'

'Wat daar is voorgevallen, is dat de premier gebeld heeft en gezegd ermee op te houden. Dat weet je. Dat heeft niks met ons te maken. Wij zouden doorgegaan zijn met het bouwrijp maken. Door die drie clowns is er niks veranderd. Maar de minister van Onderwijs was erbij en die heeft de premier gebeld en kwam met honderden demonstranten aanzetten...'

'En wat zeg jij, Avram?' De minister van Veiligheid keek naar de man van de Veiligheidsdienst, alsof hij zich ineens zijn bestaan herinnerde. 'Kunnen we ze daar niet wegjagen, zodat de Amerikanen me niet meer op de nek zitten?'

'Uhmmmm...' De man van de Veiligheidsdienst plaatste de vingertoppen van zijn ene hand tegen de vingertoppen van zijn andere. 'Kijk...'

De deur ging open en een van de assistenten van de minister van Veiligheid zei: 'Meneer, het is de ambassadeur weer.'

'Niet nu. Zeg tegen hem dat we precies in een vergadering zitten ter voorbereiding van een tocht naar de voorpost. Zeg tegen hem dat hij zich bij ons kan voegen, we gaan volgende we... Weet je wat, zeg maar ni... Wacht. Goed, verbind maar door!'

De generaal-majoor van het hoofdkwartier, die tot dan toe was blijven staan, ging zitten en nam een slokje uit een glas soda. Op zijn verzoek overhandigde Avram van de Veiligheidsdienst hem het sportkatern van de *Jediot*. Hij bladerde erin, maar het was een zomer van een oneven jaar en er was niks interessants. Alleen maar tennis, zwemmen, wielrennen en atletiek.

'*Jès, Milton, jès. Wie ar nau prieperring toe go toe de plees nekst wiek. Doont worri jès aim sittink hier wit good piepel from de armie end de Sjabak. Dee no èkzèktli wot toe doe sir, jès.*' Hij knikte glimlachend. '*Líssen, if joe wont to djoin as nekst wiek, tolk wit mai assistènt. Of kors, jès. No, wie doont no jet...*' Hij richtte zijn blik op zijn twee gasten, die hem met opgetrokken wenkbrauwen toeknikten. '*Jès, jès, erlie nekst wiek. Meebie sandee.*' Hij knipoogde naar de generaal-majoor en viste twee bageltjes uit een schaal die voor hem stond. De generaal-majoor glimlachte. Hij wist precies wat een hekel de ambassadeur eraan had op zondag te werken.

'Dus wat zeg jij, Avram?' zei de minister aan het eind van het gesprek.

'Kijk. Onze informante op de voorpost...'

'Informante?'

'Ze zegt dat er een paar elementen zijn die zijn geneigd tot rellen. We hebben de laatste keer gezien dat ze het gebied tamelijk snel kunnen laten ontvlammen.'

'Ontvlammen?'

'Hou toch op, Avram,' zei de generaal-majoor. 'Dat heet niet ontvlammen...'

'Moment,' vervolgde het hoofd van de Joodse Brigade. 'Laat me uitspreken.'

'Laat hem uitspreken, Giora,' beaamde de minister.

'Kort en goed, het is een gevoelig punt. Ze zullen de strijd aangaan. Ik heb het er niet over dat het mensenlevens gaat kosten. Ik heb het ook niet over ondergrondse organisaties. Ik heb het over harde oppositie, het mobiliseren van gelijkgestemden, geweldpleging. Zonder twijfel. Chaos. En dan hebben we het nog niet over de premier en de helft van de ministers die op zijn hand zijn. Ik zou adviseren om op dit specifieke moment af te zien van evacuatie, als dat mogelijk is vanuit jullie oogpunt.'

'Heb je die reportage gelezen? Er is daar niets dat gaat volgens de wet, alle vergunningen, ik bedoel maar... Als we dáár al niet kunnen evacueren, waar dan wel...'

'Er zijn jongere nederzettingen. Provisorischer. Ik kan jullie een lijst geven. Ook in datzelfde gebied. Misschien is de premier daar tevreden mee. De mensen in Maälè Chermesj C zitten daar tenslotte al een paar jaar. Het is een nederzetting die in het begin een vergunning heeft gekregen als agrarisch bedrijf en sindsdien is uitgegroeid. Er zijn wel andere nederzettingen die zelfs die vergunning nooit hebben gekregen.'

'Goed, goed. Jalla. Organiseer jij ons bezoek daar, Giora. Zondagochtend. Vroeg. Pini, laat jij het de ambassadeur en de media weten, vooral de Amerikaanse. Giora, jij gaat natuurlijk mee. Avram, dank je wel.'

'Maar wat ga je daar dan zeggen?' vroeg Giora. 'Dat we ontruimen? Dat we ze met rust laten? We moeten wel hetzelfde zeggen.'

'Wij ook,' echode de man van de Veiligheidsdienst.

De minister van Veiligheid wierp ze een vermoeide blik toe. 'We zullen zien,' zei hij tegen hen en liep zijn kantoor uit richting het toilet.

De hitte

De hitte was zwaar. Tammoez was al voorbij en de Drie Weken waarin de vernietiging van Jeruzalem wordt betreurd, waren aangebroken; lange dagen zonder feesten die uitnodigden tot rampspoeden. Er werd limonade gemaakt van sappige citroenen met koud water en suiker. De kinderen speelden buiten zolang het licht was. De ventilatoren en airconditioners, voor wie die had, werkten op volle toeren en in de overige huizen werden ramen tegen elkaar opengezet voor de tocht – Gabi beweerde dat zijn huisje zo gebouwd was dat er geen noodzaak was voor elektrische koeling; de plaatsing van de ramen en deuren zorgde ervoor dat de luchtstroom over de klifrand de lucht in de kamers in beweging hield. Hij vergat erop te wijzen dat zijn huisje 's winters waarschijnlijk door de wind de Chermesj in geblazen kon worden.

Het was de vooravond van sjabbat Chazon, de sjabbat voor de 9e Av, de dag dat ons Heiligdom uit ongefundeerde haat werd verwoest.

In de huizen werden ijverig voorbereidingen getroffen voor sjabbat, er werd gekookt, er klonk gerinkel van telefoons, geknars van wielen op de zand- en grindpaden en de asfaltweg van de nederzetting, nieuw serviesgoed werd naar het mikwe gebracht om gedompeld te worden. Gabi kwam thuis met zware tassen van de kruidenier in Maälè Chermesj A, vol met lekkers voor de sjabbat, en zag Ronni met ontbloot bovenlijf voor de ventilator in de woonkamer zitten.

'Broertje,' riep Ronni uit de woonkamer, 'heb je Cola Light meegebracht?'

'Nee. Had je dat gevraagd?' zei Gabi.

'Moet ik daarom vragen?'

De tassen ritselden terwijl Gabi de etenswaren verdeelde over de kasten en de koelkast. Zijn blik zwierf naar de gootsteen vol vuile vaat. Sinds hij een half jaar geleden gearriveerd was, had Ronni zelfs nog geen vork afgewassen. Gabi liep de keuken uit en stond in de deuropening naar de woonkamer met zijn hand op de bovenkant van de deurpost. 'Wat doe je?' vroeg hij.

Ronni zag er niet goed uit. Hij hing met slappe ledematen in de fauteuil tegenover de ventilator. Zijn blik was op het raam gericht, uitgeblust, verdrietig of gewoon verveeld. Urenlang zat hij in de caravan en het leek alsof het hoogtepunt van zijn dag bestond uit gesprekjes met Gabi, die meestal uitmondden in preken, en discussies waarin Gabi zich genoodzaakt voelde zich te verdedigen. Hij hield daar niet van, maar telkens werd hij meegetrokken in het gesprek en moest hij zichzelf rechtvaardigen. Misschien voelde hij zich verplicht om Ronni te helpen zich van zijn frustraties te ontdoen. Wellicht had hij ook zelf behoefte aan deze onenigheid, want hij was boos.

'Wat ik aan het doen ben?' antwoordde Ronni. 'Geen idee.'

Gabi glimlachte naar hem. 'Hou op, broer, het is de vooravond van sjabbat. Het is een grote mitswa om altijd blij te zijn.'

'Ja, dat heb ik vernomen. Als je het maar vaak genoeg herhaalt, raak je uiteindelijk overtuigd.' Ronni zakte verder weg in de fauteuil.

Gabi draaide zich om om weg te gaan. Ronni sloot zijn ogen. 'Niet weggaan, wacht even.' Hij zuchtte en blies lucht uit. 'Wie wil nou niet altijd blij zijn,' zei hij, 'wie wil dat nou niet? Maar het is niet zo eenvoudig. Het is naïef te beweren dat als je het maar zegt, het ook gebeurt.'

'Het is naïef om het alleen maar te zeggen. Het is iets anders om er werkelijk in te geloven.'

'Ik zie het verschil niet. Als je het echt gelooft – verdwijnt je verdriet? En waar blijft dat dan precies?'

'Zoals jij er nu in zit, kun je dat niet zien. Ik weet dat je graag alles wat ik zeg in het belachelijke trekt, maar jij bevindt je in een staat van zonde, van ijdelheid, niet van geloof. En het jaagt je zo'n angst aan om anders te denken dat je niet anders kunt dan spotten.' Dat was het gesprek, met kleine variaties, dat ze steeds opnieuw voerden. Hij wilde niet terugvallen in die cirkel zonder uitweg, maar kwam er steeds weer in terecht.

Ronni schudde zijn hoofd. 'Je bent niet orthodox opgegroeid, je weet dat het retoriek is, clichés van orthodoxen tegenover seculieren. Waarom is dwangmatig bidden en blij zijn waardevol? En zijn pleziertjes ijdelheid? En heeft het lichaam geen recht op plezier?'

'Dat zijn niet de waarden van het Jodendom. Dat zijn de waarden van gehelleniseerden. Lichamelijke lusten zijn net een zonnestraal in een donkere kamer. Ze lijken echt totdat je probeert er een te vangen.'

'Maar ze verlichten de kamer. Ze verwarmen hem. Wat is daar slecht aan? En waarom moet je ze vangen?'

'Zodat je meer diepte in je leven hebt. Licht en warmte zijn maar oppervlakkig. Het is aangenaam, maar er is meer. Heel veel meer.'

'En waar is dat veel meer dan? In dwangmatig blij zijn? Je bent immers niet gelukkig. En wij weten allebei waarom. Denk je dat het je lukt je zoon te vergeten als je naar het eind van de wereld reist, je je 's nachts afzondert, een stukje stof op je hoofd zet en heel hard heen en weer wiegt in de synagoge? Denk je dat het je lukt Mikki te vergeten?'

Gabi deed zijn ogen dicht. Natuurlijk zou hij Mikki nooit vergeten. Hij zei: 'Men pleegt te denken dat vergetelheid een nadeel is, maar ik ben ervan overtuigd dat het een voordeel is. Weten hoe je moet vergeten, betekent dat je verlost wordt van alle bagage uit het verleden.'

'Nou, prachtig. Een citaat voor elke gelegenheid.' Ronni lachte bitter. 'Vergetelheid is een voordeel voor wie de confrontatie met herinneringen niet aandurft. Wat wil dat zeggen, "verlost worden van de bagage uit het verleden"? Is dat jouw excuus waarom je nooit iets afgemaakt hebt in je leven: het leger, de universiteit, het vaderschap? Zou het niet juist goed zijn de bagage uit het verleden een plek te geven, in plaats van te vluchten in citaten en wijze uitspraken?'

Gabi kon Ronni's bijtende sarcasme bijna proeven. Zijn broer sprak als iemand die wilde kwetsen. Hun woordenwisselingen werden steeds laag-bij-de-grondser. 'Jij bent hier degene die bang is. Waarom vind je het zo moeilijk te accepteren dat jouw wereld mij niet past? Ik ben er geweest. Het is niks voor mij. Waarom vertrouw je er niet op dat ik weet wat goed voor me is? Ik vertrouw op de Heilige, gezegend zij Hij.'

'Ik vind het moeilijk te accepteren omdat ik je ken, misschien wel beter dan wie ook, en dat weet je. Ik weet wat er bij jou past. Ik kan op een kilometer afstand ruiken wat je werkelijk voelt. Ik weet hoelang je het ergens uithoudt en ik vraag me af hoelang je het hier gaat uithouden. Hoelang je jezelf iets wijsmaakt. Je maakt jezelf wijs dat je sterk bent – Nechoesjtan. Maar ik heb het opgezocht op het internet, Cooper heeft niks met koper te maken. Cooper is een kuiper, iemand die tonnen maakt.'

Gabi liep naar de keuken en begon aan de afwas. 'Ik heb over die tonnen gehoord,' zei hij. 'Maar een rabbijn, een expert op het gebied van joodse namen, heeft me verteld dat het koper lijkt te zijn.' Een paar minuten heerste er stilte; behalve het gezoem van de ventilator en gehamer in de verte was er niets te horen. Gabi kwam terug in de woonkamer met in zijn hand een reeds geopende reep chocolade en een tweede die hij Ronni toegooide.

Gabi ging op het uiteinde van de bank zitten. Hij zette zijn witte keppeltje met het pompoentje recht en beet in zijn reep. Zachtjes zei hij: 'Kijk jezelf nou toch eens. Denk er eens over na waarom je hier bent en hoe je eraan toe was toen je hier kwam. Jij bent degene die urenlang in de caravan zit, zonder iets te doen, depressief. Hoe komt het dat je altijd alles zo draait dat het zich tegen me keert?'

Ronni smeet de verpakking van de reep op het tafeltje. Gabi stond op, pakte het en gooide ook de zijne in het driehoekige afvalbakje van de gootsteen voor melkkost. 'Wat een hitte,' zei hij, trok de koelkast open en pakte er een kan water uit.

'En hoe zit het met meer kinderen op deze wereld zetten?' zei Ronni ineens met zachte stem.

'Wat?'

'Waarom trouw je niet? Breslauer chassidiem horen toch veel kinderen te hebben?'

'Het is niet zo eenvoudig iemand te vinden in een klein plaatsje...'

'Je probeert het niet eens, Gabi. Ik zie je toch. Jou interesseert niets, behalve die Nachman van je, jouw verheven waarden en dit plekje. Dat me trouwens sterk herinnert aan de kibboets – een gat aan het eind van de wereld, een kleine idealistische maatschappij, gesloten en verheven, waar alles rechtvaardiger en beter is dan in de rest van de wereld – pioniers die het kamp leiden. Gewoon terug naar onze kindertijd, zelfs de Arabieren hier zijn als de katjoesja's van destijds...'

'Dit "gat" heeft jou wel opgenomen en kijk nou hoe je je opstelt. Je spuugt in de enige bron waaruit je kunt drinken. Je moet weten dat de mensen hier in de nederzetting onrustig worden van jouw gedoe met die olijfolie. Ik ook. Mensen hier doen hun best om Joodse arbeid hoog te houden, zelden of nooit zie je hier een Palestijn, hoewel het ons geld kost. En dan ben jij hier te gast en doet zaken met ze... Niet dat ik daar persoonlijk wat op tegen heb – ik heb je immers die lening gegeven – maar wat voor indruk de mensen hier van mij hebben...'

'Je krijgt je geld, maak je niet druk. Met Rosj Hasjana, toch? Zeker, er wordt aan gewerkt.'

'Ik heb het niet over het geld,' zei Gabi. Maar over iets anders had hij het ook niet. Allebei deden ze er vermoeid het zwijgen toe.

'Kun je niet gewoon Moessa zeggen?' vroeg Ronni uiteindelijk in de warme stilte. Ondanks alles wilde hij praten. 'De man heeft een naam. Weet je wat hem aangedaan is na dat verhaal met die bulldozer? Hebben ze Netta Hirsjzon gearresteerd? Of mij? We hebben precies hetzelfde gedaan als hij. Maar bij hem zijn ze langsgekomen, hebben dingen afgepakt, kapotgemaakt, hem hardhandig gearresteerd. Als ik me er niet mee had bemoeid, zou hij niet vrijgelaten zijn. Die Joodse arbeid van jullie klinkt heel mooi en zuiver, maar de halsstarrigheid waarmee jullie ze niet wensen te zien... Mij ontgaat de logica.' Ronni keek naar zijn broer en gaapte, gaapte zo wijd dat hij de caravan bijna opslokte.

'En het is niet dat ik een linkse rakker ben of zo, dat weet je,' zei hij al gapend.

'Het is duidelijk dat jij geen linkse rakker bent, jij ziet je kans schoon om ergens een slaatje uit te slaan en ineens zijn de Palestijnen je vrienden.'

'Wat zeg je nu eigenlijk, wil je dat ik wegga?'

'God verhoede, dat is niet wat ik zeg.' Gabi kwam terug met twee glazen koud water met ijs.

'Dank je,' zei Ronni die gedurende het hele gesprek niet van zijn plek tegenover de ventilator was gekomen, niet had aangeboden die op zijn broer te richten of op de beweegstand te zetten. 'Hoewel het geen echte vervanging van Cola Light is.'

'Je kunt hier zo lang blijven als je wilt,' zei Gabi, 'ik ben eraan gewend geraakt.'

'Ik ook,' lachte zijn broer. 'Ik zou me ergens anders niet meer thuis voelen.' Daarna rekte hij zich uit en zei: 'Ik ben doodop.' Gabi keek op de klok en stond op. Er was nog het een en ander te doen voordat sjabbat begon: koken, wassen, telefoontjes plegen. Maar eerlijk gezegd zou hij er geen bezwaar tegen hebben zelf ook een paar minuten uit te rusten. Hij ging zijn kamer in en keek naar het bed, naar het gekreukte laken, naar het gedeukte kussen en dacht: ik leg maar heel eventjes mijn hoofd te rusten, en toen…

De vondeling

Als het sjabbat was, voelde zelfs hij het gewicht van hemel en aarde drukken op zijn schouders en oogleden, die neergeslagen waren tegen de schelle zonnestralen en slechts een klein spleetje openlieten, zodat hij de omgeving kon observeren en zich ervan vergewissen dat er geen gevaar dreigde. Hij had een natte haakneus met wijde neusvleugels en zijn kleine hersenen verwerkten de gegevens, geuren, indrukken en geluiden.

Hij was niet ver hiervandaan opgegroeid. De mensen in de voorpost wisten niet of hij van joodse of Arabische herkomst was, een kolonist of Ismaëliet, maar hij wist het wel. In zijn haarvaten, in de moleculen van zijn DNA en misschien zelfs in de flarden van herinneringen die van tijd tot tijd door zijn kleine brein gingen, wist hij dat hij een Palestijn was, geboren uit een Palestijnse, dat hij in Chevron geboren was, als een van zeven van wie de meesten in hun vaderstad waren gebleven: twee bij hun moeder en haar gezin, twee bij neven die verderop in de straat woonden,van wie er één een grote misdadiger was, en twee die rijk geworden waren en in Kfar Jatta woonden. Twee broers: de ene een arts met een kliniek in de stad, die op zekere dag met zijn dochter was gekomen die een van de schattige pups had gezien en enthousiast was geworden, en de andere een docent aan de universiteit, wiens dochter jaloers was geworden op haar nichtje, waardoor hij de omstandigheden gelijk had moeten trekken. Zo waren zijn zes broertjes en zusjes verspreid geraakt, terwijl hij – die een beetje scheel keek, in zijn onderkaak gedeeltelijk een dubbele rij tanden had, die op het eerste gezicht minder lief leek, minder bruikbaar – zich op straat beter thuis voelde en daarom bleef. Hij probeerde te overleven, liep achter de geur van eten aan op de markt, sloot zich aan bij straatbendes.

Op zekere dag brachten zijn neus en poten hem naar het Joodse gedeelte in het hart van de stad. En hij, wat wist hij van grenzen, wegversperringen, volkeren, soldaten? Wat hij begreep was geur, meer niet, en geur bracht hem bij zwarte legerkistjes die hem schopten, vervloekten en riepen: 'Oprotten, smerig stuk vreten!' Hij jammerde zachtjes en beledigd, maar bleef staan waar hij stond, snuffelde en keek bedremmeld.

'Hallo? Ik heb je wat gezegd, niet? Kassammak,' herhaalde de stem. De legerkistjes kwamen op hem af. 'Oprotten, of ik...'

'Hallo, hallo, hallo, Lichtenstein, waarom? Waarom? Wat heeft hij je gedaan, die arme drommel?' Lichtensteins zwarte schoen stopte halverwege de zwaai voor een bijzonder harde trap, die waarschijnlijk een of twee ribben zou hebben gebroken, waardoor hij misschien gewond, zonder eten of verzorging zou zijn gecrepeerd. De andere stem, de stem die hem redde, Jacobi's stem, fluisterde in zijn oor: 'Kom, kom maar schat, wat hebben ze je aangedaan? Wat wil die Lichtenstein van je, hè?'

Jacobi nam hem mee naar de basis. En gaf hem eten. En aaide hem. En liet hem in de caravan als het regende. En verdedigde hem als Lichtenstein of een van de anderen hem uitlachten om zijn loens en zijn rare tanden. Hij was Jacobi's vriend, hij zou zijn hele leven bij hem blijven. Maar toen Jacobi's pelotonscommandant zondagochtend van verlof terugkwam, zei hij tegen Jacobi dat de hond daar niet kon blijven. Jacobi pleitte, smeekte, bracht de dierenbescherming te berde, maar de pelotonscommandant zei dat het hem speet; zo waren de regels nu eenmaal. Als geste naar Jacobi, die een goede soldaat was en die hij graag mocht, vond de pelotonscommandant het goed dat de hond tot donderdag op de basis bleef en daarna kon Jacobi hem meenemen naar huis. Het probleem, zo legde Jacobi de pelotonscommandant uit, was dat hij thuis al een teefje had. Bovendien, dit was een Palestijnse hond en wie weet welke ziektes hij bij zich droeg, hij was immers nog nooit bij een dierenarts geweest. Jacobi wilde dat dit zijn basishond werd, geen huishond. Hij zei tegen de pelotonscommandant dat dat goed was voor de hond, voor de soldaten, voor iedereen. De verzorging zou geen probleem zijn, hij zou daar persoonlijk verantwoordelijk voor zijn, beloofde Jacobi.

De pelotonscommandant zei tegen hem: 'Wallah, je hebt gelijk. Wie weet wat hij heeft. Een Palestijnse hond die God weet waarvandaan komt. Nog nooit bij een dierenarts geweest is. Dus ik kom op mijn toezegging terug. Hij kan niet tot donderdag op de basis blijven, hij moet nu oprotten.' Jacobi wierp een ongelovige blik op de pelotonscommandant terwijl de hond zijn kop op het kleed in de caravan legde en zich overgaf aan Jacobi's prettige en liefdevolle streling. 'Nu!' herhaalde de pelotonscommandant.

Lichtenstein, die uit de douche kwam met een handdoek om zijn heupen en een kaki toilettasje met scheergerei, lachte. 'Jalla, Jacobi, doe dat schele beest weg, ik heb je toch gezegd dat hij onze kamer bevuilt.' Jacobi gaf geen antwoord.

Het lukte hem de verwarde hond mee te geven met een gewapende Hummer met bestemming Jeruzalem en hij verzocht de chauffeur de hond los te laten in een normale wijk. Dat was het minste dat hij voor het beest kon doen, zodat die niet terug hoefde naar de keiharde straten van Chevron.

De chauffeur van de Hummer, een vriend van Jacobi, stemde ermee in. Ook de pelotonscommandant stemde ermee in. Zelfs Lichtenstein wenste de hond succes toen het gepantserde voertuig de poort van de basis uit reed. Jacobi nam met een kus op zijn neus afscheid van hem en fluisterde: 'Het komt wel goed met jou, dat weet ik zeker. Toch?' De hond knikte.

Als zijn maat Jacobi het hem niet speciaal en met klem gevraagd had, dan had de chauffeur van de Hummer de hond ergens langs de kant van de weg gedumpt, hem daar aan zijn lot en Gods barmhartigheid overgelaten. Maar hij beheerste zich, zette zich over de geur en het onaangename gezelschap van een zwijgend scheel beest in een donker militair voertuig heen. Toen hij Har Choma passeerde aan de rand van Jeruzalem om bij zijn oom een seizoenskaart voor Beitar op te halen, tilde hij het beest op en zette hem langs de weg bij een van de nieuwe, pas aangelegde straten, niet al te dicht bij het huis van zijn oom.

De hond zag de zware auto met bulderende motor verdwijnen en verbaasde zich. Om zich heen zag hij gebouwen, halve gebouwen, skeletten en bergen zand. Hij zag een leeg zwembad dat vol geregend was, stak zijn tong uit en proefde van het lekkere water. Hij liep naar het skelet van een gebouw, vond een beschut plekje, krulde zich op en ging slapen.

Hij sloeg zijn ogen op met de eerste zonnestraal en het geluid van schreeuwende arbeiders. Een van de arbeiders gaf hem een stukje pita met een brokje kaas en wat water in een bakje van hüttenkäse. Er gingen een aantal dagen en nachten voorbij, waarin de hond in zijn leger bleef of nachtelijke tochten ondernam in de wijk, maar hij kwam geen levend wezen tegen, afgezien van een toevallige vos die zijn staart in de lucht stak en zich uit de voeten maakte.

In diezelfde tijd breidde Otniël Asís zijn huis in Maälè Chermesj C uit, hij bekleedde het met jeruzalemsteen en hij had stenen en cement nodig. Een goede vriend fluisterde hem in zijn oor dat hij een hypotheek had genomen op een appartement in Har Choma, dat de bouw daar in volle gang was, dat er veel skeletten en bouwmaterialen lagen en Otniël daar op een avond mocht langsgaan om materialen in zijn Renault Express te laden. De straten en huizen hadden nog geen bewegwijzering, maar de officier had uitgelegd hoe hij bij het bouwperceel moest komen en mocht hij niet precies bij dat perceel terechtkomen, hoefde hij zich niet bezwaard te voelen. De materialen waren hoe dan ook bedoeld voor de opbouw van het land en het bewoonbaar maken van al zijn delen, de regering gaf subsidie, de aannemers waren vóór en de huiseigenaren ook.

Otniël nam Gavriël Nechoesjtan mee, ging op aanwijzingen van de officier naar de nieuwe wijk en laadde materialen in. Ze zagen een hondje met een tweede rij tanden in zijn onderkaak en schele ogen, maar dat desondanks vriendelijk en opgewekt was, en Otniël zei: 'Wie een ziel in Israël redt, redt een hele wereld, de Heer heeft gegeven en de Heer heeft genomen, gezegend zij de Naam van de Heer.' Ze namen hem mee en noemden hem Beilin, een stiefbroer voor Condoleezza, die een jaar eerder uit Maälè Chermesj A gekomen was. Beilin groeide, werd sterker, verpandde zijn ziel aan de familie Asís en ging ongemerkt op in haar midden.

Het woord

In zijn piepkleine appartementje in Jeruzalem werd kapitein Omer Levkovitsj wakker van de piepende wekker op zijn mobiel. Kwart voor zes. Vroeg. Hij voelde de hoofdpijn een fractie eerder dan hij zich de nacht ervoor herinnerde. Te veel bier, een meisje met kort haar, een studente van Mount Scopus, die iets vreemds studeerde dat hij zich niet kon herinneren, hijzelf, het bier en pratend over zijn ex die hem onlangs verlaten had. Toen ze de bar verlieten wilde de studente geen fotoalbums komen kijken.

Na een douche fatsoeneerde hij zijn lichte haar voor de spiegel met zijn vingers. Rode adertjes van vermoeidheid ontsproten in zijn groengrijze ogen. Hij maakte een kop Nescafé in een thermosbeker, stapte in de jeep, reed naar de basis, haalde het team op en zette koers naar Maälè Chermesj. Er was al verhoogde activiteit in de ops room, hoorde hij via de radio. Joni wachtte in de voorpost: hij was na het uitgaan van sjabbat overgekomen, zodra het bezoek van de minister was goedgekeurd. Joni stapte in en ze maakten een ronde.

'Wat is er aan de hand?' vroeg Omer toen hij de mannen in alle vroegte op de ringweg zag lopen. 'Ochtendgebed,' zei Joni. 'Ja, maar zoveel? Ze hadden nooit minjan.' 'Massa's gasten,' legde Joni met schorre stem lijzig uit.

Het konvooi auto's arriveerde even na negenen. De krantenkoppen die zijn assistent voor Nederzettingszaken aan de minister had gegeven, verkondigden dat de minister 'zich geschikt had' naar de wensen van de president van de VS, terwijl zij in redactionele artikelen de spot dreven met zijn pogingen om 'hielen te likken' en bij de regering 'in het gevlij te komen'. In de pantserauto met zijn woud aan antennes die voor hen op de smalle steile weg omhoogklom, zat Giora, de generaal-majoor van het hoofdkwartier. Bijna aan het eind van het konvooi, achter een aantal beveiligingsvoertuigen, verscheen de lange zilver-kleurige auto van Milton White, de Amerikaanse ambassadeur in Israël. Achter het laatste beveiligingsvoertuig na de auto van de ambas-sadeur volgde een sliert geblutste, stoffige, bestickerde auto's van de vanzelfsprekende rechtervleugel van de politiek.

Ronni stond met de armen over elkaar op een heuveltje naar de stoet kostbare auto's te kijken. Blijkbaar kwam het door zijn imposante, ko-ninklijke houding tegenover de menigte, en door de ministers immer aanwezige behoefte vastberadenheid tentoon te spreiden dat de mi-nister, die met karakteristieke haast uit de auto stapte, Ronni opmerk-te en hem onder luid geklik van de camera's assertief de hand schudde. Zodra Ronni zei: 'Hoe gaat het, vriend?' besefte de minister dat hij zich had vergist. Niet alleen in wie hij de hand schudde, maar ook in de inschatting hoe heet het was buiten de auto met airco. Hij was gekleed in een pak met stropdas en als hij die in dit stadium zou afdoen, zou dat onnadenkend overkomen, alsof hij door de knieën ging voor de omstandigheden, alsof hij zich gewonnen gaf. Zijn voorhoofd was bedekt met druppels zweet, op de een of andere manier was zijn zon-nebril achtergebleven in de auto, terwijl hij over de pet met klep – die een ideale oplossing had kunnen zijn – te horen had gekregen dat hij die niet moest dragen bij openbare gelegenheden na een ongelukkig fotomoment vorige maand met flitslicht.

Otniël Asís haastte zich om zijn vriend generaal-majoor Giora te begroeten, die uiteraard zijn zonnebril niet was vergeten en die de minister snel voorstelde aan de typische kolonist. 'Ik ben erg blij dat u gekomen bent om ons, het hele volk Israël, en vooral de Ameri-kaanse president te laten zien dat u aan onze kant staat en niet zult meehelpen aan het ontruimen van nederzettingen, meneer de minis-ter,' zei Otniël glimlachend, met Sjoev'el in zijn armen in een wit bloesje voor sjabbat; Otniël wist wat er goed uitzag en bewondering zou oogsten in de ochtendkranten. De minister glimlachte kort naar Otniël en zag uit zijn ooghoek de lange gestalte van ambassadeur Milton achter zich, die zijn oren spitste om te checken of het antwoord van de minister aan de kolonist overeenkwam met zijn verzekeringen aan de Amerikaanse regering. Tot chagrijn van de minister sprak de ambassadeur Hebreeuws.

'Kom, ik geef jullie een kleine rondleiding,' zei Otniël.

Met zijn ogen zocht de minister zijn assistent voor Nederzettings-zaken. Het bezoek verliep niet zoals gepland. Hij voelde dat hij onvol-doende greep had op hoe de zaken zich ontwikkelden. Een wandeling zou de hitte, het zweet en het ongemak verergeren, en hij had zich nog niet kunnen ontdoen van zijn jasje. En bovendien zouden er inmiddels grote zweetkringen in zijn blauwe overhemd zitten – hij keek naar beneden als om een vlieg van zijn das te verjagen, waarbij hem de lichte kleur opviel – nee, zijn jasje uittrekken zou leiden tot tamelijk gênante situaties en opnieuw aanleiding vormen voor de cynische fotografen om los te gaan in satirische programma's en op internet. Hij kreeg zijn assistent, Malka, in het oog, weliswaar 'een van hen', altijd aan de kant van de kolonisten en ijverend voor hun welzijn, maar desondanks nog steeds zijn assistent.

'Kom eens hier, Malka,' zei de minister, waarop Malka zich onttrok aan Otniëls warme handdruk en de omhelzing door Elazar Freud (een oude bekende van de jesjiva, een jaar boven hem) voor een onder-onsje. Otniëls kleine rondleiding was al van tafel. 'Malka, je moet er-voor zorgen dat ik ergens een paar woorden kan zeggen en dan maken we ons hier uit de voeten. Ik druip van het zweet.' De ambassadeur kwam op hem toegelopen en de minister deed zijn best niet openlijk met zijn ogen te rollen. 'Milton! Goed je te zien,' zei hij glimlachend, 'waar ben jij zo vroeg op de zondagochtend voor uit bed gekomen?'

'Haha,' lachte Milton. 'Blijkbaar vinden mijn bazen dit heel belang-rijk.' De minister, zijn rechterhand nog steeds de rechterhand van de ambassadeur vasthoudend, schoot in een luide lach en klopte de Ame-rikaan met zijn linkerhand op de schouder.

'Moet je zien hoe hij met die Amerikanen loopt te slijmen,' fluis-terde Netta Hirsjzon in het dichtstbijzijnde oor.

'Walgelijk gewoon,' beaamde haar man Jean-Marc.

Verderop stond de generaal-majoor van het hoofdkwartier met de sectorcommandant Omer Levkovitsj te praten, die vervolgens de versterkingstroepen instrueerde. De journalisten van de krant vroegen ambassadeur White welke boodschap hij die ochtend verwachtte te horen van de minister van Veiligheid. 'Een boodschap van vrede, van vooruitgang, binnen de grenzen van de wet en de belangrijke verdragen die de afgelopen maanden opgesteld zijn tussen de landen,' antwoordde hij in het Hebreeuws. De minister van Veiligheid, die met zijn rug naar hem toegekeerd stond en in gesprek was met Malka, hoorde die woorden en een extra golf zweet brak hem uit. Iedereen overbrugde de korte afstand van het pleintje voor de synagoge waar de auto's waren gestopt en de eerste samenscholing had plaatsgevonden naar het speeltuintje dat Mamelsteins naam droeg. De mensen van de Veiligheidsdienst voorop, daarna de persoonlijke assistenten, de hoogwaardigheidsbekleders, het publiek en de soldaten. Malka instrueerde de minister om naast de gele schommel te stoppen. Naast hem stelden zich ambassadeur White, generaal-majoor van het hoofdkwartier Giora en de oudste bewoner van de nederzetting Otniël op. Klik. Dat was de foto die de volgende ochtend in de kranten verscheen: zinderend licht, een gespannen minister van Veiligheid die zijn ogen dichtknijpt tegen de felle zon, een zelfverzekerde en autoritaire generaal-majoor van het hoofdkwartier met zonnebril, een lange en tevreden ambassadeur en Otniël die eruitzag als een ontspannen huiseigenaar. Vlak daarachter, maar buiten het gezichtsveld van de camera's, stonden assistent Malka en Omer Levkovitsj. Jehoe stapte op Killer heen en weer naast de speeltuin, terwijl een van de veiligheidsagenten hem geen moment uit het oog verloor.

'Goedenavond, allemaal, excuus, goedemorgen,' zei de minister. Er klonk gelach.

'Ga je schamen!' riep Netta Hirsjzon. 'Dat je hier komt als gezant van de Amerikaanse president...'

'Sssst... Laat hem uitpraten,' zei iemand. Twee soldaten liepen op haar af.

'Ik ben geen gezant van welke president dan ook, ik verzoek jullie geduldig te luisteren...'

'Wat nou geduldig, hoe kunnen we geduldig zijn als je het land verkoopt aan vreemden en ons op die manier versjachert?'

'Pardon, mevrouw, u zou zich erop moeten toeleggen zich aan de wet te houden, dan zouden de Amerikanen niks te eisen hebben.' Hij richtte zijn blik van Netta Hirsjzon op een hoger, algemener punt en ging verder. Hij zag de witte heuvels van de woestijn, de kloof van de Chermesj. 'Het is hier prachtig,' zei hij haast verrast. 'En er is geen onenigheid over onze rechten op deze plek. Maar we moeten ons aan de wet houden. Er zijn fouten gemaakt, ook aan de zijde van de Israëlische regering. Er zijn koosjere nederzettingen, maar er zijn er ook die gesticht zijn op plekken die daarvoor niet bedoeld waren. Ik ben hier vandaag gekomen om te zeggen' – hij keek het publiek onderzoekend aan. Door de zon ontsproten grote druppels aan zijn voorhoofd. Zijn das keelde hem bijna. Malka reikte hem een flesje water aan en hij nam een slokje – 'dat we het een en ander moeten rechtzetten. En dat heeft een prijs...'

'Waar haal je het lef vandaan?' krijste Netta Hirsjzon nu. 'Wat rechtzetten? Welke prijs? Waar heeft hij het over?'

'Mevrouw, laat me uitspreken.'

'Laat me los!' riep de schoonheidsspecialiste tegen de soldaten die haar intussen bij haar armen gepakt hadden. Haar man Jean-Marc begon in het Frans tegen ze te schreeuwen en haalde daarbij de Holocaust aan.

'Mensen, mensen, laat haar...' probeerde de minister, wendde zijn blik naar de generaal-majoor, 'Giora... Mevrouw, laat me uitspreken. Er zullen dingen rechtgezet worden, dat heeft zijn prijs, maar de Israelische regering zal niet aflaten steun te...' Nu werd de toespraak verstoord door geluid, dreigend geblaf van een grote boze bruine hond.

'Beilin, koest, Beilin,' riep Gitít en probeerde de hond tegen te houden. 'Beilin! Beilin!!' De minister van Veiligheid keek haar met opgetrokken wenkbrauwen aan, terwijl er tegen wil en dank een flauw glimlachje om zijn mond verscheen.

'Hoew! Hoew! Hoew!' klonk Beilins onophoudelijk geblaf waar geen enkele menselijke stem nog bovenuit kon komen, Condoleezza kwam aangerend en begon hard mee te blaffen, Killer begon te hinniken, de geiten op Otniëls boerderij op de helling van de heuvel mekkerden verschrikt, Sassons kamelenmerrie keek met nieuwsgierige ogen naar het gebied bij de toegangspoort, terwijl ze energiek op struiken kauwde. Maar Beilin richtte zijn geblaf, zo leek het, op een van de soldaten, die naar hem terugkeek.

'Beilin?' lachte de soldaat. Het was Jacobi, die met de versterkingsploeg van de basis in Chevron was gekomen. 'Heet hij zo? Wat is er met hem?'

Netta Hirsjzon, die inmiddels op instructie van de generaal-majoor met rust gelaten was, begon weer te schreeuwen: 'Schaam je, dat je hier met de Amerikaanse ambassadeur komt en spreekt over rechtzetten. Wat moet er hersteld worden? Gotspe!!!' Als gevolg hiervan begonnen tientallen ondersteuners van de kolonisatie onderling te praten, zich af te vragen of de minister eigenlijk wel wist wat het woord *tikkoen*, herstel, betekende in de Joodse traditie.

De minister hief zijn handen op. Tot zijn spijt zou het er vandaag niet van komen de uitspraak te doen die hij zo zorgvuldig had voorbereid om de soundbite van de dag te worden; een pakkende, originele uitspraak, die op het hoogtepunt van zijn speech had moeten komen en later in krantenkoppen aangehaald, die de ambassadeur in het oor van zijn minister van Buitenlandse Zaken zou fluisteren, die hem zou doorbriefen aan de president; een uitspraak waar hij bijzonder trots op was omdat hij die helemaal zelf had bedacht. Hij draaide zich om en liep zwetend, omgeven door beveiligers, in de richting van zijn auto, terwijl hij een vinger in de knoop van zijn das stak om hem los te trekken. Het kon hem al niet meer schelen wie hem fotografeerde of wat er in de kranten zou verschijnen. Hij trok zijn jasje uit, gooide het in Malka's armen, terwijl hij binnensmonds mopperde.

Netta Hirsjzon bleef schreeuwen en liep ongehinderd op de hoogwaardigheidsbekleders af. Toen de Amerikaanse ambassadeur langs de glijbaan liep, riep ze: 'Zeg tegen de president van Amerika dat hij tegenover ons geen schijn van kans maakt, want wij hebben de Koning der Wereld aan onze zijde! Wat snapt hij of Amerika nou helemaal van de strijd van het volk Israël tegen de Arabische moordzucht? Wie heeft je gevraagd hier te komen? Je verzwakt het volk Israël dat na tweeduizend jaar verstrooiing en vervolging, oorlogen, pogroms en de Holocaust is teruggekeerd naar het Land Israël? Je dwingt ons hier weg te gaan? Hiervandaan, waar de Heer woont, het land van onze voorvaderen, daaruit wil je ons verdrijven? En dat durf je dan ook nog vrede te noemen? Wat een gotspe!'

'Laat iemand zorgen dat die hond zich koest houdt!' brulde de generaal-majoor van het hoofdkwartier.

Toen de minister van Veiligheid naar Netta Hirsjzon toeliep, schraapte ze haar keel en spoog in zijn richting. Ze raakte een van zijn beveiligers. De minister zag het, zag de fluim die aan het shirt van de beveiliger kleefde, draaide zijn hoofd naar Netta, en over de zin die hij vervolgens siste – die door geen enkele camera of recorder werd opgenomen, zodat er zelfs niet één woord bekend was dat men kon aanvechten – waren de meningen verdeeld; er werden in de dagen en weken die volgden liters inkt over vergoten en bergen woorden en interpretaties over opgetast; het werd de soundbite die over de hele wereld geciteerd werd in plaats van de zin die hij had ingestudeerd.

Volgens Netta Hirsjzon had de minister van Veiligheid tegen haar gezegd: 'Onbeschofte barbaar! Ksssjt! Weg jij en dat vriendengespuis van je, weg, ksssjt!'

Volgens de kringen rondom de minister had hij gezegd: 'Onbeschofte barbaar,' en vervolgens de andere kant op gekeken en gezegd: 'Ksssjt! Laat iemand ksssjt tegen die honden zeggen en ze wegjagen!'

Beilin en Condoleezza zeiden: 'Hoew hoew hoew!!! Hoew hoew hoew!!!' en lieten hun tanden zien.

Op dat moment viel bij Jacobi van de versterkingsploeg het kwartje: die dubbele rij tanden! Die schele ogen! Hij was een stuk groter dan de pup die hij meer dan een jaar geleden had verzorgd op de straten van Chevron en toen meegegeven had met de Hummer op weg naar Jeruzalem, maar dit was hem, geen twijfel mogelijk.

'Allah jistor!' riep de soldaat. 'Jullie hebben hem Beilin genoemd? Ongelooflijk! Kom, kom maar, liever. Ken je me nog? Jacobi, van de basis in Chevron.' Beilin hield op met blaffen, kwispelde en liep met zijn kop gebogen en opgeheven staart naar hem toe, krulde zich in zijn armen, gaf zich over aan zijn liefkozingen, en Condoleezza volgde zijn voorbeeld, blij kwispelend met haar staart, zodat het tumult tot bedaren kwam. De hoogwaardigheidsbekleders klommen in hun dienstauto's, die onmiddellijk in beweging kwamen en stof opwierpen op hun weg uit de voorpost. De bewoners verspreidden zich naar hun huizen, de soldaten naar hun basis, de journalisten naar hun redacties. Maar de deining die toen door het bezoek van de minister veroorzaakt werd en de affaire, later bekend als de 'Ksjt-affaire', zouden pas veel later bedaren.

De klusjesman

Diezelfde middag verscheen Herzl Weizmann en zei: 'Wat een chaos bij jullie, hè, doctor?'

Hij was donker van haar en huid, maar de kleurloze albinowimpers aan een van zijn ogen gaf elke blik van hem iets bizars en mysterieus.

Herzl vervolgde: 'Ondanks alle chaos wilde ik toch voor de 9e Av bij je langsgaan, ik heb je al zo lang aan het lijntje gehouden. Kom, laten we er eens een blik op werpen. Och, wat een snoepje, hoe heet hij?' Hij stak een vinger met een zwarte nagel uit naar het neusje van het baby'tje dat over Chiliks onderarm gedrapeerd lag.

Chilik liet zijn blik zakken naar zijn kersverse dochtertje en glimlachte naar haar onder zijn snor. Hij was haast vergeten dat ze er was. 'Ze. Jemima.' Hij nam niet de moeite haar volledige naam aan Herzl te onthullen, Jemima-Me'ara. Hij had er geen puf voor om dat allemaal uit te leggen. Hij dacht terug aan de Zeved Habat-ceremonie waarbij ze haar naam gekregen had op de sjabbat van – hoelang was het alweer geleden, twee weken? Drie? Na een geboorte vloeien dagen en nachten in elkaar over in een mengsel van eeuwige vermoeidheid, aanpassing aan de nieuwe gezinssamenstelling, momenten van verwondering over het bestaan van dit eisende, jengelende levende wezentje en koppige pogingen om desondanks de schijn van een normaal leven op te houden: een ontmoeting met zijn promotor op de universiteit, boeken lezen voor zijn proefschrift, de afspraak met Herzl om de verbouwing op de rails te krijgen. Bij de Zeved Habat, de zegening na het ochtendgebed op sjabbat, hadden Nechama en Chilik aan de gemeente uitgelegd: 'Jemima, Jobs mooie dochter, de uitdrukking "jamim-jemima", jaar in jaar uit, die de historische en oorspronkelijke band met de voorgaande generaties uitdrukt, de woorden *jom*, dag, en *majim*, water, die erin meeklinken; en het tweede deel, Me'ara, dat "grot" betekent, naar de plek waarop zij besloot aan haar reis naar de buitenwereld te beginnen.'

Chilik liet Herzl de caravan zien, terwijl hij zich diep in zijn hart afvroeg waarin hij verzeild was geraakt, waarom hij had toegegeven aan de druk die Otniël op hem had uitgeoefend. Met alle eerbied voor Hebreeuwse arbeid, maar hij stond nu ook weer niet op het punt een villa te bouwen. Het ging maar om een halve zeecontainer die een dezer dagen zou arriveren; een simpel klusje dat Kemal binnen een paar dagen en voor een schijntje had kunnen klaren. En nu stond Herzl Weizman hier, nadat hij zijn komst keer op keer had verzet, plannen te bespreken die te uitgebreid en te kostbaar klonken qua materialen, vaklui en arbeidsuren. Waarom was hij overstag gegaan voor Otniël? Wat kon het hem schelen als een Palestijn uit het naburige dorp wat werk kreeg en een paar sjekel verdiende? Kemal was geen terrorist, het was een goeie vent. Die had je ook en die hadden het de laatste jaren nogal zwaar te verduren. Gisteren had hij met Ronni gepraat. Hij had niet gezegd dat hij achter die olijfolie-onderneming stond van Ronni en Moessa – nog zo'n prima vent voor zover hij wist, hoewel hij op de D9 van het IDL was gesprongen – maar tussen ons gezegd en gezwegen moest hij bekennen dat hij het soms met Ronni eens was. Herzl Weiz-mann uit Mevasseret maakte een vriendelijke indruk, maar wie wist hoe hij verbouwde of wat zijn ideeën waard waren, of hoeveel tijd en geld die gingen kosten? Chilik wilde immers alleen maar wat meer ruimte zodat hij zijn benen kon strekken en zijn kinderen niet boven op elkaar gepakt hoefden op te groeien.

Wat bij Herzl Weizmann het meest in het oog sprong, meer nog dan zijn zwarte krullen, zijn witte wimpers en zijn bizarre blik, meer dan de zware schoenen, die Chilik ervan verdacht dat ze voorzien waren van een interne verhoging om zijn gebrek aan lengte te compenseren, was het gips om zijn armen. Twee gipsen kokers, al niet meer wit, van zijn polsen tot zijn ellebogen, precies even lang. Herzl Weizmann zag Chilik kijken en zei: 'Het stelt niks voor, maak je geen zorgen, dit stoort niks. Een ongeluk.' Hij ging er verder niet op in en veranderde van onder-werp: 'Laat die container maar zitten, laten we wat houten platen van onze vrienden daarbeneden halen,' – hij wees door het keukenraam naar het huisje van Gabi – 'dan zetten we een pracht van een aanbouw neer.'

'Wie zegt dat hij genoeg heeft om mij er wat van te geven? Dat hele huisje van hem is ongeveer net zo groot als wat ik van plan ben.'

'Dan vragen we het hem toch. En als hij niet genoeg heeft, bestellen we het bij zijn leverancier. Of ik kan iets organiseren bij mijn timmerman. Geen probleem.' Hij kneep met zijn ogen en wierp een blik op het panorama van de nederzetting.

Intussen was Jemima-Me'ara in slaap gevallen. Chilik legde haar in het wiegje en liep met Herzl naar Gabi's huisje om naar de houten platen te vragen. Het bleek dat die van een timmerfabriek in Maälè Chermesj A kwamen voor een prijs die Herzl beoordeelde als: 'Niet slecht, niet slecht, alles in acht genomen.' Daarna keerden ze terug naar Chiliks caravan. 'Hoppa! Daar heeft een kameel van de bedoeïenen de benen genomen!' wees Herzl onderweg.

'Welke bedoeïenen?' zei Chilik. 'Het is de kamelenmerrie van Sasson.'

Toen ze in Chiliks woonkamer zaten met een kopje Nescafé zei Herzl: 'Zeg eens, doctor Chilik, hoe heet die man van dat huisje? Hij komt me ergens bekend voor.'

'Wie? Gavriël?'

'Gavriël?'

'Ja. Gavriël Nechoesjtan.'

'Gavriël Nechoesjtan.' Herzl wreef over zijn kin en dacht na. 'Gavriël Nechoesjtan,' herhaalde hij, alsof dat de herinnering op zou halen. 'Nee. Die naam zegt me niks. Is hij hier al lang?'

'Een paar jaar, ik weet het niet precies meer.'

'Een paar jaar, hè?' Hij bleef over zijn kin wrijven.

Na de Nescafé stapte hij in zijn auto en legde zijn ingegipste armen op het stuur. 'Ik zal je bellen met een prijsopgave,' beloofde hij. 'Dank je,' zei Chilik slapjes. 'Jalla, blijft standvastig,' zei Herzl en hij duwde het gaspedaal in.

's Avonds zag Gabi Chilik bij het avondgebed en zei tegen hem: 'Die klusjesman van jou komt me bekend voor. Komt hij uit Galilea of zo?' Chilik lachte. 'Welnee, uit Mevasseret.' Gabi kreeg een frons in zijn voorhoofd en boog zich snel weer over zijn gebedenboek.

Het schuurtje

De roodharige en roodbaardige Nir Rivlin zat aan de keukentafel en dronk uit een grote fles Goldstar. Dikke tranen biggelden uit zijn rode ogen. Tussen de snikken mompelde hij dingen als: 'Ik snap het niet, wat heb ik gedaan?'

'Je hebt niks gedaan,' zei Sjaoelit, terwijl Zvoeli hongerig aan haar borst zoog, 'en dat is een deel van het probleem.'

Nir was een paar minuten daarvoor vanaf de veranda de keuken in gelopen om de fles bier uit de koelkast te pakken. Het was al de derde die avond en ze hadden nog niet eens gegeten. Hij had het laatste uur met zijn gitaar op de veranda gezeten en geprobeerd een nieuw liedje te componeren. Maar afgezien van de steeds herhaalde regel: 'Elke pijn is een schub in het harnas', twee bier en een joint lukte het hem niet om verder te komen, tot hij brak en 'Bertha' begon te spelen. Ondertussen had Sjaoelit Amalja en Tchelet in bad gedaan, avondeten voor ze klaargemaakt en voorgezet, met Zvoeli op de arm die ook zijn aandacht en voeding eiste (Amalja wilde helpen, maar ze was te klein om hem op te tillen, te ongeduldig om met hem te spelen of langer dan twee minuten op hem te passen). Na het eten bracht ze de meisjes naar bed, las ze een verhaaltje voor, ging terug naar de keuken om de borden van de meisjes af te wassen en het avondeten te koken voor haarzelf en Nir. Al die tijd herhaalde de valse snaar zichzelf, de pijn en de schub in het harnas. Vanuit haar oogpunt was iedere belediging een schub in het harnas, of gewoon elke minuut. Maar soms kwam er zelfs een barst in het hardste harnas. En dan vloeiden de zinnen. En klonken er bedreigingen. En Nir, daarvoor kende ze hem goed genoeg, veranderde onmiddellijk in het kleine jongetje dat binnen in hem zat, dat was zijn manier van reageren. Het bier droeg daaraan bij doordat het zijn verdedigingsmuren slechtte en het bewustzijn verzwakte van de man die hij zou moeten zijn, en dan kwamen de tranen. En zij moest hem dan vergeven en troosten, maar vanavond was ze het zat. Ze wist wat er ging komen: de bekentenis dat hij de laatste tijd zo in zichzelf gekeerd was, excuses dat hij niet genoeg hielp, hij wist niet wat er met hem aan de hand was, hij had het erg zwaar bij de koksopleiding. (Wat is er zo moeilijk, wilde ze gillen, aan een stukje komkommer in een sushirol rollen? Of aan een zoete aardappel schillen?) En dan de onzekerheid omtrent de voorpost: niemand die wist of het huis straks nog bestond, of men ging ontruimen of niet, hij was niet zo'n strijdlustig type, maar hij wou dat ze nu eindelijk eens besloten, die spanning... Hij dacht dat het binnenkort over zou zijn en dat hij dan meer zou helpen. Hij had het gevoel dat uit deze periode een nieuwe creatie zou voortkomen, dat dit liedjes zouden worden die hij kon opnemen. Zij wist dat hij deze liedjes nooit zou opnemen, dat het tijdsverspilling was, vooral van die van haar, maar ondanks de woede en lamlendigheid had ze niet het hart om tegen hem te schreeuwen en dit tegen hem te zeggen. En misschien ging het niet om het hart, maar om jaren van conditionering en van opvoeding: dat hij zo mocht zijn en dat zij dat moest verdragen, dat dit haar taak was en dat de zijne. En na de tranen, de bekentenis, de belofte en de hoop – ze wist het, verwachtte het en was erop voorbereid – zou hij ideeën krijgen en meteen een mogelijkheid zien om de verantwoordelijkheid van zich af te schuiven.

'Misschien heb je last van een postnatale depressie?' polste hij. Ze had inmiddels een paar keer op Zvoeli's ruggetje geklopt om hem te laten boeren, hem in het wipstoeltje gelegd, eieren gebroken in de koekenpan en de tomaten en komkommer gesneden, choemoes, hüttenkäse en roomkaas uit de koelkast gepakt en brood uit de broodtrommel, en de tafel gedekt. 'Misschien moet je met iemand praten? Misschien moeten we eens nadenken over hulp? Misschien kan iemand als Gitít een paar uur per dag komen helpen?'

Ze antwoordde alleen maar met een slap 'misschien', maar wist dat Gitít druk was met haar vijf jongere broertjes en zusjes. En dat ze geen geld hadden om Gitít te betalen en dat het een belachelijk idee was – ze had alleen maar behoefte aan wat hulp van hem zo nu en dan, verdomme; hij kon nog niet eens toegeven, zoals de meeste kerels, dat hij niet kon koken – en dat leerde dan voor kok! En wat betreft die postnatale depressie, wie weet, misschien. Of misschien pasten ze gewoon niet bij elkaar. Misschien waren ze te jong getrouwd, tieners waren ze geweest, zonder dat ze elkaar echt kenden of iets wisten over het leven.

Het vreemde was dat het geen gearrangeerd huwelijk was. Ze kenden elkaar al van jongs af aan, waren samen opgegroeid in Beet El op de Westelijke Jordaanoever en samen bij de Bné Akiva gegaan. Ze herinnerde zich dat hij iedere dag met zijn vader naar de sjiv'a voor haar vader was gekomen. Ze hadden het als het ware aangepakt zoals bij de seculieren. Maar na zesenhalf jaar en drie kinderen, de laatste verwekt te midden van deze spanning, als medicijn?, als afleiding?, kon geconcludeerd worden dat dit het niet was. Weer een bewijs dat de seculiere levenswijze niet werkte. Sjaoelit had vaak diep geworsteld met zichzelf en met God, maar ze begon in te zien dat het niet alleen Nirs hulp of steun was waar het haar aan ontbrak. Ze bokste het immers op de een of andere manier ook alleen voor elkaar. Het ging dieper dan dat. Ze kende deze man niet en hield niet echt van hem. Niet dat ze geloofde in het seculiere ideaal van verliefdheid, maar ze hield echt niet van hem. Ze kon zich er geen voorstelling van maken jarenlang aan zijn zijde te moeten leven. En wat de liedjes betrof: nou ja, één of twee waren er wel aardig waren, maar zij hoorde niet de volgende grote hit geboren worden op de schommelbank in de tuin. Zij hield haar adem niet in, in de hoop dat daar hun verlossing vandaan zou komen.

Een tijdje aten ze in stilte hun brood met roomkaas, hun ogen gericht op onduidelijke punten op het tafelblad, terwijl Nir zo nu en dan zijn neus ophaalde en bier in zijn keelgat goot. Toen hij klaar was, smeet hij zijn bestek met een klap op het glazen bord. Hij keek op zijn horloge. Over vier minuten had hij wachtdienst, deelde hij haar mee, en liep naar buiten. Dit keer nam hij geen gitaar of heilige boeken mee. En ook niet nog een fles bier of iets te roken. Hij stapte over de ringweg van de nederzetting. De avondhemel was zo weids, zelfs midden in Av stond er een aangenaam briesje, dat hij stopte, zijn ogen dichtdeed en de lucht diep in zich opzoog, terwijl hij zijn armen uitspreidde zodat het van binnen tot in zijn vingertoppen zou reiken. Ze mochten niet uit elkaar gaan, bedacht hij. Er zijn pieken en dalen, er zijn moeilijke periodes. Maar ze moesten standhouden.

Vlak voor het huis van de familie Asís hoorde hij een deur dichtgaan en voetstappen op het pad. Hij drukte zich tegen de stenen omheining aan, ging op in de duisternis. Het was Gitít Asís die naar links en rechts keek en toen zachtjes, licht voorovergebogen in beweging kwam. Iets in haar manier van lopen, haar haast en de blikken, maakten dat dit er niet uitzag als een wandelingetje aan het eind van de dag om een luchtje te scheppen. Nir sloop zachtjes achter haar aan, tegen de muurtjes gedrukt, probeerde op te gaan in wat er alzo voorhanden was: vuilnisbakken, omgekeerd schroot, geparkeerde auto's, bouwmaterialen of lege koelkasten. Met de inhoud van drie flessen bier in zijn maag moest Nir bij zichzelf – na enige moeite, lijden en vergiffenis van zijn vrouw en zijn God (hij wist dat een lankmoedig mens een held overtreft en wie zijn geest beheerst, degene is die een stad verovert. Hij herinnerde zich dat Josef zijn lusten overwon. Hij wist dat wie geneigd was tot de geneugten van de wereld en zijn drang beheerste even rechtvaardig was als een rechtvaardige die zulke neigingen niet kende) – bekennen dat hij zich tot Gitít aangetrokken voelde. Hij had niet zomaar aan Sjaoelit voorgesteld juist haar in huis te laten helpen. Hij zou met plezier betaald hebben voor het voorrecht om haar dagelijks bij hen thuis te zien. Nir liep het speeltuintje in en stapte op een zacht speelgoedbeest dat piepte. Hij bevroor ter plekke. Gitít stopte een draaide zich om. Het briesje werd sterker. Waar gaat ze naartoe? vroeg hij zich af.

Het moment ging voorbij. Ze keerde weer om en vervolgde haar weg. Hij liet zijn adem ontsnappen en hief heel langzaam zijn voet op van het gedeukte plastic eendje dat gelukkig niet van opluchting piepte. Vanaf de speeltuin zag hij haar tegen de wind in lopen, haar haar alle kanten op, haar donkere jurk opbollend. De volgende caravan was de laatste voor de toegangspoort. De caravan van het leger. Van Joni. In plaats van door te lopen en hem te passeren, sloeg ze het pad naar de caravan in. Misschien had ze iets gevonden dat van Joni was? Misschien had haar vader haar gevraagd een boodschap te brengen? Of had haar moeder haar gestuurd met taart? Nir knielde. De volgende wacht begon pas over achtentwintig minuten.

Gitít klopte driemaal op de deur van de caravan, draaide zich om en begon richting de speeltuin te lopen, richting Nir! Hij keek om zich heen, op zoek naar een plek om zich te verstoppen. Aan het eind van de speeltuin stond een klein houten schuurtje waarin de arbeiders hun gereedschap en bouwmaterialen bewaarden. Joni's deur werd dichtgetrokken en een donkere figuur zocht zijn weg naar het speeltuintje. Tegelijkertijd klonk er een harde ontploffing, bruiloftsvuurwerk uit Charmisj ontplofte in de hemel, waardoor de hele voorpost op zijn grondvesten schudde. Nir maakte zijn inschatting en benutte Joni's en Gitíts schrik, hun snelle blik naar de lucht en het geblaf van de honden, om naar het schuurtje te spurten en er binnen te gaan. Het was er warm, verstikkend, het rook er naar zaagsel, beits, acrylverf en terpentine. Hij hoopte dat ze niets zagen of hoorden van de langzame beweging waarmee hij de deur sloot of het zachte kraken van de deurkruk.

Waar waren ze? Hij hoorde alleen zijn eigen ademhaling, het kloppen van zijn hart, was geconcentreerd op zijn eigen ongemak in de verschrikkelijke hitte van een huisje dat de hele dag in de volle zon had gestaan en waarin nauwelijks een spleetje zat waar de lucht door kon ontsnappen. Hij voelde hoe het zweet van zijn hele lichaam droop, van zijn voorhoofd, zijn oksels, zijn onderrug (Sjaoelit zou de volgende ochtend vragen waarom zijn shirt zo nat was en naar terpentine rook). Hij drukte een oor tegen de deur: waren ze daar?

Een dreun tegen de zijmuur op enige centimeters van zijn rechterzijde deed hem opspringen. Hij hoorde gemompel dat hij niet kon ontcijferen en daarna Gitít die lachte en fluisterde: 'Gek, doe zachtjes.' Joni antwoordde haar met zijn zachte stem; Nir kon de woorden niet verstaan, hoorde alleen de unieke intonatie van zijn accent. Ze zei: 'Nee, ben je gek geworden? Niet nu.' Weer een kort stukje unieke intonatie. Nir verwachtte een antwoord van Gitít, maar dat kwam niet. Ineens hoorde hij een bekend geluid, dat van lippen die elkaar raakten en smakten bij het loslaten, tanden die zoet tegen elkaar aan klikten, een zuigend vacuüm dat ontstaat en verbroken wordt wanneer de lippen even loslaten, gejaagde ademhaling, kleine katachtige verdoolde geluidjes. Nir luisterde nieuwsgierig, drukte zijn oor aan de wand waartegen ze geleund stonden, het zweet stroomde uit al zijn poriën, zonder erop te letten ademde hij kwalijke dampen in zich concentrerend op de geluiden aan de andere kant van de dunne houten wand: de tienerdochter van de oudste bewoner van de nederzetting, die stond te zoenen met de Ethiopische soldaat. Het beeld vulde zijn hoofd, maakte zijn ademhaling zwaar, wond hem op en deed hem walgen. Wat haalt ze in haar hoofd, vroeg hij zich af, hoe durft ze?

Nog een onmiskenbaar gemompel en zij die, ademloos, 'Nee, ben je gek?' giechelde, en blijkbaar sloten hun monden zich weer op elkaar, want Nir hoorde niets anders dan een lichaam dat tegen de muur bewoog, gehijg, nog een smakkend, vochtig vacuüm van lippen. En toen: 'Nee, niet daar...'

Waar?

'Joni!'

Meer bewegingen tegen de wand, gefriemel, kleding die verschoven werd, verwijderd misschien? Opengemaakt? Het klikken van een gesp? Het losmaken van een knoop? Het schuiven van een rits? De klanken vermengden zich in zijn hoofd met de geur en de vochtigheid, inmiddels was hem niet meer duidelijk wat hij zich inbeeldde en wat er echt gebeurde. 'Joni, nee!' klonk het weer fluisterend en Nir begon zich af te vragen of hij naar buiten moest gaan om haar te helpen, of die brutale soldaat zich aan haar probeerde op te dringen? En wat probeerde hij dan precies? En daarna heerste er stilte.

Nir had moeite met ademhalen. Misselijkheid welde op in zijn borst. Hij probeerde ergens tegenaan te leunen in het donker, misschien kon hij gaan zitten. Hij moest water hebben. Naar bier smakende oprispingen bereikten zijn keel. Buiten was het nog steeds stil. Hij kon niet zien hoe laat het was, maar hij veronderstelde dat zijn wachtdienst elk moment kon beginnen. Vanavond was hij eerste wacht van de nachtdienst, en de eerste wacht moet als eerste arriveren en zich melden bij – ineens ging hem een lichtje op – Joni. Zou de Ethiopiër haar wat aangedaan hebben? Haar hebben gewurgd? Toen klonk er weer een uniek gemompel van Joni, waarop Gitít in lachen uitbarstte, eerst hardop en daarna gedempt, van achter een hand, gevolgd door meer beweging en gejaagde ademhaling – wat waren ze daar aan het doen?

'Nee,' hoorde hij Gitít fluisteren. 'Niet vandaag. Ik moet gaan. De volgende keer.' Ze werden opgeschrikt door nog meer vuurwerk in de verte, en daarna volgden gedempt gelach en unieke intonatie. 'De volgende keer. Ik beloof het.' Gemompel dat vragend klonk. 'Ja. Beloofd,' en een korte kus. De houten wand kraakte, kleding ruiste en daarna klonken voetstappen die zich verwijderden, samen met een helder giecheltje van Gitít.

Nirs gezicht was bezweet en verhit van de warmte, verwarring en opwinding en na een paar minuten draaide hij de klink om en snoof verse lucht op, even verfrissend als winterse Alpenlucht, hoewel Nir nooit 's winters in de Alpen was geweest. Hij vergewiste zich ervan dat ze niet in de buurt waren, kwam het schuurtje uit, liep eromheen naar de plek waar de twee een ogenblik geleden nog hadden gestaan, snuffelde, zocht naar bewijzen, misschien tekenen die de afgeluisterde gebeurtenis nader konden duiden, maar behalve een licht aroma waarop hij niet de vinger kon leggen – zijn brein was doordrenkt met chemische geuren – was er niets dat erop duidde wat hier zojuist had plaatsgevonden.

Hij ging naar het midden van de speeltuin, spreidde zijn armen en liet het briesje zijn natte kleren, voorhoofd, nek en de rest van zijn van zweet druipende lichaam verkoelen. Hij haalde diep adem en zuchtte. Daarna liep hij naar de overkant van de weg, naar Joni's caravan om hem op de hoogte te stellen dat de nachtwacht begon.

Joni zei: 'Je bent tien minuten te laat, man. Laat het niet nog eens gebeuren, goed? Nog even en ik had je gebeld.' Nir knikte, betastte de telefoon in zijn voorzak en daarna de kolf van het pistool dat in de achterkant van zijn broekband gestoken was, en vertrok zonder een woord te zeggen.

Tijdens de wacht kwam Nir nog twee keer langs de bewuste plek, probeerde het opnieuw te beleven, getuigen te vinden, maar naarmate zijn brein verder ontnuchterd raakte van het bier dankzij liters en liters water en het voortschrijden van de tijd, vroeg hij zich af wat er nou eigenlijk gebeurd was. De tweede keer dat hij aan de achterkant van het schuurtje rondsnuffelde, hoorde hij voetstappen en een stem, en de liefdesscène die zich maar in zijn hoofd bleef afspelen, maakte plaats voor een nieuwe voorstelling. Hij stond opnieuw stokstijf tegen de muur van het schuurtje gedrukt en probeerde weer in de omgeving op te gaan. Dit keer was hij tenminste buiten, ademde lucht in en de geur van houten planken, wat veel aangenamer was dan die van terpentine. Hij kon het ook beter horen, het was minder gedempt. Een hele verbetering van de omstandigheden, dat leed geen twijfel.

Hij hoorde iemand met een bewust zachte stem in een telefoon praten. Hij hoorde hoe koorden spanden onder lichaamsgewicht, een lichte beweging die door de lucht sneed: een schommel die heen en weer ging. Godzijdank kraakte en piepte hij nog niet, zoals hij zeer binnenkort wel zou doen wanneer vuil en roest zich ophoopten in de draaipunten; nu was hij nog nieuw en goed gesmeerd en had geen problemen met het lichaamsgewicht van een volwassen vrouw, die zachtjes zei: 'Hij heeft een lijst namen?' Nir spitste zijn oren. Wat zei ze daar? En daarna: 'Nee, ik controleren niet. Ik was wat jullie me zegden. Niet vinden. Ronni Cooper niet. Ik spreekte niet Ronni Cooper, maar...'

Nir sperde zijn ogen in het donker wijdopen. Speelden het bier en de joint hem nog steeds parten? Wat was hier vanavond aan de hand? Langzaam ging hij rechtop staan, maakte zijn lichaam los van de wand van het schuurtje en wendde zijn blik naar de vrouw. Uiteraard had hij haar stem herkend zodra hij het eerste woord hoorde, maar hij moest het met eigen ogen zien: en nu zag hij bij het zwakke licht van de sterren Zjanja Freud op een schommel zitten die te klein was voor haar lengte, die met haar linkerhand het touw vast had en met haar rechter een telefoon tegen haar oor gedrukt hield. Waarom besprak Zjanja Ronni Cooper midden in de nacht in het speeltuintje?

Ze sprak weer zachtjes. 'Nee, voor minister komt, ik horen niks praten. Nadat hij ksjt zegt ook niet. Jehoe en Josh kijk ik naar. Ja, ik weet ik zei ze kunnen probleem maken. Maar er is niks. Goed. Goed. Ik spreken Ronni Cooper. Ja, met Arabier maar ik niks hebben om daar te kijken. Ja. Goed. Cooper kijk ik naar.'

Nir gleed met zijn rug tegen de muur naar beneden totdat hij op de droge grond zat. Hij kneep zijn ogen dicht, deed ze weer open en zag Zjanja, die haar telefoon in de lucht hield, schommelde en nadacht. De wereld stond een halve seconde stil, een kille wind woei door het speeltuintje en ritselde in de bladeren, de Palestijnen en hun vuurwerk hielden zich stil uit eerbied voor het moment, zelfs Condi die eerder aan het blaffen was geweest, zweeg. En daarna liet Zjanja een paar woorden vallen – een Russische vloek? – stond op van de schommel en liep haar huis aan de overkant van de weg binnen.

Nir bleef nog een paar minuten waar hij was; met zijn rug tegen de muur van het schuurtje en zijn achterwerk op de grond deed hij zijn ogen dicht. Daarna herpakte hij zich, stond op en begon een stille, langzame ronde over de rondweg van de cirkelvormige weg van de voorpost. Toen Gabi Nechoesjtan hem kwam aflossen, zei hij nauwelijks wat, knikte alleen met neergeslagen blik en ging zijns weegs. Gabi

keek hem verbaasd na, streelde zijn mottige baardje en klom de wachttoren in om Tikkoen Chatsot, het middernachtsgebed, te zeggen.

De aanval

Dovid, oudheidkundig expert en veteraan-kolonist, die Otniël kende
uit zijn eerste tijd in Sjomron en ook van op herhaling, arriveerde een
paar dagen nadat Dvora Asís de munten had gevonden in de grot, en
Otniël, haar vader, 'er even langsgewipt was om er een blik op te werpen'. Dovid had de ruimten van de grot met een metaaldetector onderzocht en had alles bij elkaar achtendertig munten en een houten
kistje gevonden. Zijn eerste conclusie: de munten waren tevoorschijn
gekomen in de hoek van de ruimte dankzij een klipdas, die daar blijkbaar aan het graven was gegaan omdat hij dacht er water of voedsel te
vinden, maar het bleken munten te zijn die vlak onder de grond op de
zachte krijtsteen lagen.

Sindsdien had Otniël hem een aantal keren uitgenodigd, maar
Dovid had hem telkens om allerlei redenen afgehouden, zodat Otniël
zich gedwongen zag Jakir te instrueren 'zijn internet erop na te kijken'
om te zien wat hij te weten kon komen over antieke munten in deze
omgeving.

Het graven in archieven van Amerikaanse universiteiten was een
intrigerende uitdaging voor Jakir. Het onderzoek verschafte hem het
excuus wakker te blijven en met mensen te chatten in Amerikaanse
tijdzones – zo legde hij aan zijn vader uit – en op die manier ontstond
er een bron van tijd waarin hij in op het eiland Herrijzenis kon rond-
hangen met zijn vrienden. Omdat het grote vakantie was en omdat
Otniël er veel aan gelegen was de kwestie van die munten uit te zoeken
en niet helemaal afhankelijk te zijn van Dovid, bracht Jakir 's nachts
urenlang ongestoord achter de computer door.

Uiteindelijk gaf Dovid toe aan de smeekbedes en kwam op bezoek.
Na een kopje thee en prietpraat over de minister van Veiligheid, de
generaal-majoor en de overige verplichte onderwerpen, vroeg Otniël
naar de munten.

'Wat zal ik je zeggen, Otni, je moet geduld hebben met dit soort dingen. Ik weet dat je meteen wilt weten hoe het zit, maar dit vergt tijd. Eerst maken we de munten schoon, heel langzaam, dan sturen we ze naar het buitenland voor een C14-onderzoek en dat geeft ons dan een precieze datering, langzaam. Ik wil er ook een paar naar collega-experts sturen. Er zijn serieuze oudheidkundige onderzoekers – de meesten zijn Joden – die verbonden zijn aan Duke University in Amerika. En ik ken iemand in Australië die meer weet dan ieder ander... Het doet er niet toe. Met een beetje geduld krijgen we betrouwbare uitkomsten.'

'En dan?'

'Dan weten we of de munten echt zijn, of vervalst. En weten we uit welke tijd ze stammen. Dan weten we welke symbolen er in het brons geslagen staan onder het groene patina. Als het Romeinse dinarii zijn of hellenistische drachmen, is het de moeite niet waard. Als ze uit de tijd van de Hasmoneeën stammen, van wie we weten dat ze in deze grotten hebben gewoond, dan kan het iets meer waard zijn. Het kostbaarst zijn de munten uit de tijd van de Opstand, vooral zilveren sjekels uit de Bar Kochba-opstand. Als dat is wat we hebben – en mijn eerste, vluchtige indruk is dat we dat niet hebben – dan kun je ze via antiekhandelaren of veilingen verkopen aan verzamelaars. Daar kan het grote geld in zitten.'

'En wat krijgen wij van het grote geld?'

'Ha ha ha ha,' dreunde Dovid.

Otniël glimlachte niet eens. Zijn bruine ogen waren strak gericht op de ogen die haast opgeslokt werden achter de bril op de spekrollen van Dovids gezicht, terwijl hij zei: 'Wat staat er op de munten uit de grot?'

'Joodse symbolen – granaatappels, bokalen. Een beetje zoals op de munten van nu. En een merk van het jaar van de opstand. Elk jaar heeft een ander teken.'

Otniël wreef zich eens door zijn baard over zijn kin. 'Moet je horen, Dovid. Mijn zoon, Jakir, heeft wat onderzoek gedaan op het internet. Hij heeft iets interessants gevonden. Jakir! Jakir! Kom eens!' riep hij. Jakir stond op van de computer en ging naar de woonkamer. Daar zag hij Dovid – dik, bebrild, behaard en bebaard. En met een laatdunkende blik in zijn ogen. 'Hoor eens, Otni, er staat een hoop bagger op het internet, ik zeg het je, dit vergt tijd, laat ons…' 'Luister nou even naar wat die jongen te vertellen heeft,' onderbrak Otniël hem op kalme toon. 'En daarna kun je doen wat je wilt.' Dovid pakte zijn kopje thee op en nam ongemakkelijk een slokje.

'Hoe heette die ene monnik, Jakir?' moedigde Otniël zijn zoon aan. 'De heilige Onufrius.'

'De heilige Onufrius, ken je die?'

Dovid maakte een hoofdbeweging die kon worden opgevat als 'ja', maar het was duidelijk dat hij niet bijzonder geïnteresseerd was in de informatie die hij kreeg. 'Jakir kwam bij een archeoloog terecht die nu in Amerika woont, maar vroeger in Maälè Chermesj A woonde,' vervolgde Otniël. 'Ik kan me hem wel herinneren, een Amerikaan, een van de eersten, een goeie vent, ook al was hij goed bevriend met Sjim'oni, moge zijn naam weggevaagd worden. Kort en goed, hij is gepromoveerd op die Onufrius. Hij… Jakir, jij weet het beter dan ik. Vertel jij het Dovid maar.'

'Onufrius was een monnik die in Egypte is geboren en zich gedurende tientallen jaren afzonderde in de woestijn, in deze regio, in de vierde eeuw volgens de algemene jaartelling,' reciteerde Jakir. 'Hij werd door struikrovers ontvoerd naar het hart van de woestijn en keerde zonder kleding terug, alleen zijn lange witte baard bedekte zijn kruis, en de rest van zijn leven heeft hij als zelfkastijdende kluizenaar doorgebracht, dorstig, hongerig en ongemakkelijk. Die archeoloog van Duke beweert dat Onufrius in de grotten van Chermesj woonde en dat hij een muntenschat had verborgen, munten die hij blijkbaar in bewaring kreeg van nomaden die in deze omgeving rondtrokken.'

'Goed, goed,' zei Dovid met een kuchje, 'je kunt van alles vinden op internet. Te veel, als je het mij vraagt.' Hij probeerde er een grapje van te maken en glimlachte met zijn dikke lippen naar Otniël.

Otniël voegde zich vroeger dan normaal bij zijn vrouw in bed, verstoord door Dovids onverschilligheid. Hij was snel onder zeil. Ook Gitít was al in slaap gevallen, net als alle kleintjes, uiteraard. Het huis was stil, alleen Otniëls zagende gesnurk gaf maat, verschafte de familieleden in hun bedden onbewust een gevoel van veiligheid.

Jakir ging naar Second Life en zorgde dat hij snel contact maakte met zijn vrienden op het eiland Herrijzenis, om ze te updaten. De spamaanval met davidsterren had tot felle reacties geleid in de virtuele wereld: Arabische demonstraties van solidariteit, het oprichten van nieuwe moskeeën, een toename van antisemitische uitingen en zelfs een poging tot een tegenaanval op een synagoge, die mislukt was. De reacties sijpelden ook door naar de echte wereld; plaatjes van de met tientallen davidsterren bedekte moskee verschenen op blogs en sites en zelfs op Ynet. King Meïr was gelukkig. Hij wilde door naar het volgende stadium: een echte terroristische aanslag. Jakir pakte een gevuld koekje uit de trommel en beet erin terwijl hij op zijn vrienden wachtte: Klaus, Menachem, een nieuwe speler die Harvey heette en Jakir vertelde een volgeling van rabbi Kook te zijn, en natuurlijk King Mer zelf.

Ze stonden bij de Vuur der Herrijzenis-synagoge, met scherpe baarden aan de punt van hun kin en hun uzi over de schouder, King Meïr gestoken in het Kach-shirt, de rest in flanellen hemden waar blauwe tsietsiet onderuitpiepten om de Heilige, gezegend zij Hij, altijd te gedenken. King Meïr rookte een virtuele sigaret.

Ze teleporteerden zich naar Taste of Arabia, waar mensen te hoop gelopen waren, moslims die hun solidariteit kwamen betuigen na het spamincident met de davidsterren en gewoon mensen die zich verveelden en uit nieuwsgierigheid kwamen kijken omdat ze gehoord hadden dat er daar wrijving was. Het groepje van Herrijzenis ging de grote moskee binnen. Ze werden begroet door een bebaarde moslim die ze verzocht hun schoenen uit te doen. Ze negeerden hem en liepen naar binnen. Jakirs hart klopte luid. King Meïr gaf een instructie. Ze ontrolden de Palestijnse vlaggen die ze hadden gemaakt en staken die met een muisklik in brand via een vlammenscript, door Jakir gratis gedownload en van tevoren ingebouwd. Ze hielden de vlammende vlaggen omhoog en daar kwamen de avatars van de Arabieren aan en de mensen die hen steunden: razend, tierend, zeggend dat ze moesten ophoepelen, heiligheid niet mochten ontwijden. Er waren veel niet-Arabieren bij, die borden omhooghielden en met boze gezichten schreeuwden. King Meïr zei iets tegen Jakir. Hij wilde nu, op dit moment, de moskee hebben. Maar er was iets vreemds aan de hand met de computer. De ventilator deed het wel, maar hield er om de paar minuten mee op; Jakir boog zich over de computerkast heen om hem na te kijken. Hij begreep niet wat er gebeurde, dit was hem nog nooit overkomen. Niet crashen nu, smeekte hij zwetend.

Jakir tikte op de toetsen en haalde zijn nagebouwde moskee uit zijn gebruikersfile op Second Life, uit zijn *inventory*: een exacte kopie van de moskee waar ze een moment geleden nog geweest waren, de grote moskee uit Taste of Arabia. Hij voelde een steek in zijn hart als hij dacht aan al die uren die hij achter de computer had gezeten om die mooie moskee te bouwen, met zijn bogen en de gekleurde versieringen. Hij zette hem neer en daar stonden de twee moskeeën zij aan zij: de oorspronkelijke op zijn eigen plek, de replica op het stuk zand – een openbaar stukje dat mocht worden gebruikt – ernaast. Nieuwsgierigen kwamen kijken hoe of wat, wierpen er verbaasde blikken op, iemand vroeg of het een cadeautje was, genoegdoening voor de vijandigheid, een poging een brug te slaan tussen de religies. King Meïr lachte. Hij gaf Jakir een teken, en die liet *Particles*, een explosiescript dat hij had gekocht, lopen en richtte het op de moskee.

De eerste knal verbrijzelde de muren. Het vuur was indrukwekkend. De lucht gloeide. Mensen schreeuwden. King Meïr zwaaide met zijn armen. De ventilator van de computer deed zijn best. Jakir stak zijn hand in de koektrommel en vond alleen kruimels. Zijn broertje Sjoev'el begon te huilen, maar hield weer op en sliep verder; hij had blijkbaar een boze droom gehad. Op het scherm duurde de nachtmerrie van de Arabieren en hun linkse vriendjes voort. Hoge vlammen vulden de moskee. King Meïr liep onrust te stoken. Jakir liet nog een explosie los, waardoor de minaret van de moskee brak en omviel. Klaus en Menachem dansten. Een Arabier kwam op Jakir af, zwaaiend met een zwaard, zonder hem te kunnen raken. Jakir stuurde hem de enige vloek die hij in het Engels kende, maar halverwege de zin bevroor de computer.

De Japanners

Het waren de laatste dagen van het jaar. Av was overgegaan in Eloel. De duisternis, die samenging met frisse lucht, viel iets vroeger in. In de loop van de dagen kwam er soms een windstoot langs die verkondigde: de dag waarop de zomer haar laatste ademtocht uitblaast is nabij.

De baby's groeiden gestaag, hun boller wordende lichaampjes dronken vloeistoffen uit tepels en spenen die hun overdadig werden aangeboden, en ze zetten die onmiddellijk om in extra grammen. Hun oudere broers en zussen waren druk met voorbereidingen, werden naar Jeruzalem gereden en kwamen terug met rugzakken vol kleurige maagdelijke schriften en schrijfwaren, helemaal klaar voor weer een jaar hard werken. Weekafdeling Ki tetsee – 'Als u uittrekt' – was klaar, weekafdeling Ki tavo – 'Wanneer u komt' – was de volgende en al snel zou het seizoen van nieuwe beginnen aanbreken; witte bloezen werden gestreken, nieuwe jurken aangeschaft. De synagoge werd schoongemaakt, vernieuwd, klaargemaakt en in jubelstemming gebracht. Misjna-traktaten werden gereciteerd, preken werden langer, de feestvreugde begon zich vanzelf te roeren. De dagen waren mooi, de nachten helder, en ze raakten steeds bewolkter met steeds groter en donkerder wordende wolken. Het jaar en haar vervloekingen kwamen samen ten einde en het nieuwe jaar – 5770 – begon met het blazen op de sjofar, het verspringen van de wijzers op de klok en de Ontzagwekkende Dagen.

Moessa Ibrahim keek naar de lucht. Hij kon het voelen: de natte dagen wachtten op hun beurt, stonden met z'n allen om de hoek. Na de eerste regen die de olijven zou afspoelen, laten zwellen, afkoelen en een beetje kleuren, zouden ze klaar zijn voor het volgende stadium. Een lichte opwinding deed hem zijn neusvleugels opensperren. Dit was zijn favoriete seizoen. De Joden waren stil en kwamen bijeen voor hun feestdagen, de hemelen zouden – insjallah – wateren en heel de familie zou helpen met de oogst, ze zouden van alle hoeken van het dorp naar de olijfgaard komen, er lange dagen doorbrengen en iedere olijf oogsten.

Nimr, zijn zoon, licht van huid en kalend, stond naast hem. Moessa glimlachte en legde een hand op zijn zoons schouder. 'Bijna,' zei hij. Nimr vertelde hem wat er in het dorp gezegd werd over zijn deal met de Joden. Het verdiende geen schoonheidsprijs. Vooral niet na dat voorval met die bulldozer, waarna Moessa was afgevoerd naar de cel en de militairen waren komen rondsnuffelen, beslag hadden gelegd en kwaad hadden gewild. Nimr had een paar lichtgeraakte vrienden, hoewel hij zelf een goede jongen was. Hij vertrouwde zijn vader. Hij was niet dol op die Ronni, maar toen hij begrepen had dat hij geen echte kolonist was, geen gekke orthodox, dat het zijn bedoeling was dat ze allemaal wat verdienden aan zijn onderneming en hij bovendien geholpen had om het in beslag genomen gereedschap terug te krijgen, had hij erin toegestemd hem te ontmoeten. 'Kijk, daar is jouw vriend,' zei hij tegen zijn vader. Moessa grijnsde.

'Ahlan, Moessa, Nimr, hoe gaat het met jullie vandaag?'

'*Chamdulilahi*,' zei Moessa en hij schudde Ronni glimlachend de hand. De beide dorpelingen namen een sigaret uit het blauwe pakje dat ze kregen aangeboden. Moessa stak de zijne in het plastic sigaretten-pijpje en daarna staken ze alle drie zonder een woord te zeggen hun sigaret op en richtten hun blik op de olijfgaard.

'Wat was het gisternacht koud, hè,' zei Ronni.

'De wind steekt op,' zei Moessa. 'Binnenkort de eerste regen. En dan kunnen we...'

Ronni knikte. 'Is alles klaar?'

'Wat valt er klaar te zijn? We wachten. Er zijn veel zeildoeken over van demonstratie van kolonisten laatst. En zakken, en stokken, aluminium harken. Alleen eerste regen is nodig, die olijven wast en een mooie kleur geeft. Bij jou alles klaar?'

'Natuurlijk is alles klaar. Er zijn een paar olijfolieboetiekjes in Tel Aviv die zitten te wachten tot de olie komt. Ze zijn er dol op, weten dat dit het originele spul is, niet die kleurloze zeik die ze tegenwoordig machinaal maken. Ariël zet het prachtig op de markt, met een plaatje van jou en mij op de D9 en het hele verhaal. Hij zegt dat het voor deining gaat zorgen.'

'Boetiekjes?' vroeg Moessa verwonderd.

Ronni was gekomen om de zaak te beklinken. Ariël had hem gevraagd een overeenkomst te laten tekenen. Hij had de papieren opgesteld en zelfs in het Arabisch laten vertalen. Moessa had gezegd dat het niet nodig was, Ronni had zich verontschuldigd en de spot gedreven met zijn grondige partner, maar Ariël had voet bij stuk gehouden en Moessa was hem ter wille geweest. Ronni stak de envelop in de lucht en zei: 'Kom, laten we tekenen.'

'Ik moet papieren eerst lezen. Dat ik begrijp wat het zegt,' zei Moessa.
'Zeker, zeker. Neem er de tijd voor. Ga zitten lezen. Ik rook mijn sigaret hier.'
'Nee, geen sigaret. Ik geef het iemand uit het dorp. Zijn broer is jurist in Bet Lechem.'
Ronni's ogen zwierven van vader naar zoon. Er ontsnapte een ongeduldig pufje aan zijn mond. 'Goed,' zei hij, 'dan zien we elkaar morgen?'
'Insjallah,' zei Moessa.

Diezelfde dag, 's middags, arriveerden de Japanners, tegelijk met een paar grijze wolken en luchtstromen die met zo'n snelheid bewogen dat ze eindelijk de grens tussen briesje en wind overschreden. Een glanzende zwarte Toyota met getint glas – van dezelfde soort als van de uit de kluiten gewassen stadsjeeps die zakenmensen voor terreinritten gebruiken – stopte bij de slagboom van de toegangspoort. Joni, van zijn stuk gebracht door de teint en de schuinstaande ogen die verschenen op de plek van de getinte ruiten toen die met elektrisch gezoem naar beneden schoven, wuifde ze zonder verdere vragen te stellen naar binnen. Het voertuig walste over de cirkelvormige weg van de nederzetting, waar het nieuwsgierige blikken trok, en nam toen de zandweg naar de rand van het ravijn. De Toyota stopte op de kiezels en er kwam een elegante man in een kostbaar zijden pak met een keurige donkere das en een grote zonnebril uit gestapt, gevolgd door twee andere mannen. Ze liepen voorzichtig, misschien om hun schoenen niet te besmeuren of om een verzwikte enkel te voorkomen en keken in de richting van Charmisj.

Jehoe kreeg ze in het oog, kwam aangereden en hield zonder iets te zeggen naast hen halt. Ze maakten een buiging met hun hoofd. Hij wachtte, stak twee vingers in zijn broekzak en viste er een sigaret uit. 'Haarumishu?' vroeg de man die als eerste uitgestapt was. Hij herhaalde het woord een paar keer. 'Haarumishu?' Hij wendde zijn hoofd naar de nederzetting op zoek naar iemand die kon helpen. Daarna wees de man weer in de richting van Charmisj. Zou het een nieuwe antisemitische begroeting zijn? Waren het verdwaalde toeristen? Zakenlui die de verkeerde afslag hadden genomen?

Ronni, die terugkwam van zijn bezoek aan Moessa en Nimr, kwam naderbij met een bezweet, stuurs gezicht. De Japanner glimlachte naar hem en zei: 'Haarumishu? *Oriibi oiru* – Olib oj?'

'Huh?' zei Ronni. 'Josh,' riep hij, 'kom eens hier en vogel uit wat die kerels willen!' Hij liet zijn ogen op de bezoeker rusten en foeterde bij zichzelf: 'Precies waar het ons hier nog aan ontbrak. Joden, Arabieren, Amerikanen, Russen en Fransen is nog niet genoeg. Dat soort moet ook zo nodig meedoen met het feest. Waarom ook niet.' Hij glimlachte onbeleefd terug naar het schuchtere ik-begrijp-er-geen-woord-van-glimlachje van de Japanner.

Josh arriveerde kort daarna. '*Olive oil?*' vroeg hij.

De Japanner knikte enthousiast en wees naar de olijfgaarden van Charmisj.

Josh zei tegen Ronni: 'Cooper, ze willen wat met olijfolie. Heeft dat niet iets met jou te maken?' Hij keek de Japanner aan, wees naar Ronni en zei: 'Ronni Cooper.' De Japanner schonk hem een verwarde glimlach. Josh probeerde het met: 'Gabi Cooper?'

De drie Japanners barstten in lachen uit en herhaalden: 'Gerii Kuupaa! Hahaha.'

'Zoeken jullie Arabieren of Joden?'

De Japanners begrepen het nog steeds niet.

Ronni stak een sigaret op en begon argwaan te koesteren. Waarom kwamen er drie opgepoetste Japanners in pak uit een andere wereld met een stadsjeep om vragen te stellen over olijfolie en naar de olijfgaarden van Moessa te wijzen?

De pogingen tot communicatie verliepen niet goed. De Japanners probeerden met hun Toyota verder te rijden naar de olijfgaarden, maar raakten ervan overtuigd dat zelfs hun vierwielaandrijving zich geen weg kon banen. Na een opeenvolging van glimlachjes, handen schudden, overhandigde visitekaartjes en buigingen, stapten ze in de Toyota en stuurden die de heuveltop af, waar heel even een aantal verbaasde gezichten achterbleef. Maar dat was maar voor heel even, want er kwamen bijna dagelijks verbazingwekkende bezoekers op de heuveltop, die voor het merendeel uit de herinnering werden gewist zodra de wolken uitlaatgassen van hun auto's waren verwaaid.

Ronni smeet zijn peuk weg en keek nauwkeurig naar de drie visitekaartjes die de Japanners achtergelaten hadden. De Japanse karakters waarmee de kaartjes vol stonden, zeiden hem niets. Hij draaide er een om en zag toen bekendere letters: Engels. *Matsumata – Heavy Machinery Division* stond er, aangevuld met een Japanse naam en een functie. Josh las met ogen op steeltjes met hem mee, haalde vervolgens zijn schouders op en ging zijns weegs. Ronni stak de visitekaartjes in zijn broekzak en liep terug in de richting van Gabi's caravan. Misschien zou hij Ariël vragen om het op internet te checken.

De val

Nir Rivlin leed. Het voorval van Joni en Gitít dat hij had afgeluisterd, liet niet veel aan de verbeelding over, het verwarde hem, zette hem in vuur en vlam, hij vond het walgelijk en toch vervulde het hem met schaamte en nieuwsgierigheid, zelfs een paar weken later nog steeds. Hij wist dat hij er met Otniël over moest praten, maar wat kon hij zeggen? Dat hij iets licht zuigends had opgevangen? Waarom had hij ze niet tegengehouden? En hoe zou Otniël de schaamte doorstaan van de wetenschap dat hij getuige was geweest van zijn dochters teloorgang? Nir dacht erover het op te nemen met de rabbijn van Maälè Chermesj A, of een sms te sturen naar de V&A-service van rabbi Aviner, maar telkens als hij dacht dat het hem gelukt was een vraag te formuleren, aarzelde hij en bedacht hij zich. Hij wilde zich niet door Sjaoelit laten adviseren, maar de toestand in huis verslechterde, ze groeiden steeds verder uit elkaar, hun gesprekken gingen alleen over het noodzakelijke: betalingen, kleuterscholen, schema's, boodschappen. Wat er tussen hen aan de hand was, werd niet besproken, dus hoe konden ze zo'n grote principiële vraag met elkaar delen?

Nir zat op de avond van die dag met zijn gitaar en probeerde een lied te componeren, geïnspireerd op het voorval. Hij sloot zijn ogen en trachtte het gevoel in het schuurtje terug te halen: de scherpe geur, de hitte, de verstikking. En wat hij hoorde.

In een kleine houten kast
Geurend naar verf, lijm en hars
sta ik alleen en…

Hij had een mooie melodie gevonden maar slaagde er niet in verder te komen. In het huis huilden zijn dochters, maar hij moest zich concentreren. Met zijn hand voelde hij onder de stoel naar het wietdoosje. Hij dacht dat er een kant-en-klare joint in zat, maar dat was niet het geval. Binnen krijste Tchelet. Sjaoelit riep: 'Nir! Nir!' Hij speelde op zijn gitaar en probeerde het rijm te vinden voor de derde regel. Sok? Bok? Lok? Hij gaf het op en ging over op 'Ik heb haar mijn leven gegeven' van Kaveret. Het geroep hield op en tegelijkertijd ook het gehuil. Een goed moment om naar binnen te gaan en te vragen of alles in orde is. Hij legde de gitaar weg en stapte het huis in. De blik die Sjaoelit hem toewierp – rode ogen, wanhopig, verwijtend – vertelde hem wat hij al wist. Hij had om nog een kans gevraagd, had beloofd dat hij attenter zou zijn, behulpzamer, meer tot steun. Maar dat werkte niet. Haar blik joeg hem weg, dwong hem te zeggen: 'Ik ga even langs bij Otniël, wat belangrijks,' en zich om te draaien, vastberaden de paar meter af te leggen naar de andere kant van de weg, op de deur te kloppen en te zeggen: 'Otniël, ik moet je wat vertellen.'

Otniël zag de paniek in Nirs ogen, pakte hem bij de arm en marcheerde hem naar buiten, naar de bank in de tuin. Hij bood geen thee aan, begon niet met een praatje, plantte alleen Nir in een stoel en ging tegenover hem zitten wachten. Nir deed zijn mond open en weer dicht, sloot zijn ogen en sloeg ze weer op, keek naar zijn bebaarde buurman terwijl Gitíts gestalte hem voor ogen kwam, net als die van Joni de Ethiopische soldaat, *In een kleine houten kast, geurend naar verf, lijm en hars, sta ik alleen en* BARST, hij herinnerde zich de geluiden en zijn maag draaide zich om. Hoe kon hij zoiets over de dochter aan de vader vertellen, waarom was hij gekomen, wat een vergissing, het was alleen maar een excuus geweest om het huis te ontvluchten en Sjaoelits blik, die weer op zijn netvlies verscheen en hem meedogenloos stak...

'Wat is er, Nir? Je ziet er aangedaan uit. Is alles in orde?' Otniël legde een hand op de gebruinde met sproeten bezaaide arm van Nir, waardoor Nir bijna in huilen uitbarstte, maar hij verbeet zich. 'Wat is er?' herhaalde Otniël met zachte stem.

'Nee... Het is... Goed, kijk. Een tijdje geleden, 's avonds, toen ik wacht had, liep ik langs het speeltuintje en toen hoorde ik iets...' Hij zweeg zo lang dat Otniël hem aanmoedigde met een 'Ja, en...?'

'Ik weet niet. Weet je wat? Laat maar, ik kwam gewoon... Het is niets, blijkbaar heb ik...' Nir legde zijn handen op zijn knieën alsof hij van plan was op te staan, maar Otniël legde opnieuw een hand op zijn arm om hem te kalmeren.

'Vertel me nou maar wat je op je lever hebt. Het is goed dat je gekomen bent. Soms horen of zien we dingen die we niet willen, waarvan we niet zeker zijn wat het is, maar het is belangrijk om anderen daarvan deelgenoot te maken, je weet blijkbaar dat je iets belangrijks hebt gehoord, ook al lijkt het nu ineens overbodig.'

De benauwdheid in het afgesloten schuurtje, de geur van de verf, de dierlijke geluiden van die neger met zijn hete adem, het gefluister, of misschien waren het de geluiden van de nood waarin het slachtoffer verkeerde? En ook de chaos van zijn eigen leven, de spanning thuis, Sjaoelits verwijten...

'Zjanja Freud,' zei hij uiteindelijk terwijl hij zijn blik naar Otniël opsloeg.

'Wat is er met haar?'

'Ik weet het niet. Het was vreemd. Ze sprak zo heel zachtjes in haar telefoon, in de speeltuin, alsof ze zich voor iemand verstopte. Over Ronni Cooper. Over Arabieren. Ik weet het niet. Het was vreemd. Misschien had ik niet moeten komen.' Weer legde hij zijn handen op zijn knieën en dit keer stond hij op.

Otniël hield hem niet tegen, maar de uitdrukking op zijn gezicht was ernstig. 'Denk je dat ze een informante is van de Sjabak?'

'Wat?' Nir had niet in die richting gedacht. Zijn gedachten waren nog bij Gitít. 'Ah... Ik weet het niet... Denk jij van wel?' Otniël tuitte zijn lippen terwijl hij nadacht. 'Kijk. Elazar Freud was weliswaar officier in het leger en komt uit een kolonistennest, maar het zijn geen grote idealisten. Hij doet wat met computers, hij heeft het me weleens uitgelegd, iets met Google, zoekopdrachten, advertenties, ik zweer het je, ik snapte er geen hout van. Heb jij ooit begrepen wat hij doet?'

'Ik kan me alleen maar herinneren dat hij een keer tegen me heeft gezegd dat hij er genoeg van had om leraar te zijn en iedere dag naar Jeruzalem te moeten rijden. En Zjanja is lerares wiskunde, toch?'

'Ik heb er geen probleem mee,' zei Otniël, 'met inwoners die hiernaartoe zijn gekomen voor het uitzicht en de rust en de lage woonlasten;

iedere Joodse inwoner wordt hier met liefde geaccepteerd. Maar je kunt wel zeggen dat ik geschokt ben dat het kwaad zich daar ontwikkelt.'

'Maar goed, we weten het niet zeker, ik wil niet dat...'

'Nir. Dank je wel.' Otniël legde een arm om zijn schouders. 'Je hebt er goed aan gedaan. Wil je me helpen uitzoeken of het klopt? Ik wil gewoon dat zo weinig mogelijk mensen het weten op dit ogenblik. Geef er maar geen ruchtbaarheid aan.'

De volgende middag, in het speeltuintje dat vernoemd was naar Sheldon Mamelstein, terwijl alle kinderen er aan het spelen waren, begon Chilik Jisraëli een gesprekje met Zjanja. Het was nadat zijn zoon Boaz en haar zoontje Nefesj 'per ongeluk' hun hoofden tegen elkaar gestoten hadden (Chilik had zijn zoon een zacht duwtje richting Nefesj gegeven), het gezamenlijk troosten door de ouders en het gepraat over koetjes en kalfjes. Chilik keek over zijn schouder en zei tegen Zjanja: 'Heb je dat gehoord van die Japanners gisteren?'

Zjanja zei: '*Da*, ik hoorde er waren Japanners. Ze wilden iets van olijfolie?'

Chilik dempte zijn stem. 'Olijfolie is maar een dekmantel. Men zegt dat ze samenwerken met extremistische elementen. Ze hebben met Jehoe gepraat. Die jongen brengt ons nog eens allemaal in moeilijkheden... Weet je wat hij eigenlijk doet? Die jongen verdwijnt dagenlang.'

Zjanja leek geïnteresseerd. 'Wacht even, Jehoe... Je denkt dat... Maar wat zijn die Japanners in verband. Hebben Japanners geen olijfolie?'

'Zijn niet alle Japanners gek? Ze hebben daar van allerlei krankzinnige ondergrondse bewegingen, je weet wel. Ik had begrepen dat ze Jehoe misschien wapens gingen leveren.' Hij streelde zijn snor en boog zich dichter naar haar toe. 'Niet dat het mijn zaak is, maar volgens mij hebben we al genoeg ellende in de nederzetting. We moeten op onze tellen passen sinds de minister van Veiligheid hier was. We zitten niet te wachten op nog meer sores.' Hij tikte twee keer op zijn jukbeen onder zijn rechteroog en zei: 'Een oog dat ziet en een oor dat hoort.'

Chilik zelf had er geen vertrouwen in dat de list zou slagen. Toen hij van het speeltuintje bij Otniël thuis aankwam, verontschuldigde hij zich voor zijn slechte toneelspel en beweerde dat hij veel te doorzichtig was geweest en dat er nul kans was dat Zjanja, of welke zichzelf respecterende agent van de Sjabak dan ook, in de val zou lopen. Maar binnen vierentwintig uur arriveerde sectorcommandant Omer Levkovitsj voor een bezoekje aan zijn vrienden in C.

'Oho!' glimlachte Otniël hem toe. 'Waar hebben we dit bezoek aan te danken? Is er wat aan de hand?'

'Gewoon een routinebezoek,' zei de kapitein met rode konen terwijl hij om zich heen keek. Ze wisten allebei dat het geen routinebezoek was. Sinds de reportage in de krant kwam Omer nog maar zelden. De kolonisten waren boos over de vijandige citaten van 'de hooggeplaatste officier'.

'Is er de laatste tijd wat gebeurd? Hebben jullie iets verdachts gezien?' vroeg Omer.

'Verdacht?' zei Otniël schijnheilig.

'Onverwacht bezoek, een onbekende die hier rondzwerft?'

'Onbekende?' vroeg de ervaren kolonist verbaasd.

Nadat Omer vertrokken was, liep Otniël buiten zijn huis Joni tegen het lijf. Joni zag er geschrokken uit en Otniël greep zijn kans om hem uit te horen. Het bleek dat Omer Joni langdurig had ondervraagd over de Japanners en hem had geïnstrueerd om onmiddellijk te rapporteren als hij ze weer in de omgeving zag. Hij had ook gezegd dat hij een oogje moest houden op Jehoe, omdat er geruchten rondgingen dat hij verwikkeld was in extreem-rechtse organisaties. Om nog wat meer zekerheid te krijgen, pleegde Otniël een telefoontje met zijn vriend generaalmajoor Giora. De Joodse Brigade van de Sjabak, wist hij, was zo glad als een aal. Zijn kolonistenvrienden probeerden er al jarenlang een mol te planten en zich toegang te verschaffen, maar Otniël had ontdekt dat het in urgente gevallen de moeite waard was een onderonsje te hebben met Giora. Dit keer was het eerste wat Giora zei nadat hij door de secretaresse was doorverbonden: 'Otni! Ik hoor dat jullie last hebben van Japanse kamikazepiloten?'

Nog diezelfde avond werd Zjanja Freud met klem bij Otniël thuis uitgenodigd. Chilik en hij hadden samen een gedetailleerd plan opgesteld om de mol stap voor stap te ontmaskeren, kwaaie peer, goeie peer en wat dies meer zij. Maar Zjanja brak al binnen een minuut, meteen nadat Chilik zijn openingszin had uitgesproken, een citaat van Sjim'on ben Sjetach die tegen koningin Salome zei: 'Wees niet bang voor

Farizeeërs of voor hen die geen Farizeeër zijn, en ook niet voor rechtvaardigen of voor hen die geen rechtvaardigen zijn, maar voor hui-
chelachtigen, die zich gedragen als Zimri en ervoor beloond willen
worden als waren ze Pinchas.'

Otniël en Chilik wierpen ernstige blikken op de snotterende lerares
wiskunde tegenover hen, die brokkelige verontschuldigingen en uitvluchten stamelde. 'Zjanja,' sprak Otniël streng, waarop zij met angstige blik naar hem opkeek. 'Ga nu naar huis. We gaan nadenken en
we zullen binnenkort met je spreken. In de tussentijd houd je je mond.'

Ze verliet de caravan in tranen, haar gezicht in haar handen. Otniël
en Chilik wisselden betekenisvolle blikken.

De druppel

Gabi kwam terug in de caravan, luisterde aandachtig – was Ronni er?
De stilte stelde hem gerust, maar toen hoorde hij het klateren in de
wc-pot. Hij ging in de woonkamer zitten en pakte een heilig boek van
de plank. Hij keek niet op toen Ronni zuchtend op de bank ging liggen
die zijn bed was.

Lange tijd zwegen ze naast elkaar.

Gabi dacht aan Uman, de reis die hij had opgegeven. De droom.
Wat had hij een behoefte aan die ervaring, om dicht bij rabbi Nachman
te zijn. Hij had ervan afgezien omwille van zijn broer. De mens is de
vrucht van blijdschap en zonder blijdschap is er geen geloof, maar
waar, o waar was die blijdschap? Gabi was die dag naar Jeruzalem
geweest. Hij had gedacht dat het hem misschien op een of andere
manier toch nog zou lukken. Hij was bij het reisbureau langsgegaan.
En bij de bank. Hij had beseft dat er geen kans op was. Twaalfhonderd-
vijfenzestig dollar voor een eenvoudig reispakket van vijf dagen, plus
visumkosten, plus vervoer vanaf het vliegveld, plus eten. Het zou minder kosten als het geen Rosj Hasjana was, maar rabbi Nachman had
gezegd: 'Heel mijn interesse is Rosj Hasjana…'

Wat een tegenwerking, God beware. Hij kwam niet in aanmerking
voor een lening en wilde dat ook niet. Hij wilde niet een jaar lang
werken om de reis terug te betalen. Hij berekende wat hij allemaal aan

Ronni had gegeven. Het was zijn broer, zijn eigen vlees en bloed, hij moest zo niet denken. Hij probeerde Misjna-traktaten te lezen, maar het lukte hem niet zich te concentreren, dus legde hij het open boek op zijn borst en sloot zijn ogen.

Ronni voelde welke energie er door Gabi stroomde. Hij besloot een einde te maken aan de stilte en het eerste dat hij zei was: 'Ik zorg voor het geld, maak je niet druk. Het is onderweg. Jammer dat je me niet verteld hebt dat Rosj Hasjana dit jaar vroeg valt...'

Bij wijze van reactie strekte Gabi zijn hand uit en wachtte. Ronni keek hem aan, zonder iets te zeggen. Gabi wachtte. Zijn hand werd niet met geld gevuld. Uiteindelijk zei hij: 'Als je wilt, leg hier dan nu vierduizend sjekel neer. Maar zonder iets te zeggen. Zonder het woordje "binnenkort". Zonder te beloven dat strakjes de bestellingen binnenstromen of dat je naar de bank gaat om een lening te regelen of dat Rosj Hasjana dit jaar vroeg valt.'

Ronni keek naar de uitgestrekte hand voor hem.

'Leg hier vierduizend sjekel neer,' zei Gabi, 'nu. Je zegt de hele tijd tegen me dat ik moet doen wat ik echt wil, dus hier is het. Dit is wat ik echt wil. Leg het geld neer, en als je dat niet kunt, lazer dan op. Want als ik met Rosj Hasjana niet naar Uman kan, kan ik geen dag langer met jou in deze caravan leven. Dit is mijn huis en daar ben jij neergestreken en ik heb je ontvangen, met liefde en zonder iets te zeggen, en misschien ben ik niet rechtschapen genoeg, niet sterk genoeg, niet liefdevol genoeg, maar ik kan niet meer. Of ik ga naar Uman, of jij gunt me mijn rust.' Ronni keek naar de tranende ogen van zijn broer, naar zijn uitgestoken hand en stond op. Deed een shirt aan, trok zijn koffer uit de opslag boven op de kast en begon er zijn bezittingen in te gooien. Zonder een woord te zeggen zocht hij ze uit heel het huis bij elkaar, stopte ze in de koffer en deed de rits dicht. Hij liep naar de keuken en dronk een glas water. Gabi bleef in dezelfde houding achter, zijn hand voor zich uitgestoken alsof hij hem nog een kans wilde geven, het aanbod niet wilde intrekken. Hij zou tegen hem moeten zeggen dat hij ophield, dat hij moest blijven, maar het lukte niet. Na het glas water ging Ronni terug naar de woonkamer, pakte het handvat van de koffer en begon hem richting de deur te rijden. Er werd geen enkel woord meer gesproken. Een sterke windvlaag smeet de deur met een klap dicht en liet de dunne wanden van de caravan sidderen.

Er zijn van die dagen waarop water en lippen elkaar naderen, dan hangt er iets in de lucht, neemt de wind iets mee, is er iets met het water en de ziel. Want op hetzelfde moment waarop het water langzaam maar zeker steeg, zich ophoopte en bij Gabi de maat vol was, het moment waarop Ronni op weg ging, zijn koffer over de cirkelvormige weg van Maälè Chermesj C rolde zonder echt een idee over waar hij heen zou gaan, op datzelfde moment steeg het water, steeg het Sjaoelit naar de lippen en als gevolg daarvan – alleen in deze opsomming als gevolg daarvan – ook Nir, hetgeen ze tot deprimerende conclusies bracht over het vervolg van hun gezamenlijke pad; op datzelfde moment kreeg de minister van Veiligheid van de staat Israël weer een woedend telefoontje van het State Department en besefte hij dat het water hem tot boven zijn gekwetste, door oorlogen getekende ziel steeg…

Op exact datzelfde moment waste het water duizendvoud als van een rivier die door de warme lente en de gesmolten sneeuw van vorig jaar in een woeste stroom verandert, en stortte met donderend geraas als een waterval over de tere zieltjes van Nachoem, Raja, Sjimsjon (Sjimi) en Tehila (Tili) Gottlieb. Ronni liep nog over de straat terwijl er een oude *Washington Post* – de befaamde editie – zachtjes op de avondwind ronddwarrelde. Ronni lette niet op de krant, maar misschien hoorde hij wel de kreten van Tili Gottlieb.

'Wat is er? Wat is er?' vroeg Raja geschrokken aan haar dochter en zoon, die het huis binnenkwamen alsof de duivel ze op de hielen zat. Op zoek naar lucht sperde Tili haar mondje open waarin de twee voorste ondertanden ontbraken. 'Wat is er? Wat is er?' herhaalde de moeder haar dubbele vraag. Inmiddels had Tili lucht gevonden en liet die naar buiten in een diepe, heftige snik. 'Wat is er, Sjimi? Wat is er met haar gebeurd?'

Sjimi zei: 'Condi heeft haar gebeten.'

'Wat, waar?' Ze tilde Tili op, droogde haar tranen af en kalmeerde haar. 'Waar, laat het me eens zien, schatje.' Tili wees naar haar enkel. Raja hief haar blik en ving die van haar man Nachoem. Ze schudde haar hoofd in wanhoop. Hij keek bezwaard terug en besefte dat de maat vol was.

'Dat is Otniëls hond,' zei hij tegen haar, maar feitelijk zei hij: luister, hier komt geen officiële onderzoekscommissie aan te pas, verontschuldigingen kun je vergeten, hier worden huisdieren niet opgesloten, gestraft of opgevoed – dit is de hond van de sheriff en niemand komt aan de sheriff van de heuveltop.

Raja verbond de wond. Tili jammerde zachtjes en snikte nog na, inmiddels gekalmeerd. Sjimi ging in de hoek van de kamer met blokken spelen, hij vond het lastig om mooie torens te bouwen omdat de vloer scheef liep. Als we het dan toch over verzadigingspunten hebben. Hoewel het al maanden niet geregend had, veroorzaakte een hardnekkig straaltje uit een van de leidingen in die hoek dat de vloerbedekking van pvc opzwol, bol ging staan, scheurde en vol heuvels, dalen en kloven zat. Misschien leuk om er met een treintje te spelen, maar niet voor de blokken, of om er een bank of staande lamp neer te zetten.

'Ze moet een tetanusinjectie hebben,' zei Raja tegen Nachoem, maar in feite zei ze: dit oord, met uw welnemen: het is hier niet alleen jong en moeilijk en basaal; staan wij als nieuwkomers onderaan in de pikorde en als de hond van de hoogstgeplaatste ons bijt, moeten we vooral niet klagen; is het hard werken en ver reizen en zijn er heel weinig mensen – zelfs een basisvoorziening als een huisarts is er niet.

Nachoem gaf geen antwoord. Wat kon hij zeggen?

'Ik wil met haar naar de huisarts.'

'Waar wil je met haar op dit uur naartoe?' zei hij terwijl hij op zijn horloge keek.

'Ik kan niet meer, Nachoem.' Dit was het moment waarop het water zijn weg vond en Raja haar verzadigingspunt bereikte. 'Ik kan niet meer. Geef me een huisarts. Geef me een assistente, Nachoem.'

Haar man keek naar zijn vrouw en zijn dochter. Zijn haar en baard waren dun van draad en dicht geplant, maar nog altijd tamelijk kort. Zijn gezicht was lang en smal, net als zijn lijf en zijn neus, die dienstdeed als basis voor een dun aluminium montuur – een suggestie van Raja – dat de brillenglazen omvatte. De optiek die hij probeerde in Maälè Chermesj A op poten te zetten, liep niet goed. Hij was geduldig, maar soms vroeg hij zich af waarvoor. Hij maakte een beweging waardoor zijn bril op zijn neusbrug terechtkwam zonder zijn hand te gebruiken en zei: 'Geef me rabbijnen. Geef me een dagelijkse pagina Talmoed. Geef me drie dagelijkse gebeden met een minjan.'

Tili was inmiddels alweer aan het lachen. Haar ouders keken elkaar aan.

'Geef me een kruidenier. Geef me een bus naar de stad. Geef me een gecertificeerde crèche, kleuterschool, en school.'

'Geef me airconditioning. Geef me stenen muren. Geef me warm water.'

Nachoem keek door het raam met de tralies naar de kloof van de Chermesj, en verder, naar de huizen van de nederzetting Jesjoea. Dit leven was niet voor iedereen weggelegd. Ze onderschreven het van harte, waren overtuigd van het recht en van de uitvoering. Maar dan van een afstandje: via demonstraties, petities, de stembus. Op de weg voor de rand van de kloof rolde de krant nog steeds in de wind.

'Geef me een bibliotheek. Avondjes voor vrouwen. Echte feesten met de feestdagen.'

'Geef me een buurthuis. Geef me een zwembad.'

'Geef me kindervoorstellingen. Geef me dansles en judo.'

'Een babysitter.'

'Ja, een babysitter.'

Raja Gottlieb glimlachte naar haar man. Zij wist dat de zaak geen succes zou worden. Ze was twee keer in de week in de winkel, hielp met de administratie en wachtte samen met Nachoem op cliëntèle. Er was hem verteld dat er mensen uit de nederzetting zouden komen, uit de naburige nederzettingen en zelfs uit Jeruzalem. Het percentage mensen met een bril onder de orthodoxe bevolking was twee keer zo hoog als dat in de algemene bevolking. Maar hier waren het er weinig. En ze waren zuinig; ze gingen naar de optiek van Helperin in het grote winkelcentrum. Er was met hem gesproken over lijdzaamheid en over duizenden nieuwe kolonisten. Maar met deze regering, en die Amerikanen... Raja liet haar blik van haar man Nachoem naar de petieterige keuken gaan.

'Geef me een normale keuken. Met een normale maat oven. En een normale maat koelkast.

'En een normale vloer?'

'Zeker.' Raja keek naar het ontbrekende vierkant linoleum in hun keukenvloer. De lijm onder het linoleum had in de afgelopen maanden zand, bladeren, spinnen en stofnesten aangetrokken. Van tijd tot tijd ontstond er zelfs nieuw leven. Raja kon de moed al niet meer opbrengen om het schoon te maken. Ze was gewend geraakt aan het geluid van vastklevende zolen die vervolgens weer losgetrokken werden. Accepteerde het lege vierkant, dat beschamende stukje als een onlosmakelijk deel van haar leefomgeving. Een paar dagen geleden was de verdwijning opgelost: ze had met Sjaoelit Rivlin staan praten in het speeltuintje. Het gesprek duurde steeds langer en ging over de gebruikelijke onderwerpen: kinderen, kleuterscholen, borstvoeding en koken, en toen het te warm werd, zocht het tweetal de schaduw op, duwden hun kinderwagen langzaam uit het speeltuintje naar de rondweg en toen ze bij hun caravan kwamen, nodigde Sjaoelit haar uit. Ze zaten op de schommelbank in de tuin terwijl de grote kinderen zoet in het huis speelden.

Sjaoelit vertelde Raja niets over haar moeizame relatie met haar man. En Raja sprak met geen woord met Sjaoelit over hoe moedeloos ze werd van het leven op de heuveltop. De twee genoten van hun gesprek, waren elkaar tussen de regels door tot steun, gewoon door te luisteren. En toen, midden onder het voeden, had Sjaoelit een luier en een speen nodig. Ze legde Raja uit waar ze die kon vinden in de caravan. Raja ging naar binnen en zag in de keuken een vierkant stuk groen linoleum vastgeplakt, dat schoner en nieuwer was dan het linoleum eromheen. Ze liep eropaf, bekeek het eens goed en mat de lengte en breedte op met de spanne van haar hand om het later thuis te vergelijken, hoewel dat eigenlijk niet nodig was: het was duidelijk.

Toen ze met de luier en speen naar buiten kwam zei ze er niks over, maar thuisgekomen mat ze toch het missende vierkant op. Ze vertelde het aan Nachoem en hij keek haar vol ongeloof aan. Daarna werd hij boos en zei: 'Ik ga er nu naartoe. Ik haal het van hun vloer. Ik zal die nozem eens even laten zien...'

Maar Raja schonk hem een verzoenende glimlach en zei: 'Laat maar, Nachoem, het doet er niet toe,' want ze wist al dat ze niet lang in deze voorpost zouden blijven, in deze caravan, met deze keuken en zijn gedeeltelijke vloer.

Het braken

'Jakir!'

'Ja, papa?'

'Doe me een lol en zoek op dat internet van je naar een bedrijf of een groep Japanners die...'

'Die wat?'

'Die... Ik weet niet. De Groot-Israël-gedachte steunt? Dol is op Arabieren? Ana aärif, weet ik veel, iets bij ons te zoeken heeft...'

Jakir zocht. In Japan bestaat de Makuya-beweging, waarvan de leden groot voorstander zijn van Israël. Maar Otniël had toeristen ontmoet die lid waren van de Makuya-beweging en het leek hem niet dat die zakenlieden daar iets mee te maken hadden. En dus zocht Jakir verder: er waren allerlei neofascistische rechtse bewegingen. Een aantal terreurgroepen. Er waren organisaties die gekant waren tegen de bezetting, tegen minderheden en vreemden, inclusief Arabieren. Toen hij het woord 'Japanners' gevolgd door 'Jehoeda en Sjomron' intikte, vond hij tussen alle bagger die Google bovenhaalde een korte mededeling op een onbekende website, waarop cijfers langsliepen met groene en rode graphics erachter. Hij liet de mededeling aan zijn vader zien en Otniël tuurde ernaar, en met zijn dikke vinger – de nagel vergeeld door het werk op het land – wees hij de flakkerende lettertjes aan terwijl hij mompelend las:

Matsumata, de Japanse Landbouwmachinefabrikant, dringt door op de Israëlische olijfmarkt.

Het Japanse bedrijf Matsumata (MATS op de Dow Jones en Nikkei) heeft laten weten van plan te zijn om de Israëlische olijfoliemarkt op te gaan. De Japanse gigant, die zich onder meer bezighoudt met de fabricage van elektronica en landbouw- en grondverzetmachinerieën, heeft zich onlangs begeven op het gebied van import en voedingsmiddelenproductie. Olijfolie geniet een hoge populariteit in de midden- en hogere klassen van Japan, Korea en China. In deze landen is er een toenemende bekendheid met een gezonde levensstijl, biologisch geteelde levensmiddelen en het effect van olijfolie bij het verlagen van cholesterol en de behandeling van kanker. Verkenningsteams van Matsumata hebben verschillende olijfgaarden in het Middellandse Zeegebied bezocht.

Medewerkers van het bedrijf hebben vooral interesse getoond in Pales-
tijnse olijfgaarden. Zoals eerder bericht, hebben de Europese Unie en de
Japanse organisatie Jaiko laten weten een gezamenlijk programma op te
zetten ter ondersteuning van de Palestijnse economie, waarbij investeer-
ders belastingvoordeel en gunstige financieringsvoorwaarden genieten.
Dankzij dit programma zijn Palestijnse olijven goedkoper dan Europese,
ondanks de veiligheidssituatie. Bovendien heeft olijfolie uit het Heilige
Land meerwaarde voor miljoenen christenen in het Verre Oosten...

Otniëls vinger verliet het scherm. 'Dit doet me pijn aan mijn ogen,'
zei hij tegen zijn zoon. 'Waar wordt Maälè Chermesj genoemd?'

'Maälè Chermesj wordt niet genoemd. Alleen Jehoeda en Sjomron.'

'Dus wat heeft dat met ons te maken?'

'Ik heb niet gezegd dat het iets met ons te maken heeft. Dat zeg jij.
Er staat alleen maar dat ze op zoek zijn naar olijven van Palestijnen in
Jehoeda en Sjomron.'

'Stelletje antisemieten,' zei Otniël. De telefoon in zijn zak zoemde
en hij haalde hem tevoorschijn terwijl hij naar buiten liep om het gesprek te voeren. Jakir las het stuk vluchtig door: de woordparen 'machinerieën', 'plaatselijke perserijen' en 'tonijn in blik' dansten voor zijn
ogen, maar hij haakte af op het economisch jargon. Hij luisterde aandachtig om er zeker van te zijn dat zijn vader nog diep in gesprek was
en klikte met bonzend hart Second Life open.

Hij ging de virtuele locatie van het eiland Herrijzenis binnen. King
Meïr was traag met hem begroeten. 'Waar was je, held?' vroeg hij en
hield zijn hand uit om te schudden. Als het op Second Life mogelijk
was geweest gevoelens over te brengen, had Jakirs handdruk een
slappe indruk op King Meïr gemaakt. 'Je gelooft het niet,' vervolgde de
bebaarde avatar met het gele shirt in tekstballonnetjes die boven zijn
hoofd verschenen, 'het is hier chaos, er zijn demonstraties en ze willen
ons eruit gooien. Ik geloof dat de medewerkers van Second Life me
zoeken.'

Jakir verstijfde. Zoeken? Binnenkort waren het de dagen van inkeer
en Jom Kippoer, maar King Meïr jubelde van geluk, en ook de andere
leden waren opgewonden, bespraken de boycot, de vervloekingen, de
zielige pogingen tot represailles van de Arabieren. Ze wilden doorgaan,
angst aanjagen, dingen opblazen en ze laten zien wie wij zijn. Maar het

lukte Jakir niet om erin mee te gaan. Hij was bezorgd. Hij wilde geen ellende. Hij wilde niet dat er mensen aan de deur verschenen, of in zijn mailbox, die hem beschuldigden van vernietiging, huisvrede-breuk, overschrijding van de gedragsregels van het internet. Boven-dien, hoezeer hij het ook probeerde, het lukte hem niet blijdschap te voelen over het opblazen van de moskee. Hij begreep niet waarom hij het gedaan had, of voor wie – wie waren die mensen, die pseudovrien-den, een groepje van God weet wie en waarvandaan: Texas? Duitsland? Een naburige nederzetting? Waarom had hij een moskee opgeblazen, een gebédshuis? Hij was een gelovig mens, die zelf aldoor naar een gebedshuis toeging.

King Meïr voelde blijkbaar dat er iets aan de hand was, want hij vroeg: 'Wat is er, Jakir? Alles in orde?' Als het op Second Life mogelijk was geweest gezichtsuitdrukkingen te zien, hadden Jakirs vrienden nu tegen een bleek, schuldbewust gezicht aangekeken. Hij hoorde zijn vader afscheid nemen aan de telefoon met: 'Sjalom, gelukkig nieuwjaar en *chatima tova* – een goede bezegeling.' Chatima tova: hoe kon hij zijn Schepper onder ogen komen? Hoe kon hij een goede bezegeling krijgen? Hij was slecht, een zondaar, en nu zou zijn straf komen. Als het op Second Life mogelijk was om ogen te zien, dan hadden de ju-belende messianistische Joden op Herrijzenis een paar ogen vol paniek gezien, heen en weer schietend als die van een laboratoriummuis.

Zijn vaders voetstappen kwamen dichterbij en Jakir verliet Second Life, hij vluchtte, deed de computer uit, viel op zijn knieën en ontkop-pelde het hele internet, de elektriciteit, en precies op het moment dat hem gevraagd werd: 'Jakir, wat doe je daar op de grond? Is er wat met de computer aan de hand?' spoot uit zijn mond een grote stroom licht-bruin braaksel, gespikkeld met stukjes vlees, deegwaren, aardappel, brokjes fruit, en weer, en weer, met heftige bewegingen van zijn tors en vreselijke samentrekkingen van zijn keel. Zijn ogen vulden zich met tranen terwijl de golven in hem omhoogkwamen, zijn maag legend tot er niets meer over was en hij braakneigingen bleef houden, maar enkel nog bitter smakende gal uitspuwde. Otniël legde zijn grote warme handen op zijn doodsbange zoon. Met één hand streelde hij teder zijn nek, met de andere hield hij hem een glas water voor, en hij zei alleen maar: 'Kleine slokjes, kleine slokjes, kleine slokjes.'

Het vertrek

Een paar dagen nadat Zjanja Freud als informante van de Sjabak werd ontmaskerd, nodigde Otniël haar en haar man uit voor een gesprek onder zes ogen. In eerste instantie had Otniël aan de paar mensen die het wisten – Nir Rivlin, Chilik Jisraëli en zijn vrouw Rachel – gevraagd er geen ophef over te maken en de ontmaskering stil te houden. Chilik had hem geadviseerd dat het misschien waardevol was haar te gebruiken als dubbelagente, als mol? Misschien konden ze via haar een manier vinden om informatie te krijgen over de bouw van de afscheidingsmuur, ontruimingsplannen van de veiligheidsdiensten en wat dies meer zij?

Maar toen de geruchten de kop opstaken en zich over de hele heuveltop verspreidden, begreep Otniël dat de kwestie niet langer geheim was. Hij besloot de bewoners persoonlijk op de hoogte te stellen en daarmee versleten telefoons en overbodige spanning te voorkomen, en om ervoor te waarschuwen dat niemand zijn waakzaamheid mocht laten verslappen. Het gesprek met Zjanja en Elazar was de opmaat voor de mededeling aan de bewoners van de voorpost.

'Elazar, leg me nou nog eens een keer uit wat je doet, iets met de computer, toch?' begon Otniël het gesprek.

'Ik ben accountmanager voor advertenties op Google voor een aantal bedrijven, gedeeltelijk uit Jeruzalem en gedeeltelijk uit Amerika, de meeste op het gebied van de drukkerij...'

Otniël knikte glimlachend, maar hij was afgeleid omdat Rachel een kan met koffie op tafel neerzette en een taart, die Zjanja gebakken had. Hij luisterde niet echt. Zjanja wreef haar vingers tegen elkaar. Ze glimlachte dankbaar toen Rachel koffie voor haar inschonk, haar rode ogen verrieden dat ze al meerdere dagen slecht sliep. Elazar zag er zelfs nog gespannener uit dan zij, zijn adamsappel was bijzonder actief. Er heerste stilte. Rachel verliet de woonkamer van de caravan en ging naar de keuken. Otniël nam een slokje.

'Waarom heb je het gedaan, Zjanja?' Het echtpaar Freud was verrast te horen dat zijn toon zacht was, niet beschuldigend.

Schouderophalen. Lippengekauw, neergeslagen ogen. Een aarzelende hand die over blond haar strijkt. En weer de brede schouders die zakten. 'Ik weet het niet. Ik… Bij liftersplaats een vrouw spreekt met mij. Ze spreekt Russisch. Ik herinner niet waarover we praatten, misschien recepten, taarten.' Voorzichtig sloeg ze haar ogen op – misschien wilde hij zulke details niet horen, misschien was hij ongeduldig? Maar uit Otniëls ogen straalde gelatenheid, zijn handen gebaarden: ga verder. Als hij haast had of boos was, was dat niet te merken.

'We gaven telefoonnummers. Ik weet niet hoe het gebeurde, veel tijd hadden we contact. Ze was mijn vriendin…'

'Ik heb ook kennis met haar gemaakt,' mengde Elazar zich in het gesprek. 'Dalja, haar vriendin van de liftersplaats. Jazeker.'

'Had je ook de gewoonte met haar te praten? Haar te ontmoeten?'

Elazar schudde zijn hoofd. 'Ik ken geen Russisch. En ze is nooit bij ons geweest.'

'En na een tijdje begon ze over politiek,' zei Otniël.

'Da… Je kent hoe dat werkt?' Ze keek op naar de leider van de voorpost.

'Ik ken het klappen van de zweep. Ik ken ze goed,' zei Otniël. 'Ze heeft je vast en zeker verteld dat ze zelf een koloniste is. En de kolonisatie bejubeld. En over de regering geklaagd en over het leger en de Palestijnen. En daarna begon ze over extremisten. En over het prijskaartje. De gekken die ons allemaal een slechte naam bezorgen. En dat die tegengehouden moeten worden omdat ze de kolonisatie schade berokkenen. Want als we ze niet tegenhouden, als we ze hun gang laten gaan en extremistische dingen laten doen, dan zullen de Palestijnen ook wraak nemen op ons, en ook het leger zal in actie komen en ons ontruimen… Ze heeft je bang gemaakt.'

Zjanja en Elazar keken hem verbijsterd aan. Dit hadden ze niet verwacht. Ze hadden niet verwacht dat wat Zjanja overkomen was begripvol geaccepteerd zou worden. Wat Otniël hier liet zien was veel meer dan begrip. Hij beschreef precies wat er gebeurd was. Maar toen verhardde zijn vriendelijke gezicht zich en de angst sloeg Zjanja en Elazar om het hart. 'Maar dat is nog steeds geen reden om je vrienden te bespioneren.'

'Dat is waar,' beaamde ze snel. 'Ik…'

'Zulk verraad kunnen we niet accepteren.'

'Ze zeiden me jij volgt alleen Jehoe. Die is als wilde planten, een

271

jongen van de heuvels. Ik verraad de voorpost niet. Zoek geen andere mensen.'

'We hoorden dat je ook iets zei over Ronni Cooper.'

'Ze vroegen om Ronni Cooper, maar ik ken die niet. Hij is niet van bewoners. Ik geef hun helemaal niks over hem! Of over bewoners! Alleen van Jehoe!'

'Jehoe hoort bij ons,' zei Otniël rustig. Alle vriendelijkheid was uit zijn stem verdwenen. 'Ook over hem hoef je niks aan niemand te rapporteren.'

'Duidelijk, ik rapporteer niks verder.'

'En geen fratsen meer. Het maakt niet uit wat er gebeurt, hoe het gebeurt of met wie – je komt direct naar mij.'

Ze knikte: 'Helder, helder.'

'Ik zal wel met iedereen gaan praten,' besloot Otniël. 'Ik loop al heel wat jaren mee. Die klootzakken weten precies de zwakke schakels eruit te pikken en daar druk op uit te oefenen, weten precies hoe ze mensen op het verkeerde been moeten zetten en ze dingen moeten laten doen zonder dat ze beseffen wat ze zeggen. Dit keer zullen we pardon verlenen, Zjanja. Dit keer wel.' Hij keek met een streng gezicht naar Elazar. 'Neem haar mee naar huis en leg het haar uit. De volgende keer zal niemand coulant zijn. Dit is jouw verantwoordelijkheid, man. Pak die met beide handen aan.'

Zjanja wierp een schichtige blik op haar man. '*Sjto eto*, pardon verlenen?' probeerde ze het te begrijpen. Elazar huiverde. Zijn adamsappel maakte salto's. Hij sloeg zijn blik neer. 'Ja, zeker, Otniël, van mij, geen zorgen.' Hij pakte zijn vrouw bij de arm en trok haar voorzichtig omhoog. 'Dank je, Otniël.' Hij trok haar in de richting van de deur. Het was duidelijk dat Elazar de caravan van Otniël wilde verlaten voordat die zich bedacht.

De ontmaskering zorgde voor beroering bij de mensen op de voorpost. Gavriël Nechoesjtan nam namens iedereen aanstoot, Netta Hirsjzon ziedde van woede, Jakir voelde een zeker medelijden met de rijzige vrouw, die zo kwaadaardig was gemanipuleerd, terwijl Jehoe weer voor enige dagen verdween. Uit schrik en paniek deed Elazar Freud een paar dagen niets, het lukte hem niet zijn vrouw in de ogen te kijken. Maar nadat ze in tranen koppig had geprobeerd van hem te begrijpen wat er ging gebeuren, viel hij zonder verder iets te zeggen snikkend in haar armen.

Nachoem Gottlieb wist dat weekafdeling Ki tetsee – 'Als u uittrekt' – die onlangs gelezen was, erover ging dat men ten strijde trok, en niet over dat men overging van arbeid naar vrije tijd, of van de ene plek naar de andere. Maar in die hete periode waarin het jaar afliep en binnenkort ten einde was, kon hij Ki tetsee alleen maar opvatten als een teken, een aanwijzing van boven, dat het precies was wat Raja en hij, en Sjimi en Tili, hun kinderen, te doen stond. Toen ze de beslissing eenmaal hadden genomen, lieten ze het Rachel Asís weten, begonnen met de formele processen van het opheffen van de optiek in Maälè Chermesj A, deelden de huurders van hun appartement in Sjilo mee dat ze terugkwamen, schreven de kinderen in op de kleuterschool en wat dies meer zij. Nachoem en Raja ervoeren een grote opluchting en begonnen hun Nissan te vullen met huisraad om het beetje bij beetje terug te vervoeren naar hun vroegere leven.

Ook Jakir trok uit – hij vertrok uit Second Life, niet van zins er terug te keren, maar hij bleef wel nadenken over de stormachtige gebeurtenissen die hij daar had meegemaakt en over de betekenis en de weerslag daarvan; zijn zuster Gitít begon haar onschuld achter zich te laten met de zeer welwillende hulp van Joni, rondtastend in een nieuwe en nieuwsgierigheid wekkende duisternis waarbij ze nieuwe en wonderbaarlijke gevoelens en emoties ontdekte; Sjaoelit Rivlin, die depressief was van de bedrukte sfeer in huis, wanhopig werd van de ongevoeligheid van haar man en zijn toenemende egoïsme, overwoog eveneens de mogelijkheid om een nieuwe weg in te slaan; om nog maar te zwijgen over de voorpost Maälè Chermesj C zelf, en de mensen – groot en klein – die er woonden: de kans dat ook de voorpost haar locatie zou verlaten of in ieder geval ontruimd zou worden, werd steeds groter als gevolg van zachte maar aanhoudende druk vanuit de Amerikaanse minister van Buitenlandse Zaken en de ambassadeur, die er uiteindelijk toe kon leiden dat de brede rug van de minister van Veiligheid het liet afweten.

En ondertussen liep Ronni, nadat hij uit het huis van zijn broer Gavriël gesmeten was, met zijn grote koffer op wieltjes naast zich, terwijl hij nadacht en zich afvroeg waar hij naartoe zou gaan, en zichzelf het antwoord verschafte. Misschien moest hij op de heuveltop een logeeradres vinden? Wellicht in het huisje dat bijna-af-was-maar-nog-niet-bewoond van zijn broer? Een deken spreiden in Mamelsteins speeltuin? Of kon hij zijn hoofd te rusten leggen in de krakkemikkige stal van Sassons kamelenmerrie? Of misschien zou hij alles achter zich laten en naar de kust rijden, waar hij al jaren niet was geweest, naar de gekleurde lichtjes, de dicht op elkaar staande huizen, de mensenmassa's?

Nee, nee, nee, nee en nee, luidden de antwoorden. Hij liep verder, verliet de ringweg in zuidelijke richting, stak de velden van Otniël Asís over, liep de terrassen af en klom omhoog tussen de olijfbomen van Moessa Ibrahim. Zijn vriend. Zijn zakenpartner. Hij stond op het punt hem zijn vertrouwen te schenken en te vragen of hij daar kon overnachten. Gabi en zijn kolonistenmaatjes, die niet in staat waren om in vrede te leven met hun buren, konden het dak op. Hij was bereid om in de perserij te overnachten, vlak bij de olijven en de grote molenstenen die naar olie roken. Waarom niet? Als dit zijn nieuwe leven was, als dit vanaf nu zijn bron van inkomsten was, dan moest hij leven als een echte landarbeider, in contact met de aarde en de vruchten die zij voortbracht.

Hij klopte op Moessa's deur. Zijn vrouw deed open, wierp een verraste blik op de koffer terwijl ze zei: 'Ahlan, Ronni.' Ze liet hem binnen en bood hem Arabische koffie met kardemom aan. Moessa komt zo, beloofde ze. Ronni zat in de eenvoudige woonkamer en wilde zich er beter thuis voelen dan bij zijn broer. Het zou nog wel komen, beloofde hij zichzelf. En trouwens, dit was niet zijn nieuwe huis, dat was de perserij.

Moessa kwam. Ronni stond op en glimlachte. Ze schudden elkaar de hand. Moessa keek naar Ronni's grote koffer en keek vervolgens met warme blik naar Ronni. 'Binnenkort komt de eerste regen,' zei Ronni, 'niet? Voel je het in je lijf? Er zijn al wolken te zien. Je kunt zien dat die wel willen. Toch?'

'Ga zitten, Ronni, ga zitten,' zei Moessa. 'Heb je al koffie gekregen?'

'Ja, die heb ik gekregen.'

'Ja. Binnenkort is de regen er. Binnenkort komt de olijven. Heel het dorp wacht.'

'Wij wachten ook, Moessa, wij ook. Ik wil ermiddenin zitten. Oogsten, werken, olie persen.'

Moessa keek hem aan. Ronni keek terug.

Na enkele seconden stilte vroeg Ronni: 'Wat?'

Moessa zei: 'Hebben ze niet met jou gepraat?'

'Waarover had met mij gepraat moeten worden?'

Het besluit

Het kantoor van de minister van Veiligheid. De vergadering van de
commissies Buitenland en Veiligheid was afgelopen en nu ging men
verder met een kortere bespreking – of tenminste: dat was de hoop – in
een kleiner gezelschap: de minister, Malka, zijn assistent voor Nederzettingszaken, Giora, generaal-majoor van het hoofdkwartier, en Avram,
het hoofd van de afdeling Verijdeling van Staatsondermijning van de
Sjabak. De directeur-generaal van het ministerie liet weten dat hij over
zeven minuten zou arriveren.

'Ja, Malka,' zei de minister van Veiligheid. Door gebrek aan slaap had
hij rooddoorlopen ogen en hij was murw van de commissievergadering
Buitenland en Veiligheid, waarin hij zoals gebruikelijk van alle kanten
was belaagd: een Palestijn die per ongeluk gedood was in Sjchem, een
incident waarbij een stuk hek op de grens met Libanon doorbroken was,
het ontmantelen van een aantal wegversperringen op de Sjoehadastraat
in Chevron, de aanschaf van computersystemen voor tanks, de verkoop
van computersystemen voor Chinese onderzeeërs, en een rechtszaak
naar aanleiding van het verharden van een straat in de bezette gebieden,
oppositie tegen verharding van een weg in de bezette gebieden, opont-
houd met de bouw van de afscheidingsmuur, de ontdekking dat er bij
de officiersopleiding sprake was geweest van mishandeling. Er kon geen
ministerieel besluit of gebeurtenis plaatsvinden zonder dat een van de
commissieleden hem aanviel, woedend over was, hem het vuur na aan
de schenen legde of hoon over hem uitgoot. En de minister was dan
gedwongen daarover uitleg te geven, het te rechtvaardigen en te verdedigen. 'Wat staat er op de agenda?' vroeg hij terwijl hij twee bageltjes uit
de schaal voor hem pakte; hij at ze altijd per twee.

'Vergunning om weg 991 te verharden.' Giora stond op en wees de weg aan op de kaart. Avram tikte ongeduldig met een pakje sigaretten op de tafel. De discussie kwam maar langzaam op gang. Giora legde het strategische belang uit van de weg. Malka gaf een overzicht van de politieke druk pro en contra deze weg. De minister, die Malka's mening maar al te goed kende, wist al hoe hij zou omgaan met diens zo objectief mogelijke opmerkingen en aannames; hij had zelfs een wiskundige formule ontwikkeld om te begrijpen wat er nu werkelijk achter het standpunt van zijn assistent school: door het gemiddelde te nemen tussen wat Malka zei, de mening van de directeur-generaal van het ministerie en de beslissing van het hoofd van de afdeling Begrotingen van het ministerie van Financiën. Over de kwestie van de weg stonden de neuzen dezelfde kant op.

Af en toe rapporteerde zijn secretaris over een inkomend gesprek of een bezoeker. De minister had honger en had bovendien, onderweg van de vergadering naar zijn kantoor, een ongelukje gehad op het toilet. Hij had over zijn broek geplast omdat de straal urine door een losgeraakt haartje in tweeën was gesplitst en hij dat pas merkte toen hij nattigheid voelde.

'Oké, geef me de papieren maar, dan teken ik,' zei hij, zijn ogen neergeslagen. Hij wist dat hij veel kritiek te verduren zou krijgen over deze weg. Hij wist dat hij telefoontjes kon verwachten van ambassadeur Milton White, van de Amerikaanse minister van Buitenlandse Zaken, van het hoofd van de oppositie en van de vertegenwoordigers van het linkse kamp in de commissievergadering van volgende week, om nog maar te zwijgen over *Galei Tsahal*, de legerradio, de VN en de vredesbeweging. Nou, dan werden ze maar kwaad. Dan belden ze hem maar. Het leven moest doorgaan. 'Hebben we nog iets anders te bespreken in deze kring?' vroeg hij aan zijn assistent terwijl hij zijn handtekening zette.

'Ja, een kleinigheidje, om eerlijk te zijn. Het kwam net binnen.'

De ogen werden naar Malka opgeslagen. 'Wat?'

'De Japanse ambassadeur heeft een officiële klacht ingediend over het verhaal dat er een ondergrondse anti-islamitische Japanse beweging bestaat die wapens vervoert naar extremistische joodse elementen in de bezette gebieden.'

De minister van Veiligheid zette grote ogen op. 'Een beweging die…

wat zei je ook alweer? Een klacht waarover?' Hij keek naar het hoofd van de Joodse Brigade van de Sjabak, die de indruk werkte zich het liefst te begraven in zijn pakje sigaretten. 'Ik begrijp er niets van. Laat iemand me uitleggen wat hier gaande is,' eiste de minister. Malka schoof de schaal met bageltjes dichter naar de minister die er, volkomen getrouw aan zijn gewoonte, twee uit viste.

'Laat maar, het is een debiel verhaal,' poogde Avram eronderuit te komen, hoewel hij wist dat hem dat niet ging lukken.

'Debiel of niet, er ligt wel een klacht van Japan op tafel. Weet je wel wat dat betekent?' zei de minister. Inmiddels begon hij nieuwsgierig te worden. 'Roep de dg er eens bij,' zei hij.

'Er is een Japans bedrijf dat de bezette gebieden in gaat in verband met een olijfolieproject. Overal hebben ze overeenkomsten afgesloten met Palestijnse telers. Ze zetten een grote perserij op in de buurt van Ramallah, met hun machinerieën, helemaal het nieuwste van het nieuwste...'

'Ah ja, Matsumata,' zei de minister van Veiligheid. Tot de verraste blikken die op hem waren gericht, zei hij: 'Ik heb erover gelezen in *The Marker*. Steun uit de EU en vanuit Jaiko, belastingvoordeel en meer van dat soort dingen.' Uiteraard wist hij meer dan dat. Druk vanuit Japan was onder meer de reden voor de bouwstop van de afscheidingsmuur, tenminste op het huidige tracé; maar dat was iets waar alleen de premier, de minister van Veiligheid en de directeur van het departement dat de muur bouwde van afwisten. En Malka ook, misschien. De minister wierp een aarzelende, onschuldige blik op zijn assistent. 'Waarover klagen ze?'

Avram wisselde een blik met Giora en slaakte een zucht. 'Iemand heeft een poets uitgehaald. Op een van hun rondreizen zijn de Japanners per ongeluk in een van de voorposten terechtgekomen. En iemand van die voorpost heeft het praatje de wereld ingebracht...'

'Welke voorpost?'

Malka slikte. Avram sloeg zijn blik neer. 'Maälè Chermesj C,' zei hij.

De minister van Veiligheid hield halverwege een kauwbeweging op met kauwen en verslikte zich. Malka was bang dat hij erin zou stikken en gaf hem een glas water. De ogen van de minister waren groot en bloeddoorlopen. Hij slikte de hap door, nam een slokje water. Zijn ogen bleven een paar seconden op een willekeurig punt aan de andere kant van de ruimte gevestigd, starend. Daarna kwamen de beelden weer binnen, en met de beelden, ook de emoties. Dat kloterige 'ksssjt' dat hem nog steeds werd nagedragen. Die ondankbare honden. Hij was gekomen om zijn steun te betuigen en ze hadden op hem gespuugd. In ieder ander beschaafd land was de nederzetting met de grond gelijkgemaakt en waren de bewoners in de gevangenis gegooid. Het kon hem niet schelen dat hij en zijn voorgangers vergunningen hadden verleend en een oogje hadden dichtgeknepen, zoals Malka het nodig vond hem af en toe onder de neus te wrijven. Het was geen excuus. Niet meer. Hij vroeg: 'Maälè Chermesj C? Zij weer? Het gaat nog lang duren eer de Amerikanen en Vrede Nu me in verband daarmee wat minder in de nek lopen te hijgen en zich druk gaan maken over weg 991... Diende er niet een zaak bij het Hooggerechtshof die met ze te maken had?'

'Die loopt nog,' verdedigde Avram. 'Het OM heeft een repliek geformuleerd op de eis, namens jou, de commandant der strijdkrachten van die sector, het hoofd van de burgerautoriteiten en de districtscommissaris van politie van Jehoeda en Sjomron. Jullie beamen dat het een illegale nederzetting betreft, maar omdat de middelen elders ingezet worden, hebben jullie uitstel gevraagd voor de ontruiming.'

'Oké,' zei de minister en hij stak twee vingers uit naar een bageltje. 'Dus iemand heeft een grapje uit willen halen, zeggen jullie?'

'Iemand heeft het praatje in omloop gebracht dat de Japanners van Matsumata bij een ondergrondse terroristische beweging horen en wapens leveren aan extremistische joden in de voorposten. Ze hebben er zelfs een naam aan gekoppeld, van een of andere jongen op de heuveltop, bij wie ze schijnbaar op bezoek zijn geweest om een zaak te beklinken. Zoiets.'

'Oké. Dus een of andere kolonist heeft een onzinverhaal uit zijn duim gezogen. Hoe heeft het zover kunnen komen?' Hij pakte de Japanse fax op die Malka ondertussen voor hem neergelegd had en wuifde ermee, deels ter verkoeling, deels als demagogisch redenaar.

'Degene die het verhaal gehoord had, is onze informante in die nederzetting. Zij heeft het aan ons doorgegeven. En er was blijkbaar van enig onbegrip sprake, ze hebben het verhaal niet in verband gebracht met Matsumata, de stipjes niet met elkaar verbonden, en toen hebben we een waarschuwing doen uitgaan en daarna is er een incidentje geweest tussen onze jongens en de Japanners.' De minister van Veiligheid liet zijn hoofd zakken tot zijn voorhoofd op zijn rechterhand rustte. 'En onze informante is ontmaskerd,' vervolgde Avram. 'Daar ging het geintje eigenlijk om. Ze verdachten haar en...' Avrams stem stierf weg als een wandelaar die steeds dieper een duister woud in loopt.

De minister veranderde niet van houding. Het was stil in de kamer. Vanaf de andere kant van de deur klonk het gedempte gerinkel van een telefoon. De laatste paar dagen waren niet gemakkelijk geweest. Aan het eind van de week was zijn geliefde hond, Tsahal, na een slepende ziekte overleden. Weliswaar had Tsahal bij zijn ex gewoond, zijn eerste vrouw, maar desondanks was de pijn hevig. Vanochtend had zijn tweede vrouw gebeld om te vertellen dat beide toiletten verstopt waren. En zijn natte broek zat hem niet lekker, het leek of er een lichte urinegeur van af kwam. Maar dit alles was niet de reden dat hij zei wat hij zei toen hij weer begon te spreken. En het kwam ook niet door de spanning, de vragen, eisen en beschuldigingen die van alle kanten op hem af kwamen tijdens de zitting van de commissie Buitenland en Veiligheid, of feitelijk iedere dag en ieder uur, bij vergaderingen, afspraken, via de telefoon en de kranten. En evenmin door weg 991, waarvoor hij zojuist een vergunning had ondertekend om die te verharden, hetgeen kon worden opgevat als een gebaar naar de kolonisten en naar rechts en dat wellicht tot een hoorzitting zou leiden om de pijn te verzachten, een zoethoudertje voor de Amerikanen, voor links en de juridisch adviseur van het kabinet; bijna alles wat hij deed, was bestemd voor een hoorzitting, als verzachting, als gebaar naar iemand die schade ondervond...

Nee. Aan de uitspraak die uit zijn mond kwam, lag geen enkele van deze redenen ten grondslag, maar wel de wet. Zo eenvoudig was het. De wet uit het wetboek van de staat Israël, en de internationale wet die de minister persoonlijk nauwgezet naleefde.

Hij sloeg zijn ogen op, en liet zijn blik over de gezichten van zijn drie collega's rondom de tafel gaan, legde de fax op het donker mahoniehouten tafeloppervlak zo neer dat de rand precies parallel lag met de tafelrand, en zei: 'Giora, je moet die voorpost ontruimen. Ik meen het dit keer. Geen gedonder. Trek die doorn uit mijn vlees. Het vreet me veel te veel tijd. Veel en veel te veel.' Hij stak Malka de fax toe, stond op en liep het kantoor uit.

AASGIEREN

Het opstijgen

Het besef kwam op de vooravond van Sjavoeot. Hij zat in een wit shirt in de eetzaal en voelde zich belachelijk. Er waren gezinnen die bij elkaar zaten, maar hij wilde niet bij papa Jossi zitten; hij zat nooit bij hem in de eetzaal. Kinderen zongen liedjes over de eerste oogst. Hij kende de kinderen niet en de liedjes ook niet. Ronni lanterfantte in Tel Aviv, woonde in een appartement van de vader van zijn vriendin en kweekte goudvissen. En hij werkte in een of andere pub. Het leek Gabi niet erg aantrekkelijk, en zelfs al zou dat wel zo zijn: zijn broer had hem nooit uitgenodigd erbij te komen als hij hem ongeveer eens per maand kwam opzoeken. Ook hier vroeg nooit iemand hem om mee te doen. Hij zag zijn jeugdvrienden Jotam en Ofir bij hun vriendinnen zitten en met de menigte meezingen. Hij zag de soldaten met hun zware oogleden, de vrijwilligsters met hun gladde huid en blauwe ogen.

Hij was inmiddels niet meer onaanraakbaar in de kibboets. Na het leger had hij een paar relatief rustige jaren gehad. Na het op een paar afdelingen op de boerderij te hebben geprobeerd, had hij eindelijk zijn plekje gevonden: bij de bananen. De plantages lagen aan de rand van het Meer van Kinneret, op ongeveer veertig minuten rijden van de kibboets. De bananenjongens brachten lange dagen buiten door, aan de rand van het grote meer onder de brede bananenbladeren, hadden een vredig picknickplekje waar ze met vier of zes hun eten opaten en kajakten een rondje over het gladde wateroppervlak als ze zin hadden om een luchtje te scheppen. Het was geen eenvoudig werk: bananen zijn een bewerkelijk gewas met een korte levenscyclus, waardoor iedere winter plantkuilen gegraven moesten worden, iedere lente wortelkluiten gerooid en nieuwe planten gepoot, nog afgezien van het eindeloze wieden. Zelfs diezelfde ochtend, van de vooravond van Sja-voeot, had hij nog staan zweten als een paard, terwijl de zon het begin van de zomer aankondigde en hij met een hak een irrigatiekanaaltje uitgroef onder de groen kleurende bananenvingers van de kammen die samen trossen vormden. Maar hard werken schrikte Gabi niet af. Het was niet de lichamelijke arbeid geweest die hem bij zijn vorige werkplekken was opgebroken, maar de sterke geur van de tomaten op de akkers, de allergische jeuk door het gras in de zodenfabriek, het arrogante gedrag van Dalja bij de afdeling Inkopen. Ook uit het leger was hij niet om fysieke redenen ontslagen, maar omdat onbeschofte koks geweigerd hadden hem te eten te geven.

Ineens, midden onder het feestmaal, besefte hij aan wie hij zichzelf deed denken: aan Ezra Doedi. Toen ze klein waren had Ezra Doedi, die tien jaar ouder was, altijd in zijn eentje in de eetzaal achter dezelfde maaltijd gezeten: kaas, tomaat en een snee brood. In de gymzaal wierp hij altijd in zijn eentje ballen door het basketbalnet, urenlang. En in de fabriek, herinnerde Gabi zich, bediende hij zwijgend en nauwkeurig de vorkheftruck, bracht de klaargemaakte rollen gras naar de verpakkings-afdeling en de pakketten naar de transportwagens. Iedere dag kwam hij in zijn eentje naar de eetzaal in zijn werkplunje en met een beetje een smoezelig gezicht, voorzien van een baard die steeds voller werd.

Gabi bedacht dat hij Ezra Doedi nog nooit meer dan één of twee woorden met iemand had zien wisselen. Hij woonde in de kibboets met zijn moeder. Die was na de oorlog in haar eentje uit Europa geko-men en had weinig over haar verleden verteld, maar beetje bij beetje combineerden de mensen een en ander – haar accent, haar lichte voor-komen en andere dingen die haar afkomst verrieden – en concludeer-den dat ze oorspronkelijk uit het *Ostland* kwam, uit de Baltische staten; ze had waarschijnlijk een paar jaar in de Siberische goelag gezeten en was misschien daaruit bevrijd in het kader van uitwisseling van krijgs-gevangenen. Hoe dan ook, ze was moederziel alleen en volkomen berooid in de kibboets aangekomen en tien jaar later was haar zoon Ezra Doedi ter wereld gekomen. Ook in dit geval was er meer onbe-kend dan bekend: ze was in verwachting geraakt en had een schattig donker jongetje ter wereld gebracht, daarover was iedereen het eens, maar niemand wist wie de vader was.

Ezra Doedi had iets dat niet helemaal klopte. Zijn haar had altijd net de verkeerde lengte, zijn baard was te woest. Hij had grote, donkere ogen waarin een zachte, zij het wat gereserveerde blik lag. Hij had wel wat weg van Herzl, maar dan als kibboetsnik en met krullen. Zijn kleren pasten op een bepaalde manier niet bij zijn grote lijf. En dan zijn naam – niemand die er wat van begreep: waarom moest hij er twee hebben? Twee voornamen? En als een van zijn namen dan toch een achternaam was, wat was dat dan voor rare naam?

In de blik in de ogen van de kleine kinderen op de boerderij zag Gabi dat hijzelf ook tot een soort Ezra Doedi was verworden, met zijn afzondering in de eetzaal, zijn zwijgzaamheid, zijn doelloze zwerftochten en misschien zelfs qua uiterlijk. Hij schoor zich sporadisch, ging zelden naar de kapper en liep meestal in zijn werkkloffie. Hij werd overvallen door droefheid. Bij het Feest van de Eerstelingen kreeg hij het gevoel dat hij vanaf de zijlijn stond toe te kijken, dat hij niet meedeed, er niet bij hoorde en hij besefte: dit is een probleem. Hij wilde niet gezien worden als een excentriekeling. Maar hij wist ook niet wat eraan te doen. Het was hem duidelijk dat hij niet echt een Ezra Doedi was, die er alle schijn van had dat hij geestelijk niet helemaal in orde was. Zijn hersens en ziel waren min of meer gezond, door de jaren heen was de kortsluiting in zijn brein een uitzondering geworden; de legerpsychiaters die hij tijdens zijn militaire dienst had ontmoet, bevestigden dat en voegden eraan toe dat hij een hoge intelligentie had en een uitgebalanceerde mening. Maar hij had geen geld om de kibboets te verlaten en Tel Aviv trok hem niet aan. Hij voelde zich niet voldoende op zijn gemak om er met Jossi over te praten en wanneer Ronni op bezoek was, kreeg hij het gevoel dat het zijn broer niet echt interesseerde.

Net als op eerdere belangrijke kruispunten in zijn leven hielp oom Jaron hem zijn richting te vinden. In het weekend na de feestdagen ging Gabi naar hem toe in de kibboets op de hoogvlakte, waar hij als altijd genoot van de koude lucht en de zware geur van koemest die hij, liggend in de grote hangmat, diep in zich opzoog. 'Het is net alsof ik in het buitenland ben,' zei de neef glimlachend tegen zijn oom, die antwoordde: 'Hoe weet jij dat, je bent nog nooit in het buitenland geweest.'

Neef zei: 'Dat klopt, maar dit is het dichtst bij het buitenland als ik kan komen, dus laat me vinden dat dit net is alsof het buitenland is.'

Oom zei: 'Wil je naar het buitenland?' Neef hield een moment stil. Niet de hangmat, want die bewoog volgens de wet van de traagheid, maar zijn gedachtengang; hij had nog nooit over die mogelijkheid nagedacht.

En toen herinnerde hij zich waarom hij nooit over de mogelijkheid nagedacht had. Hij zei: 'Hoe kan ik naar het buitenland? Ik heb geen nagel om aan mijn kont te krabben.'

Oom Jaron, met zijn kalende eivormige hoofd, zijn glazen oog en half afgerukte oor, zag er ouder uit dan anders. Tot op dat moment had Gabi er nooit acht op geslagen, maar oom Jaron Cooper was nooit getrouwd en had geen gezin gesticht; hij was getrouwd met de kibboets of, beter gezegd, met de Golanhoogte. Aan haar had hij zich met zijn ene oog en gehoorapparaat toegewijd en zij had hem grond en basalt en frisse lucht geschonken. Hij keek zijn neef aan en zei tegen hem: 'Luister goed.' Gabi luisterde goed.

Oom Jaron vertelde dat er nadat hij alles had geregeld dat te maken had met het overlijden van zijn broer Asjer en schoonzus Riki – de uitvaart, de sjiv'a, een kibboets zoeken voor de kinderen, de verkoop van het huis in Rechovot, het traceren van spaarrekeningen en het opheffen van bankrekeningen – een aardige som geld was overgebleven. In samenspraak met Riki's vader en zuster had hij voor Ronni en Gabi een spaarplan geopend, dat tot hun eenentwintigste doorliep. Hij had het bestaan ervan verzwegen voor de kibboets die de kinderen opnam. De kibboets ontving toch al een aardig bedrag omdat de kinderen er opgenomen werden. Ze hoefden niet alles te krijgen, hadden Jaron, opa en tante besloten. Het spaarfonds groeide, vergaarde rente en zwol met de jaren. Oom Jaron hield het in de gaten, hield het fonds op koers en vulde het uit eigen zak aan, want oom Jaron voelde zich niet alleen gewoon verantwoordelijk, hij voelde zich ook diep schuldig. Hij was het die Asjer en Riki had uitgenodigd op zijn kibboets dat weekend, hij was het die ze ervan overtuigd had pas 's avonds terug te rijden en niet 's ochtends, zoals ze van plan waren geweest. Zijn schuldgevoel kocht hij af met zijn zweet en zijn geld – voor zover hij dat had als lid van een pionierskibboets op de Golanhoogte – in het spaarfonds te storten. Toen opa, Riki's vader, kwam te overlijden, was er een mooi bedragje vrijgekomen voor het fonds.

Gabi zei: 'Waarom heb je dat nooit eerder gezegd?'

'Ik heb erop gewacht dat je naar mij toe zou komen als je wat nodig had. Ik wist dat dat zou gebeuren. Met Ronni was het precies hetzelfde.'

'Ronni?' Gabi stak zijn hoofd over de rand van de hangmat.

'Ronni heeft zijn deel gekregen toen hij oud genoeg was en geld nodig had. Hoe denk je anders dat hij heeft betaald voor zijn studie of zijn aandeel in de pub heeft gekregen? Alleen maar door hard werken en inspanning?'

'Hij heeft een aandeel in die pub?'

'We hebben een aardig bedrag opgenomen en dat heeft hij in de zaak geïnvesteerd. Anders had hij niet zo'n aandeel kunnen verwerven.'

'Maar wat zeg ik dan in de kibboets, hoe kan ik ineens geld hebben om naar het buitenland te gaan?'

'Zeg maar dat het een cadeautje is van jouw oom Jaron,' zei oom.

Gabi zweeg en schommelde in de hangmat. Het buitenland. Wilde hij dat echt? Wat zou hij er moeten doen? Was dit wat zijn ouders zouden hebben gewild dat hij met het geld deed dat ze hem nagelaten hadden? En hoe zat het met een studie? Daar had hij de laatste tijd ook over nagedacht, maar hij had geen idee wat hij wilde studeren. Het was alsof oom Jaron zijn gedachten kon lezen, want hij zei: 'Jalla, ga op reis. Maak het jezelf niet zo moeilijk. Dit is precies wat je ouders zouden hebben gewild dat je deed met het geld. En ik ook.'

'Zeker weten?'

'Natuurlijk weet ik het zeker. Ik hoor in mijn hoofd Asjer tegen me zeggen dat ik je een draai om je oren moet geven, je de bankbiljetten in de hand duwen en je met een schop onder je kont naar het vliegtuig sturen. Asjer praat de hele tijd met me in mijn hoofd.'

'Doe ze de groeten,' zei Gabi. Een week later zat hij in het vliegtuig.

De afdaling

Hij had het koud. Hij zag dat iemand naast hem de stewardess om een deken vroeg en volgde het voorbeeld. Hij wikkelde zich in het dunne dekentje en had het nog steeds koud. Hij was vervuld van twijfel. Waarom had hij dit nodig? Waarom zat hij opgeslokt in deze vreemde metalen koker, waar was hij naar op zoek? Wat was er mis met het kalme leven tussen de bananen, met zijn warme, bekende kamer? Misschien moest hij toch maar naar de universiteit gaan, zoals Ronni? Misschien had hij Ronni besluitvaardiger en met meer zelfvertrouwen moeten vragen om bij hem te komen wonen en te proberen in Tel Aviv te leven? Of had hij ten minste moeten vragen of hij een paar nachten mocht logeren in het appartement dat de kibboets daar had, om de mogelijkheden te bekijken, om te zien wat de universiteit te bieden had? Maar Gabi wist wel wat die te bieden had, hij had het jaarverslag gelezen in de bibliotheek van de kibboets, de ene opsomming na de andere van colleges die hem niets zeiden, hem niet uitlegden welke toekomst ze hem boden of wat hij met zichzelf aan moest als hij de studie klaar had. Hij rilde onder het dekentje, tuurde naar de duisternis buiten, streelde met aarzelende, vreemd aanvoelende vingers over zijn wangen die na maanden van ongebreidelde baardgroei ter ere van de reis waren gladgeschoren.

Ze hadden mooi afscheid van hem genomen: oom Jaron uiteraard, die naar de kibboets was gekomen en hem naar Ben Goerion had gereden; Ronni, die met hem in een café in Tel Aviv had gezeten voor een snelle, ietwat gespannen maaltijd, omdat hij niet meekon naar het vliegveld; papa Jossi die eruitzag alsof hij opgelucht was; zijn collega's uit de bananen die op zijn laatste werkdag ter ere van hem een feestelijke lunch hadden bereid; en Jotam, die hem opzocht in zijn kamer en daar ongeveer een uur bleef zitten en in de tijd dat Gabi zijn koffer inpakte voor de reis en de rest van zijn kamer voor de opslag vier sigaretten rookte, onophoudelijk babbelend over Erez, zijn neef uit Menara die werkte bij een verhuisbedrijf in New York en naar wie Gabi toe moest gaan zodra hij geland was, terwijl hij intussen probeerde de hand te leggen op de helft van de dingen die Gabi achterliet.

Met grote ogen keek hij naar de menselijke chaos van een groot Amerikaans vliegveld. Naar de duizend verschillende richtingen waarin miljoenen mensen zich haastten. Naar de caleidoscoop aan kleuren van koffers, kleding, huidskleur. Menselijke vormen die hij in films en op televisie had gezien en nu voor het eerst in levenden lijve aanschouwde: Aziatische zakenlieden in strakke pakken met geslepen brillen en gladde aktetassen; een Afrikaanse mama in lichtgevend geel dat om haar heen golfde als een bruidssluier; Amerikaanse politieagenten met een gordel volgehangen met wapenstokken, pistolen, handboeien en notitieblokjes, met scherpe snorren en vijandige blikken; kleine Indiërs, grote negers, geparfumeerde vrouwen, jongelui met enorme rugzakken en honkbalpetten achterstevoren op hun hoofd, en de altijd schattige kleine kinderen.

Hij was niet beledigd of bang, hij voelde de dreigende onbuigzaamheid waarmee de douaniers zijn rugzak onderzochten nauwelijks. Hij keek op het papier met instructies dat hij in zijn hand hield en vond de weg naar de metro. Schommelde met blikkerend gerommel over bruggen en onder de grond, de gekleurde lijnen die Johnny de Amerikaan met hem in de kibboets had doorgenomen liepen voor zijn ogen door elkaar heen als spaghetti. Zijn ene hand liet zijn rugzak geen seconde los terwijl zijn ogen telkens op iets nieuws stuitten: gigantische mededelingenborden, velden vol stadsdelen zover het oog kon zien, twee negers in versleten kleren, eindeloze graffiti. Iemand in een pak sprak met zijn buurvrouw in dat accent, dat van Johnny, en dat uit de films. Een dik, onaantrekkelijk meisje met een onverschillige blik, de koptelefoon van haar walkman strak om haar hoofd, dat van boven nat was. Oranje en gele stoelen die vrijkomen en bezet worden, vrijkomen en bezet worden. Deuren die open- en dichtglijden, open en dicht. Een omroepster die haar woorden verhaspelt. Een warme verstikkende geur die anders is, alles is zo heel erg anders.

Toen hij uit het hart van de aarde ontsnapt was, werd hij met stomheid geslagen door de omvang. De stad torende boven hem uit, maakte dat hij zich voelde als een stinkende zwarte tor op het pad van de kibboets in de zomers uit zijn jeugd. Bij de eerste kennismaking keek hij met een verwonderde glimlach naar de dampen die uit de rioolputten opstegen, de drommen mensen en de afmetingen van de gebouwen.

Hij stopte bij een McDonald's. Daar had hij van gehoord. Hij doorzocht zijn zakken, checkte de zwart-groene bankbiljetten en ging naar binnen. Terwijl hij voor de plaatjes van het menu stond, herinnerde hij zich dat dit een plek was voor volwassenen. Bijna tien jaar had hij al geen vlees gegeten, sinds hij uit de kibboets was ontvoerd. Maar ineens stond het hem niet meer tegen. Hij was te hongerig, te moe, en er was niks anders dat hij kende. Hij besloot het te proberen. Het zachte bolletje, de zurige ketchup, de brosse frietjes, en zelfs de hamburger – hij vond alles lekker. Met duizelig hoofd arriveerde hij eindelijk bij het appartementje van Jotams neef Erez.

Het klikte niet. Erez was niet aardig. Had geen belangstelling. Gabi had het gevoel dat Erez liever niemand te gast had in zijn appartement, dat heel erg klein was en dat hij deelde met een andere Israëliër, die geen stom woord zei. Gabi sliep op een futon in de woonkamer en op de eerste ochtend waren Erez en zijn huisgenoot naast hem in gesprek alsof hij niet bestond, om daarna naar hun werk te gaan. Gabi ging naar buiten en liep wat rond in de straten bij het huis, at bij McDonald's, omdat hij dat lekker vond, ging winkels binnen om te kijken, maar hij had niks nodig, dus ging hij terug naar het appartement. Johnny had hem op het hart gedrukt Central Park te gaan bekijken, het Vrijheidsbeeld en een paar musea, maar dat trok hem niet zo.

Erez vroeg of hij de volgende dag wilde werken. Bij het verhuisbedrijf zochten ze mensen. 's Ochtends maakte hij Gabi om zes uur wakker en nam hem in de metro mee naar het kantoor. Onderweg vertelde hij Gabi dat hij meeging met een verhuizing van drie dagen. Toen ze aankwamen, verwees hij Gabi naar een jongen die ook Erez heette, klom met zijn team in de vrachtwagen en was vertrokken.

Het was er groot, chaotisch en vol, net als de stad. Chauffeurs en arbeiders in rode shirts renden van hot naar her. Twintig rode vrachtauto's manoeuvreerden langzaam, reden weg, reden binnen, mannen schreeuwden in het Hebreeuws. Erez twee was iets aardiger dan nummer één, maar evenmin een groot prater. Hij liet Gabi een contract ondertekenen, gaf hem een rood shirt om aan te trekken en bracht hem naar een vrachtauto, waarin al een donkere chauffeur zat, die ongedurig met zijn rechterhand op het stuur tikte terwijl hij rookte met de linker. Victor heette hij.

Kartonnen dozen. En nog meer kartonnen dozen. En verder: banken, tafels, stoelen, ladenkasten. Van boven naar beneden, van beneden naar boven. Vanuit het appartement naar de lift, vanuit de lift naar buiten op straat, vanaf de achterdeur en de stoep in de buik van de vrachtwagen. De dozen wogen minder dan een krat bananen, maar ze waren lastiger vast te houden en voelden minder prettig aan, of beter gezegd: Gabi wist hoe je kratten bananen moest vullen, vasthouden en optillen, en te genieten van het gevoel van de vingers van de bananen op zijn rug. En als hij maar lang genoeg dozen en meubilair van Amerikanen zou telen, zou hij daarmee vanzelf een vergelijkbare intimiteit ontwikkelen. Maar op die eerste werkdag vroeg hij zichzelf alleen maar af of hij naar het buitenland was gegaan om dozen te sjouwen, terwijl hij toch eigenlijk gekomen was om te reizen, dingen te zien, God weet wat, maar niet om zo hard te werken, en al helemaal niet terwijl hij nog geld op zak had dat hij van oom Jaron had gekregen.

Hij ging terug naar het appartement en de zwijgzame huisgenoot, die naar de televisie zat te staren, en daarna op weg naar McDonald's; hij wist al dat hij een Big Mac-menu zou bestellen. Hij voelde de gespannen stedelijke sfeer om zijn schouderbladen, hoorde het hoge, donkere, jonge lachen van de klanten in het restaurant, rook de vage geur van olie, zijn eigen zweet en het roet van de stad. Hij ging terug naar huis, nam een douche en wachtte in de woonkamer tot de huisgenoot klaar was met televisiekijken – Erez had niet gezegd dat hij zijn bed kon gebruiken in zijn afwezigheid – en nadat de huisgenoot naar zijn kamer was gegaan en Gabi de bank had omgebouwd tot bed, had opgemaakt en erin was gaan liggen, bleef hij nog lange minuten, misschien wel uren, wakker. Hij voelde zich nog een beetje meer alleen dan hij zich ooit in zijn bed in de kibboets had gevoeld.

De volgende ochtend belde hij met het kantoor en kreeg te horen dat er geen werk was. Hij bleef die dag voornamelijk thuis, ging alleen naar buiten om te eten. De daaropvolgende dag vroegen ze hem te komen werken. Dit keer met een voorman die Itsik heette en die tegen hem sprak als een commandant tegen een soldaat. Ook met de chauffeur – dezelfde Victor – praatte hij, over Gabi's hoofd heen en met luide stem, over feestjes en meisjes. Ze moesten een kleine verhuizing doen van de opslag van een bedrijf in Queens naar een kantoor in New Jersey. Daarna gingen ze naar Manhattan om een appartement in te pakken.

In het appartement – ruim bemeten, hoge verdieping, indrukwekkend uitzicht – woonde een oudere Israëliër, Mesjoelam geheten, die een pak droeg en teenslippers en nogal zwijgzaam was. Gabi luisterde naar de bevelen van Itsik en begon de dozen naar beneden, naar de vrachtwagen te brengen. Victor wachtte in de laadruimte en zette de dozen weg. Zo werkten ze een half uur door, tot Mesjoelam zijn teen-slippers verwisselde voor gepoetste schoenen en verkondigde dat hij naar een afspraak ging. Gabi bespeurde dat bij Itsik de spanning on-middellijk afnam. Iedere keer dat hij in het appartement terugkwam na een trip naar de vrachtwagen was Itsiks houding wat relaxter, tot hij hem uiteindelijk uitgestrekt op de bank aantrof, het draadloze telefoon-toestel van Mesjoelam tegen zijn oor, schuddend van het lachen. Toen hij Gabi hoorde binnenkomen, drukte hij zijn duim tegen wijs- en middelvinger als teken dat hij moest wachten, beëindigde het gesprek zo'n drie minuten later en zei toen: 'Let op. Ik ga nu naar beneden om samen met Victor iets te eten. Jij blijft hier om op het appartement passen. Ik wil niet dat de huiseigenaar terugkomt en hier niemand aantreft. Als hij eerder terug is dan ik zeg je maar dat we een korte pauze houden. Daarna wisselen we jou af en kun jij even wat gaan eten.'

De huiseigenaar kwam terug. Gabi bracht hem Itsiks boodschap over. Hij knikte, maakte zijn das los en ging in een stoel zitten. Daarna zuchtte hij en verplaatste zijn blik van het uitzicht naar Gabi. 'Ben je al lang in New York?'

Gabi schudde zijn hoofd. 'Drie dagen.'

De man glimlachte. 'Dat is te zien. Het gaat je niet zo makkelijk af, wel?'

Gabi vroeg zich af waar de man op doelde, wat er aan hem te zien was. 'Wat niet?'

'De stad. En dit werk.'

Gabi keek de man aan. Hij weifelde of hij loyaal zou zijn aan het bedrijf en het ontkennen, of de waarheid zou vertellen. Hij glimlachte. 'Dat is te zien?'

Mesjoelam grinnikte. Hij vroeg Gabi naar zijn geschiedenis en Gabi gaf een gepaste samenvatting. Hij overhandigde Gabi een blikje cola uit de koelkast dat Gabi genietend opdronk, terwijl hij naar de sluier-bewolking keek en naar de zon, die bleef proberen er van boven door-heen te steken, en naar de gebouwen die er van onderen door probeer-den te prikken. 'Deze stad is zo gigantisch,' zei hij.

'Je zou de plek waar ik heen ga verhuizen fijner vinden,' zei Mesjoe-lam. 'Die zal je aan de kibboets doen denken.'

'Waar is het?'

'Hollywood, Florida.'

Gabi keek verwonderd.

'Het is niet het Hollywood waarvan je gehoord hebt. Dit is een ander, vriendelijker Hollywood. Je zult het wel zien als je komt uitladen.'

'Daar zal ik niet bij zijn,' zei Gabi glimlachend. 'In de eerste maand mag je geen *long-distance* doen.'

Het fonds

Hollywood, Florida, was veel prettiger. Volgens de bedrijfsregels was het niet de bedoeling dat Gabi op de vrachtwagen zat, maar diezelfde regels stipuleerden ook dat er ten minste één persoon bij het lossen was die ook aanwezig was geweest bij het inladen. Aangezien Itsik en Victor waren weggeroepen voor een gigantische klus met twaalf vrachtwagens in Wall Street, besloot de werkverdeler de ene regel te overtreden om een andere te handhaven. Of misschien hadden ze gewoon niet genoeg mensen.

Ze gingen weer bij het appartement van Mesjoelam langs om nog een paar nieuwe dingen in te pakken die hij had gekocht. Toen ze hem vertelden dat ze direct vanaf daar naar Florida zouden doorrijden, zei Mesjoelam tegen de voorman dat ook hij op dat moment vertrok en hij stelde voor om Gabi mee te nemen in zijn eigen auto. Ook dat was niet volgens de bedrijfsregels, maar het kwam iedereen goed uit: voor Mesjoelam, die duidelijk behoefte had aan gezelschap en assistentie op de lange rit naar het zuiden; voor Gabi, die onrustig werd bij de gedachte dat hij twee of drie dagen in een cabine moest zitten met twee imbecielen die hij nog geen tien minuten kende en die hem behandelden alsof hij lucht was; en vooral voor de voorman, de beslissende factor, die zijn geluk niet op kon – hij zou zich uit de voeten kunnen maken na een grote klus in Zuid-Manhattan en ook nog naar Florida afzakken met een vriend en een vrije plek in de cabine.

Achttienhonderd kilometer is een flinke afstand, een flinke tijd, flink wat natuur en flink wat lucht. Gabi voelde hoe hij ontspande toen hij de grote stad verliet: de paar dagen in New York vormden de langste periode die hij ooit in een stad had doorgebracht. Binnen een paar uur was hij gewend aan het tempo van de rit, aan de zachtlederen beige stoelen van de Chevrolet, de gewoonten op de Amerikaanse weg, de open vlakten, de parkeerplaatsen en wegrestaurants. Eindelijk at hij eens wat anders dan een Big Mac. Het Engels van de kibboets kwam terug en rolde natuurlijk over zijn lippen, de roest begon er een beetje af te gaan.

Achttienhonderd kilometer is genoeg afstand om een kennismaking te verdiepen. Mesjoelam Avneri woonde al eenentwintig jaar in de Verenigde Staten. Hij had een zoon die studeerde, een dochter in het leger en een ex in Israël, nog een dochter die door Ecuador trok, en een tweede vrouw die tot twee weken geleden met hem in New York had gewoond en nu was teruggegaan naar Israël. Haar vader was ziek, maar dat leek slechts een uitvlucht te zijn. Hij wist niet of ze terug zou komen. Ze was er niet enthousiast over geweest, over de verhuizing naar Florida, en trouwens, Mesjoelam had haar beloofd dat ze zouden terugkeren naar Israël, al kon hij zich zo'n belofte niet herinneren. Dus nu was zij daar en hij hier en wie weet hoe het af zou lopen. In ieder geval was hij veel op reis en zag haar helft van de tijd niet, dus veel verschil maakte het niet. Aan de andere kant was het zo dat hij in Florida minder zou reizen, dat hoorde bij de betere omstandigheden, de hogere standing. Weliswaar was het kantoor in New York het beste in de VS en was het altijd goed om dicht bij het vuur te zitten, beter een grote knecht dan een kleine baas en meer van dergelijke gemeenplaatsen. Maar om de regio van Zuid-Florida te krijgen, Palm Beach County, het gebied met de hoogste concentratie joden ter wereld buiten Israël, en het sóórt joden bovendien, joden op leeftijd met een hoge sociaal-economische status en in een leeftijdsfase die precies paste bij zijn soort werk – dat was niet een aanbod dat je afsloeg, wat Nira ook zei of deed. Toen Mesjoelam dat zei, klonken zijn woorden bitter en trokken zijn wenkbrauwen zich samen in zijn grauwe gezicht.

Mesjoelam werkte bij het Joods Nationaal Fonds. Gabi herinnerde zich dat het de organisatie was die verantwoordelijk was voor de bossen in Israël, maar Mesjoelam legde uit dat dat maar een deel van de activiteiten was. In Amerika werd het het JNF genoemd, het Jewish National Fund, en men hield zich bezig met fondsenwerven bestemd voor alles wat te maken had met het ontginnen van grond en het onderhoud van gebieden in Israël. Mesjoelam was gekomen als gezant en na een paar jaar, toen hij een *Green Card* had gekregen en nog weer later een Amerikaans paspoort, lokale werknemer geworden. Zijn voornaamste taak in Florida was mensen te vinden die geld en bezittingen aan de staat Israël wilden nalaten, met ze in contact te komen en dat contact zo goed mogelijk te benutten.

'Hoe vind je mensen die hun geld willen nalaten aan Israël?' vroeg Gabi.

'Ah, dat is ingewikkeld. Als je van het JNF bent, moet je ingebed zijn in de joodse gemeenschap en de synagogen. Je neemt brochures mee over de activiteiten van het JNF en stelt mensen voor projecten te adopteren. Je geeft lezingen, laat visitekaartjes achter. Soms hoor je over geschikte kandidaten en dan leg je contact. Soms zijn het de donateurs zelf die zich tot je wenden. We zetten ook advertenties.'

'En dan?'

'Dan maak je een afspraak. Over het algemeen zijn het oude joden. Soms hebben ze familie of vrienden of andere organisaties, en krijgen wij een percentage van de erfenis. Maar de grootste vangst bestaat uit mensen met geld en bezittingen, die geen familie hebben, die niemand hebben om het aan na te laten en dan komen wij in beeld. Dat is het echte werk.'

'Wat is het werk?'

'Ik ga met ze lunchen. Ik bel ze om het contact te versterken. Ik laat ze het werk van het JNF zien, ik probeer vrienden met ze te worden, probeer ze het gevoel te geven dat de staat Israël zich om hen bekommert. Er zijn ook financiële regelingen. Soms zijn die ingewikkeld, met juristen en accountants, soms eenvoudiger. In de loop van de tijd worden de details vastgelegd: de omvang van de nalatenschap, de rechtsgeldigheid van het testament, de exacte formuleringen, waar het geld precies heen gaat, wat er met de bezittingen moet gebeuren.'

Ze dronken koffie bij een truckstop. Mesjoelam, die koppig volhield de hele weg ingepakt in pak en das af te leggen, zuchtte plotseling en Gabi vroeg zich af wat hij werkelijk voelde. 'Dus jouw werk bestaat er eigenlijk uit het aanhalen van contacten met oude mensen, met ze op goede voet komen, ervoor te zorgen dat ze geen telefoontje plegen met de notaris om te vertellen dat ze een verre verwant hebben ontdekt en besloten die alles na te laten, en dan te wachten tot ze doodgaan.'

Mesjoelam glimlachte. 'Dat is niet al het werk, maar wel een deel ervan.'

'Niet slecht.'

'Je bent veel buitenshuis, je eet met ze, luistert naar ze, bent aardig voor ze. Dat is niet eenvoudig.'

'Het klinkt me helemaal niet slecht in de oren.'

'Soms is het moeilijk met zulke mensen. Het zijn niet de meest interessante. Of ze zijn boos op iemand, of ze zijn ergens door gekwetst. Je moet altijd voor ze klaarstaan.'

'Beter dan met dozen en banken op je rug sjouwen.'

'Dat lijkt mij ook. En je moet niet vergeten, uiteindelijk gaat het om het zionisme. Wij bouwen het land op. We hebben dat geld nodig.'

Ze reisden verder. Gabi reed. Mesjoelam reed. Gabi reed en Mesjoelam sliep. Ze stopten in Charleston om te overnachten en bij het avondeten vertelde Mesjoelam Gabi over een klant die hij in die stad had gehad, niet eens een jood. De man had contact opgenomen en besloten zijn huis aan het JNF na te laten, een prachtig huis met een grote tuin in het hart van de stad. Mesjoelam had met hem gedineerd in een fantastisch luxueus visrestaurant. Het was een opwindende avond geweest, de man had een interessant leven gehad, hij was jarenlang CIA-agent geweest in Italië. Ze hadden alle details vastgelegd en de volgende ochtend zou de man zijn notaris bellen om zijn testament wijzigen. Maar voordat hij dat kon doen, kreeg hij een hartinfarct en overleed ten gevolge van een voedselvergiftiging. Ook Mesjoelam zelf had de hele dag brakend boven de toiletpot gehangen en diarree gehad.

Toen hij na een nacht in het motel langzaam wakker werd, lag Gabi na te denken over Mesjoelams werk. Hij was niet gecharmeerd van het parasitaire aspect ervan, de manier waarop Israël vertegenwoordigers uitzond die als gieren boven de kadavers van mensen cirkelden, of walgelijker dan dat: boven levende mensen, wachtend tot het kadavers werden, om er vervolgens op af te duiken en dat wat ze achterlieten op het moment van verscheiden te verslinden. Er was iets verontrustends aan het calculerende kille proces, waarbij kandidaten voor de dood werden geselecteerd, hun nalatenschap zekergesteld in afwachting van hun overlijden. Aan de andere kant, bedacht hij, schonken ze aandacht en warmte, waar het kinderloze mensen aan ontbrak aan het eind van hun leven. Ook al waren de beweegredenen zelfzuchtig, het was nog steeds aandacht en warmte, die ze van niemand anders kregen. En wie zei dat de warmte en aandacht die via geaccepteerde kanalen van familieleden of vrienden kwam uit minder zelfzuchtige redenen gegeven werd?

Die ochtend reisden ze verder in plenzende regen. Gabi hield van regen, maar in zulke hoeveelheden was het zelfs voor hem een beetje te veel van het goede, en dat nog wel in juni. Mesjoelam glimlachte en zei dat het in dit deel van Amerika gewoon was, dat er soms ook orkanen waren en dat dat nog veel krankzinniger was. Ze reden langzaam, peinzend, in zichzelf gekeerd, terwijl de ruitenwissers luidruchtig op volle toeren werkten en de regen het dak geselde.

Na nog een nacht in een motel arriveerden ze bij Mesjoelams nieuwe huis. De voorman belde om te zeggen dat het stormachtige weer vertraging opleverde voor de vrachtwagen en dat ze pas 's avonds zouden arriveren, waardoor Gabi en Mesjoelam een hele dag in het lege huis konden wachten. Hollywood in Florida deed Gabi inderdaad aan de kibboets denken. Het contrast met New York was verbluffend. Voor elk huis lag een keurig verzorgd vierkant gazon, de huizen zelf waren bescheiden maar ruim. Het slechte weer dreef over, misschien had het dit deel van Florida zelfs helemaal niet bereikt. Het was de meest zonovergoten dag sinds hij in Amerika geland was. Hij zat in een ligstoel die iemand in Mesjoelams tuin had achtergelaten en nipte van de koffie in een papieren beker die Mesjoelam om de hoek had gehaald.

Mesjoelam gaf hem een rondleiding door de wijk. Hij liet hem in de Chevrolet stappen en drie minuten later zag Gabi de prachtigste kleur zee die hij ooit gezien had: dronkenmakend diep turquoise met lange witte stranden, en de meisjes... Hij trok zijn broek uit en ging in zijn onderbroek het water in, kon niet geloven hoe prettig en bekend het aanvoelde toen hij erdoor omsloten werd. Net als de kibboets? De kibboets was dood en begraven. Dit was honderdmaal beter; het was net als de kibboets maar dan zonder de rare blikken in de eetzaal en met het mooiste uitzicht ooit, hier moest zelfs het Meer van Kinneret het onderspit delven.

Hij ging op het strand liggen en zei: 'Dit is het paradijs, Mesjoelam. Dit is waar ik van droomde als ik over het buitenland droomde. Niet over miljoenen mensen en hoge gebouwen waarin ik op en neer sjouw met meubilair.' Mesjoelam glimlachte. Hij nam hem mee naar een restaurant aan het strand en toen ze weer thuiskwamen, liet hij hem het gastenverblijf zien dat tegen het huis aan was gebouwd. Het had een aparte ingang, een kleine kamer met een keukenblokje en er was een toilet.

'Ik denk erover dit te verhuren, wat vind jij?' vroeg Mesjoelam. Hij bedoelde: wat Gabi vond van het idee het te verhuren en van de studio in het algemeen.

Maar Gabi zei: 'Ik neem het.'

Mesjoelam keek hem verrast aan. 'Wat neem je?'

'Ik wil hier wonen,' zei Gabi.

Mesjoelam lachte. 'Meen je dat serieus?'

'Helemaal.'

'En wat ga je dan doen?'

'Kun jij geen hulp gebruiken?'

De bar

In de tijd dat zijn broer naar de Verenigde Staten afreisde, net als veel van zijn vrienden, die naar het Verre Oosten en Zuid-Amerika gingen, bleef Ronni in Tel Aviv. Voor hem was dat ver genoeg. Hij was er haast toevallig terechtgekomen: hij was uitgegaan met een meisje uit Raäna-na, een studente economie en filosofie aan de universiteit van Tel Aviv, wier vader kantoor hield in een appartement aan de Sjlomo Hamelech-straat, waar een kamer vrij was. Zijn vriendin stelde Ronni voor zich de kamer toe te eigenen. Tijdens kantooruren deelden zij het appartement met het kantoor, maar omdat Ronni zich daar ongemakkelijk bij voelde, ging hij liever het huis uit. Heel vaak ging hij samen met zijn vriendin naar de universiteit, begon colleges bij te wonen en ontdekte dat hij die interessant vond. 's Avonds en in het weekend hadden ze het appartement voor zich alleen. Ze kochten voor een paar sjekel een rond aquarium en twee vissen bij de dierenwinkel om de hoek. De huur betaalden ze door het appartement schoon te houden en de afwas van de kantoormedewerkers doen, meestal drie bekers met restjes Nescafé of water. Hij besloot zich in te schrijven voor een studie – als hij dan al tijd investeerde door naar college te gaan, waarom zou hij dat dan niet bekronen met een titel? Maar binnen een paar maanden werd de vriendin zwanger, hetgeen eindigde in een abortus, desillusie en een betraand afscheid.

De vriendin trok uit het appartement, en het was Ronni die het bleef delen met het kantoor van papa. Maar nu moest hij huur betalen en ook nog eens collegegeld aan de universiteit. Ronni vroeg zich een paar dagen lang af hoe hij het allemaal moest betalen, tot de dag waarop de vissen doodgingen; aan overvoeding, legden ze hem uit in de dieren-winkel. Hij ging naar een pub op een van de hoeken van het Malché Jisraëlplein – dit was een paar jaar voordat pubs geen 'pub' meer heet-ten en het plein werd omgedoopt in het Rabinplein – en dronk zoveel dat hij aan het eind van de avond bijna het kleine briefje naast de toilet-ten over het hoofd zag met 'afwashulpen gevraagd'.

Hij waste af en daarna hielp hij de kok en daarna werd hij barkeeper en daarna verantwoordelijk voor de dienst. Aan de universiteit merk-te hij dat de basiscursus statistiek en wiskunde hem gemakkelijk afging. Een jaar later bestierde Ronni de pub al volledig, toen de eigenaar, Oren Azoelai, hem een voorstel deed. Hij stond op het punt een nieuw café te openen en wilde dat Ronni dat voor hem ging leiden: van het opzet-ten tot de uitvoering, verbouwing, personeel, voorraden, menu en salarissen aan toe. Oren wilde er zelfs geen minuut hoeven te zijn. Ronni zou twee keer zoveel verdienen als hij nu deed. 'En dit is echt om je te paaien,' gooide Oren er aan het eind van het gesprek in, 'om je nog een dosis motivatie te geven, krijg je aan het eind van de maand een bonus van twee procent van de nettowinst.'

Na dit voorstel was Ronni een paar seconden in shock, maar hij hield zijn gezicht in de plooi en zei, haast achteloos: 'Als ik als partner in de zaak kom, heb je een hoger rendement.'

'Partner?' vroeg Oren, terwijl hij probeerde de glimlach in te slikken die naar boven wilde komen. 'Heb je geld om te investeren?'

Dat had Ronni niet, maar hij zei dat hij het zou nagaan. Hij ging het na. Bij de banken waar hij naar binnen liep, werd hij binnen de kortste keren weer naar buiten gebonjourd. Maar oom Jaron, die hij belde zonder een greintje hoop, verraste hem met het spaarplan dat hij opgezet had met de erfenis van zijn ouders en grootvader. Ronni werd partner met een aandeel van twintig procent.

Het nieuwe café bouwde hij helemaal zelf van de grond af aan op: van de wanhopig makende bureaucratie van de gemeente Tel Aviv tot aan de tegeltjes in het toilet. Alles wat hij wist, had hij geleerd door het runnen van een zekere, conventionele pub aan een plein in Tel Aviv, door jarenlang drinken in de pub van de kibboets en door een aantal cursussen aan de universiteit; maar hij wist ook intuïtief, vanuit zijn gezonde verstand, dat hij iets anders wilde. Iets aantrekkelijkers, iets hippers. Hij begon met de naam: hij was niet de eerste die in de jaren negentig de aanduiding 'pub' liet vallen en verving door iets met het woord 'bar' erin, maar hij was beslist een van de meest avant-gardistische toen hij de naam 'Bar Baraboesj' koos, een verwijzing naar de vrouw van de binnenkort aftredende president van de Verenigde Staten. Hij ging verder met het ontwerpen van het uithangbord en de gevel, het uitwerken van het uitnodigende en ontspannen interieur, de absolute hygiëne, het uitzoeken en begeleiden van zijn team. De meest opvallende vernieuwing was zijn benadering en presentatie van het eten. In tegenstelling tot de meeste dranklokalen, waar naast het bier voornamelijk patat of kippenvleugels werden geserveerd, was het eten bij Bar Baraboesj goed: functioneel maar gevarieerd, eenvoudig maar vers, niet duur en altijd te bestellen. Ronni huurde een souschef in, die een menu opstelde dat steeds beter bij de locatie en de sfeer paste. Mettertijd raakten meer en meer mensen bekend met het verrassende concept: een bar waar je niet alleen goed kon drinken, maar ook goed kon eten.

De zaak begon een aardige winst op te leveren. Ondanks het ontevreden gezicht van Oren Azoelai hield Ronni eraan vast de eigenaars een bescheiden salaris uit te keren en al het overige weer in de zaak te investeren. Oren accepteerde het omdat hij de resultaten zag en besefte dat Ronni's visie, gesteund door hard werk en bewonderenswaardig doorzettingsvermogen, hen vooruit zou brengen, al was dat Ronni zelf misschien niet helemaal duidelijk. Azoelai was goochem genoeg zich er niet mee te bemoeien en daarmee deed hij uitstekende zaken.

Het was de tijd van bloei en ontwikkeling, Tel Aviv was aantrekkelijk voor jongeren, toeristen, buitenlandse investeerders, Russische immigranten en opgepoetste militairen, die elk op hun eigen manier behoefte hadden aan iets te drinken, een behoefte waarin Ronni maar wat graag voorzag. Hij verhuisde naar een appartement in de Bazeltoren met uitzicht op zee en een balkon van zestig vierkante meter met houten dek, legde de hand op de beste hasj uit Libanon via dealers die daar op herhaling moesten, liet zoet geurende rook opkringelen naar de warme hemel boven het Midden-Oosten, meestal in gezelschap van een mooie dame. In diezelfde periode liet hij een modieus kort baardje staan en zijn krullen groeien.

Hij werkte enorm hard – hij had nooit harder gewerkt – en het succes kwam hem aanwaaien. Baas zijn was een stevige les voor een kibboetsnik: geld beheren, salarissen, importbelasting en volksverzekeringen; hard zijn, niet vriendelijk. En een ijzeren dagindeling: 's ochtends, na een kop koffie en een sigaret op het dek, ging hij naar de bar waar hij zich boog over de boekhouding, de bestellingen deed, telefoontjes pleegde en leveranciers en collega's ontving. Tegen de middag arriveerden de eerste medewerkers en druppelden de eerste klanten binnen. 's Middags kroop hij in de studieboeken. Het tweede jaar was wat in de knel geraakt door de werklast van zijn bezigheden in de bar, maar hij wilde niet helemaal met de studie ophouden en concentreerde zijn inspanningen in die uren. In de vroege avond ging hij terug naar de bar, vergewiste zich ervan dat alles klaar was en verloor op zeker moment de tijd uit het oog. De tijd werd uitgesmeerd en strakgetrokken, krulde op als een kleine tornado, die om even na negenen de deuren van Bar Baraboesj binnen kwam stormen en vlak na middernacht weer naar buiten wervelde: flarden van herinneringen, één of twee dingen die eruit sprongen – meestal geschreeuw vanuit de keuken of een beroemde klant – en een algeheel gevoel van drukte, pijnlijke voeten, de geur van bierschuim in de spoelbak van de toog. Tegen enen begon zijn favoriete tijd. De drukte nam wat af, maar het café zat nog vol klanten, die bleven toestromen na de bioscoop, restaurants of een lange werkdag. Dat waren de klanten die hij het liefst had. Die hadden meer tijd. Op dit uur bemande Ronni de bar, schonk, praatte, flirtte, leerde mensen kennen. Nodigde klanten uit om samen shots te drinken, waarbij hij op zeker moment zijn eigen glaasje met water vulde. En als het heel stil was, nam hij plaats op een barkruk, een glas whisky met ijs tussen zijn vingers.

De drinkers

Vrienden had hij niet. Maar in de kleine uurtjes, als het stil was, kwamen ze bij hem zitten. Klanten die hij daar had leren kennen en die stamgast waren geworden, gelegenheidsklanten die langskwamen en die hij nooit terug zou zien. Collega's uit de wereld van restaurants en amusement, die praatten over het werk. En ook gezichten uit het verleden: van de commando's, van zijn kibboets, van kibboetsen uit de omgeving. Ronni had geen idee hoe ze wisten waar ze moesten zijn. Maar ze kwamen drinken. En als ze gedronken hadden, werden ze praatziek.

Op zekere avond kwam Jif'at binnen. Zijn lieve Jif'at van de middelbare school, die zijn hart gebroken had. Ze was met een andere man en ze negeerde Ronni, op een paar blikken na. De volgende dag kwam ze 's middags en bood haar verontschuldigingen aan. Ze had geen zin om van alles uit te moeten leggen aan haar vriend. Het was een serieuze vriend, zei ze, en ze wilde geen risico's nemen. Ze hoopte echt dat het dit keer wat werd. Ze lunchte met wijn en vertelde Ronni dat het haar goed ging. Ze had zichzelf helemaal gevonden in Tel Aviv. Ze had aan de Sjenkar-modevakschool gestudeerd, miste de kibboets helemaal niet. 'En Joav,' zei ze, 'ik geloof dat hij het beste is dat me is overkomen. Hij heeft een band. Joh, wat eigenaardig dat we hier zitten en het daarover hebben. Je vindt het niet erg, toch? Je hebt vast en zeker plenty vriendinnen.' Ze giechelde.

Hij wierp een tamelijk verveelde blik op zijn horloge en zei tegen haar dat hij zijn ronde moest maken, ze mocht meelopen als ze daar zin in had. 'Ronde?' vroeg ze.

Hij liet haar zijn appartement zien met het houten dek en schonk nog een glas wijn voor haar in en op een bepaald moment zei ze dat ze door zijn grappige baardje wilde kroelen. De twee uren die daarop volgden, brachten ze door in bed – sinds haar jonge jaren had ze het een en ander bijgeleerd, was losgekomen – tot ze op de wekker keek en zei, haar haar door de war: 'Jee, ik moet terug naar huis.' Dat was het laatste wat hij van haar zag. Het deed hem niks.

Een paar weken later, op het nachtelijk uur dat de drukte wat afnam, kwam Baroech Sjani de bar binnengelopen. De eerste gedachte die

Ronni door het hoofd schoot was: Allah jistor, wat is er met hem gebeurd? Baroech van de koeienstal, van de commando's, Ronni's mentor, die heel wat meisjes tot vrouwen gemaakt had. En nu: kalend, verwaarloosd, een vreemde tic in zijn mondhoek, dronk hij met ongezonde toewijding. Niet een glaasje aan het eind van een lange dag om even tot rust te komen, maar drinken om het drinken. Hij zag eruit alsof hem wat ergs was overkomen, maar daarover wilde Baroech niet praten, wel over het verleden. Ronni drong niet aan, hij had geleerd om niet aan te dringen, iedereen was welkom, wie wilde kon praten, wie wilde kon zwijgen.

Na een paar biertjes vertelde Baroech hoe hij het met Orít uit Ronni's klas had gedaan, toen zij veertien was en Baroech drieëntwintig. Dat was geen nieuws, Ronni herinnerde zich dat hij Orít in Baroechs slaapzak had zien glippen op zomerkamp, maar nu was hij wel benieuwd om voor het eerst de details te horen. Baroech rapporteerde dat Orít gelukkig getrouwd was en plus twee in Kirjat Ono woonde en dat zijn pogingen om het contact te herstellen, ook zijn recente pogingen, op hardnekkige weerstand waren gestuit. 'Ze is nog steeds beeldschoon,' bekende hij, alsof hij daarmee haar weigering verklaarde.

Baroech kwam van tijd tot tijd naar de bar, zag er altijd hetzelfde uit, slikte woorden in, dronk en praatte over het verleden. Ronni begreep niet wat hij deed. Hij mompelde iets onduidelijks over werk bij een verzekeringsmaatschappij, maar Ronni kon zich niet voorstellen dat Baroech in deze toestand iemand een verzekeringspolis zou kunnen verkopen.

Soms kwamen er oude leden van de boerderij, die even mochten uitrusten in het appartement van de kibboets in de grote stad, totdat het verkocht werd vanwege de economische crisis. Ze hadden het altijd over Tel Aviv versus de kibboets: verschillende werelden. Soms kwamen er mooie meisjes, die vertelden de jongere zusjes te zijn van kinderen uit zijn lichting. Eén keer kwam Ezra Doedi met zijn volle baard en zijn glanzende Herzl-achtige blik. Ronni hield van deze ontmoetingen, zo verrassend en willekeurig. Maar de meeste avonden waren normale prettige Tel Avivse avonden, de meeste klanten waren anoniem totdat ze begonnen te praten en werden dat weer op het moment dat ze vertrokken.

Op zekere avond kwam na middernacht een lange gespierde jongeman van in de twintig binnen, ging aan de bar zitten en bestelde een gintonic. Op de achtergrond speelde het liedje van 'Jungle Life' met de Tarzankreet 'oooooö'ö'ö'oooooö'ö'ö'ooooo'. Ronni zette het glas op de bar. De klant zei: 'Je herkent me niet, hè?' Ronni bekeek hem nog eens. Focuste zijn blik op het gladgeschoren haar, de glinsterende ogen, de scheve glimlach. Wacht even. Scheve glimlach. Nee, geen scheve glimlach, een scheve kaak. Wacht, nee, ja, dat moest hem zijn, die ogen, zeker, dat hij dat niet meteen had gezien... 'Ejal?'

De glimlach stond al op zijn gezicht, zijn hoofd knikte op en neer op zijn wervelkolom. Ejals vader, Jona, was door de graszodenfabriek met zijn hele gezin uitgezonden naar Buenos Aires toen Ejal vijftien was en sindsdien hadden ze elkaar niet meer gezien. Nu vertelde Ejal over de twee jaar in Buenos Aires, gevolgd door twee jaar in Parijs, aan het einde waarvan zijn ouders, Jona en Jona, waren gescheiden. Hij was bij zijn moeder gebleven en architectuur gaan studeren in een klein Frans stadje, en toen werd er vanuit de fabriek besloten de activiteiten in het buitenland in te krimpen en was zijn vader met de secretaresse die hij had voordat het kantoor gesloten werd in een dorpje in Noord-Spanje gaan wonen. Inmiddels was zijn vader teruggegaan naar Israël, alleen, en probeerde hij opnieuw lid te worden van de kibboets en weer in de fabriek aan het werk te gaan, en Ejal was gekomen om hem te helpen.

Op de achtergrond vroeg Haddaway wat liefde was en verzocht zijn geliefde hem geen pijn meer te doen, toen Ejal vroeg of dat niet het krankzinnigste verhaal was dat Ronni hier ooit aan de bar had gehoord. 'Nee,' zei Ronni, 'maar slecht is het niet.' De volgende dag kwam Ejals vader op dezelfde tijd binnenstappen. Dit keer herkende Ronni hem meteen, hoewel ook Jona er anders uitzag dan vroeger. Dikker, grijzer. 'Wat wil je drinken, Jona?' zei Ronni en hij stak hem een hand toe.

Deze avond was het tegengestelde aan de vorige, tenminste op het eerste gezicht. De vorige avond had Ejal – Ronni had geleerd daarop te letten – de aandacht getrokken van bijna alle vrouwen in Bar Baraboesj, of ze nu alleen, met vriendinnen of partners waren, serveersters of klanten. Toen Ronni daarover wat had gezegd tegen Ejal, glimlachte hij en wuifde het weg, alsof hij er al niet meer op lette. Deze avond was het zijn vader die vleiende blikken op vrouwen wierp – of ze nu alleen, met vriendinnen of partners waren, serveersters of klanten. Uiteraard gedroegen ze zich alsof hij niet bestond en, hoewel hij daar wel aan gewend was, kon hij het toch niet laten.

'Heeft hij verteld dat hij homo is?' vroeg Jona aan Ronni, en dat verklaarde voor Ronni een heleboel, maar hij kon niet inschatten of de frustratie op het gezicht van de vader te maken had met het feit dat de dames hem negeerden of doordat zijn zoon de neiging had de dames te negeren. Joni zei: 'Ben je ook homo? Wat moet dat met dat baardje?'

Jona dronk meer dan Ejal. Ronni werd een beetje moe van het geleuter over Argentinië en de kibboets en die klootzakken die zich niet wilden herinneren wat hij allemaal voor ze gedaan had. Toen Jona in het Spaans met een toeriste begon te babbelen, greep hij de gelegenheid aan om enige tijd in het magazijn te verdwijnen. Bij terugkomst wenkte Jona hem met een vinger. 'Jona,' zei Ronni, 'heb je nog niet genoeg gedronken vanavond? Zal ik een taxi voor je bestellen?'

'Wacht,' zei Jona met een zachte stem, roestig van moeheid en alcohol.

'We gaan zo beginnen met afsluiten. Wil je dat ik Ejal zoek, zeg dat hij je moet komen halen?'

'Heeft hij verteld dat hij homo is?'

'Dat heb jij me verteld,' zei Ronni en hij schatte in hoeveel klanten er nog in de bar zaten. Het was natuurlijk niets bijzonders, een dronken man die aan het eind van de avond hulp nodig had, maar Ronni voelde iets van medelijden met de oude kibboetsbewoner. Jona mompelde iets in het Spaans. 'Wat?' vroeg Ronni. 'Ik heb een homo voortgebracht,' bekende Jona en hij stond wankel op.

Ronni had hem gedag kunnen zeggen en zich met zijn eigen zaakjes bezig kunnen houden, maar hij kwam van achter de bar vandaan en zei: 'Kom, Jona, ik bestel een taxi voor je. Waar moet je heen?' Jona reageerde niet. 'Of moet ik Ejal bellen?'

'Die homo?' vroeg de vader, legde een hand om Ronni's schouder en liep lodderig en traag naast hem.

De zurige lucht van de bar werd vervangen door de zware nachtlucht. Daar stonden ze, de beschonken oude en de verwarde jonge man, hand om de schouder, de andere hand wat onduidelijk om het middel, wachtend, zwijgend. En toen kuchte Jona, gooide er een Spaanse vloek uit, en vroeg: 'Hoe gaat het met die broer van je, die *loco*? Gaat het goed met hem? Is hij weer de oude geworden?'

Ronni was even van zijn stuk gebracht, maar zei daarna: 'Het gaat goed met hem. Hij zit op het ogenblik in New York.'

'New York? Mooi, mooi.'

Ronni stak zijn hand op naar een passerende taxi. Die stopte niet.

'Ik zal nooit vergeten hoe we hem ontvoerd hebben, Ejals moeder en ik, hoe we zijn mond volgestopt hebben met die stinkende torren.'

'Jullie?' Ronni had zich uit de omhelzing losgemaakt en stond nu tegenover Jona, een beetje opzij voor het geval hij om zou vallen. Maar zijn evenwicht was beter dan het leek. Nog iets dat Ronni had geleerd: laat mensen die eruitzien alsof ze op anderen leunen aan hun lot over en je zult verbaasd zijn te zien hoe goed ze zichzelf kunnen redden.

'Ik en Jona, Ejals moeder. Die jongen, jouw broer, die loco, dat was een kwaadaardig kind. Wacht, hoe gaat het eigenlijk met hem, is hij er weer bovenop gekomen?'

Allerlei gedachten schoten Ronni door het hoofd. 'Maar hoe... hoe zat dat met die behaarde armen?' De enige aanwijzing die Gabi van die nacht had overgehouden. Dat, en het feit dat er ten minste twee mensen bij betrokken waren en heel veel spartelende pootjes in zijn mond.

'Ah...' Langzaam verspreidde zich de stralende glimlach van de ware dronkaard over Jona's gezicht. 'Dat was een ideetje van Jona, Ejals moeder. Ze wilde dat iedereen zou denken dat het Sjimsjon Cohen was. Want kijk, ik heb gladde handen, kijk maar,' hij stak zijn armen uit.

'Maar was Sjimsjon Cohen niet jullie vriend? Waarom wilde ze hem de schuld in de schoenen schuiven?'

'Ai. Dat is een lang verhaal. Daarvoor moet ik een andere avond terugkomen.'

Alleen al de gedachte dat hij nog een avond met Jona zou moeten doorbrengen... 'Taxi!' riep Ronni en toen er uit het niets eentje stopte, grinnikte Jona en zei: 'God is met jou, jongen.'

Hij ging op de achterbank zitten, deed de deur dicht en toen de taxi wegreed, ging het raampje naar beneden en riep hij: 'De groeten aan die loco broer van je! Laten we hopen dat hij er weer bovenop komt!'

Pas toen de taxi verdwenen was, realiseerde Ronni zich dat Jona niet verteld had hoe ze het voor elkaar hadden gekregen dat vader Jona's armen even harig waren geweest als die van Sjimsjon Cohen.

De assistent

Toen Ronni aan Jona vertelde dat Gabi in New York zat, wist hij niet dat Gabi New York verruild had voor Hollywood in Florida. Ronni wilde Gabi bellen om hem te vertellen wat hij ontdekt had. Hij kreeg het telefoonnummer te pakken van de kibboetsnik die bij het verhuisbedrijf in New York werkte, maar die wist alleen te melden dat Gabi maar een paar dagen bij hem gewoond had en daarna was verdwenen. Het lukte Ronni niet om met dit losse eindje iets te doen en in tweede instantie besloot hij dat hij Gabi niet op de hoogte wilde brengen van zijn ontdekking. Oude wonden openrijten was nergens goed voor.

Gabi Cooper kwam nog één keer terug naar New York. Dat was voor een ontmoeting met de dochter van Cyril Zimmermann, een miljonair uit Boca Raton en een belangrijke klant van Mesjoelam Avneri en de afdeling van het JNF. Zimmermann had toegezegd een aanzienlijk deel van zijn kapitaal aan het Joods Nationaal Fonds na te laten en stond op het punt zijn testament te wijzigen om dit mogelijk te maken. Mesjoelam had hem meermaals ontmoet, een paar keer met Gabi, en in zijn notitieboekje opgeschreven dat Zimmermann een donateur was met wie het contact moest worden uitgebreid, dat hij het soort kandidaat was die potentieel een goede donateur kon zijn, maar waarbij zich waarschijnlijk een aantal obstakels zouden voordoen eer het zover was.

Eén zo'n mogelijk obstakel was Jennifer, Zimmermanns negenenvijftigjarige dochter, die in de Upper West Side van Manhattan woonde. De oude heer had op zekere dag over haar verteld. Hij zei dat ze vragen stelde over het JNF en de erfenis. En dat hij dacht dat het geen probleem zou vormen, maar hij wilde geen ongezonde spanningen veroorzaken of, zoals hij dat uitdrukte: 'De wereld niet met een onzuiver akkoord verlaten', en daarom wilde hij haar vragen beantwoorden.

'Wat wil ze precies weten?' had Mesjoelam allervriendelijkst gevraagd. Hij had Gabi wel verteld over zulke voorvallen: de kinderen van de potentiële donateur die vragen stelden, vooral als er sprake was van een flinke erfenis. Mesjoelam benadrukte dat je begrip moest hebben voor de achterdocht, en een stappenplan moest voorstellen dat vertrouwen gaf: een presentatie, een lezing, een ontmoeting, zelfs een uitnodiging om naar Israël te komen, zodat de kinderen met eigen ogen het werk van het JNF konden aanschouwen. Het gebeurde ook wel dat de kinderen achteraf het testament aanvochten en beweerden dat hun ouders waren gemanipuleerd en onder druk gezet; en in die gevallen had het geen zin om de strijd aan te gaan, want dat zou de reputatie van de organisatie schaden. Daarom was het zo belangrijk alle problemen vooraf op te lossen.

'Nou ja, wat voor vragen kan ze stellen? Hoezo ben ik van plan om de helft van mijn geld na te laten aan mensen die ik niet ken?' zei Zimmermann en hij nam een slokje van zijn witte wijn. Hij had een lichte, rozige huid, een bril en een hoofd vol witte manen. Zijn geld had hij verdiend als jurist. 'Ik heb tegen haar gezegd, Jenny, dit is het JNF, de staat Israël, dit is wat er in mijn testament staat, de formulering is door duizenden juristenogen bekeken, inclusief de mijne, het is allemaal koosjer, alles is precies omschreven en gecontroleerd, door de bank gecheckt, het geld gaat naar erkende doelen. En dan zegt ze: met alle respect voor de staat Israël...'

Het punt is, vertelde Zimmermann, dat Jenny het geld helemaal niet nodig heeft. Ze was getrouwd en later gescheiden van een joodse man die veel rijker was dan hij, Schulman van het staal, kennen jullie die? Ze kenden hem niet. Ze heeft meer geld dan ze in haar hele leven over de balk kan gooien, zelfs als ze haar best doet, en daarnaast zal ze nog de helft van haar vaders erfenis krijgen, als zijn enige kind. Ze had goeie bedoelingen, ze wilde hem alleen maar beschermen, zeker weten dat hij niet gemanipuleerd werd, zei hij. Dus het enige wat ze hoefden te doen, volgens hem, was deze jongeman naar haar toe sturen – hij wees naar Gabi, die tijdens het diner voornamelijk had gezwegen, terwijl hij keurig netjes langzaam at en op de juiste momenten glimlachte – zodat ze kon zien dat het geld echt naar de goodguys ging en niet naar een of andere Israëlische oplichter. Toen Zimmermann dit zei, ging Gabi rechtop zitten, in zijn mond en stukje uitgelezen boerenbrood dat hij in één keer probeerde door te slikken. Hij keek verrast naar Mesjoelam en zag een vonk van erkenning in de ogen van zijn baas. De vlucht naar New York werd afgesproken voor de daaropvolgende week.

Er waren een paar maanden voorbijgegaan sinds Gabi in het studiootje aan Mesjoelams huis in Hollywood was gaan wonen. Hij had het er naar zijn zin. Het leek er niet echt op de kibboets, begreep Gabi al snel, er was een tuin, de huizen waren gelijkvloers en het strand vlakbij, met zijn witte zand tegen het turquoise warme water dat vrouwelijk schoon aantrok. Hij ging regelmatig naar het bioscoopcomplex, zwierf tussen de zalen waar de films continu vertoond werden.

Hij had geluk: er waren juist twee junior posities vrijgekomen op het kantoor. Die waren weliswaar bedoeld voor lokale werknemers, Amerikanen, maar het was mogelijk om een tijdelijke werkvergunning te krijgen voor een Israëliër die bij het JNF werkte, totdat de bureaucratie uitgezocht was. In het begin had hij de mensen op het kantoor en hun werk leren kennen: contacten met de joodse instellingen in de regio, het organiseren van bijeenkomsten bij mensen thuis, het opsporen van donateurs en het onderhouden van de contacten met hen, het organiseren van delegaties naar Israël, het distribueren en ophalen van de blauwe collectebussen. Soms vergezelde hij Mesjoelam naar afspraken en de rest van de tijd was hij op kantoor. Het eerste project dat hij helemaal zelfstandig uitvoerde waren lezingen van de voormalige minister van Justitie, Dan Meridor, in twee plaatselijke bejaardentehuizen.

Het was interessant werk, niet moeilijk. Hij rekende het uit en kwam erachter dat hij bij het verhuisbedrijf meer kon verdienen, maar het salaris was niet slecht en hij had nauwelijks kosten. Het vaste wrijfpunt van rijke mensen, mensen die hun hele leven geld najoegen, het te pakken kregen, maar alleen bleven en vervolgens niet wisten wat ze met die kapitalen aan moesten, leerde hem één ding: uiteindelijk krijgt iedereen rimpels, takelt af en verdwijnt met, in het beste geval, enkele familieleden in de buurt, en het geld waar ze zo hun best voor hadden gedaan, ligt om ze heen als afgevallen blad dat iemand vergeten is weg te harken.

Ook na een paar maanden begreep hij Mesjoelam niet echt. Niet zijn gezinssituatie en evenmin wat hem ertoe gebracht had een jonge vent, die hij nauwelijks kende, onderdak en werk te geven. Of wat hij precies deed in zijn vrije tijd. Soms hoorde hij onduidelijke stemmen en voetstappen van meer dan één persoon op de houten vloer, of de sleutel in de vroege uurtjes van de ochtend in het slot draaien – Gabi sliep licht en dan tilde hij altijd zijn hoofd op, wierp een oog op de wekker die drie of vier uur aanwees, en sliep dan verder. Maar ze ontmoetten elkaar altijd om half negen om naar kantoor te gaan en Mesjoelam zag er steevast keurig netjes en fris uit. Gabi probeerde hem twee of drie keer aan het praten te krijgen door te vragen of hij nog iets leuks had gedaan gisteravond, en hoe het met de vader van zijn vrouw ging en of er kans was dat ze terugkwam naar de Verenigde Staten. Maar Mesjoelam werkte niet mee, dus gaf hij het weer op. Hij had het gevoel dat Mesjoelam eenzaam was. En dat hij een verbitterde kant had.

Jennifer Schulman-Zimmermann had een groot appartement met een gigantisch balkon. Overal waren paarse voorwerpen: kussentjes, fotolijstjes, gordijnen, en zelfs de bloes aan haar lijf. Ze zaten op het balkon en dronken koude limonade. Ze had grote blauwe ogen en stroblond haar; een struise onopvallende vrouw, maar vriendelijk en ook humoristisch. Ze sprak nauwelijks over geld, vroeg alleen dingen over Israël, de kibboets, het leger. Gabi hield zich aan de wetten van Mesjoelam: hij gaf antwoord op de vraag in kwestie, laste een praatje in, vroeg iets over het appartement, over haar voorliefde voor paars, over haar jeugd en haar vader, over haar kinderen en haar kleinzoon. Gabi zette voor zichzelf een vinkje bij: weer een eenzame vrouw, net als haar vader, met veel te veel geld en luxe waarvan ze niet kon genieten, die vooral op zoek was naar een paar uur in het gezelschap van iemand die haar vleide, zoals zoveel van de donateurs.

Maar toen kwam haar partner thuis. Ze stelde hem voor als 'mijn jonge vriendje', een energieke vent, die Erwin heette, drie jaar jonger dan zij, en als psychiater verbonden aan het basketbalteam de New Jersey Nets; klein van stuk met golvend haar, een baard en volle lippen. Met z'n drieën gingen ze uit eten in een geweldig Italiaans restaurant, waarvan Gabi zó genoot dat hij niet merkte hoe de tijd verstreek. Hij haalde het vinkje weg dat hij eerder had geplaatst en besefte dat hij Jennifer te snel had beoordeeld. En New York ook: dit was een andere stad dan die hij had leren kennen in zijn eerste dagen in de VS. Deze stad was makkelijk, wervelend, grappig, en hoe meer wijn er vloeide, hoe meer hij van allebei hield.

Gabi sprak met Erwin over de drugsproblemen van NBA-spelers en Erwin beloofde kaartjes voor Gabi te regelen als de Nets in Miami kwamen spelen. Ze vertelden Gabi over een reis die ze ooit eens gemaakt hadden in Galilea, over de fantastische olijfolie die met antieke molenstenen bereid werd, over de graven van de rabbijnen in Tsfat, over een uitstekend restaurant in Rosj Pina. Gabi – geboren en getogen in Galilea – kende geen van deze dingen, maar zei tegen Erwin dat hij de volgende keer naar het basketbalteam van de kibboets moest komen kijken. Ze vroegen hem naar het Joods Nationaal Fonds en hij vertelde wat hij wist, wat hij van Mesjoelam geleerd had, maar de wijn had zijn tong losgemaakt en op zeker moment bekende hij dat hij nieuw was op dit gebied, dat hij niet heel veel wist, dat hij altijd gedacht had dat ze bomen aanplantten, niet dat ze rijke donateurs zochten in Amerika. Jennifer zei dat ze een bos wilde financieren met haar naam, los van de donatie van haar vader, bij een nieuwe nederzetting waar vrienden van haar uit Brooklyn woonden die naar Israël waren geëmigreerd. Ze belde iemand met Erwins mobiele telefoon – het was de eerste keer dat Gabi zo'n apparaat in het echt zag en hoewel Jenny moest herhalen wat ze zei en hard moest praten, was hij vol bewondering dat zoiets bestond – en schreef de naam van de nederzetting op een papieren servetje. Nadat ze het gesprek had afgerond, probeerde ze het te lezen: MAALE HERMESH?

'Wat?' Gabi leunde naar voren, kneep zijn ogen halfdicht, probeerde de klanken uit het rumoer op het New Yorkse trottoir te filteren. In zijn hand had hij een lepel met een restje crème brûlée. Jennifer probeerde de woorden uit te spreken. 'Maälè Chermesj?' herhaalde Gabi. 'Ik geloof dat ik er weleens van heb gehoord. Ik zal het nagaan. Geen probleem. Waar is het?'

Jenny belde nog een keer. Toen ze klaar was, zei ze: 'Jehoeda en Sjomron.' Gabi knikte terwijl hij een beetje verrast glimlachte; in zijn hoofd kwam ineens het beeld op van de nederzetting waar hij jaren geleden met een Sabra Sussita was terechtgekomen, toen hij uit de kibboets was gevlucht. De enige keer dat hij in de bezette gebieden geweest was.

Erwin zei: 'Oi, je wilt me toch niet vertellen... Zijn dat die krankzinnige kolonisten uit Brooklyn?' Gabi was dol op Erwin. Hij deed hem denken aan de acteur Elliott Gould, met zijn zware wenkbrauwen en innemende glimlach, maar dan met baard. Hij observeerde Jenny voorzichtig. De opmerking van haar vriendje bracht haar niet van haar stuk. 'Dus u wilt een bos kopen en dat naar uzelf laten vernoemen?' vroeg Gabi, die haar daarmee een laatste uitweg bood. Ze knikte glimlachend. Haar blauwe ogen waren wat zweverig van de wijn en Gabi wist niet of er iets flirterigs in school – hij had dat soort dingen nooit begrepen – dus wendde hij zijn blik verward naar Erwin, die met zijn ogen rolde en zijn schouders ophaalde. 'Natuurlijk, dan zorg ik daarvoor,' zei Gabi en hij dronk de rest van zijn wijn met een grote slok op.

Ze nodigden hem uit om in de logeerkamer te blijven slapen, maar in dat stadium was hij al helemaal in de war door Jennifers blauwe ogen en de zware wenkbrauwen van het vriendje. Bovendien had Mesjoelam hem gezegd in de omgang met donateurs de grens van het betamelijke niet te overschrijden en hij vreesde dat hij dat inmiddels al had gedaan. Toen ze aanboden hem naar een hotel te brengen, zei hij: 'Dat is helemaal niet nodig. Jullie wonen hier, ga lekker naar jullie appartement. Ik red me wel.' Ze bezwoeren hem dat hij een taxi moest nemen en hij beloofde dat te doen, maar pas nadat hij wat door de straten had gelopen, om de maaltijd te laten zakken en wat van de grote stad te zien. Ze namen afscheid met een omhelzing en Gabi liep lange tijd, blok na blok, straten vol met mensen, auto's, gele taxi's en restaurants. Hij wilde alleen maar het gezoem in zijn hoofd tot rust brengen, maar dat gezoem werd sterker, de wijn bonsde tegen zijn slapen, zijn ogen en hersenen stonden wijdopen door alle prikkelingen waaraan ze niet gewend waren. Uiteindelijk zag hij de ingang naar de metro, liep de trap af, kocht een kaartje en ging op het perron staan. Niet dat hij iets tegen taxi's had, hij genoot gewoon zo van deze New Yorkse ervaring dat hij hem compleet wilde maken met een ritje in de metro. Hij stond op het perron, er kwam een kabaal uit de tunnel gerold, het kwam dichterbij, luidruchtig uiteenspattend licht, kletterend en krijsend naast het perron, een onverstaanbare mededeling uit verborgen luidsprekers, het zilveren treinstel minderde vaart en over de hele lengte schoven de deuren open. Uit de wagon recht tegenover hem stapte met een voorzichtige pas Anna uit.

De verrassing

Ze komt wanneer je haar niet verwacht, wanneer je niet oplet. Achter je rug langs, over je schouder, recht tegenover je met een voorzichtige pas. Ze grijpt je onvoorbereid, jaagt je schrik aan met haar snelheid, met haar ongedwongenheid. Ze brengt orde in dingen, geeft zin aan de loop van het leven, die opzichzelfstaand, toevallig, ondoordacht lijkt. Ze geeft redenen, achteraf en vooraf. Ze treft je voornamelijk, boem, recht tussen de ogen en verblindt je enige seconden lang. Op datzelfde moment denk je niet na. Gedachten komen later pas, jaren later, op een heuveltopje in het hart van de bergen, ten overstaan van een droge woestijn en ijzige winden. Pas dan kun je vragen: als je had geweten wat de toekomst zou brengen, had je dan van de liefde afgezien?

Hij zag Anna, en in tegenstelling tot destijds in de Sinaï, liep hij dit keer op haar toe. Op het perron van een onbekend metrostation begonnen ze te praten en hielden niet meer op. Twee uur lang zaten ze op een bankje, herrie kwam en ging, de uurtjes werden steeds kleiner.

Hij vertelde haar over die ene dag in de Sinaï. De dag die begonnen was met een aardbeving toen hij op het strand lag en verderging zodra hij haar in het oog kreeg, terwijl ze met een groepje jongelui arriveerde. Hoe hij in de stress was geschoten, in zijn schulp was gekropen, het strand inderhaast had verlaten en aan de tocht terug naar huis was begonnen. Hij was de vlucht ontvlucht. Hij had gevreesd dat ze hem zou herkennen en zijn geheim zou verklappen. Hij had zich altijd afgevraagd of ze hem had gezien. Ze had hem niet gezien. Ze had ook de aardbeving niet gevoeld. En zelfs als ze hem gezien had, zou ze zeker geen gevaar hebben gevormd. Ze herinnerde zich vaag dat hij verdwenen was en dat er naar hem gezocht werd. Maar in die tijd, en vooral in de Sinaï, was ze veel te veel met zichzelf bezig om erop te letten wat er om haar heen gebeurde. Ze was verliefd geweest op een Duitse vrijwilliger die Lothar heette, was een paar maanden niet naar school gegaan om hem, had bij hem rondgehangen, met hem geblowd, had alles gedaan wat een zestienjarig meisje doet dat de grote wereld buiten de kibboets heeft ontdekt. Ze waren twee maanden in de Sinaï gebleven, dacht ze, en voor zover ze het zich kon herinneren, had ze in die twee maanden alleen maar Lothar liefgehad. Gabi lachte. Wat was hij in paniek geweest toen ze verscheen en het had haar helemaal niets geïnteresseerd. Soms kun je zo met jezelf bezig zijn, zei hij tegen haar, dat je vergeet dat je voor anderen niet het middelpunt van de wereld bent. Hij vertelde over zijn vlucht. Over het uniform van de Golanibrigade. Over de krankzinnige liften. Nederzettingen – jarenlang had hij er niet aan gedacht, en vanavond kwam het beeld voor de tweede keer naar boven: de kleine huisjes, het gezin dat hem een bed gaf in de overvolle kinderkamer, de rotsen en de bergen. Soms gaat dat zo, zei Anna met een dromerige blik, soms verschijnt er ineens iets ergens vandaan, een herinnering, een gedachte, en dat heeft een reden. Ze wendde haar blik van het perron aan de overkant, de brede stalen pilaren, de ratten die tussen de rails scharrelden, naar Gabi. En daarna glimlachte ze en liet haar ogen op hem rusten. Hij stak bijna een vinger uit naar het schattig kuiltje in haar wang.

Hij vertelde over de kortsluiting in zijn bovenkamer, de woedeaanvallen, de rust in de Sinaï. Anna verontschuldigde zich dat ze zijn rust had verstoord en precies op dat moment kwam er een trein binnendenderen. Hij zei: 'Heb je zin om een eindje te rijden, even ergens anders heen gaan?'

Ze stapten in en gingen op de oranje plastic stoelen zitten. Hij vroeg: 'Hoe zit dat met Lothar, is hij nog steeds in beeld?' Heel even fronste ze haar voorhoofd en barstte toen in lachen uit. 'Gek,' zei ze en hij hield van de manier waarop ze hem zo noemde.

Daarna vertelde hij over de lift met de drie Arabieren in de Peugeot, het onheil dat hij gevoeld had op het moment dat hij instapte. Hoe ze zijn shirt gescheurd hadden, zijn lichaam onderzocht hadden, hem tussen de benen betast, hun stinkende adem over hem heen hadden geblazen, tot ze begrepen dat hij maar een kind was dat deed alsof hij soldaat was en dat hij geen wapen had. En dat ze hem toen in een greppel naast de weg geschopt hadden. Hij was maar een paar minuten bij ze geweest, maar de dreiging was huiveringwekkend, het gevoel dat dit het einde was, dat het zo voelde als je op het punt stond vermoord te worden. Hij herinnerde zich elke seconde, herinnerde zich ook dat hij aan Anna gedacht had, en aan de blauwogige uit de nederzetting. Hoe hij verdoofd in de greppel had gelegen met het leven dat hem geschonken was, met in zijn hoofd de zin die hij zich nog steeds herinnerde – een oog dat ziet en een oor dat hoort, ook in de schaduw van de dood vrees ik niet – en dat de dingen veranderd waren; hij was begonnen die bizarre dag die hij had beleefd niet te zien als een vergissing, maar als een zegen, en een gunstig teken voor de toekomst.

En daarna was het nieuws gekomen over die arme soldaat die na hem in de Peugeot gestapt was. Gabi moest huilen toen hij het haar vertelde, en zij huilde met hem mee: twee bijna volkomen vreemden, in de kleine uurtjes in een lege wagon. Ze legde haar hand op hem en zei: 'Het was niet jouw schuld, ze hadden hem ook zonder jou gevonden, ze waren op zoek naar een soldaat om te vermoorden.' Gabi hield haar hand vast en tussen het gesnik klonk af en toe 'sorry' en 'ik weet niet wat me overkomt', terwijl zij kalmerend zijn hand streelde.

Ze kwamen bovengronds en wandelden in stilte. Het begon te regenen. Ze stopten, keken omhoog, keken elkaar aan en wandelden verder. Het begon harder te regenen. Ze giechelde, hij glimlachte terug, zij kroop tegen hem aan en hij hield haar vast, beschermde haar, en ze zei: 'Ik geloof dat we straks moeten rennen om ergens te schuilen,' en hij antwoordde: 'Maak je geen zorgen, dit gaat zo voorbij.' De punt aan het einde van de zin die hij uitsprak, werd gevormd door een donderslag die harder was en dichterbij dan ze ooit hadden gehoord en een plensbui die hen volkomen doorweekte. Daar stonden ze: aan de grond genageld, in een omhelzing, hulpeloos, ruikend naar natte trui, een vleugje parfum, een restje alcohol, natte bladeren op de avenue, tot Anna zei: 'We moeten iets doen.' Gabi antwoordde: 'Waarom? Dit is leuk…' En zij, bedekt door zijn armen, beet op haar lippen, glimlachte en beaamde dat het inderdaad leuk was. Maar hij hoorde haar niet en dus vroeg hij: 'Wat, niet soms?' Ze knikte in de holte van zijn schouder en dat was genoeg om hem zich gelukkiger te laten voelen dan hij in jaren was geweest.

Uiteindelijk nam de regen af. Ze keken om zich heen. Ze waren de enigen buiten, op twee daklozen na, onder de luifel van de entree van een wolkenkrabber, en een man in de verte die in zijn auto zat te roken terwijl de ruitenwissers piepten. Ze liepen terug naar het metrostation en reden twee haltes naar Gabi's hotel. Ze douchten, droogden zich af en stapten in één bed – Anna in de laatste schone onderbroek en het laatste schone shirt dat Gabi nog in zijn koffer had, zijn kleren voor morgen; Gabi in het ondergoed van gisteren dat tenminste droog was – en vielen in slaap voor ze er zelfs maar over nagedacht hadden wat er nu ging gebeuren, want ze waren zo moe, zo duizelig, voor allebei was er in één nacht te veel gebeurd en ze hadden geen spatje energie meer.

Maar 's ochtends was die energie uiteraard weer opgeladen.

Anna had het met Lothar, de Duitse vrijwilliger, uitgemaakt na een paar maanden in de Sinaï en nog een paar dagen in de kibboets. Misschien was ze bang het leven van haar moeder na te volgen, die met een vrijwilliger was getrouwd, die twee dagen na Anna's vierde verjaardag was teruggegaan naar zijn geboorteland. Ze bleef haar vader elke twee jaar zien in de vakanties, en toen ze achttien was, besloot ze om niet in dienst te gaan en voor een heel jaar naar hem toe te gaan, naar Hartlepool, een stadje in het noordoosten van Engeland. Het was een nachtmerrieachtig, ijskoud jaar geweest, waarin ze inzag welke kloof er bestond tussen genetica en omgevingsfactoren. Ze leerde voornamelijk dat liefde niet alles overwint, en dat ze uiteraard geen brug kon slaan tussen twee zulke verschillende werelden – die van het meisje uit de kibboets, dochter van twee bange Russische joden, die als tienjarige kinderen in een vreemd, warm land gesmeten waren en daar tomaten waren gaan kweken, en de wereld van iemand wiens wieg in het noordoosten van Engeland had gestaan en wiens ouders de regio nooit hadden verlaten en zelfs op hun zeventigste nog 's avonds naar de pub gingen om bier te drinken en over paarden te praten.

'Seks kan alles overbruggen,' zei Anna, 'ik ben daarvan het bewijs. Maar liefde? Kom nou toch.' Gabi dacht daarover na in die eerste betoverende nacht en bleef daar vaak over nadenken in de dagen en jaren die volgden. Wat maakte dat je bij elkaar paste, hoe wist je dat? Zou liefde overwinnen? Die nacht, en ook later, dachten ze beiden van wel. Anna had immers over haar ouders verteld die vreemden voor elkaar waren, júíst omdat zij en Gabi het tegenovergestelde waren. Ze waren in dezelfde omgeving opgegroeid, uit hetzelfde hout gesneden, bekeken de wereld door hetzelfde prisma. Anna vertelde over haar ongelukkige ouders om Gabi tussen de woorden door te zeggen: wij zijn niet zoals zij.

De analist

Ronni had het gevoel dat hij alles wist wat hij moest weten: over vrouwen, over alcoholisten, over de voormalige collega's op de boerderij, over de grote stad. En over zaken, of in ieder geval over het drijven van zo'n soort zaak. De zurige lucht van bier die hij eens associeerde met opwinding deed hem na twee jaar kokhalzen. Soms keek hij van een afstandje en vroeg zich af: waarom gaan mensen naar bars? Wat vinden ze in de mengeling van herrie, alcohol en onbekenden in een ruimte? Van de avonden op het dek met de kringelende zoete rook terwijl de zon ondergaat in zee – nog altijd aangenaam, nog altijd 'het goede leven', zoals iedereen die hij daar uitnodigde hem vertelde – was de nieuwigheid af. Hij nodigde minder mensen uit. Hij vond het niet meer zo nodig om indruk te maken. De nachten waren nachten; de mensen mensen; de verhalen verhalen; het geld geld. Er was een zekere aversie in de kleine uurtjes geslopen, en verveling, en het gevoel dat het hem allemaal te kleinschalig was. Hij was doorgegaan met studeren voor zijn doctoraal en was bijna klaar met het tweede jaar. Hij probeerde zijn geest en hersenen te stimuleren, maar de zaak was veeleisend, noopte hem hard te blijven werken om het succes te behouden en te vergroten: zeven dagen per week, het grootste deel van de dag, kansen grijpen, grote leningen afsluiten tegen gunstiger voorwaarden, de herinvesteringen om de zaak uit te bouwen. Zo groeide en ontwikkelde het – samen met Oren opende hij een tweede Bar Baraboesj, dit keer elk een fiftyfifty-aandeel en daarna verkocht hij aan een van zijn afnemers het recht een derde Bar Baraboesj te openen, onder zijn zeggenschap. Ronni had een succesvolle barketen, maar hij was niet tevreden. Hij wilde van het partnerschap met Oren Azoelai af, die gemakzuchtig en arrogant bleek te zijn, en hij dacht erover nieuwe locaties te openen die van hem alleen waren. Maar het hele nachtleven in Tel Aviv vond hij verstikkend en ruiken naar ingedroogd bier. Vanaf zijn plek achter de toog van Bar Baraboesj zag hij met grote ogen en hoorde hij met gespitste oren over verafgelegen werelden en veel grotere mogelijkheden. Mettertijd werd het gevoel van afkeer omgebogen naar nieuwe uitdagingen en werd het vervangen door een nieuw soort ambitie.

Ariël was een van de stamgasten van zijn bar, een van die mensenvan-na-middernacht met wie hij zo graag praatte. Ariël zat niet achter de vrouwen aan, verdiende zijn brood als accountant en had het over zakelijke initiatieven die Ronni meestal voorspelbaar en irrelevant vond: import van soepautomaten uit Japan, een fabriek voor draagbare persoonlijke airco's, een barnachtclub die De Gesloten Tuin moest heten en die 's nachts in echte speeltuinen moest opereren, als die gesloten waren. Ronni luisterde, geamuseerd en half hopend dat er ooit eens een goed idee langskwam.

Op een winterse avond kwam Ariël samen met een vriend. Het was een rustige nacht in de bar en Ronni slenterde richting hun hoekje aan de bar. De vriend was uit Boston naar Israël gekomen voor Kerstmis. Hij werkte voor een strategisch adviesbureau. Ronni begreep niet precies wat de vriend deed voor zijn werk, maar toen hij wegliep vertelde Ariël hem zachtjes hoeveel de vriend dat jaar verdiend had en hoeveel hij volgend jaar zou verdienen. Ronni keek eens om zich heen in de bar en voelde zich ellendig.

Hij zou die episode met Ariëls vriend uit Boston zijn vergeten, ware het niet dat hij de volgende dag binnenkwam in het gezelschap van een andere vent, die Ronni onmiddellijk herkende. Het was Idan Levinhof, die een paar lichtingen boven hem bij de commando's had gezeten en ze schudden elkaar glimlachend de hand. Hij had samen met de andere man toegepaste economie gestudeerd en woonde tegenwoordig in New York, waar hij een baan had als investeringsmanager bij Goldman Sachs. 'En wat doe jij?' vroeg hij aan Ronni terwijl hij rondkeek. 'Leuke tent, dit. Van jou?' Ronni knikte en voelde zich even ellendig als de avond ervoor. Weer werd hij naar hun hoekje aan de bar getrokken, weer begreep hij maar de helft van wat er gezegd werd, en dit keer, toen Idan even naar het toilet ging, vernam hij van de fluisterende dronken vriend welk bedrag aan jaarlijkse bonussen Idan net ontvangen had.

Niet alleen de bedragen bezorgden hem hartkloppingen, maar vooral het gevoel dat deze mensen het echte leven leefden, zonder nepperige kitsch; ze zaten in het middelpunt, op de top van de wereld; zij hielden zich bezig met echte dingen, deden serieus zaken, waren verantwoordelijk voor portefeuilles die miljarden waard waren, adviseerden marktleiders. Net toen de twee vertrokken waren, werd hun plek aan de bar ingenomen door Oren Azoelai, die sprak met een vent uit de randgemeenten over het openen van een meganachtclub in een loods bij de haven van Tel Aviv. Oren kwam zo opgeblazen van zelfgenoegzaamheid en zo kleinzielig op hem over.

Een week lang bleef Idan, de commando die analist was geworden op Wall Street, iedere avond Bar Baraboesj aandoen. Zijn moeder woonde om de hoek en als hij bij haar het avondeten ophad, moest hij even een luchtje scheppen. Soms kwam hij met vrienden, soms kwam hij laat, na een ander uitstapje, maar in die week raakten Ronni en hij bevriend. Hij vertelde hoe hij de carrièreladder had beklommen en Ronni hing aan zijn lippen: rechtenstudie en een snelle carrière bij een groot kantoor in Tel Aviv, een lening van twintigduizend dollar, MBA aan het MIT in Boston, stagelopen bij Goldman Sachs tijdens zijn studie, het aanbod van een baan bij diezelfde bank als hij was afgestudeerd, gestage klim in status en geld en verhuizing naar New York. Ook het werk zelf klonk interessant: een wereld van concurrentie, instinct, vol risico's en kansen. Lange dagen, bergen geld. Idan gebruikte woorden die voor Ronni Chinees waren – *private equity*, *hedge fund*, *margin call* – maar hij was gefascineerd. En Idan zei dat hij Ronni zou helpen, als hij dat wilde. 'Jouw zakelijke ervaring is indrukwekkend,' zei Idan, 'een keten bars, nieuw concept… dat kunnen we in je *application* inbreien zoals ze dat graag zien, als innovatief ondernemer in gastronomie en amusement. Dat is zoiets als die 'boetiek voor voetmode' uit die sketch van Hagasjasj Hachiveer,' grinnikte hij. 'En dan zetten we ook de zaak van de kibboets erop, je eenvoudige socialistische achtergrond, dat soort dingen – daar zijn ze helemaal gek op.' Ronni glimlachte: 'Ze zullen er vast ook van onder de indruk zijn dat ik weeskind ben, niet? Een echte Assepoester.' 'Je bent een wees,' riep Idan, 'maak je een grapje? Dat is gigantisch, je bent binnen voordat je met je ogen kunt knipperen, we maken er een hartverscheurend persoonlijk verhaal van.' Ronni glimlachte, tot Idan zei: 'Maar je moet wel met hoge cijfers afstuderen. Wat studeer je? Economie?' Ronni knikte, maar hij voelde hoe de wind hem uit de zeilen viel. Zijn afstuderen lag nog ver weg, en niet al zijn cijfers waren hoog. 'Luister,' hield Idan aan, die de uitdrukking op Ronni's gezicht zag, 'je kunt het niet met foefjes. Je moet investeren, hard werken. Maar die investering krijg je duizend keer terug. Het is een ander soort wereld. Je zult helemaal weg zijn van New

York, dat is geen vergelijk met Tel Aviv, dat is het echte werk. En de helft van de commando's zit er al.'

Ronni had het druk achter de bar die avond, hij ging op in de tornado van het werk, maar Idans woorden echoden door zijn brein terwijl hij tussen de keuken, de bar, de tafels en de klanten heen en weer rende. De volgende avond kwam Idan zoals gebruikelijk weer en vroeg Ronni of hij de inschrijvingsformulieren al had gedownload; hij wilde er samen naar kijken. Ronni zei dat hij er niet aan toe was gekomen. Hij wist niet of het echt iets voor hem was. Het zou ten minste nog een jaar kosten om af te studeren en als hij hoge cijfers wilde, dan moest hij de tijd zien te vinden om daarin te investeren. En daarna zou hij nog twee jaar naar school moeten in New York, waar alles in het Engels ging, nog afgezien van het feit dat hij geen geld had en een grote lening hem stress opleverde. 'Ik heb het zo slecht niet,' zei hij, 'waarom hebben mensen altijd zulke grote ogen? Ik heb een succesvolle zaak, een inkomen, een goed leven.'

'Ja, iedereen schrikt terug voor zo'n lening,' zei Idan. 'Het is een hoop geld, maar met hard werken betaal je die in maximaal vijf jaar terug en dan blijft alleen het werk op Wall Street over. Op het dak van de wereld.' Idan glimlachte zijn witte tanden bloot en zei: 'Weet je, nadat je in de koeienstal hebt gewerkt en je de opleiding voor de commando's hebt afgerond, heb je deze zaak opgericht; hard werken is kinderspel voor jou. Ik zeg het je: je kunt het.' 'En al die tijd dan? En het Engels?' 'Je Engels is goed genoeg,' zei Idan, 'ik heb je daarstraks gehoord met die toeristen. En over tijd heb ik het niet, want die gaat vanzelf voorbij. Maar als je het goed hebt, ik vind het prima, dan laten we het erbij.' Ronni gaf geen antwoord, hij droogde een bierglas af en keek naar Idan terwijl hij in zijn hoofd berekeningen maakte en tegen zichzelf zei: ja, allah, ik heb oom Jaron al heel lang niet gesproken. Precies op dat moment wenkte een knappe klant hem en hij haastte zich haar met een glimlach te bedienen. Zelfs Idan, die hem nauwelijks kende, zag dat zijn glimlach niet helemaal van harte was.

Het diner

Mesjoelam was tevreden over Gabi's succes in New York. Hij had enthousiaste telefoontjes van Jennifer Schulman -Zimmermann en haar vader gekregen en hij was blij met de donatie van een bos, die ze had toegevoegd aan haar vaders legaat, zei hij op een avond terwijl hij biefstukken grilde op de kleine barbecue in de tuin en zijn bier uit het flesje dronk. Als Gabi zou willen, kon hij promotie maken in de organisatie. 'Het belangrijkste is,' zei de baas, terwijl hij de bloederige biefstuk met een tang omdraaide, waarbij de druppeltjes bloed en vet vlam vatten op de kolen onder het rooster, 'dat je iets doet voor je vaderland. Zionistisch, toch?'

Gabi zelf zou misschien hebben kunnen erkennen, ook jaren later, dat zijn hart werd geraakt door wat Mesjoelam zei over een carrière en natuurlijk over het zionisme – ware het niet dat op dat moment zijn hart heel ergens anders was, het was in de ban van Anna. De glans van het etmaal dat ze samen hadden doorgebracht, hing nog om hem heen. Samen waren ze naar de top gegaan en ze hadden er moeite mee om weer af te dalen naar de aarde en de realiteit: voor hen was de tijd daar bevroren en ze voedden het vuur met hun gedachten, precies zoals het druipende vet op de roodgloeiende kolen in Mesjoelams barbecue. Gabi vroeg Mesjoelam of hij een meisje mocht uitnodigen en observeerde de gezichtsuitdrukking – verrast?, teleurgesteld?, argwanend? – van zijn baas nauwlettend, terwijl die antwoordde: 'Natuurlijk.' Drie weken later omhelsden ze elkaar opgewonden op het vliegveld toen ze geland was met een grote rugzak waarin alles zat dat ze bezat, alles wat ze nodig had.

Wat Gabi betrof: alles wat hij nodig had, was zij. De maanden die volgden waren een perfecte huwelijksreis. Het lekkere weer van Florida, de bungalow met de tuin, de aangename turquoise zee waar ze iedere avond hand in hand langsliepen, de films in het bioscoopcomplex. Meestal maakten ze samen thuis eten klaar en ontspanden zich daarna op de bank voor een video. Soms vroegen ze Mesjoelams auto te leen en reden ze door Florida en de omgeving: zee, alligators, slaperige zuidelijke stadjes die eruitzagen alsof ze afkomstig waren uit oude films.

Anna werkte als serveerster in een van de strandrestaurants en soms vergezelde ze Gabi bij zijn afspraken met donateurs. Het was een van de taken die Mesjoelam met graagte aan Gabi overhevelde na zijn succes in New York, en ook de Gabi doorbrak graag de routine van het kantoor, die voornamelijk bestond uit eindeloze hoeveelheden telefoontjes aan joodse instellingen, potentiële of bestaande donateurs, het organiseren van huisbijeenkomsten voor Mesjoelam of vergelijkbare gelegenheden. De afspraken met donateurs hadden altijd wat plezierigs; Gabi ontdekte dat hij graag omging met oude mensen en ervan genoot hun verhalen te horen. Mesjoelam stemde in met het idee dat Anna meeging naar afspraken, want hij wist dat oudere mannen dol waren op het gezelschap van een knappe jonge vrouw, een typische sabra uit de kibboets (haar vader de vrijwilliger werd maar even vergeten). Anna en Gabi waren tevreden, want ze brachten de avonden samen door, die soms uitgebreid opgesierd werden door wijn, waarvoor ze niet alleen geen agoera hoefden te betalen, maar waar ze bovendien nog salaris voor kregen ook. De oude mensen waren over het algemeen vriendelijke onschuldige heren, die blij waren met de gelegenheid een avond door te brengen met jongeren. Er was er maar één die haar ooit probeerde uit te nodigen voor een particulier vervolgafspraakje en zelfs voorstelde een deel van de erfenis op haar naam te zetten. Mesjoelam slaagde erin met behoud van waardigheid los te komen uit die onverkwikkelijke geschiedenis.

Op een avond zaten ze te dineren met Samuel Laks, een jood uit een rijk geslacht. Zijn vader had fortuin gemaakt in het vastgoed in Chicago na de Tweede Wereldoorlog, en de zoon had dat verder uitgebouwd en zich met succes op een aantal andere gebieden begeven, zoals productie van papieren waren en vooral papieren bekers voor afhaalmaaltijden, waar hij minstens evenveel fortuin had gemaakt. Lange tijd was hij de belangrijkste producent van papieren bekers geweest in de Verenigde Staten, totdat men China ontdekte.

Het belangrijkste gespreksonderwerp bij dit soort afspraken was, uiteraard, de staat Israël: zijn toekomst, de binnenlandse politiek, de buitenlandse betrekkingen. De donateurs waren steevast enthousiaste zionisten en Gabi's werk bestond eruit dat gevoel aan te wakkeren. Maar Gabi hield ervan te proberen uit te vinden wat voor soort mensen verscholen gingen achter het joods-Israëlische patriottisme: mensen die vooral met zichzelf bezig waren en met hun succesvolle zakelijke biografie, en die het heel veel over geld hadden; verbitterde mensen die zich focusten op familieleden die ze hadden teleurgesteld of in de steek gelaten; ontwikkelde mensen, interessante mensen die heel veel wisten, vol zaten met spannende verhalen over reizen en verrassende ontmoetingen, en die een grote nieuwsgierigheid aan de dag legden. Laks hoorde bij deze laatste soort. Hij vroeg naar hun kibboets, hun families, hun jeugd, vertelde over zijn bezoeken aan kibboetsen in de jaren zestig – had zelfs geprobeerd in Galilea een fabriek op te zetten voor de productie van papieren bekertjes, maar destijds haalde niemand in Israël het in zijn hoofd koffie te drinken uit een papieren bekertje.

Nadat Laks de levensloop van het jonge paar had vernomen, vroeg hij naar het vervolg. Ze keken elkaar aan. Ze hadden een paar keer over de toekomst gesproken. Gabi vond het best om voorlopig te blijven waar ze waren. Om nog wat te sparen en op zeker moment misschien terug te gaan naar de kibboets, of misschien naar Tel Aviv, om zich bij zijn broer te voegen, wie weet. Anna zei dat ze erover dacht te gaan studeren, maar ze wist nog niet waar en ze wist nog niet wat. De universiteit van Tel Aviv, zei Laks, heeft een instituut voor bedrijfseconomie dat naar zijn vader was vernoemd. Zijn familie financierde daar veel, en de volgende keer dat ze er waren, moesten ze beslist de plaquette van het gebouw gaan bekijken. Nadat Laks dat had gezegd, keek hij in Anna's trouwhartige ogen en zei: 'Waarom ga je daar niet studeren? Ik denk dat dat wel bij je past. Ik heb een neus voor mensen met de juiste instincten, met intelligentie en durf. Als puntje bij paaltje komt, zijn dat de drie belangrijkste dingen in zaken, al bestaan er ook mensen die succes hebben zonder. Ik geloof dat het in Israël aan ondernemerschap ontbreekt. Ik hou ervan meisjes te zien in onze school.'

Anna's vork had juist een stukje gebakken aardappel in haar mond gestoken, en ze verstijfde terwijl ze Samuel met kalfsogen aankeek. Ze haalde de vork uit haar mond, legde die voorzichtig en aandachtig neer op de tafel, knipperde een paar keer met haar ogen en sloeg haar blik neer naar het bord. Al die tijd keken Laks en Gabi haar zwijgend aan. 'Ik... ik had daar niet over... Dat wil zeggen, dank u wel... Ik...' Ze glimlachte. Toen haar blik die van Gabi kruiste, zag ze daarin vraag-tekens en enige droefheid.

Toen ze die avond thuiskwamen, aangeschoten van een paar glazen wijn, bedreven ze de liefde en daarna lagen ze in elkaars armen te soezen. 'Toch wel interessant, wat hij zei,' zei Anna.

'Waarover? Hij heeft heel veel interessants gezegd,' zei Gabi.

'Over studeren. Bedrijfseconomie. Ik heb nog nooit in die richting nagedacht, maar er zijn van die mensen die er kijk op hebben. Denk je niet?'

'Misschien heeft hij gewoon een oogje op je? Nog zo'n ouwe zondaar die probeert met zijn geld indruk te maken en te vleien. Hoewel hij er relatief jong uitziet voor zijn leeftijdsgroep. Niet? Zijn haar is nog zwart.'

Anna grinnikte. 'Dommie. Had je niet door dat hij homo is?'

'Homo? Hoe moet ik dat nou weten?'

'Dat is nogal duidelijk, uit de manier waarop hij naar me keek. En naar jou. En dat hij geen familie genoemd heeft. En zijn haar is geverfd, ja, hij is gesoigneerder dan de meeste ouderen die wij ontmoeten.'

'Weet je het zeker?'

'Tamelijk zeker,' zei ze. 'Maar je hebt me geen antwoord gegeven. Wat zeg jij ervan als ik bedrijfseconomie ga studeren?'

Gabi streelde haar platte buik en dacht er een paar tellen over na. Hij had het niet leuk gevonden om Laks haar die dingen te horen vertellen. Nu de mogelijkheid bestond dat verleiding niet de beweeg-reden was geweest van de miljonair, wat vond hij er dan nu van? Hij was nog steeds niet enthousiast.

'Juist daarom,' ging Anna verder, nog voor hij antwoord had gege-ven, 'terwijl hij er niks bij te winnen had om dat te zeggen, dat maakt het compliment des te groter, toch. Of niet soms?'

'Ja, dat klinkt goed,' zei Gabi. 'Als jij denkt dat het iets voor je is.' En na een paar minuten naar het plafond te hebben gestaard, vroeg hij: 'Dus we gaan terug naar Tel Aviv?'

'Wil je dat?' vroeg ze.

Hij wilde alles, zolang zij erbij hoorde, en dat vertelde hij haar. Ze keerde zich in het donker naar hem toe en pakte zijn gezicht tussen haar kleine handen. 'Ik hou toch zoveel van je, Gabi. Wat een mazzel dat jij voor mij gevallen bent.' Haar stem beefde een beetje. Ze gaf hem een kus op de lippen, een korte kus. 'Ik voor jou gevallen? Jij bent voor mij gevallen,' antwoordde hij. 'Wat een geluk,' herhaalde ze en nu piepte haar stem, de tranen niet langer verborgen. Hij werd overspoeld door een gigantische dreigende golf en ook hij snufte, omhelsde haar stevig en sprak geen woord. Soms vroeg hij zich af wat zij in hem zag, waar ze van hield. Ze had immers makkelijk genoeg de aandacht van vele andere mannen kunnen trekken, en deed dat ook. Het antwoord dat hij zichzelf gaf, was dat ze een goede band hadden. Ze waren gelukkig samen, en dat was het, het was niet nodig om met een lampje naar andere redenen te zoeken. Met haar aan zijn zijde voelde hij zich compleet.

De terugkeer

Wonen in Tel Aviv betekent wonen tussen elektriciteitskabels, zonneboilers, afbladderende kalk en genoeg jonge mensen, bomen en winkels die vaak genoeg open zijn om je het gevoel te geven dat je niet op weg naar je eigenlijke doel op een tussenstation bent gestrand. Iedere ochtend ging Anna naar de universiteit en kwam 's avonds terug. Gabi stond laat op, ruimde het huis op, deed boodschappen, kookte weldoordachte maaltijden en dacht erover na wat hij met zichzelf aan moest. Een klasgenoot van Ronni uit de kibboets had een zaak geopend voor het verspreiden van flyers, dus drie dagen per week duwde Gabi foldertjes in brievenbussen, of hij gooide visitekaartjes van Escort Services op de voorruiten van auto's met een techniek die hij, volgens hemzelf, had ontwikkeld: terwijl hij op het trottoir langs de geparkeerde auto's liep, gooide hij een kaartje met een boog in de lucht, zodat het in het midden van de voorruit landde en dan naar beneden gleed en onder de ruitenwisser terechtkwam. Al snel werd hij verantwoordelijk voor een hele wijk en stopte zelf geen folders meer in brievenbussen of gooide met visitekaartjes, maar coördineerde vijf jongens die dat deden. Het bracht wat geld in het laatje en samen met de beurs van Sam Laks en het restantje van het spaarfonds van oom Jaron konden ze goed rondkomen.

Anna bracht de studiegids van de universiteit mee en een paar avonden lang keken ze naar de verschillende opleidingen, waarvan er veel interessant leken: geschiedenis, criminologie, economie, film. Maar iedere keer kwamen dezelfde vragen boven: past dat bij mij? Wat kan ik met een graad in dat vak? Hebben we genoeg geld om allebei voltijds student te zijn? En vooral: is dit echt wat ik met mijn leven wil? Het antwoord luidde steevast: nee.

Anna zei dat hij het te zwaar opvatte. 'Je wordt niet geacht een beslissing te nemen voor de rest van je leven,' zei ze. 'Je begint aan een reis, en zelfs als je een paar jaar iets studeert en het heeft daarna geen vervolg, is dat dan verkeerd? Er zijn maar weinig mensen die op hun drieëntwintigste weten wat ze met de rest van hun leven gaan doen, en desondanks gaan de meesten naar de universiteit. Want een graad is een graad, studeren is een ervaring die je verrijkt en ontwikkelt, want...'

'Want dat is wat iedereen doet en ze hebben er geen idee van wat ze verder nog kunnen doen terwijl hun ouders lopen te pushen,' zei Gabi.

'Niemand heeft mij gepusht,' zei Anna.

'Je hebt geluk gehad. Jij hebt beseft wat je wilt. Ik weet niet wat ik wil.'

Desondanks schreef hij zich in voor criminologie, omdat het exotisch en interessant klonk en een breed scala aan banen opleverde. Maar aan de universiteit van Tel Aviv kon je geen graad halen in criminologie, dus schreef hij zich in bij de Hogeschool voor Management. Hij bleef folderen, legde ondertussen het toelatingsexamen en examen psychometrie af en begon aan zijn eerste jaar toen Anna aan haar tweede jaar bedrijfseconomie begon. Omdat ze in verschillende instituten les hadden, zagen ze elkaar minder dan het jaar daarvoor; 's ochtends hadden ze te veel haast en 's avond waren ze te afgepeigerd. Af en toe lukte het Gabi naar de universiteit te komen en Anna te ontmoeten in het cafetaria.

Gabi's leven, dat tot dan toe kalm en ontspannen was geweest – ook al was het gevuld met vele vragen en vrezen aangaande de toekomst –, werd nu druk, stressvol en stampvol en bleef gevuld met vragen en vrezen aangaande de toekomst. De kwaliteit van leven ging achteruit. De maaltijden werden minder doordacht. Het huis raakte een beetje verwaarloosd. Als hij aan het folderen was, voelde hij zich schuldig dat hij niet studeerde en als hij aan het studeren was, zat hij in spanning omdat hij niet genoeg geld verdiende, hij zich niet kon concentreren op wat hij moest lezen of het niet interessant genoeg vond. In het hoofdstuk van de studiegids dat de opleiding criminologie beschreef – maatschappelijke situaties waarin criminaliteit voorkomt, het psychologisch profiel van criminelen, statistiek van criminaliteit, rechercheren, ethiek, conflicttheorieën, analyse van actuele misdaden, rondleidingen in gevangenissen en rechtbanken – zag het er zonder enige twijfel uit als interessante materie. Maar toen hij zich in de details begon te verdiepen, lange uren in de bibliotheek zat en eindeloze hoeveelheden sociologische, antropologische en biologische artikelen doorwerkte, geschreven in een opgeblazen en saaie neoklassieke, academische taal, begon hij zich af te vragen wat hij daar godverdomme deed en waar zijn tijd heen vloog.

En toen werd Anna zwanger. Alle spanning die toch al aanwezig was, verdubbelde, alsof iemand een knop had omgedraaid. Samen namen ze het besluit de zwangerschap niet af te breken. Anna dacht na over haar moeder en haar vader, de vrijwilliger die verdwenen was, maar dat was iets heel anders. Gabi was haar man. En Anna was zijn vrouw. Ze hadden samen al genoeg meegemaakt om dat weten, voor zover iemand iets dergelijks ooit kan weten. Ja, ze waren studenten die maar net konden rondkomen, maar Anna had altijd gedacht dat ze niet heel lang wilde wachten met kinderen krijgen. De thuistest geloofden ze niet, ze waren ervan overtuigd dat zij bij die ene procent hoorde, tegenover de negenennegentig procent nauwkeurigheid die de fabrikant van de test zo trots op de verpakking vermeldde. Toen ze naar buiten kwamen na de eerste controle, waarbij ze een vaag hartje hadden zien kloppen, waren ze geschrokken en opgewonden. Midden op straat was Gabi blijven stilstaan en had Anna bij de schouders gegrepen, ze keek hem in zijn ogen en allebei glimlachten ze verwonderd: wow.

Gabi maakte zijn eerste jaar af en meldde dat hij niet aan het tweede begon. In ieder geval niet nu, misschien ooit in de toekomst. Een van hen moest geld in het laatje brengen. Anna protesteerde niet. Het was hun allebei duidelijk dat haar graad belangrijker was dan die van hem. Dat zij, in tegenstelling tot hem, duidelijker ambities had: een graad en daarna het bedrijfsleven in. Dat ze dat, niet alleen aan zichzelf en de faculteit, maar ook aan Samuel Laks verplicht was. En ergens, zo voelden ze dat allebei, ook aan de baby en voor het gezinsinkomen.

De tas

Twee dagen nadat hij in New York geland was, vond Ronni een tas in de sneeuw. Het was een dikke, volgepropte tas, van een vrouw. Er zat bijna tweeduizend dollar aan contanten in. Voor Ronni was dit een natuurlijk vervolg van zijn leven: de wereld straalde hem toe. Hij herinnerde zich iets dat Baroech Sjani hem jaren geleden bij het basketbal had gezegd: het geluk is met de goeden. Een paar minuten daarvoor had hij een appartement bekeken in de Upper West Side dat hem wel beviel, maar het was een beetje duur, en hij was er vertrokken zonder een beslissing te nemen. Toen hij de tas gevonden had, keerde hij op zijn schreden terug en tekende het contract. Hij had recht op dit appartement en het appartement op hem. En omdat hij makkelijk succes had gehad op het basketbalveld, in de koeienstal, bij de commando's, met zijn barketen en uiteindelijk ook met zijn graad, had hij geen reden aan te nemen dat het hem ook in New York niet net zo makkelijk zou vergaan. Kijk maar, daar lag een tjokvolle tas in de sneeuw, twee dagen nadat hij geland was. Toen hij hem doorzocht, vond hij een rijbewijs waarop het vriendelijke gezicht van een donkere vrouw terugkeek. Haar geboortedatum lag dicht bij die van zijn broer, zag hij; ze was eenendertig, net als Gabi. Gedachten aan zijn broer tolden door zijn hoofd, maar hij concentreerde zich liever op de tas. Hij overwoog die zonder het geld terug te brengen, zodat die negerin tenminste haar rijbewijs, creditcards, lidmaatschapskaarten en de rest van de onzin waarmee de tas gevuld was terug zou krijgen. Hij vond het adres en besloot dat hij de kaarten per post aan haar zou toesturen. Hij was onder de indruk van de goedheid van zijn hart. Ja, het geluk is met de goeden.

Zijn tweede graad in *business administration* was moeilijker en competitiever. Hij raakte er al snel aan gewend colleges in het Engels te volgen, maar in de eerste maanden was hij vele uren zoet met het lezen van bergen studiemateriaal. Aan de andere kant hoefde hij niet ook nog te werken, zoals in Tel Aviv. Hij had geld genoeg, dankzij de automatische lening waarop hij als student MBA recht had. Hij had zich erover verbaasd hoe simpel het was geweest: je ging met een brief van de universiteit naar een kantoor van Citibank en je kon onmiddellijk een rekening openen met honderdtwintigduizend dollar erop. Zijn laatste jaar in Tel Aviv was begonnen als een nachtmerrie: universiteit in de ochtend, Bar Baraboesj in de avond, bergen studiemateriaal dat geleerd en fijngeslepen moest worden voor zijn onderzoeksseminar, Oren Azoelai die geen rekening hield met de nieuwe tijdsdruk van zijn partner: hij kon gewoon niet begrijpen wat Ronni op de universiteit deed. Tot halverwege het jaar, toen New York lonkte en haalbaar leek, de geur van verschaald bier hem meer dan de neus uit kwam en hij gewoonweg zijn aandeel in Bar Baraboesj verkocht. Hij investeerde alles dat hij had in het halen van zijn graad en het bemachtigen van een plek voor zijn volgende graad in New York.

Nog in Tel Aviv had hij verscheidene Israëliërs ontmoet die op het punt stonden verder te studeren aan de New York Business School, bij wijze van opstapje naar een carrière op Wall Street, maar met de meesten liet hij zich niet in. Jonge verwende twintigers, hun pad geplaveid met het geld van papa en mama, die geen idee hadden wat hard werken was, bedwelmd door zelfingenomenheid berustend op scherpe intelligentie, een overdadige liefhebbende moeder en een makkelijk leven. Twee van hen, Meïr Foriner uit de villawijk Savjon en Tal Paritski uit Kfar Sjmarjahoe, werden aan dezelfde universiteit in New York geaccepteerd als hij. Maar in zijn cluster en in de klas hield hij zich met andere buitenlanders op: een Japanner, een Italiaan en vooral met Sasja de Bosniër, terwijl hij vanaf een afstandje de pogingen van Tal en Meïr volgde om in de smaak te vallen bij de Amerikaanse WASP's, de telgen uit invloedrijke families met oud geld. Ronni snapte het wel, hij was immers ook niet gekomen om zich af te zonderen met buitenlanders en besefte dat het ging om connecties maken en dat hij agressief aan het netwerken moest slaan om hogerop te komen. *Networking*: een woord dat iedereen ten minste twintig keer per dag mompelde, het spinnen van een web van connecties, vooral met Amerikanen. Maar toen hij Meïr en Tal zag drinken en drankspelletjes als bier-pong zag spelen (precies zoals de Amerikanen), over muziek en football hoorde praten (precies zoals de Amerikanen), zag hoe ze hen imiteerden in kleding, gebaar en accent, gaf hem dat een ongemakkelijk gevoel en keerde hij terug naar de warme schoot van zijn buitenlandse vriendenkring.

Idan Levinhof, die hem in Israël al begeleid had, was zijn mentor. Samen hadden ze het perfecte cv opgesteld; het schetste zijn baanbrekende zakelijke initiatief, dat het nachtleven in Tel Aviv had veranderd en de eerste gastronomische barketen in het land op de kaart gezet; een succesverhaal, dat was begonnen met een tragedie – het levensverhaal van een jongetje dat zijn ouders verloren had in een afgrijselijk auto-ongeluk, het eenvoudige leven in de kibboets tot en met zijn zakelijke successen, en dat allemaal bereikt op eigen kracht, met hard werken en doorzettingsvermogen... Idan bleef Ronni ook in New York helpen: samen met hem koos hij zijn cursussen op basis van het onderwerp en de docent, voerde hem door de krochten van de academische afstudeerpolitiek, bracht hem in contact met een aantal ouderejaars en docenten, maar bovenal: was zijn mentor toen het cocktailseizoen aanbrak, al tijdens de eerste herfst van zijn studie.

Cocktails: tientallen financiële bedrijven, jagend op talent in de gelederen van de instituten die opleiden voor het bedrijfsleven. Al in de eerste weken van het eerste jaar organiseren bedrijven de eerste cocktails op het terrein van de school en soms in bars ergens in de stad – soms wel drie verschillende cocktails op een avond – en nodigen de studenten uit voor een presentatie van de firma, een alcoholisch drankje en de kans om de vertegenwoordigers ervan te overtuigen dat zij de juiste kandidaat zijn. Na de cocktails sturen de studenten de vertegenwoordigers vleiende e-mails, gevolgd door afspraken om persoonlijk indruk te komen maken, waarna men de kandidaten uitnodigt voor een sollicitatiegesprek. Aan het eind van de procedure volgt dan een aanbod voor een zomerstage in de vakantie tussen het eerste en het tweede jaar, een stage die meestal leidt tot een serieus voorstel om daar na het afstuderen te komen werken.

Ronni moest er niet zoveel van hebben, maar Idan dwong hem het spel mee te spelen en repeteerde met hem voor de afspraken bij de bedrijven en later ook voor de sollicitatiegesprekken. Bij de eerste paar cocktails maakte hij er een potje van. In het stadium van de smalltalk over sport begreep hij niets van de nomenclatuur of de namen van de honkbalspelers. Hij probeerde het met basketbal, zijn tak van sport, maar ook daar kwam hij niet ver mee. Hij bracht Nadav Henefeld, 'The Dove', in herinnering en 'The Iceman', Doron Sheffer. Ronni was ervan overtuigd dat deze namen in Amerika bekend waren, maar geen mens wist over wie hij het had.

Ronni probeerde zijn gespreksvaardigheid te verbeteren en oefende daarnaast druk uit op Idan Levinhof een persoonlijk gesprek voor hem te regelen bij Goldman Sachs. Idan had beloofd zijn best te doen, toen er zich uit een onverwachte hoek openingen voordeden. Op zekere dag kreeg hij een e-mail van Dalít Nahari. Dalít was op school een jaargenootje van Gabi geweest, en vier jaar jonger dan Ronni. Ze was een vriendin van Anna, Gabi's partner, en Anna had haar verteld dat Ronni in New York zat. Dalít woonde al vele jaren in de regio New York, sinds de reis die ze samen met Anna had gemaakt nadat ze waren afgezwaaid. Ze nodigde Ronni uit voor het diner. Anna had hem in een e-mail geschreven dat Dalít getrouwd was en drie kinderen had, dus Ronni probeerde eronderuit te komen. Hij zag geen reden naar Plainsboro in New Jersey te reizen en een dure avond aan Dalít en haar gezin te besteden ten koste van zijn studie. Maar zij bleef aanhouden, net zolang tot hij toegaf. Hij herinnerde zich haar als een knappe, kleine Jemenitische, en op een moment van eenzaamheid stelde hij zich voor dat ze verveeld was, dat haar man op zakenreis was of iets dergelijks en dat ze op zoek was naar een avontuurtje zonder verplichtingen.

De deur werd opengedaan door haar man, een Indiër met een rond gezicht, bolle buik, volle lippen en gitzwart haar in een zijscheiding. Zijn fantasie stortte in elkaar en crashte volledig toen Dalít achter haar mans brede rug vandaan kwam: klein en knap was ze niet meer. Zodra hij het gigantische huis binnenstapte, begon hij uitvluchten te bedenken om weer weg te kunnen. Hij had niet kunnen bevroeden dat hij het appartement 's nachts na tweeën zou verlaten met het nuttigste stukje networking op zak dat hij ooit zou krijgen.

Gughar Rawandip, Dalíts echtgenoot, kwam uit Punjab. Hij was een moslim. En ook iets hoogs bij een hedgefonds, gelieerd aan een kleine investeringsbank, Goldstein-Liebermann-Weiss Investments. Gugh, zoals zijn vrouw hem liefdevol noemde, aanbad kibboetsniks, vooral kibboetsniks uit Galilea, en binnen de kortste keren was hij fan geworden van de Galilese kibboetsnik die Dalít zich herinnerde als basket-balspeler en moedig strijder, de kibboetsnik die overliep van amu-sante verhalen over het leven in de kibboets en het nachtleven van Tel Aviv. Aan het eind van de avond beloofde Gughar dat hij zou nagaan of er vacatures waren bij de investeringsbank en de volgende dag ont-ving Ronni per e-mail een uitnodiging voor een wervingscocktail van Goldstein-Liebermann-Weiss Investments.

Een van de talentenjagers van de bank bij de cocktail was Alon Pil-pelli, een Israëliër met een haakneus en groene ogen. Onder het genot van een canapeetje met garnaal en een glas cava in een trendy bar in het centrum bleken Ronni en hij het uitstekend met elkaar te kunnen vinden, of zoals het Amerikaanse gezegde luidt: *'They got along like a house on fire.'* Ronni had in de gaten dat Pilpelli minder gebonden, wilder en energieker was dan mensen als Idan Levinhof en Pilpelli was weg van Ronni, en beweerde dat hij zich elke keer dat hij het Heilige Land had bezocht, in Bar Baraboesj had ontspannen. Een week later begon de formele procedure van het indienen van een verzoek per internet, gevolgd door persoonlijke interviews, door Ronni goed voor-bereid en met goed gevolg afgerond. Kort daarna ontving Ronni de uitnodiging voor een zomerstage bij de investeringsbank.

De leeftijden

Mikki kwam op een koude heldere dag ter wereld, liet een korte kreet van ontzetting horen en werd toen stil. Terwijl de verpleegster zijn moeder hielp zich op te frissen in de naastgelegen douche, hield Gabi hem in een doek gewikkeld op zijn knieën, keek naar het kleine voch-tige voorhoofdje en zei: 'Je bent twaalf minuten oud,' en daarna: 'Je bent negentien minuten,' en daarna: 'Drieëntwintig minuten.' Dat waren de eerste dingen die hij tegen zijn zoon zei, want hij wist niets anders te zeggen.

Gabi zorgde voor Mikki. Hij werd er al heel snel handig in. Hij bleef zijn zoon vertellen hoe oud hij was, het werd een gewoonte. Hij zei dan: 'Mikki, vandaag ben je drie maanden en twee dagen oud en wij gaan een wandelingetje maken in het park.' Anna nam een kort bevallingsverlof en toen ze weer naar de universiteit ging, hield ze haar dagen kort, vooral in het begin toen ze nog borstvoeding gaf. Maar langzaam maar zeker begon ze weer steeds langere dagen op de campus door te brengen, net zoals voor de bevalling. Gabi en Mikki bleven de dagen tellen, leerden hun handen te bewegen, glimlachen, omrollen, kruipen, tanden krijgen, schommelen op schommels en wandelen in het park, waar ze de opmerkingen over het Noorse/Zweedse/Finse kind aanhoorden. In het begin had Gabi zich daar een beetje aan geërgerd, maar langzaam maar zeker begon dat te veranderen en werd hij er trots op: alsof complimenten over hoe mooi en uniek de baby was een compliment inhield voor zijn eigen schoonheid en uniciteit; alsof de aandacht voor hemzelf bestemd was en de grapjes ('Persoonlijke import?', 'Waar kun je zoiets kopen?', 'Ouders in diplomatieke dienst?') bedoeld waren indruk op hem te maken en hem te vermaken, in plaats van op degene die ze vertelde. Onderweg naar het middagslaapje deden ze boodschappen bij de kruidenier en de groenteboer en in de twee uur dat Mikki lag te slapen, maakte Gabi een avondmaal klaar zoals in die goeie ouwe tijd voordat ze gingen studeren.

Hij had geen vrije tijd, maar hij had wel gedachten. Verlangde hij terug naar de graad in criminologie? Een beetje, maar dat was uiteraard geen vurig verlangen. Hij was van plan geweest studiemateriaal uit het eerste jaar te lezen waaraan hij niet toegekomen was, maar in het eerste levensjaar van zijn zoon zat er geen enkele beweging in de stapel papieren op het nachtkastje naast het bed. Wat hij wel las, op een dag terwijl hij wachtend bij de kinderarts door een tijdschrift bladerde, was een artikel over de algemeen directeur van Apple, Steve Jobs. Die vertelde dat hij naar de universiteit was gegaan omdat dat van hem werd verwacht en hij het na een jaar voor gezien had gehouden, omdat hij niet wist wat hij met zijn leven wilde en niet snapte hoe studeren hem moest helpen het antwoord te vinden. Achteraf gezien, vertelde Jobs in het artikel, was dat de slimste beslissing die hij ooit in zijn leven had genomen. Gabi vond het een heerlijk; Jobs was zelfs opgevoed door adoptiefouders.

Anna kwam vaak laat thuis: soms na het avondeten en Mikki's badje, en soms nadat hij al in slaap was. Het kwam Gabi wat vreemd voor, maar toen hij probeerde het ter sprake te brengen, beweerde Anna dat dat een ongeëmancipeerde manier van denken was; als vaders hard werkten en laat thuiskwamen en hun kinderen niet zagen, dan zei niemand er wat van, maar als een vrouw dat deed, dan was er iets mis met haar.

'Ik heb niet gezegd dat er iets mis met je is,' verdedigde Gabi zich, 'ook een vader die zijn kinderen niet ziet, vind ik vreemd.' Maar zij werd boos. Hij begreep dat ze het moeilijk had met de verantwoordelijkheid en de eisen van het moederschap. Ze vroeg om nog wat meer vrijheid voor zichzelf, en hij accepteerde en gunde haar dat.

Hij zei tegen Mikki: 'Je bent nu vijf maanden, twee weken en drie dagen,' en nam hem mee voor een lange wandeling langs zee. Hij was van plan hem in de herfst en de winter shirts met lange mouwen aan te trekken, maar Mikki wilde halsstarrig het hele jaar door korte kleren aan. En omdat hij nooit griep had en meningsverschillen vermoeiend waren, gaf Gabi toe. Hij zei: 'Je bent zes maanden en zes dagen,' en nam Mikki mee voor een zeldzaam bezoekje aan oom Ronni, die het altijd druk had en altijd gespannen was. 'Vandaag is het jouw achtmaandse verjaardag, gefeliciteerd,' zei hij onderweg naar de peuterspeelzaal, waar hij niets uitvoerde dan zijn tijd doorbrengen met de moeders; behalve hij waren het allemaal moeders.

'Vandaag ben je tien maanden, één week en een dag oud,' zei hij op de dag dat hij ontdekte dat Anna tegen hem loog. Hij wandelde met Mikki bij de haven van Tel Aviv en een jong, knap meisje glimlachte tegen Mikki en trok gezichten voor hem. Dat was natuurlijk niets bijzonders, Mikki kreeg vaak aandacht van wildvreemden en hij vond haar leuk; het was niet voor het eerst dat Gabi de wandelwagen stilzette om zijn zoon door een anonieme bewonderaarster te laten kussen.

Maar datzelfde meisje zei na het obligate poetsji-moetsji-da-da: 'Wacht even, is dit Mikki?' Ze was een studiegenote van Anna. Ze herkende Mikki van de foto die Anna haar had laten zien. Ze ging door met kietelen, strelen en geluidjes maken, tot ze uiteindelijk haar ogen opsloeg en vroeg: 'Waar is Anna?'

'Anna?' vroeg Gabi alsof hij die naam voor het eerst hoorde.

'Ik bedoel, wat doet ze op een vrije dag?' Anna had niets verteld over vrije dagen. Gabi haalde beduusd zijn schouders op. 'Ah, wacht, is ze niet met Sami naar Afoela gegaan?' Sami? Afoela? Gabi stond op het punt zijn mond open te doen en te reageren, maar Mikki slaakte een kreet om de aandacht weer te krijgen en kreeg die ook. En daarna ging haar telefoon en wandelden vader en zoon verder, terwijl zij in gesprek was met een zeker 'schatje' en naar hen zwaaide ten afscheid. Gabi wist niet hoe ze heette.

Toen Anna die avond laat thuiskwam, vroeg Gabi niets en zei zij niets. Jaren later zal hij denken dat als hij het gevraagd had, ze het misschien had uitgelegd. Maar die avond keek hij naar haar nadat ze in slaap was gevallen en kreeg een gevoel dat hij niet kende; er woei een frisse wind. Wat maken we onszelf en de wereld wijs, dacht hij. We denken dat de liefde goed is, het leven goed is en alles, en toch. Hij ging de confrontatie met Anna niet aan. Hij tastte niet af, probeerde niets te ontlokken, vroeg nergens naar. Checkte haar mobiele telefoon niet als ze lag te slapen. Zocht haar schriften niet af naar gedachteloze krabbels, telefoonnummers of aantekeningen. Hij wilde niks horen over kwellingen, geen uitvluchten moeten aanhoren, wilde niet meespelen met zelfmedelijden of haar de gelegenheid bieden hem de schuld geven: hem verantwoordelijk te maken voor haar gedrag, omdat hij haar warmte en intimiteit onthield waardoor ze die elders was gaan zoeken. Misschien was hij bang dat hij het zou begrijpen als hij haar de kans zou geven het uit te leggen. Hij wilde het niet begrijpen. Dus maakte hij zichzelf wijs dat Anna nog wat tijd voor zichzelf nodig had, nog wat vrijheid.

Hij nam Mikki in de kinderwagen mee naar de schommel en de draaimolen in het park en vertelde hem dat hij vandaag tien maanden en tweeënhalve week oud was. Hij reed met hem naar zwemles voor peuters toen hij elf maanden en negen dagen was, en na het zwembad kreeg Mikki zijn zomerkleren aan, hoewel het de regenachtigste dag van het jaar was. Zoals gewoonlijk had het jongetje het niet koud, maar hij had in die periode wel last van zijn doorkomende tandjes; en als hij huilde, dan legde Gabi hem altijd op zijn borst en streelde hem voorzichtig over zijn zachte stroblonde haartjes tot hij sliep als een engeltje.

Op zijn eerste verjaardag wapperde Mikki ineens met zijn armen als een vlinder: een snelle beweging, secondenlang. Anna keek Gabi aan met een verwonderde glimlach en maakte een verbaasde beweging met haar hoofd. Haar ogen glinsterden van trots. Het kindje gaf een kreet en begon te lopen. Zijn eerste stapjes leidden tot een val, die leidde tot een kreet en een huiltje en glimlachend kruipen, totdat zijn vader hem optilde en op schoot nam en iedereen luid begon te zingen: 'Er is er één jarig hoera, hoera', 'Lang zal Mikki leven' en 'Happy Birthday'. Daarna mocht hij voor het eerst van zijn leven chocoladetaart proeven en het was duidelijk dat hij daar dol op was.

Ze waren op de kibboets van Anna, bij oma (opa uit Engeland had een verjaardagstelegram gestuurd, maar zijn kleinzoon nog niet gezien). Adoptiefopa Jossi, die nu een vriendin had, kwam naar de kibboets en ook oom Jaron – Asjers broer, Mikki's opa die allang dood was – was zeer verguld met de kunsten van de kleine blonde jongen. Oom Ronni kwam niet.

Van wie Mikki zijn blonde haar had, kon niemand zeggen. Oma dacht dat het van de kant van de Engelse vrijwilliger kwam, ze wist zeker dat hij haar ooit verteld had dat hij Scandinavische wortels had, ook al had hij zelf gewoon blozende wangen en bruin haar. Het hele noordwesten van Engeland was ooit de woonplaats geweest van Noren en Zweden die in hun Vikingboten naar het westen waren gevaren totdat ze waren gestuit op land. Vandaar dat het noordwestelijke dialect, dat qua klank en intonatie leek op de Scandinavische talen, het moeilijkst verstaanbare dialect van Engeland was, op een enkele variante van het naburige Schots na. Daar is onderzoek naar gedaan, dat kun je controleren, zei oma, en Gabi zei bij zichzelf dat hij het moest nakijken op internet. Het blonde bleef in ieder geval, en alleen Mikki's ogen waren zonder enige twijfel dezelfde amandelvormige bruine ogen van zijn vader.

Nadat de suiker in de jarige een energie had ontketend die niet onderdeed voor het Duracell-konijn, viel hij in een diepe slaap in het ledikantje in de tuin, bruine kruimels en verse kwijl om zijn mond. De volwassenen genoten van een kopje koffie als dessert en van volwassen gesprekken. Buren en jeugdvrienden kwamen langs om Anna te feliciteren, haar zoon te bewonderen en haar verhalen over de studie bedrijfseconomie aan te horen. Gabi zat voornamelijk bij Jossi en diens nieuwe partner en oom Jaron. Hij overwoog of er een mogelijkheid was om naar zijn kibboets te gaan, maar kon geen goede reden bedenken. Daarom was hij blij dat oom Jaron hen voor een dag en een nacht uitnodigde naar de rand van de hoogvlakte.

Mikki was gelukkig op de kibboets van oom Jaron en als een eenjarig

kind gelukkig is, brabbelt, van hot naar her kruipt, trillend van opwinding de ene stap na de andere probeert te maken, kunnen zijn ouders alleen maar glimlachen. Anna gaf toe dat het er zo mooi was dat je er stil
van werd, dat de frisse wind en het basaltlandschap je het prettige gevoel gaven in een ander land te zijn. Ze waren van plan geweest 's middags naar huis terug te gaan en de files van het uitgaan van sjabbat voor
te zijn, maar Mikki had het zo naar zijn zin en zij voelde zich zo ontspannen dat ze na de lunch alle drie in slaap vielen op het grote bed in
de logeerkamer. Toen ze wakker werden, besloten ze het daglicht goed
te benutten en met zonsondergang te vertrekken: het feestvarken zou
onderweg naar het zuiden slapen, gevoerd, gedoucht en gevloerd van
twee heel drukke dagen vol opwinding.

Toen oom Jaron afscheid van hen nam op het pad bij zijn huis, be-
sloegen de glazen van zijn dikke bril door zijn tranen. ''t Is bijna dertig
jaar geleden,' snikte hij, 'maar ik herinner het me alsof het gisteren was.
Jij lag op precies dezelfde plek, daar.' Hij wees op het kinderzitje waarin een klein blond jongetje lag te slapen. 'Er waren toen nog geen kin-
derzitjes, maar jij was ook in slaap, helemaal uitgeput van alle gekkig-
heid op de kibboets. Je was precies een jaar. En naast je zat jouw broer,
die deugniet, doodmoe maar vechtend tegen de slaap om te laten zien
dat hij groot was. En voorin zaten papa en mama...' Gabi legde een
hand op oom Jarons schouder en daarna omhelsde Anna hem en zei
hoe ze genoten had, hoe ze allemaal genoten hadden. Hij omhelsde
haar ook en bleef huilen.

'Rij voorzichtig, langzaamaan,' zei oom Jaron toen ze in de auto zaten
en Gabi antwoordde: 'Natuurlijk. We zullen oppassen voor loslopende
koeien. In het ergste geval weet je al wat je met Mikki aan moet, je hebt
het vaker gedaan.'

'Je waagt het niet,' antwoordde oom en hij klopte op het autodak
alsof het een schouder was, om ze op weg te helpen. En eenzame licht-
kogel van het IDL toen ze ongeveer veertig minuten onderweg waren,
deed hun hart overslaan en bezorgde ze kippenvel, maar ze arriveerden
heelhuids bij het gehuurde appartement in Tel Aviv.

Het kwam en ging als eb en vloed, merkte hij, als lente en herfst. Er
waren periodes waarin hij het gevoel had dat Anna zich weer naar hem

toekeerde. Ze kwam vroeger thuis. Dan straalde ze een warmte uit en voelde hij zich ook dicht bij haar: als hij haar hoorde lachen om de televisie in de andere kamer, haar samen met Mikki een puzzel zag maken met een geduld dat hij niet bezat, als hij haar stiekem bekeek terwijl haar hemd boven haar hoofd hing, op weg om over haar lichte huid te golven.

Hij bleef Mikki vertellen hoe oud hij was en dat getal bleef groeien: een jaar en een maand, een jaar en drie maanden en twee dagen, een jaar en zeven maanden en negentien dagen. Hij groeide, liep, praatte, eiste, en Gabi was altijd bij hem, terwijl Anna op de universiteit was, bijna klaar met haar afstuderen. Ze ging de mogelijkheden af, had studiedagen, carrièrebeurzen. Met een jaar en negen maanden en dertig dagen, op een winderige herfstige dag, verdween Anna opnieuw en gaf weer de schuld aan de studie, keerde hem haar rug toe. Weer hoorde hij in zijn slaap de deur voorzichtig open- en dichtgaan, het water van de douche voorzichtig aan- en uitgedraaid worden en hij keek op de wekker en sliep verder. Werd wakker door het ritselen van het dekbed, wakker genoeg om te merken dat hij geen kus had gekregen, of een aai of een knuffel. 's Ochtends vroeg hij niks, maar ze vatte de avond in twee zinnen samen en noemde een tijd waarop ze thuisgekomen was, die niet overeenkwam met wat hij op de wekker had gezien.

Ze overwogen of ze Mikki naar een crèche zouden doen. De lange uren die Gabi met hem doorbracht, begonnen hem zwaar te vallen. Het zoete, goedlachse baby'tje was veeleisender geworden, gefrustreerd, bij tijd en wijle humeurig. Soms raakte Gabi ook geïrriteerd en na verloop van tijd leerde Mikki precies hoe hij zijn vader kon jennen. Gabi vroeg zich ook af wat er van hemzelf moest worden, en wat hij allemaal misliep terwijl hij het merendeel van zijn tijd aan zijn zoon besteedde. Hij wist dat hij op enig moment moest beslissen wat hij wilde worden als hij later groot was. Aan de andere kant was Mikki een uitstekend excuus om die beslissing voor zich uit te schuiven. Hij kon niet echt een betere manier verzinnen om er zijn tijd mee te vullen. Hij hield van zijn zoon en genoot meestal van zijn gezelschap.

Het probleem was dat ze het zich niet werkelijk konden veroorloven te leven zonder inkomen. Anna zou niet direct een baan vinden, het zou wat tijd kosten om zich te oriënteren. Kon ze dan wat meer tijd doorbrengen met Mikki in die overgangsperiode? vroeg Gabi. Het leek alsof dat idee haar niet beviel. Gabi werd boos, voelde zich gebruikt en besloot: crèche.

Gabi bracht hem iedere ochtend en miste hem vanaf het moment dat hij het hek van de crèche achter zich dichttrok en naar zijn werk ging. Zijn vriend met het folderbedrijf ontving hem van harte, gaf hem een baan op kantoor voor marketing en advertentieverkoop, weinig uren en een bescheiden loon. Mikki paste zich aan. Anna ging naar lezingen, congressen, afrondende cursussen en sollicitatiegesprekken. Op een keer, toen ze vertelde over een aanbod van een fabriek in Afoela, spitste hij zijn oren.

'De notenbranderij?' vroeg hij.

'Nee, bij de Hofnar,' antwoordde ze. Dat was een recyclingfabriek voor vuilnis, een van de meest geavanceerde ter wereld. Er was een vacature bij de afdeling Bedrijfsontwikkeling, ze hadden haar cv interessant gevonden en haar uitgenodigd voor een oriënterend gesprek. Het zag ernaar uit dat ze daar een nacht in een hotel zou moeten blijven, op hun kosten.

'Zijn er hotels in Afoela?' vroeg hij. Ze lachte weer. 'En als je aangenomen wordt, reis je dan iedere dag naar Afoela?'

Ze werd serieus. 'We zullen zien,' zei ze. 'Misschien kunnen we naar een van de kibboetsen in die omgeving verhuizen? Er zijn geweldige kibboetsen in de Emek. We hebben altijd gezegd dat we Mikki eenzelfde jeugd wilden gunnen als de onze, in plaats van het roet van bussen, krappe appartementen en parkjes vol hondenstront.' Hadden we dat gezegd? Gabi probeerde het zich te herinneren, maar het lukte hem niet dat gesprek te plaatsen. Hij wilde niks 'gunnen' en wenste niemand een jeugd toe zoals de zijne, al helemaal niet zijn geliefde zoon. Wat ze over Tel Aviv zei, daar zat misschien wel wat in, maar hij was tamelijk verbaasd over hoe laatdunkend Anna zich uitliet over de stad waar ze al drie jaar woonden; hij was zelfs plaatsvervangend ietwat beledigd. En als hij er een beetje aan terugdacht, herinnerde hij zich dat ze vroeger anders gepraat had. Vroeger, toen ze graag naar het strand gingen en op de terugweg lange wandelingen over de boulevard maakten, en soms een cafeetje aandeden. Tot Mikki geboren werd.

Eb en vloed, lente en herfst: ze kwam helemaal enthousiast terug uit Afoela. Datzelfde weekend viel het hem op dat ze zijn hand vasthield toen ze over de boulevard wandelden, naar hem glimlachte en hem telkens zonder reden op zijn wang kuste. Ze voelde zich goed, was opgewonden over haar nieuwe werk. Het zou niet voor lang zijn, zei ze, ooit wilde ze een eigen bedrijfje opstarten, maar dit was een uitstekend punt om te beginnen, een fonkelnieuwe en geavanceerde fabriek, een installatie die de omgeving en de natuur hielp, aardige mensen met wie het vanaf het eerste moment had geklikt. Gabi begon zich een leven in de Emek voor te stellen, ook al stond het idee van de kibboets hem nogal tegen. Maar misschien kon hij op afstand verder leren. Misschien kon hij zich aanpassen aan een interessante afdeling op de boerderij. Mikki zou het helemaal fantastisch vinden. En toen zei Anna dat als hij in Tel Aviv wilde blijven zij misschien een kamer kon huren in een van de kibboetsen, een paar dagen per week in het noorden blijven en voor lange weekenden naar Tel Aviv komen. Hij was zo geschokt dat hij even verblind raakte, om zich heen even niets meer zag. Want het klonk hem – weliswaar versluierd en milder, maar toch – als een voorstel om hem te verlaten. Niet alleen hem, maar ook, zoals haar vader dertig jaar geleden had gedaan, hun enige zoon. Eb en vloed zijn onlosmakelijk met elkaar verbonden. Hij keek haar met vochtige ogen aan en ze glimlachte. 'Je hoeft niet te schrikken, het is maar een voorstel. Voor het geval je in Tel Aviv wil blijven.'

'Je bent twee jaar, acht maanden en drie dagen,' zei hij tegen Mikki onderweg naar de crèche, en Mikki zei: 'Ja, papa?' en Gabi zei: 'Ja, Mikki.'
    Anna werkte in Afoela. Ze kreeg een auto van de zaak en reed drie keer in de week heen en weer en op de vierde dag bleef ze over in een gastenkamer in een van de kibboetsen in de omgeving. Ze was tevreden en Gabi ontdekte dat het spook der verbeelding schrikwekkender was dan de werkelijkheid. Hij bracht Mikki 's ochtends naar de crèche, haalde hem 's middags weer op en tussendoor zat hij op kantoor en miste hem, terwijl hij probeerde potentiële klanten te interesseren voor een advertentie in de foldertjes die in brievenbussen werden geduwd en onder ruitenwissers werden gestoken.
    'Je bent twee jaar en elf-en-een-halve maand oud.' Twee weken later namen ze een dagje vrij en maakten er een leuke dag van aan het strand en in een cafeetje. Ze aten schnitzel en patat, en bruin roomijs waar

Mikki zo van hield. Ze gingen naar de speeltuin. De belevenissen van die dag stonden in Gabi's geheugen gegrift, vooral Mikki's bezwete en gelukkige gezicht. Er zat zand aan zijn voorhoofd geplakt. Om zijn mond zat een rand opgedroogd bruin. En het vervelende kind dat probeerde Mikki's wolvenknuffel af te pakken die hij had meegenomen op deze tocht, een kind dat groter was dan Mikki, met krullend haar, een verveeld en brutaal kind.

Wat doe jij hier, vervelend kind? Waar is je moeder, waar is je vader, waar zijn jouw vriendjes? Waarom moet je de hele tijd naar ieder toestel en elk spelletje toe lopen dat Mikki wil doen, voordringen, ongevoelig rondstampen? Hoe durf jij je vieze kladden op Peter, de wolf van mijn zoon, te leggen? Waarom ga je door met mijn bloed aan het koken te brengen? Mijn bloed kookt, stoom komt uit mijn oren, mijn zoontje wil op deze ladder klimmen, dus sta ik naast de ladder en houd dat vervelende kind met mijn lichaam tegen, één keer, twee keer, en bij de derde keer dat het kind zijn lijfje ertussen probeert te wringen en weer aan Peter komt, deel ik met de punt van mijn schoen een tik uit tegen zijn knieschijf terwijl ik tegelijkertijd zijn oor vastpak en dat flink omdraai; ik hoor de verbijsterde, gepijnigde kreet en ik klem mijn kaken op elkaar tegenover de boze, geschrokken blik die me meteen wordt toegeworpen, vergezeld van op- en neergaand gejammer, en sis hem toe: 'Voor mij moet je oppassen.' En dan kijk ik discreet om me heen om er zeker van te zijn dat niemand het heeft gezien.

Toen Gabi en Mikki na het rondje naar de glijbaan terugkwamen bij het bankje waar Anna zat te telefoneren, keek ze op en vroeg: 'Wat was daar aan de hand?' Gabi mompelde alleen maar: 'Niks,' hoewel de kortsluiting in zijn bovenkamer hem had verrast.

Naarmate de tijd verstreek, hield Gabi bijna op Mikki te vertellen hoe oud hij was. De relatie tussen vader en zoon werd steeds slechter. Anna bleef een extra nacht in Afoela en overnachtte daar nu twee dagen in de week, zei dat er veel stress was op het werk, maar vertelde daar eigenlijk nauwelijks iets over. Hij kreeg het gevoel dat ze in het weekend alleen maar zat te wachten tot het zondag werd, zodat ze naar dat Afoela van haar kon gaan, met die Sami van haar, of wie er daar ook maar was. Ze had daar iemand, daarvan was hij overtuigd. Hij volhardde in het niet onderzoeken, het niet gluren, het nergens naar vragen. Hij wist het gewoon. Misschien had Mikki zijn vaders zwakheid ontdekt en beet hij zich daarin vast – wil niet aankleden, wil niet naar de crèche, wil niet eten, wil niet handenwassen na het plassen. Gabi's geduld werd steeds vaker op de proef gesteld, zijn frustratie groeide, hij kon niet eens uitkijken naar kwaliteitstijd met zijn zoon, want die tijd had gewoon geen kwaliteit. Hij kon zelfs geen uitvluchten meer bedenken waarom zijn eigen ontwikkeling stagneerde: op het gebied van carrière, studie of zijn gevoel van eigenwaarde. Hij zat vast aan dat ellendige stukje vreten, leefde alleen voor hem, terwijl zij het voor elkaar had gekregen alleen voor zichzelf te leven. Toen Mikki met zwijgen, geraffineerde slimheid en ook met zijn toenemende fysieke kracht op Gabi's overredingspogingen begon te reageren, deed Gabi het in gelijke mate terug: een por betekende dat hij een por terugkreeg. Schopte hij, dan kreeg hij een schop terug. De gedachtengang erachter was dat Mikki zo leerde dat agressiviteit geen effectieve manier was om je doel te bereiken en ook dat hij zijn vader niet zomaar om zijn pinkje kon winden. Gabi raakte verstrikt in een gevaarlijke cirkel.

De ladder

Soms zag Ronni in Manhattan de vrachtwagens van Moisje's rondrijden, zag de Israëlische verkoopsters in de schoenwinkels, zijn vrienden bij spelletjes basketbal op zondag, en stiekem liep hij dan te spinnen van tevredenheid over zichzelf. Hij keek naar al die Israëliërs die probeerden om via de achterdeur Amerika binnen te komen, om langzaam maar zeker op te klimmen vanaf de onderste sport van de ladder en hij voelde zich trots. Hij was via de voordeur binnengekomen. Hij ging regelrecht naar de top. Hij hoefde er zelfs niet uit eigen zak voor te betalen, de bank financierde het en de bank zou zijn geld over – wat had Idan Levinhof gezegd?, vijf jaar?, en Ronni besloot – maximaal vier jaar terugkrijgen.

In het tweede jaar liet hij zijn tempo wat zakken: de zomerstage bij de kleine bank Goldstein-Liebermann-Weiss was een succes geweest, voor zover je maanden waarin hij notuleerde, Exceltabellen en power-pointpresentaties voor de analisten en managers maakte, pakken op-haalde bij de stomerij en vooral indruk maakte met zijn buitengewone talent om kapotte printers te repareren, kon betitelen als een 'succes'. Linksom of rechtsom, zijn contacten bij het bedrijf, Alon Pilpelli en Gughar Rawandip, met wie hij de relatie zorgvuldig had gecultiveerd, beloofden hem dat er binnenkort een officieel aanbod van een baan voor volgend jaar augustus op zijn bureau zou belanden.

Dat aanbod kwam inderdaad, er werd een contract getekend en de eerste vijfenveertigduizend dollar bonus voor het tekenen werden over-gemaakt. Bijna drieduizend ervan gaf hij meteen uit tijdens een rond-je winkelen bij Hugo Boss, Brooks Brothers en Barney's. Bij het win-kelen bleef het Pesachliedje van 'Eén, wie kent één?' door zijn hoofd zoemen: tien paar sokken, acht overhemden, vijf stropdassen, vier nette pantalons, drie paar schoenen, twee strakke pakken, een riem van leer, een riem van leer, een riem van leer, een riem van leer, die op aard' en in de hemel is... hoewel hij twee riemen kocht.

Dus aan het begin van zijn tweede studiejaar had hij al een vaste baan, net als het merendeel van zijn vrienden – 2005 was een goed jaar voor werkzoekenden in de slingerbeweging tussen crisis en bloei van de financiële wereld sinds de jaren negentig – maar Ronni bleef col-leges volgen, die vooral over algebra gingen en waarin diep ingegaan werd op de details van derivaten van dividenden, bijvoorbeeld. Daar zat hij naast bedeesde Aziatische nerds, omdat hij de kans had om van de beste docenten te leren en waardevolle tips te krijgen voor een fi-nancieel groentje aan het begin van zijn loopbaan in een competitieve en soms wrede wereld. Bij tijd en wijle werd hij door het team van Goldstein-Liebermann-Weiss uit eten gevraagd en hij kreeg zelfs prachtige cadeaus van het bedrijf voor zijn verjaardag en met Kerst.

Op een zomerse dag, gekleed in een licht en luchtig pak van Hugo Boss, kwam Ronni uit metrolijn 3 gestapt op het station van Chambers Street in Zuid-Manhattan en ging naar de straat. Heel even stopte hij in het gedrang, zette zijn brede borst op en hief zijn hoofd. Hij snoof de zilte lucht op die van de Hudson afkwam en begon te lopen: eerst in weste-lijke richting op Chambers Street en daarna zuidelijk op West Street naast het sportstadion van Battery Park, tot hij bij een hoog kantoorgebouw aankwam. Hij stopte weer een moment om de ingang te bestuderen en keek daarna omhoog: ergens daar, op de eenendertigste verdieping, waren de kantoren van Goldstein-Liebermann-Weiss Investments gevestigd. Hij stopte omdat hij wist dat hij vanaf nu zulke details niet meer zou opmerken, maar gewoon naar binnen zou lopen voor een nieuwe werkdag. Waar is Ronni Cooper, dacht hij, waar zijn Oren Azoelai en de andere dwergen? Hij spuwde op het trottoir en liep vervolgens het gebouw in.

Iedere dag perste Ronni zich in lijn 3, samen met honderden en duizenden financiële mensen in das en pak, net als hij, die in een paar blokken van Zuid-Manhattan miljardendeals sloten over heel de wereld. Terwijl hij nog steeds Excelsheets en powerpoints voorbereidde en relatief doelmatige vergaderingen notuleerde, had hij niet echt het gevoel deel uit te maken van dit zenuwcentrum, maar Alon, Gugh en anderen zeiden tegen hem dat bij een klein en gevarieerd bedrijf als het hunne zijn kans zich snel zou voordoen. Dus wachtte hij af, spon meer draden in het steeds uitdijende web, hield zijn ogen open, voerde efficiënt uit wat van hem gevraagd werd en haalde witte voetjes.

Begin 2006 kwam zijn kans. Twee traders – aandelenhandelaars – namen ontslag bij het hedgefonds en toen Ronni op een dag op het kantoor van Eliot Liebermann, een van de partners, was om hem een *pitchbook* – een presentatie over een potentiële klant – te brengen, zei hij aan het eind van de afspraak tegen Liebermann: 'Gun mij die positie bij de handelsdesk. Daar zult u geen spijt van krijgen.'

Liebermann schoot een priemende blik met zijn waterige blauwe oogjes op Ronni af en zweeg een moment. Daarna vroeg hij: 'Heb je ervaring met verkopen en handel?'

'Nee,' antwoordde Ronni, 'maar ik heb wel gezond verstand en concentratievermogen. Ik ben een Israëliër, ik ben mentaal krachtig en weet snel scherpe beslissingen te nemen.' Hij glimlachte en voegde eraan toe: 'Ik heb veel boeken over handelen gelezen.' Hij vertelde er niet bij dat hij ook veel had geleerd van het personage Gordon Gekko in de film *Wall Street* en van Jack Bauer in de serie *24*.

Liebermann had zijn secretaresse verzocht Gughar Rawandip erbij te roepen en vroeg ondertussen aan Ronni: 'Je weet wat de risico's zijn?

Je krijgt weinig slaap, je moet ongelooflijk vroeg opstaan voor de Aziatische beurs, dan ga je 's ochtends verder met de Europese beurzen en dan begin je te werken. Je kunt niet naar de wc in de uren dat er gehandeld wordt, tussen half tien en vier, en daarna moet je met de teams de dag analyseren en je voorbereiden voor de volgende. 's Avonds ga je uit met de jongens van de handelsdesk, ontmoet je collega's, raak je 'm eens flink en beland je laat en dronken in je bed, om de volgende ochtend om vijf uur op te staan voor een nieuwe dag, beginnend met de Aziatische markt. Relaties, familie, vrienden, leven, dat zit er allemaal niet voor je in, alleen maar collega's die geen vrienden zijn, het zijn tijgers: je zult elk moment met hen haten en liefhebben, en je zult continu misselijk zijn van het belabberde eten.'

Ronni had al gehoord over Eliot Liebermanns elliptische speeches. Hij bleef hem gedurende de hele speech recht aankijken en sloeg zijn blik ook niet neer toen hij antwoordde: 'Ik ken de risico's, meneer, maar die weerhouden mij niet. Integendeel.' Gughar was intussen binnengekomen en Ronni vertelde over zijn wens om handelaar te worden, en over zijn eigen portefeuille, die mooie rendementen gaf. Hij vertelde over een nogal onbekend Israëlisch aandeel en analyseerde het gedrag ervan op de beurs. Gughar glimlachte tevreden. En Ronni herhaalde wat hij aan het begin had gezegd: 'Geef me een kans. Daar zult u geen spijt van krijgen.' Gughar en Liebermann keken elkaar aan, en Gughar zei: 'Dale Savage heeft een trader nodig.'

Dus Ronni Cooper werkte bij een investeringsbank op Wall Street: een sport op de ladder. En kreeg al snel de positie van trader: nog een sport. Hij wist al dat iedere sport op de ladder hem maar een bepaalde tijd tevreden zou stellen, tot hij zijn blik hoger richtte, naar de volgende sport en zijn huidige positie vanzelfsprekend begon te vinden. Zo is de menselijke aard, dacht hij.

Het eerste decennium van de nieuwe eeuw begon met een crisis en daarna volgde herstel. Amerika begon een oorlog, de Dow Jonesindex reageerde positief, de sfeer was goed: de wereld was een speelveld vol kansen. Ronni leerde snel. Zijn zeven beeldschermen – twee voor koersinformatie, twee om transacties op te doen, één voor Bloomberg tv, één voor e-mails van de makelaars en het team, één om te chatten –

stonden in zijn netvlies gebrand, de tickertape liep voor zijn ogen langs, hij zat in vergaderingen met partners, analisten, handelaren en klanten, overlegde met brokers, onderzocht producten en vatte die in tabellen en presentaties, verdiepte zijn kennis van de verschillende markten en verbeterde vooral zijn expertise op het gebied van technologische aandelen.

De Israëlische club, of zoals Idan hem noemde 'het donderdagse choemoesforum', was de belangrijkste netwerkgelegenheid voor Ronni. Daar ontmoette hij niet alleen tientallen andere Israëliërs die her en der verspreid sleutelposities bekleedden in de financiële wereld en het bedrijfsleven van New York en dankzij wie de draden van zijn netwerk exponentieel uitbreidden, maar als hij tijd had, volgde hij er ook workshops die het forum voor zijn leden organiseerde: strategieën om contacten te leggen ('*How to be a networking ninja*'), kledingadvies (bij de herenafdeling van Barney's) en de workshop 'Accent en finesse' om de Israëlische tongval en stijl van spreken glad te strijken. Het was een slijperij waar de Israëliërs van Wall Street doorheen gingen om er iets minder Israëlisch en iets meer Amerikaans uit te komen, tenminste aan de buitenkant.

Hoewel hij een afkeer had van een deel van de Israëliërs in New York, genoot Ronni van de donderdagavonden bij het forum en besefte dat het een onuitputtelijke bron van connecties en werk was. Daar deed hij zijn colbert uit, trok zijn das los, maakte twee knoopjes van zijn overhemd open, at choemoes en dronk Goldstar waarvoor iemand gezorgd had, en sprak zijn moerstaal. Daar vond hij een dosis thuis, die in feite beter was dan thuis; dat zag hij in toen hij met Kerst naar Israël ging, door de straten van Tel Aviv doolde en niet wist wat hij aan moest met deze dosis onversneden, gedistilleerde Israëlischheid die hem overdonderde. Hij was er een week en deed niets anders dan overdag genieten van het winterse zonnetje en 's avonds als doodnormale klant naar Bar Baraboesj gaan.

Op een avond ontmoette hij daar zijn vriend Ariël. Die zag er nog precies hetzelfde uit, misschien een beetje kaler. Hij was nog altijd accountant, maar inmiddels getrouwd.

'Hoe zit het met de automatische soepautomaten uit Japan?' vroeg Ronni.

'Ah,' antwoordde Ariël en hij wuifde met zijn hand. 'Ik ben nu met iets nieuws bezig. Een muizenval die zonder gif werkt en ook niet doodt. Een humane oplossing, schoon, effectief. Kijk,' hij haalde wat paperassen uit zijn tas, 'het is zo'n cilinder, die daar open is...' legde hij uit terwijl Ronni hem aankeek, zonder iets te laten blijken van zijn geamuseerdheid. Mensen veranderen niet, dacht hij, ze blijven iedere keer weer hetzelfde doen. Daar had hij een paar uur eerder ook aan moeten denken, toen hij op bezoek was gegaan bij zijn broer Gabi. Eigenlijk was alles wat Gabi de afgelopen paar jaar was overkomen een verrassing als je erover nadacht, had Ronni gemijmerd. Heel dat volwassen worden – universiteit, huwelijk, een kind, een appartement in het Oude Noorden van Tel Aviv – wie had dat van zijn kleine broertje gedacht? En dan, net als je aan de nieuwe Gabi gewend was, kwam er weer een omwenteling en een dramatische verandering van koers. En toch, vroeg Ronni zich af toen hij in zijn eentje nog een biertje dronk aan de bar nadat Ariël met zijn revolutionaire muizenval naar huis was gegaan, was zijn broer met al die veranderingen nu eigenlijk zélf veranderd? Was dit een andere Gabi dan dat wat onthechte, vaak op sleeptouw genomen, zoekende kleine broertje van hem? De mensen van wie hij zich onthechtte, door wie hij op sleeptouw genomen werd, de doelen waarnaar hij op zoek was, veranderden en ook het decor eromheen, zoals in dat televisieprogramma om Engels te leren op de school-tv toen ze jong waren: sheriff Goodman die een glas melk dronk terwijl de toneelknechten achter hem het decor wisselden. Maar of hij innerlijk een ander mens was geworden?

Het was laat in Bar Baraboesj. Ronni keek eens om zich heen en had het gevoel dat het – in deze bar, in deze stad, in dit land – allemaal pathetische figuren waren, zwemmend in een zee van nullen en provinciaalsheid, geen benul van hoe de wereld er daarbuiten uitzag. Hij verplaatste zijn aandacht naar een meisje dat alleen aan de bar was achtergebleven. 'Wat zeg jij, Ravít?' zei hij – hij had haar naam opgevangen toen ze afscheid nam van haar vriendin – 'kunnen mensen veranderen of blijven ze altijd hetzelfde?' Toen ze hem alleen maar aankeek en geen antwoord gaf, vroeg hij verder: 'Volgens jou?'

De bus

Uiteindelijk blijven er een paar hardnekkige herinneringen over die weten op te vallen en uit de eindeloze mengelmoes van het leven te springen, uit de honderden dagelijkse gebeurtenissen waarvan het overgrote merendeel ten onder gaat en voor eeuwig in de diepten verdwijnt.

Een herinnering: Gabi, Anna en Mikki, die blijkbaar een paar maanden oud is, aangezien hij in de kinderwagen ligt, het is winter en ze zijn aan het wandelen. Gabi en Anna maken ruzie. Zij heeft het kind in meerdere lagen kleding en dekens gewikkeld en Gabi denkt dat hij het te warm heeft – dit was nog voordat Mikki op zijn strepen stond en, ongeacht het seizoen, halsstarrig weigerde warme kleren te dragen – want zo koud was het niet, de regen was opgehouden, de wind afgenomen, dus wat was nou helemaal het probleem. Maar het werd Anna, die niet alleen op al die laagjes had gestaan, blijkbaar allemaal te veel en ze haalde de plastic regenhoes uit het mandje tussen de wielen en begon die over de kinderwagen te trekken.

Herinneringen gaan meestal gepaard met kanttekeningen over context, periode, stemming; de kanttekening bij deze herinnering geeft aan dat dit een gespannen periode was voor het stel. Ze maakten veel ruzie, bijna iedere dag en het kwam regelmatig tot geschreeuw, voornamelijk van Gabi's kant.

'Waarom doe je die hoes erop?'

'Het is koud.'

'Maar hij heeft al duizend laagjes aan. Dit is tegen de regen. Het regent nu niet. Kijk maar naar de lucht.'

Ze keek niet naar de lucht. De zon die tussen de wolken door piepte, was ook voelbaar zonder dat ze haar hoofd ophief.

'Het is tegen de wind. Er staat veel wind.'

'Veel wind?' vroeg hij verbaasd. 'Waar is die wind dan?'

Ze gaf geen antwoord, spande alleen het plastic over de wandelwagen en pakte het dik ingezwachtelde kind in met een dikke laag plastic.

'Hij stikt nog! Zo krijgt hij toch een lucht! Anna, waar ben je mee bezig!'

Herinneringen zijn meestal voorzien van een clou, een zin of gedachte of hoogtepunt waardoor ze betekenis krijgen. Voor Gabi ging dit voorval gepaard met de gedachte die zich op dat moment in zijn hersens nestelde: ik wou dat hij stikte. Laat hem doodgaan. Dan moet ze haar mond wel houden. Dan heeft ze haar leven lang spijt van haar wilde overdrijvingen. Dan houdt ze op met over ieder wissewasje ruzie te maken. Dan wordt ze van binnen opgevreten. Gabi zal nog vaak naar die gedachte terugkeren, naar de doodswens die hij voelde voor zijn zoon, alleen om in een ruzie met zijn vrouw zijn gelijk te halen.

Andere herinneringen: Mikki's zwijgzaamheid. Ineens, zonder enige waarneembare reden. Iets beviel hem niet, iets dat gezegd was, of een verandering in de manier waarop zijn speelgoed op zijn kamer of in de woonkamer opgeruimd was. Zijn vader werd er gek van en dat had Mikki binnen de kortste keren door; hij gebruikte het als wapen, mateloos en redeloos zoals dat kinderen eigen is. Gabi probeerde verschillende tactieken, herhaalde zijn vraag, verhief zijn stem, gaf logische verklaringen, schreeuwde, dreigde met straf, verleidde met beloning en ook met terugzwijgen en de kamer uit lopen. Hoe meer hij probeerde, hoe wanhopiger hij werd en hoe wanhopiger hij werd, des te meer verschanste Mikki zich in zijn zwijgen. Het leidde tot tandenknarsen en op elkaar geklemde kaken; tot woede, die Gabi altijd met open, troostende armen ontving. Die woede, die zich in kleine handelingen uitte: hardhandig uittrekken van kleren, waarbij armen en benen werden verdraaid en geknepen; aan oren werd getrokken, veel druk op het hoofd uitgeoefend, het kind tegen de muur drukken terwijl er tegen gebulderd werd, een volle lepel eten in een wijdopen huilende mond stoppen. *Jij wilt niet praten? Hier, kleine held, hier heb je het, jij met je stommetje spelen, brutale aap.* De adrenaline die hem op die momenten door de aderen klopte, het gegil van het huilende kind, het diepe berouw vijf minuten later, het wederzijds sorry zeggen en de belofte aan zichzelf het niet weer zover te laten komen, niet tegenover zijn kleine zoontje.

Naast deze herinneringen staan vergoelijkende kanttekeningen, die zeggen: wij hebben veel te veel tijd met elkaar doorgebracht toen mama studeerde en naar Afoela ging, we werken elkaar op de zenuwen, we hadden geleerd hoe we moesten samenleven, we hadden nog maar net geleerd hoe we moesten samenleven, we waren midden in het proces en het was een succes geworden, we zouden het hebben gered als we de kans maar hadden gehad. Maar een opmerking vol zelfkritiek zegt: je bent niet geschikt als vader, nooit geweest ook. Dat is een te zware taak voor jou en daarom is hij je ontnomen. Je bent gewogen en te licht bevonden.

Wanneer Gabi na verloop van tijd de kracht van het zwijgen leert kennen ('Zwijg. Dat wil zeggen dat je moet zwijgen, want op die manier rijst de gedachte, die hoger is dan spreken. De tsadiek zwijgt en spreekt niet.') waardeert hij zijn zoon des te meer, ziet hij in diens zwijgen de erfenis van de sterke, de tsadiek, die de zwakke achter zich laat zodat hij zal leren, en zich zal beteren.

Een rood stoplicht. Heel vaak is dat maar een advies. Als je jong bent en vol zelfvertrouwen naar links en naar rechts kijkt zoals je dat geleerd is, geen auto aan de horizon ziet, dan steek je ook bij rood licht over. Eén keer, in je jeugd, ben je bij het centrale busstation van Teverja aangehouden door een agent, die je een symbolische boete heeft gegeven, maar je hebt al jaren niks meer gehoord over dergelijke boetes en je veronderstelt dat de politie zich niet meer met zulke wissewasjes bezighoudt. Het begint met oversteken van een lege weg met een zebrapad, gaat verder met oversteken van een weg zonder zebrapad en komt uiteindelijk uit bij de beslissing om niet alleen over te steken als er geen auto's zijn, maar ook als je ze wel ziet en inschat dat je het wel zult halen. Eén of twee keer gaat het maar net goed, al wordt er naar je getoeterd of geschreeuwd, een doodenkele keer bonst je hart, rijzen de haren je te berge, bedenkt je brein dat je moet oppassen omdat het anders nog weleens slecht kon aflopen. Je denkt na over dat woord 'bijna'. Soms stel je je zelfs voor wat er zou gebeuren als die auto je zou raken, als je niet op het allerlaatste moment op hem gelet had, of hij op jou. Een rolstoel? Een gigantische verandering in je leven? Maar zolang het bij 'bijna' blijft, vervliegen die gedachten met het leven van alledag. Want dat is niet veranderd, er is immers niets gebeurd. Dus wat heeft het voor zin om op groen licht te wachten?

En dan krijg je een kind. Je wandelt met hem in de wagen door de straten en je wordt verantwoordelijk. Je stopt voor rood licht. Je speelt niet met het leven van een kind, daarmee neem je geen risico's, zelfs niet als je naar links en naar rechts kijkt, er geen echt gevaar dreigt, de weg leeg is. Want het is een kind, in een wandelwagen, dat gaat langzaam, en als dan ineens uit het niets een auto opdoemt die veel te hard rijdt, heb je niet genoeg tijd om te ontkomen zoals je dat gewend bent. Je ontdekt mensen naast je die staan te wachten bij rood licht. Je hebt ze altijd gezien, ook toen je jong was en overstak en je dacht: dat zijn de braveriken, die houden zich aan de regels, die doen niet aan vals spelen. Mensen die zelfs wachten voor een rood licht als ze het midden in de woestijn tegengekomen en er in de wijde omtrek geen levende ziel te bekennen is. Maar nu stop je en sta je naast ze te wachten, het handvat van de wagen in je knuisten en doe je minder laatdunkend over hen.

Maar uiteindelijk ben je er niet een van. Na verloop van tijd neemt de beschermingsdrang wat af en je zelfvertrouwen toe. Je wandelt dag in dag uit met de wandelwagen, leert die kennen, en zelfs al ben je verantwoordelijker omdat het leven van een kleintje in jouw handen ligt en niet alleen jouw eigen leven – ga toch heen, de weg is leeg, waarom zou je blijven staan? Het is immers een fundamentele vraag. Ook als je in je eentje was, zou je je leven niet willen riskeren en stak je over als je ervan overtuigd was dat je niets zou overkomen, dus wat is het verschil nu eigenlijk? En dus begin je over te steken, met een wandelwagen met een kind erin. En zelfs als je zo af en toe in een onaangename situatie terechtkomt en er spijt van hebt dat je bent overgestoken, als je gedachten aan de haal gaan met 'wat zou er met hem gebeurd zijn als', vervliegen die zoals gebruikelijk. Want het was toch maar bijna.

De laatste leeftijd die Gabi aan Mikki vertelde was drie jaar, twee maanden en twaalf dagen. Hij haalde hem op van de crèche en vroeg: 'Hoe was het vandaag?' Mikki antwoordde: 'Leuk,' en hij vroeg: 'Waar is mama?' 'Mama is in Afoela. Vanavond komt ze thuis,' antwoordde Gabi. Mikki neuriede een liedje. Gabi luisterde, hield zijn hoofd schuin, kneep zijn ogen dicht, bracht zijn oor dichterbij en eindelijk herkende hij het: het was een verjaardagsliedje.

'Was er een verjaardagsfeestje vandaag?"
'Ja.'
'Van wie?'
'Ido.'
'Heb je taart gehad?'
'Ja!' Hij begon weer te zingen en Gabi zong mee. Zo wandelden ze,

op hun gemak, het was lekker weer en ze hadden geen reden om direct naar huis te gaan.

'Als ik verjaardag heb, doe ik een kroon aan.'

Gabi zei: 'Wat?' Het kindje herhaalde wat hij gezegd had en bij de derde keer begreep zijn vader het en vroeg: 'Een kroon? Wat voor kroon?' 'Eentje met rode bloemen,' zei Mikki. Gabi herinnerde zich dat zo'n kroon thuis weggesmeten was en zei: 'Zeker, zeker, als Mikki jarig is, draagt hij de kroon met de rode bloemen,' en hij voegde eraan toe: 'Dat duurt nog maar negen maanden, twee weken en drie dagen, dus we hebben nog even.'

Mikki wees naar een vogeltje dat leek te hippen en zei, met een keurige uitspraak: 'Vooogel!' Gabi vroeg hem of hij een trui aan wilde, al wist hij dat het antwoord nee zou luiden. Er stond een frisse herfstwind, de lucht was helder en er dreven zo her en der een paar wolken, de dag liep ten einde.

Gabi reed de wandelwagen in de richting van het park en vroeg aan Mikki of hij de eenden in de vijver wilde zien.

'Eenden in de vijver!' herhaalde Mikki opgewonden en hij strekte zijn lijfje omhoog in de wandelwagen.

Gabi glimlachte bij zichzelf. Ze kwamen bij het zebrapad. Het stoplicht stond op rood.

'Eenden in de vijver!' herhaalde Mikki en hij bleef zijn lijf dat in de veiligheidsgordels van de wagen vastzat, strekken.

Gabi keek naar rechts naar links. De weg was bijna leeg. Een blauwe bus reed op veilige afstand en had zijn pijl uit dat hij bij de halte ging stoppen.

Maar hij stopte niet bij de halte. En Mikki zat opeens niet meer vast. Op de een of andere manier had hij zichzelf uit de gordels gewurmd, stapte pijlsnel uit de wandelwagen en rende de weg op, naar de eendjes.

Toen Gabi weer recht vooruitkeek en Mikki op de weg zag, schreeuwde hij: 'Wat doe je nou, idioot!', rende achter Mikki aan de weg op, de bus kwam dichterbij, Gabi hoorde het gesis van de bus, voelde de luchtstroom al in zijn nek. Achteraf lukte het Gabi niet te reconstrueren wat hij precies gedaan had en de chauffeur en passagiers wisten het evenmin; de hele situatie bleef vreemd en onverklaarbaar, maar een analyse van de resultaten vertelt het volgende verhaal: de blauwe bus had geremd, de wandelwagen geraakt die Gabi om onduidelijke redenen mee de weg op had geduwd, de wagen was door de lucht gevlogen en tegen Mikki gebotst. Door de klap van de wagen en de val op het wegdek had Mikki zijn rechterarm gebroken en liep hij een lelijke snee op in zijn knie. Een lichte, zelfs zeer lichte verwonding. Mazzel. Bijna. Nog een bijna, die weliswaar het hart verder liet verzakken dan een standaard-bijna, maar desondanks naar verwachting over niet al te lange tijd zal wegzinken en verdwijnen, als het gips er eenmaal af is en de hechtingen eruit. Deze episode eindigde ermee dat Gabi, hoe hij het precies gedaan had was onduidelijk, ver weg van de wandelwagen over Mikki gebogen stond, hem hysterisch toeschreeuwde en stijf vloekte, wat het kind meer angst aanjoeg en dieper vernederde dan de botsing, de val en de pijn.

Mikki was die middag de grote held: onderweg naar het ziekenhuis, bij het gipsen, het hechten en het infuus. Of misschien was het geen heldhaftigheid maar shock. Want huilen deed hij niet en praten deed hij evenmin, maar hij begreep wel wat er tegen hem gezegd werd en voerde de instructies braaf uit. Gabi, aan de andere kant, zat helemaal van de kaart naast hem in de ambulance en beefde, was woedend op Mikki, was woedend op zichzelf dat hij woedend was op Mikki en was verschrikkelijk misselijk. Toen Anna geschrokken uit Afoela arriveerde, was hij niet bereid te vertellen wat er gebeurd was en liet het aan Mikki over het te beschrijven, want ook op haar was hij woedend. En omdat hij het aan Mikki overliet haar het verloop van de gebeurtenissen te vertellen, hield ze hem als enige verantwoordelijk voor de verwondingen van haar zoon, en misschien had ze gelijk.

Na een paar dagen maakten ze het weer goed. Anna ging terug naar Afoela nadat Gabi gezworen had dat hij was gekalmeerd en dat alles goed was. Hij bracht Mikki weer iedere dag naar de crèche en haalde hem daar op, ze gingen weer wandelen en lachten samen onderweg naar huis. Er was een moment dat hij zich herinnerde, ze zaten in de ijssalon, waren genietend aan het likken en toen had Gabi gedacht: dit is waarom je kinderen hebt. Voor zo'n moment, het maakt niet uit dat Anna er niet is, of dat ik niet afstudeer, of wat ik van mezelf maak. Dit is wat ik van mezelf maak. Dit zijn de momenten waarvoor je leeft.

Ware het niet dat dit een uitzonderlijk moment was. Het lachen werd minder. Mikki bleef koppig zwijgen. Gabi verbeet zich. Hij geniet hiervan, dacht hij, geniet ervan mij kwaad te maken, geniet van de agressie. Hij heeft dat zo geleerd en nu speelt hij ermee en test me uit. Mikki vernederde nu zijn vader: als papa hem kwam ophalen van de crèche, weigerde hij mee te komen, gilde en rolde over de vloer, dweilde over de grond. Iedere ochtend weigerde hij zich aan te kleden. Iedere avond weigerde hij te eten. Het was een moeizame strijd, een van de zwaarste uit Gabi's leven en Gabi was vastbesloten er niet in meegetrokken te worden. Hem met rust te laten, zich niet uit zijn tent te laten lokken door beledigingen en vernederingen. Als Anna in het weekend thuis was, was Mikki een ander kind: gehoorzaam, meedenkend, vrolijk. Hij leek in niets op de weigerachtige, uitdagende, grenzen opzoekende, op zijn etterachtige vervelende Mikki, en daarom was Anna, absurd genoeg, geneigd Gabi's verhalen niet te geloven.

Toen Mikki bijna vier was, gingen zijn vaardigheden vooruit: zijn uitdrukkingsvaardigheid, zijn manipulatievermogen, zijn fysieke kracht. Hij had de gewoonte om zijn vader hard van zich af te duwen als die hem probeerde met dwang aan te kleden, schreeuwde tegen hem als die probeerde het te negeren. Dagen achtereen deed Gabi niet eens meer pogingen om Mikki klaar te maken voor de crèche en bleef gewoon met hem thuis. Maar toen belde de crècheleidster Anna en vertelde dat Mikki niet op de crèche kwam. Anna belde Gabi om te vragen wat er aan de hand was. En een week bleef ze in Tel Aviv en bracht Mikki zelf naar de crèche, en uiteraard liep alles toen van een leien dakje.

Het is onafwendbaar, want dit blonde schepsel heeft met drie en een beetje beter door dan ieder ander hoe hij me moet bespelen, beter dan Ejal in de eetzaal en Alex van de plantsoenendienst, beter dan de koks in het leger, beter dan welk brutaal stuk vreten die het ooit heeft gewaagd me stiekem te naderen om een tik uit te delen. Hij weet precies hoe hij het monster in me naar buiten moet brengen. Hij weet hoe hij het moet doen en hij wil het zien, want als hij loopt te emmeren na de crèche en me hem niet mee laat slepen, weet hij dat ik geen keus heb, dan moet ik hem fijnpersen, aan zijn oor trekken, in zijn schouder bijten totdat hij krijst en toegeeft. Hij weet dat ik geen keus heb, hij wil me naar dat punt brengen. Nou, dan kun je het krijgen, als dat is wat je zo graag wilt, hier! Het interesseert me niet wie je bent, het kan me niet schelen wat de normen zijn. De norm voor een beest als jij is je in je hok te tikken.

De kleuterleidsters rapporteerden aan Anna. En een bemoeizieke buurman van boven nam iets op video op. En tot zijn grote pech liet hij overal sporen achter op het kleine lijfje, restanten van knijpen en kletsen, blauwe plekken, builen. Alles wat hij had, had hij eerlijk verdiend, was wat Gabi tegen Anna wilde zeggen toen ze hem ermee confronteerde, en het is allemaal jouw schuld, jij hebt ons alleen gelaten, jij hebt ons hiertoe gebracht, jij bent de onverantwoordelijke van ons twee! Jij, met je Sami, met je Afoela, met je onzin!

De laatste catastrofale ochtend was regenachtig en koud; er was sinds 1954 geen sneeuw gevallen in Tel Aviv, maar als er één dag was van alle dagen dat Gabi in Tel Aviv had gewoond die daarop leek, was het deze: de kronen van de palmbomen op de lanen bewogen in de harde wind, de regen kwam haast horizontaal naar beneden, afgewisseld met korte hagelbuien.

Nee. Nee-nee-nee, Mikki. Je trekt je jas nu niet uit.

Mikki, ik zei nee. Ben je gek geworden? Op een dag als vandaag?

Mik-ki. Mikki! Doe meteen je jas aan. Blijf van je laarzen af. Heb je die plassen gezien... Mikki.

Waag het niet tegen te werken! Au! Sla je? Ja? Oké. Kijk. Zo trek-ken we een jas-je aan, begrijp je? Zo met de armen, zo doen we de rits dicht. Zo.

Pardon? Mevrouwtje, bemoeit u zich er alstublieft niet mee... Wilt u weggaan. Ga weg!

Zie je wat je veroorzaakt? Stil. Stil! Baby. Huilebalk. Weet je wat? Huil maar. We zullen zien of het je helpt. Ja. Hawawawawa, baby.

Waag het niet je laarzen uit te trekken! Mikki, ik zweer het je. Ik. Hier. Zo. Zo begrijp je het, toch? Au. Jij bru-ta-le aap, je zult leren dat slaan niet helpt!

Huil maar, huil maar, geen probleem. Hier, schijtkind. Zo. Zullen we zien wat je moeder ervan zegt. Hier.

Meneer, ik vraag u beleefd om zich er niet mee te bemoeien...
Het interesseert me niet dat u politie bent. Omdat u van de politie bent,
wil niet zeggen dat u zich zomaar met mijn... Pardon, lazer op, voordat
ik... En wat dan nog, dat je van de politie bent?! Wil dat zeggen dat je
er iets van begrijpt? Ik ben het die al drie jaar met hem samenleeft. Hou
je mond, Mikki, schijtjonk... Uh uh! Niet doen, zei ik je, ik waarschuw
je, ik heb je gezegd... Hier dan, ik-draai-je-je-oor-om. Ja. Dat vind je niet
fijn, hè? Hier. Pak-dit-aan-en-wees-stil. AU! Bijten? Nou zal je eens wat
beleven, godverdomme. Hier! Hier! Een schop voor die brutale-onbe-
schofte-jammerende bijtmond van je. Schoppen is niet leuk, hè. Zie je
nou wat schoppen kunnen doen? Hier heb je er nog een! En nog een op
de koop toe!

Nog diezelfde winter was zijn vrouw zijn vrouw niet meer en zijn zoon
niet langer zijn zoon: ze nam hem op orders van de rechtbank mee
naar een van de kibboetsen in de buurt van Afoela. Gabi wist niet welke
en het was hem ook verboden dat te weten, hij mocht geen enkel contact met hem hebben of zelfs maar bellen. In de rechtbank ontkende
hij in alle toonaarden de omschrijving 'doodklappen', toonde een diep
en betraand berouw, overtuigde dat het ongeluk met de bus geen grove
nalatigheid was en werd uiteindelijk schuldig bevonden, maar alleen
voorwaardelijk veroordeeld, en tot een taakstraf. In het huis van bewaring hadden bebaarde en bekeppelde mannen er bij hem op aange-
drongen dat hij gebedsriemen aanlegde, hem pamfletten in de handen
geduwd met titels als 'Waarom lijden?'. Hij had niets anders te doen
dan wachten, nadenken, woedend zijn en die pamfletten lezen, 'Waarom lijden?'. Toen hij het huis van bewaring verliet, hadden ze hem er
weer van overtuigd dat hij gebedsriemen aan moest leggen. Het gevoel
van de zwarte lederen riemen op zijn huid gaf hem troost en bleef hem
troost geven, elke keer dat de woede in hem oplaaide. Het waren de
enige mensen die hem niet als een melaatse meden, de enigen die hem
vergiffenis en mededogen schonken, die zich om hem bekommerden,
die een antwoord vonden op zijn vragen. De enigen. Papa Jossi was
niet op bezoek gekomen. Ronni in New York had hem niet gebeld, en
de paar vrienden die Gabi had gehad op het werk en bij zijn studie,
waren verdwenen alsof ze er nooit geweest waren. Dus hij ging naar

een Torales, en toen naar nog een paar, legde gebedsriemen aan, luisterde, vroeg zich af: 'Waarom lijden?', keek naar het licht: ook al loop
ik door de vallei van de schaduw van de dood, ik vrees niet, want U
bent bij mij.

Het licht

In New York zag ook zijn broer Ronni het licht. 2006 was voor hem een
goed jaar. Hij genoot van het werk. Eliot Liebermann had een beetje
overdreven met zijn elliptische bangmakerij, maar de dagen waren inderdaad druk: lange dagen voor zeven schermen, nauwelijks onderbre-
kingen tijdens de handelsuren van New York, en dan nog een half oog
op de schermen in de uren dat er in de rest van de wereld werd gehandeld, om maar niet te spreken van de tientallen e-mails van makelaars
en teamleden die hij pas beantwoordde als hij thuiskwam, soms om
twaalf of om één uur 's nachts, nadat hij met collega's was gaan stappen.
Die uitjes waren niet voor het plezier, dat was werk; een voortdurende
inspanning om een maatschappelijke positie te verkrijgen, roddels en
tips op te vangen, een vinger aan de pols te houden. Ronni sliep weinig.
    Ronni had één troef: zijn Israëlische connecties. Dat netwerk strek-
te zich uit over het hele continent, niet alleen in de financiële wereld,
maar ook in die van producenten, energieleveranciers en natuurlijk de
hightech. Hij bouwde die contacten snel op en continu uit, zorgde
ervoor dat hij ze versterkte, informatie kreeg voordat die gepubliceerd
werd en die kennis omzette in business, speculaties en andere activiteiten op de aandelenmarkt. In een volgend stadium begon hij ook voor
hen te handelen en nadat hij naam had gemaakt als een gedurfde,
snelle en vooral winstgevende trader, droegen tamelijk veel Israëliërs
van het choemoesforum en ook anderen hun investeringsportefeuilles
aan hem over. Voor bankmedewerkers en mensen uit de hightech, die
niets van aandelen begrepen maar wel geld hadden om te investeren,
was Ronni de juiste man die de juiste dingen zei en het juiste rendement genereerde.
    Bij een van de eerste workshops die hij volgde bij het choemoes-
forum werd gezegd dat improvisatievermogen – waar Israëliërs altijd

zo trots op waren – in de Verenigde Staten niet werd gewaardeerd. Daar werden geen slinkse wegen bewandeld, daar werd volgens het boekje gewerkt. Ze gaven iedereen evenveel respect en kansen en verwachtten dat iedereen zich aan de eerlijke regels van het spel hield. Dat is de reden, werd er gezegd, dat de Amerikaanse economie zo succesvol is dat ze de knapste koppen uit heel de wereld aantrekt, inclusief die van ons. Het Israëlische gesjoemel en een oogje toeknijpen waren misschien soms nuttig op de korte termijn, maar geen substituut voor fair play en netjes werken. Maar naarmate hij meer ervaring kreeg, realiseerde Ronni zich dat het anders was. Hij leerde dat misschien de meeste Amerikanen geen foefjes uithaalden, maar dat Indiërs, Koreanen en Kroaten – en ook sommige Amerikanen – dat juist wel doen, en hij was er getuige van dat het uitgerekend de ritselaars waren die de keurig nette Amerikanen ver achter zich lieten.

Idan Levinhof vroeg Ronni bij een van de vergaderingen van het choemoesforum: 'Herinner jij je Bronko nog?' Idan had zijn arm om de schouder van een kleine vent met een platgedrukte neus. 'Moet ik hem ergens van kennen?' reageerde Ronni, een assertieve hand schuddend. Bronko had in Idans team gezeten bij de commando's, was gewond geraakt en naar inlichtingeneenheid 8200 overgeplaatst, voordat Ronni op het toneel was verschenen. Desondanks hadden ze maar een gesprekje van twee of drie minuten nodig om te ontdekken dat ze voldoende gedeelde kennissen hadden om er venijn over te spuien en dat ze elkaar mochten. In het leger had Bronko Joni geheten, maar nu noemde hij zichzelf Jonathan en hij werkte in Silicon Valley bij een bedrijf van Israëliërs dat locatieservices verleende. Hij reisde regelmatig op de lijn San Francisco-New York-Israël en kwam eens in de twee of drie weken langs bij het choemoesforum. Toen Ronni en Bronko een keer de avond bier drinkend met elkaar hadden doorgebracht, zei Bronko: 'Van die choemoes heb ik trek in sushi gekregen.'

Ronni nam hem mee naar Sushi Yasuda in Midtown en nadat ze het bier in hun maag hadden opgewarmd met warme sake, namen ze een taxi naar de bar Ulysses en koelden de sake af met Guinness. Ze waren in een vergevorderd stadium van dronkenschap toen ze *pool* begonnen te spelen. Midden in het spel pakte Bronko een rode ivoren bal van de tafel en zei: 'Wist jij dat dit ooit een olifantstand is geweest?' Ronni grinnikte. 'Ooit,' ging Bronko verder, 'maakten ze de ballen uit hout.' Ronni stootte een witte bal tegen een rode, die in een van de pockets verdween. 'Weet je waar ik houten ballen heb gezien?' vervolgde Bronko. Ronni ging niet in op het dronken geklets en Jonathan gaf zichzelf antwoord: 'Bij Googleplex. Daar hebben ze een prachtige ouderwetse tafel.' Ronni, die over de groene tafel gebogen stond, keek op. 'Wat moest jij bij Googleplex?' vroeg hij, door zijn nieuwsgierigheid even uit de alcoholische nevelen van de Guinness getrokken. 'Oeps, ik heb niks gezegd,' giechelde Jonathan Bronko en hij trok een denkbeeldige rits over zijn mond dicht. 'Is het nu mijn beurt?'

Nog diezelfde avond voerde Ronni een diepgaande zoekopdracht uit en kwam tot de eenduidige conclusie: Google stond op het punt het lokaliseringsbedrijf van Bronko te kopen. De volgende dag handelde en investeerde hij navenant. Hij sprak met degene die zijn portfolio's superviseerde, Dale Savage, en kreeg eenmalige toestemming zijn budget te overschrijden. Aan het begin van de volgende week kwam de mededeling van de overname. Die bracht de cliënten van Goldstein-Liebermann-Weiss, en ook zijn Israëlische vrienden, veel geld op.

Ook later in het jaar kreeg Ronni nog een paar tips van Bronko en van anderen, soms per ongeluk en als gevolg van alcohol bij Ulysses, soms doelbewuster. Zijn speculatie met de slechte cijfers van Google in het tweede kwartaal was een mengsel van scherpe intuïtie, geluk en ongehoord lef. Bronko liet iets vallen wat hij gehoord had, Ronni combineerde dat met rapportages die hij had gelezen en een gesprek met een studievriendin die bij een Californische investeringsbank werkte. Dit keer vroeg hij geen toestemming en handelde met bedragen waarvoor hij niet geautoriseerd was. De bank en zijn cliënten verdienden achtenhalf miljoen dollar met short gaan, het speculeren op een koersdaling, zoals hij met het aandeel Google had gedaan.

Op een avond in januari ontbood Eliot Liebermann hem voor een gesprek. Toen hij het kantoor binnenkwam, was Dale Savage er ook. Ronni's hart klopte in zijn keel. Er was tegen de medewerkers gezegd dat de bonussen over het afgelopen jaar pas in februari bekendgemaakt zouden worden, en dus deduceerde hij dat hij ontboden was om een andere reden. Ze zagen er ernstig uit. Hij was ervan overtuigd dat ze hem terecht zouden wijzen, dat ze zijn portfolio hadden gecontroleerd en gezien dat hij zulke successen niet had kunnen behalen zonder voorkennis of zonder zijn handelslimiet te overschrijden. Dat de financiële toezichthouder lucht had gekregen van zijn activiteiten.

'Ga zitten,' zei Dale en hij streek zijn steile blonde haar glad. Ronni ging zitten, gespannen.

'We hebben op je gelet, Ronni,' vervolgde Dale. Uit zijn ooghoek zag Ronni dat Liebermann instemmend knikte. 'Je hebt een goed jaar achter de rug. En aantal indrukwekkende transacties die het nodige hebben opgebracht voor de bank.'

'En belangrijker dan dat,' zei Liebermann, 'je hebt laten zien dat je met risico's weet om te gaan, dat je niet in paniek raakt als de markt hysterisch doet.'

Nou komt het, dacht Ronni en liet zijn hoofd een beetje zakken, bijna klaar om met zijn armen een verdedigende houding aan te nemen.

'Jouw bonus over 2006 is tweehonderdvijfenzeventigduizend dollar. Weet wel dat dit een van de mooiste bonussen is die een handelaar in zijn eerste jaar bij ons kantoor heeft gekregen. Je hebt het verdiend.' Ronni wachtte op de 'maar' die nu zou komen, maar die kwam niet. 'We hebben besloten je investeringslimiet te verhogen,' vervolgde Dale Savage, 'en je meer vrijheid te gunnen om risico's te nemen, zodat je ons een nog groter cijfer onder de streep oplevert dan je het afgelopen jaar hebt gedaan. Dus ga maar en zet je desk op zijn kop, kerel, blijf aan de touwtjes trekken zoals je hebt gedaan, maakt gebruik van je prachtige netwerk, ga, grijp ze bij de ballen!' Bij die laatste zin was Dale al aan het schreeuwen en toen hij klaar was, ging hij staan en begon hij te applaudisseren. Liebermann applaudisseerde mee, zij het dat hij niet ging staan. Ronni wist niet wat hij moest doen, dus glimlachte hij en keek van de ene manager naar de andere.

Ook 2007 bleef Ronni gunstig gezind. Weliswaar kwam Jonathan Bronko steeds minder vaak naar het choemoesforum en toen Ronni contact met hem probeerde op te nemen, werd hij koel bejegend, maar er deden zich andere kansen voor. Een daarvan was, tot Ronni's verrassing, via Meïr Foriner. Foriner – die knaap uit Savjon met wie hij de collegebanken had gedeeld en die hem zo had geïrriteerd met zijn blauwogige, kakkerige arrogantie en zijn hielenlikkerij bij de Amerikanen. Foriner kwam regelmatig naar het choemoesforum, net als zijn makker Tal Paritski uit Kfar Sjmarjahoe. Mettertijd kreeg Ronni de indruk dat ze probeerden toenadering te zoeken, en dat was geen verrassing: zijn successen bij Goldstein-Liebermann-Weiss en zijn beheer van investeringsportefeuilles van een aantal leden van het forum waren geen geheim. Op een avond vroeg Foriner: 'Nog een afzakkertje bij Ulysses doen voordat we naar huis gaan?' En Ronni antwoordde: 'Waarom niet?' Ze gingen naar de Ierse pub, Ronni dronk Guinness, Foriner Ballantine's met ijs.

Meïr Foriner werkte bij een kredietbeoordelaar aan de westkust. Ronni kende het belang van zulke bedrijven, die het risico of de waarde van goederen of investeringen in bedrijven of landen beoordeelden. Het belangrijkste was, wist Ronni, dat de mensen van de kredietbeoordelaars in beeld waren terwijl aandelenemissies of overnames uitgebroed werden, en dus wisten uit welke hoek de wind woei, lang voordat het brede publiek dat wist.

Wat die avond begon als een vage tip onder invloed van alcohol, groeide uit tot een gecalculeerde gestage stroom aan waardevolle informatie. Foriner gaf duidelijke hints voor grote overnames, lette erop dat hij dat altijd mondeling deed, in het Hebreeuws en gecodeerd, zonder tussenkomst van communicatiemiddelen, want alle telefoongesprekken, e-mails en chats tussen handelaars, klanten en makelaars werden opgenomen. Ronni wist dat na een aantal van zulke waardevolle cadeautjes de beloningsvraag aan de orde zou komen: Foriner vroeg Ronni voor hem een rekening onder een valse naam te openen bij een effectenkantoor waarmee hij samenwerkte en op die rekening beheerde Ronni vervolgens investeringen met miljoenen dollars, op ingewikkelde en onnavolgbare wijze afkomstig van een Zwitserse bankrekening. Foriner ging voorzichtig te werk, hield zich gedeisd en kwam dan ineens met een snelle deal op de proppen. Een keer dook Foriner op bij het choemoesforum en gaf fluisterend in Ronni's oor een afspraak door voor sjabbat, in een Portugees vleesrestaurant in Williamsburg. Het minieme brokje informatie dat hij Ronni vertelde over de bar van Het Vette Varken – de overname van een internationale hotelketen door een onderhoudsbedrijf uit Texas, een deal die binnen enkele dagen bekendgemaakt zou worden – had grote financiële impact. Ronni moest voorzichtig te werk gaan. Geen aandacht trekken of sporen nalaten. Maar om het potentieel helemaal te benutten, ging hij weer over zijn investeringslimiet heen, met een vervalste handtekening van Dale Savage. Het koord waarop hij dit keer balanceerde was dunner dan anders.

Ook ditmaal had hij succes. Weer een sport op de ladder. Na dit succes en met de brandende geur van de sporen die hij op de handelsvloer had achtergelaten nog in zijn neus, keek hij naar omhoog, op zoek naar de volgende sport. Hij handelde met steeds grotere bedragen, nam steeds grotere risico's (één keer investeerde hij driehonderd miljoen op een positie in plaats van dertig miljoen; hij oefende de bewering dat die extra nul er per ongeluk bij was gekomen, áls hem ernaar gevraagd zou worden; er werd niks gevraagd). Dale Savage en Gughar Rawandip lieten hem zijn gang gaan, moedigden hem zelfs aan, kwamen er steeds op terug en in een bepaald stadium eisten ze zelfs dat hij successen behaalde. Ze gaven hem investeringsbudgetten van honderden miljoenen – hij hoefde al geen middelen meer toe te voegen op eigen initiatief. Hij wist dat zij zelf ook datzelfde spel speelden. Makelaars met wie hij had gewerkt trakteerden hem op avondjes drinken op kosten van hun zaak, net zoals collega's die hij had geholpen of met wie hij had samengewerkt. En natuurlijk zijn Israëlische klanten, die in aantal bleven groeien, en parallel daaraan groeiden ook de investeringssommen. Daar was hij bijzonder trots op: op het vertrouwen dat ze hem schonken, op de positie die hij bekleedde onder de invloedrijke figuren in het choemoesforum – heel even flitste een herinnering aan het houten dek aan de Bazelstraat door zijn hoofd. Het jaar sloot hij af met een bonus van bijna zeshonderdduizend dollar. Hij had zijn studielening afbetaald in veel minder dan de vier jaar die hij zichzelf daarvoor had gegeven en verhuisde naar een penthouse in zijn gebouw: nog een paar sporten op de ladder. Hij voelde zich onoverwinnelijk.

De crash

De slechte voorboden die al langere tijd zichtbaar waren op de markt, begonnen hun sporen na te laten. Twee hedgefondsen gingen ten onder. Mensen verloren hun baan. Er gingen geruchten over een naderende crisis op de onroerendgoedmarkt en over het faillissement van banken en investeringskantoren. Het voerde de druk om succesvol te zijn alleen maar op, evenals de eis om nog meer rendement te genereren. Maar ook koersdalingen en verliezen konden mogelijk flinke winst opleveren als je je kaarten goed speelde.

Bij een van de bijeenkomsten van het choemoesforum kwam Idan Levinhof op hem af. Ze waren de laatste tijd wat uit elkaar gegroeid; ze hadden het allebei te druk voor vriendschappelijke afspraken en kwamen zelden naar het choemoesforum. En die avond, toen Idan hem vroeg hoe het met hem ging, voelde Ronni zich een beetje ongemakkelijk. Hij was hem wat verschuldigd, Idan had hem met deze wereld laten kennismaken, hem aangespoord erbij te horen, hem geholpen met inschrijvingsformulieren en intakegesprekken. En bovendien was Idan voor Ronni het voorbeeld van het juiste succesverhaal. Hij was eindeloos vriendelijk en bewandelde steeds de koninklijke weg. Ronni was ervan overtuigd dat elke dollar van de miljoenen die Idan hoogstwaarschijnlijk had verdiend, brandschoon was. Idan was uit een ander hout gesneden dan Ronni. Hij was op Wall Street binnengekomen en had zich er thuis gevoeld. Hij sprak met een Amerikaans accent en proefde van de cultuur: ging met de lokale bevolking naar honkbalwedstrijden, bestudeerde het systeem. Ronni had dat geweigerd. Toen hij nog een student was en met scouts van bedrijven over Doron Sheffer en Nadav Henefeld was begonnen, had hij al het gevoel gehad dat hij op zijn eigen voorwaarden binnen zou komen, niet op de hunne.

Ze waren allebei slim genoeg om de kloof die hen scheidde te herkennen. Het was Ronni destijds opgevallen dat Idan geen haast had gehad om hem binnen te loodsen bij Goldman Sachs. Hij mocht Ronni dan niet bij zijn bedrijf binnengehaald hebben, maar hij had wel geprobeerd om op hem te passen, hem te waarschuwen niet van het rechte pad af te wijken. Hoogstwaarschijnlijk had Levinhof van Ronni's successen gehoord. En met zijn kennis over Pilpelli en Goldstein-Liebermann-Weiss wist hij vast en zeker dat de handel daar niet honderd procent koosjer was. Dus nadat hij gevraagd had hoe het ging, stelde Idan voor: 'Kom, laten we wat gaan drinken.' Ronni kon er niet onderuit.

'Luister, Ronni,' begon Idan alsof hij zijn praatje niet van tevoren al klaar had. 'Ik heb je altijd hoog gehad, nog uit tijd dat je een bar had in Tel Aviv. Ik heb gezien wat je deed en jouw potentie herkend, ik wist dat je het hier ook zou maken.'

'Wat is dit, een motiveringspraatje?' probeerde Ronni er een grapje van te maken, maar hij wist welke kant het op ging en hij wist dat hij geen andere keus had dan te blijven zitten en te luisteren. Hij krabde nerveus aan het etiket van zijn flesje Mexicaans bier.

'Ik voel me ergens verantwoordelijk voor je...' zei Idan.

'Dat ben je niet. Ik ben een volwassen vent. Ik ben zelf verantwoordelijk voor wat ik doe.'

Idan reageerde niet op Ronni's opmerking. 'Ik weet dat de verleiding gigantisch is. Dat er connecties zijn en informatie. Dat je al dat krankzinnige geld ziet en weet dat je je hand maar hoeft uit te steken om het te grijpen.'

Ronni keek hem aan. 'Wat wil je, Idan?'

'Ik weet dat je geen crimineel bent,' antwoordde Idan, Ronni in de ogen kijkend. 'Ik ken dat soort mensen. Dat zijn geen mensen die verkeerd zijn opgevoed, of die geen andere keus hadden dan crimineel te worden. Dat soort wordt alleen maar gedreven door hebzucht. Er zijn twee principiële gedragsnormen waardoor mensen binnen de wet handelen: een gevoel voor wat juist en niet juist is, of de angst om gepakt te worden, de gevangenis in te moeten, veel geld te verliezen. Ik herinner je daaraan omdat het in ons vak soms makkelijk vergeten wordt en omdat ik om je geef. Ik heb mensen zien vallen. Dat is niet prettig. Ik weet niet wat je gedaan hebt of niet gedaan hebt. Maar ik ben niet dom. En ik geef je raad: wat je gedaan hebt, heb je goed gedaan. Maar stop er nu mee. En wees voorzichtig. Ik weet dat je handelt voor veel Israëliërs en voor een deel zijn dat niet bepaald nette mensen. Als ze door jouw toedoen ten val komen, kom je er niet mee weg.'

In die tijd handelde Ronni bijna alleen maar in opties. Met call- en putopties kocht of verkocht hij het recht om een aandeel voor een specifieke prijs op te kopen, met een specifieke periode. Opties zijn goedkoop – de handelskosten zijn maar een paar honderd of een paar duizend dollar – maar de kansen en risico's die in opties besloten liggen, zijn dubbel zo groot of zelfs vele malen groter dan de handel in aandelen zelf. En de kleine fluctuatie in waarde kan een grote invloed hebben op de waarde van de optie. Op een deal van twintigduizend dollar kan tonnen worden verdiend, maar evenzogoed een enorm verlies worden geleden. Een optie is feitelijk een weddenschap, afgesloten die op basis van zichzelf: Gugh had eens tegen Ronni gezegd dat als handelen op de beurs roulette was, dan was handelen in opties Russische roulette.

Tegen zulke risico's had de investeringsbank een aantal verzekeringen. Een ervan was de eis een speciale rekening te hebben, een *margin*, met daarin genoeg geld om risico's af te dekken. Schulden konden potentieel beangstigende omvang aannemen en moesten direct afbetaald worden, en daarom stond de bank het niet toe dat er schulden gemaakt werden. Een tweede verzekering was de afdeling Risicomanagement binnen het bedrijf, die tot taak had transacties te beheersen en te controleren, om problemen te voorkomen – de handelaren niet te veel opties van dezelfde soort te laten kopen zonder de risico's te spreiden. Ronni stopte veel energie in het aanknopen van nauwe banden met de mensen op die afdeling van Goldstein-Liebermann-Weiss.

Hij ging door met deze werkwijze en bleef rendement genereren. Zijn netwerk was in dit stadium zo groot dat hij er bijna iedere week een kruimeltje interessante informatie uit oppikte dat zich liet omzetten in geld. Het was een zekere zaak, want ook zijn informanten hadden in dat fonds geïnvesteerd. Aan alle kanten was er sprake van gedeelde belangen. Maar er waren angstaanjagende momenten. Er waren fluctuaties die hem soms even aan de rand van de schuldenput brachten. Dat waren de momenten waarop Idan Levinhofs waarschuwende woorden door zijn hoofd schoten. De markt werd hoe langer hoe gekker, mensen werden massaal ontslagen, de druk die op hem werd uitgeoefend om winst te blijven maken was bij tijd en wijle onaangenaam.

Het verhaal met de opties van RIM, het bedrijf dat BlackBerry's produceerde, begon tijdens een zondags potje basketbal met de Israëlische kliek in de Upper West Side. Daar ging hij nog altijd naartoe als het even kon, om zijn conditie op peil te houden en een beetje te zweten en ook omdat hij de meesten van de jongens die daar speelden graag mocht. Een toevallige opmerking van een van de jongens aan het eind van het spelletje zette hem op een koers die in een puinhoop zou eindigen: 'Godverdomme, die kut-iPhone, wat een kloteapparaat.'

'Is dat een nieuwe? Ben je niet tevreden?' vroeg Ronni verstrooid, terwijl hij zijn e-mails checkte op zijn BlackBerry.

'Ja, ik heb hem een week geleden gekregen. De internetverbinding is een lachertje, die komt en gaat, voornamelijk gaat. En moet je kijken.' Hij stak Ronni het apparaat toe en draaide het om. Op de gladde witte achterkant waren roze vlekken te zien. Ronni nam het apparaat aan en fronste zijn voorhoofd. 'Wat is dat, bloost hij?' glimlachte hij.

'Voel je hoe warm hij is? Ik heb op internet nog andere klachten gezien. Er wordt gezegd dat je hem in de Apple Store kunt ruilen.' Hij keek naar de zwarte BlackBerry in Ronni's handen. 'Verdomme, ik weet niet waarom ik mijn BlackBerry heb weggedaan. Die iPhone, alleen maar herrie en gepiep.'

Ronni dacht er niet meer aan, maar de volgende dag kreeg hij een telefoontje van zijn Bosnische studievriend Sasja. Sasja werkte tegenwoordig bij een groot adviesbureau in San Francisco. Hij was een paar uur in New York, onderweg naar Bosnië – zijn grootvader was overleden – en vroeg Ronni of hij tijd had voor een snelle lunch omwille van de goeie ouwe tijd.

'Je bent dik geworden!' zei Sasja toen hij Ronni zag. Ze aten bij Mister Mi, het Aziatische restaurant waar ze graag gingen eten toen ze studeerden. 'Doe je niet aan sport?'

'Ik heb gisteren gebasketbald,' antwoordde Ronni met een blik op zijn uitpuilende buik. Jarenlang urenlang voor monitors zitten is niet bepaald het recept voor een gezond en slank lichaam. Veel van zijn collega's gingen een paar keer per week naar de fitnesszaal als de handel voorbij was, maar hij was lui geworden. 'Hoe is het in San Francisco?' veranderde hij van onderwerp.

Sasja werkte hard. 'Mijn grootvader was altijd aardig voor me,' zei hij lachend, 'en nu gaat hij precies op tijd dood, waardoor ik mijn account even kan ontvluchten.' Het team van Sasja werkte samen met een kantoor uit San José, dat chips produceerde voor digitale camera's. Ze werkten samen met een paar van de grootste cameraproducenten uit Korea en Japan. Sasja's advieskantoor was ingehuurd om de werkwijze tussen de fabrieken in China, het ontwikkelingscentrum in San José en de klanten in Japan, Korea en de VS te stroomlijnen. 'Je kunt je niet voorstellen hoe ongelooflijk saai het is en hoe moeilijk. Niemand wil ons helpen ze te helpen en hun werkwijze te veranderen.'

'De VS?' vroeg Ronni verbaasd. 'Zijn er producenten van digitale camera's in de VS?'

'Kodak,' antwoordde Sasja, 'en nu heeft Apple zijn iPhone met een camera op de markt gebracht. Het blijkt dat de chip hun apparaten warmer maakt dan verwacht, er zijn een hele hoop klachten. Daarom zijn die jongens daar helemaal van de kaart en hebben ze geen tijd om met ons te werken aan efficiency.'

Midden in een hap van de 'kip van generaal Tsu' hield Ronni op met kauwen en keek Sasja met grote ogen aan. Hij herinnerde zich het blozende apparaat van zijn basketbalvriendje van de avond ervoor.

'Wat is er, stik je?' vroeg Sasja.

'Nee, nee,' Ronni wuifde met zijn hand, 'ga door. Dus die dunne telefoons gaan niet goed samen met de camera's?'

'Ik weet niet, al die apparaten die proberen alles tegelijk te zijn, misschien gaat dat wel niet. Een stevig apparaat om te communiceren, met alleen telefoon, e-mail en sms,' hij hield zijn eigen BlackBerry omhoog en gebaarde ermee naar die van Ronni, 'ik geloof niet dat hier echt een vervanger voor is, ook al zijn die apparaten goed. Vergeet niet dat niet alles wat Jobs doet, een schot in de roos is.'

Toen Ronni op kantoor kwam, klikte hij op een van de schermen de koers van de aandelen Apple en RIM open. Apple was tamelijk stabiel, maar de fluctuaties van RIM waren interessant. Van eind juni tot midden juli had het aandeel ongeveer twintig procent aan waarde verloren, maar daarna had het zich weer hersteld over een vergelijkbare periode. En vervolgens vanaf eind augustus tot en met september was het weer scherp gedaald. Hij las een redactioneel stuk in *Business Week* dat stelde dat 'de iPhone nooit een bedreiging zal zijn voor de BlackBerry' en berichten over fundamentele defecten van de iPhone; in *Marketwatch* werd het apparaat 'een belachelijk idee' genoemd. Ronni wendde zich via het scherm voor de chat tot Meïr Foriner en schreef in het Hebreeuws: 'Wedstrijd van Maccabi?' Wedstrijd van Maccabi was de code voor een telefoongesprek over hun vaste lijn thuis om negen uur 's avonds.

Foriner antwoordde: 'Met Gods hulp.'

Ronni belde hem 's avonds op en besprak zijn ideeën met hem. De volgende dag kwam Foriner met informatie die hij had weten te verzamelen bij zijn kredietbeoordelingsfirma: de verkoopcijfers van de nieuwe iPhone waren inderdaad nogal teleurstellend geweest in de eerste drie weken. De BlackBerry was erin geslaagd zijn kracht te behouden, er waren bemoedigende rapportages gepubliceerd en goeie recensies verschenen over de nieuwe generatie apparaten, uitgebracht als reactie op de iPhone. En Google, voegde Foriner eraan toe, is ook een speler waar je op moet letten. Ze zijn deze herfst van plan een besturingssysteem voor mobiele telefoons op de markt te brengen. Dat zal de iPhone ook schaden, op enig moment, schatte Meïr. Misschien was het een goed idee om met Google tegen Apple te gaan.

Medio september. Ronni en al zijn vakgenoten volgden met verbijstering het nieuws over de val van de investeringsbank Lehman Brothers, die de hele markt omlaagtrok. Ronni zag een kans. Mensen keren aandelen van banken en verzekeringsmaatschappijen de rug toe, was zijn analyse, maar er is geen enkele reden dat dat invloed zou hebben op een producent van mobiele telefoons. Integendeel. Mensen gaan op zoek naar echte, functionele, succesvolle producten. Ronni nam een gecombineerde positie. Het aandeel RIM stond op 105 dollar. Hij schatte in dat de rook over een maand zou zijn opgetrokken en het aandeel zou stijgen naar 125, 130 of misschien zelfs 140 dollar, de waarde die het drie maanden geleden had. Het speculeren op koersstijging deed hij op twee manieren: door callopties te kopen, waardoor hij het aandeel over een maand voor 115 dollar kon kopen, en dat was minder dan hij verwachtte dat het waard zou zijn. En door het verkopen van putopties, die hem verplichtten het aandeel te kopen voor 80 dollar, een nog veel lagere koers. De expiratiedatum van de opties lag over een maand: op vrijdag 17 oktober. Vanuit Ronni's oogpunt was dit een goede speculatie. Nog afgezien van zijn theorie dat mensen bankaandelen links zouden laten liggen en op productenaandelen zouden toestromen, was hij ervan overtuigd dat de gebreken en de klachten over de iPhone en het bekendmaken van de teleurstellende verkoopcijfers voor die tijd in het economische nieuws zouden komen en misschien zelfs wel in het gewone nieuws, en dat ze bij BlackBerry zouden feestvieren en snel rapporten naar buiten brengen over hun nieuwe apparatuur en succesvolle verkoopcijfers. Het was een nogal risicovol uitgangspunt, aangezien Ronni maar in één richting speculeerde, zonder zichzelf te beschermen voor het geval hij zich vergiste, maar hij was duizend procent zeker van zijn zaak en investeerde geld van de bank, van klanten van de bank, van Foriner en de rest van de Israëlische cliëntèle, en van zichzelf. De potentie van de positie, volgens de gecompliceerde wiskundige modellen die hij erop losliet, zou in één maand tijd een paar miljoen kunnen bedragen.

In de eerste week verloor het aandeel bijna eenderde van de waarde en kelderde naar 70 dollar. In de tweede week zette de koersdaling door, maar minder scherp en Ronni dacht dat de bocht van de parabool was bereikt en het aandeel weer zou gaan stijgen. Hij hield vast aan zijn speculatie en wilde wachten totdat de opties vervielen. Maar de bocht bleef uit. Heel Wall Street schudde op zijn grondvesten; er was bijna geen aandeel te vinden dat niet scherp daalde.

Toen de opties vervielen, was Ronni's positie niet gedekt. Verre van gedekt zelfs: het aandeel stond op 55 dollar, de kapitalen die hij had geïnvesteerd, waren verdwenen en het ergste van al: hij moest zijn putopties effectueren en tienduizenden aandelen kopen voor 80 dollar, 25 dollar boven marktwaarde. Ronni ontving de margin call van de bank, het telefoontje dat waarschuwt dat de margin verrekend wordt met de schuld en moest meteen betalen: twee miljoen dollar. Om die schuld te vereffenen maakte hij geld over van de rekening van het bedrijf en van de rekeningen van particuliere cliënten – daarbij vervalste hij opnieuw de handtekening van Dale Savage – en kocht nogmaals opties op een vergelijkbare positie. Zijn gedachtengang: na de koersval in juni was er herstel. Daarom móést de scherpe koersdaling nu eindigen in een stijging. Dat is ook wat de meeste berichtgevingen meldden, en was wat Ronni tegen zijn vrienden van de afdeling Risicomanagement zei toen ze kwamen snuffelen naar aanleiding van de positie. Diezelfde week werd hij veertig, maar hij vierde het niet. Hij was veel te gespannen en bovendien had hij niemand om mee te feesten. Hij kreeg het gebruikelijke telefoontje van zijn broer Gabi. Omdat dat tijdens handelsuren was, zei hij tegen Gabi dat hij ergens middenin zat en dat hij hem over een paar uur zou terugbellen. Wat hij vergat.

Een maand later. De aandelen bleven kelderen, inmiddels stonden ze al onder de 40 dollar. Met de grote reorganisatie die plaatsvond bij Goldstein-Liebermann-Weiss was Dale Savage een van de mensen die werd ontslagen. Ronni ontkwam aan de bezuiniging en hij vatte het op als bevestiging dat hij wist waar hij mee bezig was, en dat het management dat inzag. Ronni haalde nog meer geld van rekeningen van zijn particuliere klanten en van de bank, kocht nog meer opties, meed telefoontjes van zijn bazen, van Risicomanagement en van klanten, die sowieso al hysterisch waren, zonder dat hij daar iets mee te maken had. De positie die hij dit keer opende, was miljoenen waard. Hij bleef speculeren op een koersstijging van RIM en voegde er dit keer ook het aandeel Google aan toe, dat inderdaad het besturingssysteem voor mobiele telefoons had gelanceerd, zoals Meïr Foriner had voorzien. Ronni was er honderd procent van overtuigd dat hij dit keer geen zeperd zou maken. Hij wist wat hij deed. De beurs stond al twee maanden op verlies, alle historische analyses lieten zien dat er na zo'n periode een stabilisering kwam, meestal gevolgd door een stijging. Hij ontving nog een margin call en omdat hij geen keus had, nam hij met kloppend hart anderhalf miljoen op van zijn persoonlijke rekening om het risico af te dekken. Tegen de tijd dat het november was, had het aandeel RIM al honderd dollar verloren – tweederde van de waarde. Google crashte naar een dieptepunt dat in drieënhalf jaar zijn gelijke niet kende.

Halverwege november ging hij niet langer naar zijn werk. Hij negeerde telefoontjes van Gughar Rawandip, van Meïr Foriner, van Alon Pilpelli, van Idan Levinhof en anderen. Weliswaar had ieder zijn eigen zorgen, maar voor hen was Ronni er een van. Iedere keer dat zijn Blackberry overging, voelde het alsof het apparaat hem tartte. Hij had de huur niet kunnen betalen en bevreesd dat zijn financiers en Israëlische cliënten hem in zijn appartement zouden komen zoeken, nam hij de Mercedes Sport die hij in beter tijden had gekocht en verliet New York. Bij een autohandelaar in Ohio ruilde hij hem in voor een goedkopere auto en het verschil van ongeveer twintigduizend dollar gebruikte hij om de daaropvolgende twee maanden van te leven. Al zijn bankpassen en creditcards waren geblokkeerd op het moment dat hij was verdwenen, niet dat daar nog zoveel te halen viel. Hij zwierf van motel naar motel, nam met niemand contact op (de BlackBerry had hij uit elkaar gehaald en ten slotte in een vuilnisbak gegooid bij een benzinestation) en dacht na over wat hij met zichzelf aan moest. In januari raakte hij in San Francisco verzeild. Hij kende het telefoonnummer van zijn Bosnische vriend Sasja niet uit zijn hoofd, noch diens adres, maar hij ging naar het adviesbureau waar hij werkte en werd daar geholpen Sasja te traceren. Het eerste dat Sasja tegen hem zei toen hij hem zag was: 'Je bent afgevallen!'

Ronni logeerde vijf dagen bij Sasja, tot op een avond de telefoon van de Bosniër overging terwijl ze een dvd zaten te kijken en afhaalchinees aten. Sasja nam op, zette de film op pauze, keek Ronni aan en legde zijn vinger op zijn mond: Ssst... Toen hij ophing, zei hij: 'Dat was een privédetective. Mensen zijn naar je op zoek. Israëliërs van wie je de portefeuilles beheerde. Ze vroegen of je recentelijk contact met me had opgenomen. Je hebt me niet verteld dat je miljoenen hebt verloren op particuliere portefeuilles. Ze willen je voor de rechter slepen.'

'Ik heb verloren? Zij hebben verloren. Iedereen heeft verloren. Op grond waarvan willen ze me aanklagen?'

'Hij zei iets over handel zonder dekking, overtreden van autorisaties, leugens, valsheid in geschrifte. Hij zei ook dat er getuigen zijn van handel met voorkennis... Luister, Ronni, ik zal je voor zover nodig helpen, maar ik wil niet zelf in de problemen komen.'

Ronni keek Sasja aan en zei: 'Kom, laten we de film afkijken. Daarna zal ik beslissen wat ik ga doen.'

Tegen de ochtend trok hij zijn mooiste pak van Hugo Boss aan, strikte zijn das, poetste zijn schoenen, reed naar het vliegveld, kocht een ticket naar Tel Aviv en haalde opgelucht adem toen zijn naam niet op het scherm verscheen in verband met een arrestatiebevel. Zijn eerste vlucht ging naar Los Angeles, waar hij op een rechtstreekse El Al-vlucht naar Tel Aviv stapte. Nadat hij drieduizend zeshonderd dollar had betaald voor het ticket (businessclass, want als hij dan toch de VS moest verlaten, dan tenminste in stijl) en vijftig dollar voor de twee sloffen sigaretten in blauwe doosjes, had hij nog tweehonderd dollar in contanten op zak. Bijna een etmaal later belandde hij in de caravan van Gabi in Maälè Chermesj C.

TERUG NAAR DE BASIS

De kraaienpoot

Het zwarte asfalt dat zich tussen de heuveltoppen kronkelde had al veel gezien: autobanden, rupsbanden van pantservoertuigen, het geklop van ezelshoeven en het getrippel van geiten; onbarmhartige zon die het deed smelten, stromende regen die het geselde en sneeuw die het verzachtte; geweerkogels en oude Jordaanse mijnen, grote rotsblokken, de tanden van D9's, betonblokken voor wegversperringen en winterse overstromingen hadden er gapende gaten in geslagen en zich vertakkende scheuren veroorzaakt, het in duizend tinten grijs gekleurd, het geopend en afgesloten voor het verkeer. Die donderdagochtend: de hemel apocalyptisch geel gekleurd, zulke harde winden dat zelfs de oeroude stammen van de olijven het opgaven en bogen, gevolgd door onophoudelijke regen die alles overspoelde, ongeacht geslacht, huidskleur of religieuze overtuiging, die zo hard op de voorruiten van de auto's en het blikken koetswerk roffelde dat het gewauwel van de actualiteiten op de radio erdoor werd overstemd, gesprekken via de handsfree verstomden en zelfs de dialogen in de auto zelf gestaakt werden: de discussie in de gedeukte Renault Express van Otniël Asís tussen zijn dochter Gitít en zijn zoon Jakir, bijvoorbeeld, gevoerd op hoge toon en met heftige handgebaren, maakte plaats voor zwijgen, peinzen en bewondering voor de compromisloze kracht van de natuur en van God, en ook een beetje angst voor de heftigheid ervan, of zoals in het geval van kapitein Omer Levkovitsj: een aanzienlijk onbehagen. Niet alleen reed hij in een fonkelnieuwe Jeep David die dicht zou moeten zijn maar waar kille lucht binnendrong, net zo koud als wat de airco in augustus produceerde, en waarvan het door een wolkbreuk getarte schuifdak lekte op verschillende plaatsen op zijn lichaam, tot overmaat van ramp reed hij vlak onder Madzjdal Toer met zijn wiel over een kraaienpoot, twee gebogen, aan elkaar gelaste spijkers. Omer zat op zijn natte stoel te wachten tot de regen zou afnemen en sprak zichzelf toe: Je raakt niet opgefokt nu, je haalt diep adem, straks verwissel je je band en vervolg je je reis.

Het militaire voertuig met zwarte nummerborden stond stil en werd gepasseerd door de auto met gele nummerborden. Otniël verminderde vaart, overwoog om te stoppen: hij reed al lang genoeg over deze weg om te begrijpen dat een kraaienpoot weer een slachtoffer had geëist. Eigenlijk was hij de mening toegedaan dat de kraaienpoten niet werden neergelegd door Joden vijandig gezinde Palestijnen die tegen de bezetting waren, maar door de zoons van Joenis, de eigenaar van het bandenstation in Madzjdal Toer waar het merendeel van de lekke banden uiteindelijk terechtkwam voor reparatie. Maar toen Otniël Omer herkende, reed hij verder. Hij boycotte de sectorcommandant sinds die 'officier' in *The Washington Post* geciteerd was met vuilspuiterij over de kolonisten. Omer had gepoogd te beweren dat zijn woorden uit hun verband waren gerukt, maar Otniël had hem niet vergeven, ook vele maanden later nog niet.

De regen nam wat in hevigheid af en Otniël zei tegen zijn kinderen: 'De auto wordt tenminste schoon!' Hij lachte en streelde zijn baard. Zij lachten niet. Ondanks de onderbreking in hun discussie, door de regen geforceerd, heerste er nog steeds een strijdlustige stemming. Toen ze de officier inhaalden, echode Gitít haar vaders mening en verwenste: 'Moge zijn naam weggevaagd worden, die vijand.'

Jakir antwoordde haar: 'Wat zeg jij nou? Je moest je schamen.'

'Ik moet me schamen? Jij moet je schamen. En het leger moet zich schamen dat het zulke ondankbare lieden naar ons toe stuurt die later worden geïnterviewd en lelijke dingen over ons zeggen. Tfoe! Moge zijn naam weggevaagd worden, de ellendeling.' Otniël probeerde het radiostation te vinden dat weggevallen was.

Jakir zei: 'Je bent hypocriet. Ze verdedigen ons. Bewaken de wegen, de nederzettingen. Papa, waarom ben je niet gestopt, ik geloof dat hij over een kraaienpoot is gereden.'

'Bewaken?' schimpte zijn oudere zus. Sinds ze naar het internaat in Sjomron was gestuurd, peinsde Otniël, waren haar meningen radicaler geworden en iedere keer dat ze met vakantie thuiskwam, klonk ze on-beschaamder en agressiever. Otniël en Rachel hadden het er met elkaar over gehad dat ze niet begrepen wat er met haar aan de hand was. 'Jakir,' vervolgde Gitít, 'ik hoop van harte dat je niet in dienst gaat en dat als ze je, God verhoede het, dwingen – dat het dan bij een Jesjivat Hesder zal zijn, zodat je Talmoed kunt studeren en maar een jaar en vier maan-den in dienst hoeft.'

Jakir antwoordde dat het leger boven alles ging, iedereen had altijd wel een reden er niet in te willen, maar dan zou er geen leger overblij-ven, en wie moest dan het land en ons bewaken? Otniël streek over zijn baard en zweeg. De ruitenwissers hielden maat. Het duurde nog meer dan drie jaar voordat Jakir in dienst moest. Wie wist wat er tot die tijd ging gebeuren. Wie wist wat er volgende week stond te gebeuren. Zijn kinderen zwegen met hem mee. De regen nam af, maar hield niet op. Wie zal ons bewaken? weergalmde Jakirs vraag. Misschien kwam daardoor het beeld van Joni, de Ethiopische soldaat die hen bewaakte, op in hun gedachten. In Gitíts ogen school een vonkje woede. 'Weten jullie dat Joni volgende week afzwaait?' zei Jakir. Gitít wierp hem een snelle blik toe.

Er klonk een krachtig bulderende motor en een grote terreinwagen haalde de pruttelende Renault in. De leden van het gezin Asís keken naar de ruimbemeten achterkant met de belettering 'Gebr. Weizmann Bouw en Renovatie'. Vanuit de bestuurdersstoel zwaaide Herzl Weiz-mann met een ingegipste arm en zond hun een brede glimlach terwijl hij passeerde. Otniël glimlachte terug: 'De weg is van ons allemaal, vadertje, ga je gang.'

Kapitein Omer Levkovitsj stapte uit in de regen. Hij liep naar de achterkant van de jeep en maakte het reservewiel en het gereedschap los. Hij riep naar zijn chauffeur en de hospik dat ze uit moesten te stappen. De chauffeur was nieuw en kende deze jeep niet. In de regen bulderde Omer hem instructies toe.

Een auto toeterde en stopte naast hem. 'Heeft u hulp nodig, com-mandant?' vroeg een bebrilde heer met grijzend haar. Toen de man uit-stapte met een grote paraplu, zag Omer het donkere pak dat hij droeg.

'Geweldig, houd de paraplu maar boven ons,' zei Omer en hij maak-te de bouten los van het wiel met de platte band.

De man torende boven hem en de chauffeur uit. 'Wat een regen, hè?' zei hij. Omers gezicht liep rood aan van inspanning. Hij ging verder met zijn instructies aan de chauffeur. 'Zeg,' zei de man voorzichtig. 'Weet u waar Maälè Chermesj C ligt?'

Omer keek van onderaf naar de man met de paraplu. 'Hoezo, bent u een journalist of zoiets?' vroeg hij met een achterdochtige blik in zijn groengrijze ogen.

'Journalist?' herhaalde de man gniffelend. 'Bewaar me. Ik ben van de Oudheidkundige Dienst, van de afdeling Roofpreventie... Het doet er niet toe, het is tamelijk gecompliceerd, in ieder geval...'

'Moet u bij Otniël zijn?' vroeg Omer.

'Hoe weet u dat?' vroeg de man.

'Nou, gaat u hem eindelijk die munten terugbrengen?'

De man leek in verwarring gebracht. 'U kent meneer Asís? Hoe weet u over de munten?'

'Hij is zojuist langsgekomen, in een Renault Express, heeft u hem niet gezien?'

De man schudde zijn hoofd. 'Ik ken hem niet.'

'Kom,' zei kapitein Omer, terwijl hij opstond uit zijn gehurkte positie en de chauffeur de bouten vastdraaide, 'dan brengen we u naar hem toe.'

De gerepareerde Jeep David brulde bij het stijgen, passeerde Maälè Chermesj A en reed de zandweg op, die zich inmiddels in staat van voorbereiding-voor-verharding bevond voor het geval dat, waardoor hij verdicht en geëffend was en een stuk makkelijker berijdbaar. De chauffeur stopte bij de toegangspoort van C en Omer stak zijn hand uit om die van Joni te drukken. Hij voelde de bekende steek van bijnagemis, een gevoel dat hem altijd bekroop zodra een soldaat die lang onder zijn bevel had gestaan op het punt stond af te zwaaien en niet meer terug te komen. 'Roep je manschappen,' zei de commandant, 'we gaan die dingen ophangen.'

'Die dingen' waren nieuwe slooporders die hij had gekregen van de inspectiedienst van de burgerautoriteiten. Ze leken veel op de orders die een jaar geleden op diezelfde muren waren opgehangen, maar dit keer waren ze voorzien van een definitieve goedkeuring van het Hooggerechtshof. De beslissing van de minister van Veiligheid, genomen tijdens die vergadering op het hoogtepunt van de zomer, om de nederzetting onverwijld te ontruimen, had vertraging opgelopen in de vorm van petities, beroepen die waren aangetekend, debatten in het parlement en het kabinet en andere vertragende factoren, waaronder de uitgebreide analyse van de betekenis en de etymologie van het woord 'ksssjt!' Maar volgens de nieuwe orders was het nu echt definitief dat de bewoners van Maälè Chermesj C de heuveltop binnen tien dagen ontruimd moesten hebben. Omers team liep samen met Joni en zijn manschappen in dikke parka's van de ene caravan naar de volgende, plakte zwijgend de biljetten aan met speciale lijm, als arbeiders die toneelaankondigingen op een stedelijk mededelingenbord hingen. De wind huilde en niemand stoorde hen, iedereen zat in huis weggekropen bij de warme kachel. Alleen toen ze naar het huisje van Gavriël toe liepen, deed hij de deur voor ze open, zonder een woord te zeggen. Hij stond er alleen maar, met zijn mottige, onverzorgde baardje, zijn grote keppel onbeweeglijk ondanks de wind, en keek de officier in de ogen. Omer bekeek het huisje en zei na een paar seconden: 'Laat dit maar, dit is een ander verhaal. Hiervoor wordt een bouwstop afgekondigd.' Hij draaide zich om en liep terug naar de jeep, terwijl hij Gabi's blik in zijn rug voelde branden.

De pannenspons

Aan het eind van de week stond hij op de gehavende linoleumvloer, de handen in de aanrechtbak en begon aan de stapel afwas. Een gemiddeld gezin waste na elke maaltijd dergelijke hoeveelheden vaat, maar dat bood hem geen enkele troost, terwijl hij de temperatuur van het water controleerde – 's winters werd het nooit warm genoeg en zomers niet koud genoeg – en begon. Hij keek even naar de pannenspons. Die was zwaar van het water dat hij al had opgenomen, en zo versleten dat de buitenkant zijn zilverkleurig glans verloren had en nu alleen nog vaalwit was. Binnen een paar dagen zou er een gat in vallen en zouden er kruimels spons uit komen en zich verstrooien tussen het eenvoudige serviesgoed dat hij her en der had opgescharreld: drie borden, een verzameling niet bij elkaar horend bestek en een mok met de tekst: *The best Daddy in the World*. Hij concentreerde zich op de spons met de zilverkleurige buitenkant, waarmee al zo ongekend vele koekenpannen waren afgewassen dat hij ervan walgde, en op de restanten ei, broodkruimels en bonen uit blik, terwijl hij zich afvroeg wat de meeste slijtage veroorzaakte. Zou de pannenspons een voorkeur hebben voor welk voedingsmiddel ze wegpoetste? Of voor een bepaald stuk servies? Of het tegenovergestelde: zou ze een bijzondere hekel hebben aan bepaalde etensresten, die krasten, pijn deden? Welke greep zou ze het liefst hebben of juist haten? Zou ze het prettig vinden lichtjes vastgepakt te worden tussen twee vingers of vastgeknepen in een vuist?

Ineens besefte hij wat hij hier stond te doen. In een helder ogenblik, waarin hij zichzelf van buitenaf bekeek en de eenzame vrijgezel zag staan in zijn krakkemikkige caravan, doortrokken van een zurige manlijke lucht, naast een berg afwas, mijmerend over een pannenspons. Hij besefte dat hij beschouwingen had over de pannenspons zoals zijn broer en diens vrienden hadden over Jaacov, Josef, Esav en de Heilige, gezegend zij Hij. Zoveel gekissebis, zoveel interpretaties en commentaren op een paar verhalen uit de Tenach en de cyclus begint dan na een jaar van voren af aan en worden diezelfde verhalen opnieuw geduid – in sjabbatsbrieven, synagogen en thuis. Hoe vreselijk kun je je hersens pijnigen over wat te drinken, wat te eten, hoe te eten, waarom iets te dragen, wat wanneer te zeggen, met welke vinger op welk knopje te drukken, al die vragen en antwoorden. In het begin had hij het zelfs gewaardeerd, had gedacht dat het misschien hielp orde te scheppen in het leven, je de eindeloze worsteling bespaarde van de onophoudelijk zoemende vragen in het seculiere leven – welke kleur? Hoe laat? Wat zal ik eten? Maar uiteindelijk had hij zich gerealiseerd de worstelingen van de seculiere wereld te prefereren, met alle kwellingen van dien. Hij kon niet leven volgens de willekeurige interpretatie van een paar oude boeken.

Ronni lachte kort. Hij haatte de geur van de spons en het contact van zijn vingers met de sleetsheid. Hij haatte het feit dat hij van zijn broer en diens rabbijnen had leren bidden om onzin. Basta. Hij moest hier weg. Morgenochtend zou hij naar Tel Aviv gaan, definitief. Een jaar lang was hij daarvoor teruggeschrokken: in het begin was hij bang geweest voor de Israëliërs wiens geld hij verloren had in New York. Daarna deinsde hij terug bij de gedachte misschien vroegere collega's en studiegenoten tegen te komen. Na verloop van tijd begon hij wel met het idee te spelen, maar had hij ook altijd een uitvlucht om niet te gaan. En in een zeker stadium was hij zo gewend geraakt aan de heuveltop dat hij er niet langer aan dacht.

Nadat Gabi hem uit zijn huis had gestuurd en Moessa beleefd zijn eigen uitnodiging in de perserij te slapen afgeslagen had, en het idee van de hand gewezen samen met hem in zijn levensonderhoud te voorzien uit de verkoop van Palestijnse olijfolie aan delicatessenzaken in Tel Aviv, was hij dermate van zijn stuk geweest, zag hij geen enkele uitweg meer en zo weinig mogelijkheden dat hij simpelweg gebleven was. Hij kon zich niet voorstellen terug te gaan naar een van de vroegere stadia in zijn leven en nog minder dat hij ergens anders een nieuw leven zou opbouwen. De stilte, de minimale kosten van het levensonderhoud en de mogelijkheid om afgezonderd te blijven, hadden het gevoel overwonnen dat hij ongewenst was. En bovendien, zo zag hij later in, was hij niet ongewenst. Moessa had gehandeld zoals het voor hem juist was. En ook Gabi had gelijk gehad: samenleven was onverdraaglijk. Sindsdien was Gabi veranderd. Hij was zich om Ronni gaan bekommeren. Hij was op bezoek gekomen. Alleen dat al was een reden om te blijven. Na maandenlang zijn jongere broer alleen maar te zien als toevluchtsoord en diens manier van leven, diens keuzes en overtuigingen in twijfel te trekken, had Ronni beseft hoe hypocriet hij was geweest. Tegenwoordig probeerde hij hem dierbaar te blijven en het te begrijpen; iets terug te geven aan zijn broer, die hem had ontvangen ondanks zijn arrogantie en minachting en die zijn reis naar Uman had opgegeven voor een onderneming die was mislukt. Hij wilde het goedmaken.

Hij had de caravan van de Gottliebs betrokken, die teruggekeerd waren naar het beschaafdere, burgerlijker Sjilo, dat beter bij hun frustratiedrempel paste. Eerst had hij hem gewoon gekoloniseerd, zonder te vragen, te verzoeken of te betalen. Het bleek immers dat dat werkte: zorgen voor voldongen feiten die achteraf door de bureaucratie worden goedgekeurd. De toelatingscommissie die moest bekennen dat ze de vorige keer gefaald had een passend gezin uit te kiezen, vond het goed dat hij daar tijdelijk verbleef, totdat er een nieuw gezin gekozen werd van de wachtlijst. Maar dat zou pas gebeuren als Herzl Weizmann de caravan had opgeknapt en geschikt gemaakt als woning voor een gezin, en dat zou pas gebeuren als hij klaar was met de verbouwing van de synagoge en een noodlokaal had geregeld voor de crèche.

Kortom, Ronni had de tijdelijke status, die steeds langer duurde, behouden, terwijl hij een bescheiden huur betaalde, deelnam aan de toerbeurten van de wacht en zich gedeisd hield: hij was niemand tot last en geredeneerd vanuit de voorpost was iedere inwoner een zegen. Ronni was zelfs bereid af en toe, als dat gevraagd werd, te zorgen dat er minjan was.

Maar hij verzonk in zichzelf. Hij had het moeilijk met de eenzaamheid. In Gabi's caravan waren er meningsverschillen geweest, spanning, een gevoel van claustrofobie, maar er was tenminste interactie geweest. Nu gingen er dagen voorbij dat hij niet buiten kwam, dat hij geen woord zei, de kleine ruimte vulde met verstrekkende sigarettenrook en de bedorven lucht uit zijn ingewanden, dat hij luisterde naar het fluiten van de wind, het roepen van de muezzins, de duetten van Beilin en Condi, en de actualiteitenprogramma's op het transistorradiootje dat hij van Gabi had gekregen. Hij had steeds minder geld, zodat hij alleen broodkorsten te eten had en hij ging bel-hangen – bellen-en-ophangen – zodat de mensen hem op hun kosten zouden bellen. Daardoor waren zijn gesprekken met Ariël en Moessa steeds sporadischer geworden en het had een eind gemaakt aan zijn activiteiten die nog als 'werk' betiteld konden worden: wanhopige pogingen om nog iets van de onderneming te redden en tenminste een deel van de investeringen aan Ariël en Gabi terug te betalen.

Voor Gavriël was er intussen iets geweldigs gebeurd, bijna een wonder: na een paar tegenvallers – de zware regen aan het begin van de winter, een liquiditeitsprobleem waardoor de levering van de dakpannen was vertraagd – was hij eindelijk klaar met zijn huisje. Hij trok met een klein elektrisch kacheltje en een enkel matras in zijn optrekje aan de rand van de klif boven de Chermesj. Het was piepklein, het toilet, de wasbak en de koelkast waren buiten, 's middags en 's avonds schudde en rammelde het door de winterse winden, de toevoer van elektriciteit en water verliep moeizaam en hield er bij tijd en wijle mee op, hij sliep met vier lagen kleding en nog het een en ander aan onder een dekbed, maar dat waren allemaal maar kleinigheden. Dit was zijn plekje op de wereld, zijn bescheiden huisje, dat hij vanaf niets eigenhandig had gebouwd. Dit was zijn grote trots, zijn grote verdienste en hij dankte God er iedere dag voor.

Hij had niet geprobeerd zijn teleurstelling en woede te verbergen dat hij zijn reis naar Uman met Rosj Hasjana moest opschorten omdat hij Ronni duizenden sjekels had geleend voor de aanschaf van een elektromotor voor de perserij van Moessa, die uiteindelijk niet eens was gebruikt. Maar nadat Ronni uit zijn caravan was vertrokken, werd Gabi vervuld van mededogen. Hij voelde zich er een beetje schuldig over dat hij liever alleen was. En van een afstandje kon hij makkelijker zien hoe slecht het er voor zijn broer uitzag, en hij begreep dat dat het leven was van de gebroeders Cooper-Nechoesjtan: aan elkaar overgeleverd, elkaars hoeder, elkaars familie. Iedere poging van buitenstaanders om erbij te horen, liep uit op een mislukking. En dus kwam Gabi bijna iedere dag op bezoek, sleepte Ronni mee op wandelingetjes op de cirkelvormige weg, praatte met hem en trok hem hardhandig omhoog uit zijn verzonkenheid.

Stroperige procedures

De regen plensde hard op de onbeschutte heuveltop. Toen ze thuiskwamen, renden Otniël en zijn twee oudste kinderen naar het huis, tevergeefs proberend de regen met hun handen te weren. Gitít maakte voor alle drie thee klaar nadat Otniël had gezegd dat hij met zulk weer niet naar de akkers ging en probeerde Moran de groothandelaar te pakken te krijgen. 'Kijk!' riep Gitít ineens vanuit de keuken. 'Kom, Jakir, kom eens kijken hoe jouw makkers uit het leger ons beschermen.' Otniël en Jakir kwamen naar haar toe en keken vanuit het keukenraam hoe de soldaten van Omer biljetten op de caravans plakten. 'Mogen hun namen weggevaagd worden,' zei Gitít. 'Hoe weet jij nou wat dat is?' bitste Jakir. Otniël grinnikte in zijn baard. Hij kon zich al niet meer herinneren hoe vaak hij soldaten orders en biljetten op de caravans in de nederzetting had zien ophangen. Hij keerde zich om en ging naar het toilet.

Gitít en Jakir bleven, schouder aan schouder, naar de soldaten kijken. Ze zagen Netta Hirsjzon naar buiten komen in een kleurige hoofddoek en een lange spijkerrok en hun toeschreeuwen. 'Lekker onverwacht,' glimlachte Jakir. 'Wat wil je nou, ze heeft gelijk. Ze is een tsadieka,' antwoordde zijn zus. Ze konden haar niet horen, maar dat hoefde ook niet. De bewegingen van haar hoofd en armen en de enkele klanken die door het weer en het raam drongen, verhaalden van Hirsjzons woede. Hun beider aandacht werd daarna getrokken door het geronk van Herzl Weizmanns auto, die krakend in het grind naast de synagoge tot stilstand kwam. 'Het is net een film,' zei Jakir, 'de ene gebeurtenis volgt de andere op, het ene personage na het andere verschijnt op het scherm, totdat de man komt die het verloop van de plot verandert.' 'Herzl Weizmann?' vroeg Gitít en aan haar stem was te horen hoe ze dacht over de mogelijkheid dat de actieve klusjesman zo'n belangrijke taak zou krijgen. Ze had gelijk: met voorzichtige snelheid kwam er nog een auto aangereden, die de legerjeep en de terreinwagen van Weizmann passeerde. Het was een nette auto, donker, zorgvuldig bestuurd, zoals de auto's van hooggeplaatste gasten die hier van tijd tot tijd kwamen. De auto reed voorbij het speeltuintje en kwam hun richting op, terwijl hij hun volle aandacht had. Hij stopte bij hun caravan, het portier ging open, er ontsproot een arm die een grote zwarte paraplu opstak en na de arm kwam er een pak uit de auto. Het omgaf een lange, zilverharige man, die het hek in liep en het pad op stapte. 'Papa?' zei Gitít. Otniël kwam bij zijn kinderen staan die hem zwijgend aankeken. Daarna deed hij de deur open, nog voor de man had kunnen kloppen, en in de seconde nadat de woorden 'Alles in orde, meneer Asís?' over de mans lippen waren gekomen, besefte Otniël wie het was en wat het doel was van zijn komst. In een paar beladen seconden werd hij bevangen door opluchting, opwinding en achterdocht, een achterdocht die groeide naarmate hij de ogen van zijn gast beter bekeek terwijl hij zijn hand uitstak om die van zijn gast te schudden en zijn gast glimlachend zijn paraplu inklapte; het achterdochtige gevoel van: nee, 't is niet alles in orde, meneer.

De kwestie van de munten was sinds de zomer doorgeschoven. Dovid, Otniëls vriend en oudhedenexpert, was al heel lang niet op de heuveltop geweest. Otniël zat hem telefonisch achter de vodden. Eindelijk, ergens in de herfst, had Dovid hem gebeld en verteld dat de meeste munten terug waren uit het buitenland. Uit het onderzoek daar was gebleken dat het merendeel van de munten waarschijnlijk afkomstig was uit de tijd van de Opstand. Het waren eenvoudige bronzen munten, en naar het zich liet aanzien niet bijzonder veel waard. Bij twee munten stonden nog wat vraagtekens, en daarom waren die nog niet terug. Het kon zijn dat het zilveren sjekelstukken waren uit de tijd van de Bar Kochba-opstand, maar hij moest nog op de volledige uitslag wachten.

Otniël bleef hem telefonisch lastigvallen en zijn vriend de muntenexpert bleef hem met allerlei uitvluchten afwimpelen: nog meer onderzoeken, het wachten op een zending, een expert die er nog wat over moest zeggen. Otniël werd gek van frustratie. Het was al bijna een half jaar geleden dat Dvora de munten had ontdekt. Waarom was het zo moeilijk een antwoord krijgen? Tot op een dag, zo'n twee weken geleden, de telefoon was gegaan. Het was Dovid aan de lijn.

'Wil je eerst het goede nieuws of het slechte?'

'Het slechte natuurlijk,' reageerde Otniël bezorgd.

'Welnee, laten we met het goeie nieuws beginnen. Er is definitief antwoord gekomen over die laatste twee munten. Het zijn inderdaad zilveren sjekels uit de Bar Kochba-opstand. Een uit het tweede jaar, en die is tienduizend dollar waard en de ander – let op – uit het vierde jaar. Veertigduizend groene biljetten, Otni, vat je het?'

'En het slechte nieuws?'

Er volgde een stilte van enige seconden en daarna kuchte Dovid en zei: 'Eh... kijk. Er is een klein beetje geblunderd. Een misverstand. Een van de mensen die ik gebeld heb, is een vriend van me, een numismaticus, iemand die is gespecialiseerd in de geschiedenis van geld, en toen hij me wilde terugbellen, heeft per ongeluk een andere Dovid gebeld, iemand bij de Oudheidkundige Dienst en daar een boodschap achtergelaten. En op die manier is de Dienst achter jouw verzameling gekomen.' Daar stopte Dovid.

'Wat wil dat zeggen, dat de Dienst achter mijn verzameling is gekomen? Waarom moet mij dat interesseren?'

'Het voornaamste is dat je je geen zorgen moet maken. Kijk, in principe moet iedereen die munten vindt dat bij hen melden, ook al weten ze dat niemand dat doet. Maar als er ergens een lek is of een gerucht de ronde doet, dan moeten ze komen controleren. Ze zijn vooral geïnteresseerd in verslaglegging: foto's, catalogisering, indexering, markering. Dat soort dingen. Ze zullen je de munten niet afpakken, geloof ik.'

'Geloof je?'

'Ik heb met mijn mensen bij de Oudheidkundige Dienst gepraat. Het komt allemaal wel goed.' Otniël vond dat Dovid niet klonk alsof hij het zelf geloofde.

'Dus wat nu?'

'De Dienst komt bij je op bezoek. Stelt vragen. Snuffelt wat rond in de grot. Doe maar wat ze vragen en ik zal er aan deze kant voor zorgen dat het gladjes verloopt.'

'Kopje thee?' bood Otniël de man in het pak aan, die had gezegd dat hij van de Oudheidkundige Dienst was, de afdeling Roofpreventie van Oudheden.

'Graag.' De man ging op de bank zitten en deed zijn aktentas open. Hij rommelde er wat in rond, haalde er een paar papieren uit en overhandigde die aan Otniël.

'Wat is dit?' vroeg Otniël.

'Ik moet samen met u deze papieren invullen inzake de muntenschat die u heeft ontdekt in de Chermesj-grot. Daarna gaan we naar de grot om te kijken. Dan roepen we het team en de onderzoekers van de afdeling erbij en bekijken we of er op die plek nog meer oudheden zijn te vinden, beschrijven we hem, en als het nodig is, bewaken we de site. En daarna zullen we uitgebreid onderzoek doen naar de gevonden munten.'

'Er is al onderzoek naar gedaan. Je kunt de uitkomsten ervan van Dov...'

'We prefereren ons eigen onderzoek te doen, in het forensisch laboratorium,' onderbrak de man hem en hij glimlachte fijntjes.

'En daarna krijg ik de munten terug?'

De man legde de formulieren op de tafel en keek Otniël weer aan. 'Er is grote kans van wel,' antwoordde hij. 'Het hangt van een aantal dingen af. We zullen hierover zeker nog contact hebben. En nu,' hij wees met een dun pennetje op de papieren, 'stel ik voor dat wij de formulieren invullen.'

De herkenning

Herzl Weizmann was de afgelopen maanden de huisaannemer van Maälè Chermesj C geworden, een multigetalenteerde alleskunner, één adres voor alles, waardoor je niet op zoek hoefde naar mensen voor laswerk, caravanonderhoud, bestrating, installatiewerkzaamheden of andere werklui die altijd lange gezichten trokken en hun prijzen opschroefden vanwege de, volgens hen, gevaarlijke rit naar de afgelegen heuveltop.

Het was een periode van toenemende bouwactiviteiten op de heuveltop, voor zover dat kon binnen de kaders van de bouwstop die de slappe regering onder druk van de gojiem sinds eind november hadden afgekondigd: Gabi had zijn huisje afgebouwd, Herzl bouwde de aanbouw aan de caravilla van Chilik Jisraëli, een noodlokaal werd in delen uit Maälè Chermesj A gehaald om als crèche te dienen en zodat de synagoge vrijgemaakt werd voor godsdienstige doeleinden. De synagoge zelf werd grondig opgeknapt en kreeg een nieuw dak, stenen muren, tegelvloeren, kleurige vitrage met illustraties van de Tempel, en airconditioning.

Die dag konden de arbeiders van Herzl Weizmann niet komen. Twee van hen lagen met veertig graden koorts in hun trainingspak in bed. Als je staat op Joodse arbeid is het moeilijk op korte termijn vervangers te vinden, zeker op een dag als vrijdag. Herzl had onderweg gebeld en Chilik het probleem uitgelegd, die vanuit de nederzetting verantwoordelijk was voor de verbouwingen. Chilik wist niet eens dat Herzl die dag zou komen, maar Herzl legde uit dat er nog een en ander te doen was aan de synagoge voordat het sjabbat werd en ook aan de crèche. Chilik belde Jehoe, die niet antwoordde – dat deed hij nooit; hij belde Josh, die dingen aan het regelen was in Jeruzalem; en daarna Gavriël, die zei dat hij met plezier zou helpen in de synagoge, geen enkel probleem, hij zou er over vijf minuten zijn, want met deze regen kon er toch niet op de akkers gewerkt worden, en Herzl hoefde hem niet te betalen, dit waren hemelse werken.

Chilik was tevreden. Een goeie kerel, die Nechoesjtan. Zo waren er maar weinig, bereid te geven en er niets voor terug te verwachten. En zo ze er al waren, dan toch alleen bij hen, op de heuveltoppen. Op zijn pantoffels liep hij naar de keuken om de waterkoker aan te zetten. Nescafé, dat is wat hij nu nodig had. Om, terwijl het buiten goot, lekker binnen te zitten en te genieten van een kopje koffie, een koekje en een cd van Gershwin. Hij zocht tussen de cd's en haalde 'Rhapsody in Blue' tevoorschijn, stopte de cd in het apparaat. Hij overwoog naar de universiteit te gaan, om aan zijn proefschrift te werken, maar wie zou zich buiten wagen in zulk hondeweer? Hoe vaak had hij de kans op een dagje rust? God zij gedankt dat Hij zulke regen liet neerdalen.

Zijn telefoon rinkelde. Het schermpje liet zien dat het Otniël was. Zou hij opnemen of zijn Nescafé in pais en vree opdrinken? Chilik lag met zichzelf overhoop, zette zijn keppeltje recht, streek zijn snor glad. 'Tja...' verzuchtte hij. De nieuwsgierigheid won. Otniël hing niet zomaar aan de telefoon. Hij drukte op het knopje om het gesprek te accepteren. 'Ja, Otni.'

'Heb je gezien dat ze nieuwe orders hebben opgehangen?' De woorden die uit het kleine apparaatje klonken betekenden de doodsteek voor al zijn plannen van een kopje koffie, een koekje en Gershwin.

Gabi ontmoette Herzl in de synagoge. 'Wees gezegend,' zei de klusjesman, 'alle respect dat je komt helpen.'

'Dat is toch geen vraag,' antwoordde Gabi en hij zette zijn hoed af. De witte keppel met de pompon aan de punt was even breed als zijn glimlach. 'Dit is hemels werk, en je bent een tsadiek dat je de hele weg gekomen bent voor onze sjabbat. Een echte tsadiek.' Hoewel ze allebei in dezelfde branche en in dezelfde nederzetting werkten, was het er nog nooit van gekomen dat ze hadden samengewerkt. Herzl had altijd arbeiders, Gabi was altijd bezig geweest bij Otniël of aan zijn huisje, en ze hadden eigenlijk nog nooit een woord met elkaar gewisseld, afgezien van een groet hier of daar of een enkele keer het lenen van gereedschap of suiker voor de koffie.

Die ochtend werd er ook weinig gezegd toen ze aan het werk gingen.

Het was een eenvoudige klus: Herzl klom op de ladder en liep met een schroevendraaier en een Engelse sleutel alle nieuwe verbindingen na en zette de laatste paar in elkaar. Gabi gaf grote bouten en moeren aan en ruimde ondertussen de materialen en gereedschappen weg uit de grote zaal van de synagoge, zette ze bij elkaar in een hoekje om naar buiten te brengen als de regen was opgehouden. Ten slotte monteerden ze samen de bovenste houten balken, waardoor het plafond naast extra steun een zekere aangename, landelijke uitstraling kreeg.

Bij de eerste pauze zei Herzl: 'Je bent een goede werker, jij. Ik wou dat ik altijd zulke arbeiders had.'

Gabi glimlachte en nam een slokje thee. 'Er is genoeg werk, God zij dank. Maar dank je wel. Als ik vrij ben, help ik met liefde.'

Er viel een stilte. Er steeg damp op van de thee. De regen bleef onophoudelijk en gestaag op het dak tokkelen. Herzl zei: 'Weet je, de eerste keer dat ik je hier zag, kwam je me bekend voor.' Gabi keek op. Ze keken elkaar aan, de blikken uit hun bruine ogen kruisten elkaar in de koude lucht.

'Echt waar?' zei Gabi.

'Heb je in Mevasseret gewoond, of daar in de buurt?'

Gabi schudde zijn hoofd. Waarom hing er spanning in de lucht? Misschien hadden de ogen iets gezien voordat de hersens het registreerden en gaven ze signalen af aan de lucht. 'Ik ben in Opper-Galilea opgegroeid, in de kibboets. Misschien ben je daar een keer geweest?' Herzls hoofd bewoog van links naar rechts. Er speelde een half glimlachje om zijn mondhoek. Hij bracht zijn mok naar zijn mond en nam luidruchtig een slurpende slok, veroorzaakt doordat zijn tong, zijn lippen, lucht en vloeistof elkaar tegenkwamen en bedoeld om de warme drank te koelen voordat hij werd doorgeslikt. Toen Gabi nog in de Verenigde Staten woonde, had een Aziatische donateur hem een keer verteld over de kunst van soep eten in het Verre Oosten. Hij had hem meegenomen naar een authentiek Chinees restaurant en gezegd: 'Luister.' Gabi had geluisterd. Hij werd omgeven door de klanken van geslurp en zag toen hij om zich heen keek de techniek: getuite lippen die een kleine doorgang vormden waardoor lucht en een slok soep naar binnen gingen. In een westers restaurant werd dat onbeschoft en vulgair gevonden. Maar toen Gabi er zijn zakdoek tevoorschijn haalde en zijn neus luidruchtig snoot, keken de Chinezen hem aan met blikken vol walging. Elke cultuur definieert vulgariteit op zijn eigen manier.

'Waar zat je in dienst?' vroeg Herzl en meteen verwijdden Gabi's pupillen zich, kreeg hij een waas voor zijn ogen, schoten er een paar druppeltjes thee in het verkeerde keelgat, hoestte hij wild en boog hij zijn hoofd. Ja. Hij herkende hem. Helder. O mijn God. O. Mijn. God. Een oog dat ziet en een oor dat hoort en al je handelingen worden in het boek opgeschreven. Hij sloot zijn ogen en zei in zijn hart: God, beste kerel, je stelt me op de proef, je hebt hem naar me toegestuurd, wat wordt er van me verwacht, man? De hoestbui ging voorbij en hij deed zijn ogen weer open. Herzl Weizmann keek hem glimlachend aan, hield zijn hoofd schuin en vroeg: 'Is er wat?' Hij haalde een pakje L&M Light tevoorschijn, viste er een sigaret uit, stak die op en met de rook om zijn hoofd met het zwarte haar en de samengeknepen ogen vervolgde hij: 'Is alles in orde, broeder?'

Ik kon er niet van slapen. Ik maakte Misj'ali's kluisje open en pakte er twee stungranaten uit, groot, glad, paarsachtig bruin als aubergines. Die koks waren beesten, geen mensen. Ik verkende de kamer en versleepte een grote, zware houten bank om de deur mee te barricaderen. Daarna liep ik om, vond ik het raam en wist ik het open te maken. Ik haalde de borgpinnen uit de granaten, hield de hefbomen op hun plaats, stak beide armen in het raam, liet de granaten vallen, deed het raam dicht en rende als de gesmeerde bliksem weg, richting mijn warme bed. Onderweg hoorde ik de gigantische...

Gabi gebaarde dat alles in orde was, alleen maar een plotselinge hoestbui, iets in het verkeerde keelgat. Weizmann zoog aan de sigaret, keek hem aan en vroeg: 'Dus waar zat jij in dienst?' En Gabi antwoordde haastig: 'Golani-brigade,' maar hij voelde, hij wíst dat Herzl het zich straks zou herinneren. Hij wachtte, zei in zijn hoofd tegen God dat hij er klaar voor was, dat Hij hem zijn verdiende loon mocht geven en richtte zijn blik op het raam, terwijl hij Herzls ogen op zich gericht voelde. Hoe had hij hem niet direct herkend. Herzl. Een van de koks die hadden geweigerd een late maaltijd klaar te maken. Die zijn commandant in zijn gezicht hadden uitgelachen en hem hadden geslagen. Die in hun warme kamers in dromenland waren geweest en door de stungranaten in de hogere regionen van trauma en paniek in het ziekenhuis waren beland. Hij wachtte gelaten op zijn lot, maar Herzl zei alleen maar: 'Kom, broeder, dan gaan we verder.'

De regen nam af en ze gingen naar buiten om de stenen bekleding van de synagoge te controleren. Behalve de gelige, gehouwen jeruzalemsteen had Herzl tussen de stenen en de gipswanden een laag houten platen aangebracht om de isolatie te verbeteren. Herzl deed een stap naar achteren en keek er met trots naar. 'Ooit zag het eruit als twee caravans, hè?' Hij had gelijk. De synagoge zag er van top tot teen uit als een stenen gebouw, met sterke muren en een groot en indrukwekkend dak. 'Je bent een tsadiek,' zei Gabi en hij meende het met heel zijn hart – het opbouwen en uitbouwen van het gebedshuis was heilige arbeid – maar in zijn binnenste wervelde twijfel en hij hield een koortsachtige discussie met God over wat hij moest doen.

Ze mengden cement met de hand en maakten de laatste muur af. Gabi bracht de stenen en mengde de mortel, Herzl bouwde, smeerde, streek af en klopte met de houten hamer. Heel langzaam maar zeker begonnen ze te praten. Herzl vertelde Gabi over zijn leven. Hij was twee keer gescheiden. De tweede keer had zijn vrouw zich 'bijzonder niet netjes gedragen. Ik wil niet in details treden, je bent een gelovig man, je hoeft zulke dingen niet te horen, maar het was heel erg niet netjes.' Toen Herzl ontdekte hoe zijn vrouw zich gedroeg, had hij een koffer gepakt, was in de auto gestapt en naar de basisschool gereden waar zijn zoontje in de derde klas zat, had gewacht tot het pauze was, zijn zoon gegrepen, tegen hem gezegd dat hij zijn tas mee moest nemen, ze gingen op reis. En hij was weggereden. 'Broeder, ik had geen schijn van kans,' zei Herzl.

'Kans waarop?' vroeg Gabi verbaasd. Het begon weer te plenzen en Herzl zei: 'Laten we maar weer gauw naar binnen gaan.'

Herzl kookte nog wat water op het gasbrandertje. 'Goeie genade, wat een weer, hè,' zei hij glimlachend en reikte Gabi en kop thee aan. 'Hoe zit het met jou? Je bent een neo-orthodox?' Gabi knikte en Herzl zei: 'Het is je aan te zien.' Gabi wilde weten wat er dan aan hem te zien was, maar er klonk een klopje op de deur en toen de beide mannen hun hoofd ernaartoe draaiden, zagen zij een grote blonde, rondborstige vrouw het gebedshuis binnenkomen.

'Ik zie jullie werken de hele dag in harde regen. Mensen met gouden hart. Die komt iets te eten toe, ja?' Zjanja Freud droeg een dienblad met twee boterhammen en twee punten versgebakken appeltaart erop. Ze glimlachte verontschuldigend.

'Zjanja, dank je wel! Je bent een tsadieka, geloof me,' zei Herzl en hij zette het blad op het blok dat dienstdeed als koffietafel. 'Ik zat net te bedenken dat ik even naar de kruidenier in A moest om wat te halen.'

'Nee, hoe kom je erbij, gaan rijden, met deze regen... Eet, eet. Vleeskost, goed?'

Gabi glimlachte dunnetjes en zei: 'Dank je, tsadieka.'

Ze ging weg, Gabi zegende het eten, ze aten de boterhammen met pastrami en Gabi vertelde hoe Zjanja het vertrouwen van de bewoners van de heuveltop opnieuw moest verdienen nadat ze ontmaskerd was als mol van de Sjabak. Herzl vond dat ze dat verstandig had aangepakt: ze had op de gevoelens ingespeeld, een ronde gemaakt van huis naar huis met verontschuldigingen, tranen en smeekbedes, had de verantwoordelijkheid afgewenteld op de Sjabak, die haar misbruikt had en haar naïviteit uitgebuit, en met goede daden als deze oogstte ze bewondering. 'Wie zal iets kwaads van haar zeggen als ze zich zo netjes gedraagt?'

'Er zijn er hier genoeg die iets kwaads zeggen, maak je geen zorgen,' zei Gabi. 'Er werd gezegd dat ze weg moest gaan. Dat ze altijd gewantrouwd zou worden. Dat ze vast en zeker een sjikse is, je weet wel, vanwege haar lengte en dat haar...'

'Ja, en die... Dus, hoe heeft ze het voor elkaar gekregen te blijven?'

'Otniël. Dat was zijn beslissing. En ik denk ook omdat Elazar Freud, haar man, haar vergaf, dus hebben de mensen zich achter hem geschaard. Ze wilden geen conflict. Nou ja, dan heeft ze een fout gemaakt.'

'Zeg, weet je hoe ze een fout noemen van iemand die Freud heet?' Er verspreidde zich een stompzinnige glimlach over zijn gezicht terwijl hij Gabi met zijn kleurloze wimpers aankeek. 'Een freudiaanse vergissing!' schalde Herzl, bijzonder met zichzelf ingenomen.

Gabi voelde zijn hart nog in zijn keel. Hij maakte de boterham soldaat en zei nog op de laatste hap kauwend tegen Herzl: 'Zullen we verdergaan?'

'Kalm, rustig aan, broeder. Even een sigaretje roken. Plasje plegen. Je kunt het middaggebed bidden als je wilt.'

's Avonds, in zijn huisje, voordat hij ging slapen, terwijl hij een hap nam van een augurk uit een potje, liep Gabi de dag nog eens langs en begreep hij dat Herzl hem de weg gewezen had. Herzl de tsadiek, met het goede hart, die in zware regen gekomen was zodat de inwoners in een nette, schone en comfortabele synagoge konden bidden op sjabbat, die in de regen gekomen was om van Gabi en beter mens te maken, hem te helpen zijn zonden uit het verleden te overwinnen, God zij dank, dank je wel, kerel, dat je hem naar me toegestuurd hebt, je waakt in al je wijsheid over me en redt me, ook in de vallei van de schaduw van de dood vrees ik geen kwaad, want U bent altijd bij mij.

Herzl ging voor langere tijd naar buiten, Gabi bleef alleen achter in de synagoge en bad het middaggebed. Hij vroeg aan de Heilige, gezegend zij Hij: wat moet ik doen als iemand mij ineens herkent als de klootzak die ooit een stungranaat in zijn kamer heeft gegooid terwijl hij sliep, waardoor hij gehoorschade opliep, doodsangsten uitstond en de controle over zijn kringspieren verloor; en nu is het een tsadiek die helpt bij de bouw van de nederzetting, van de crèche, die families een dak boven hun hoofd geeft en de synagoge renoveert. De Heilige, gezegend zij Hij, gaf hem het moeilijke maar juiste antwoord, Gabi sloot zijn gebed af, dankte hem en kuste zijn Tora. Hij werkte verder, zwak van lichaam maar gesterkt in zijn geloof, tot Herzl terugkwam en uitriep: 'Broeder, laten we een laatste push geven en er een snoepje van een synagoge van maken voor sjabbat!' Gabi zei niets. Herzl vroeg verbaasd: 'Wat is er, je ziet helemaal groen. Gavriël?'

Zoals elke middag in de winter begon de wind aan te wakkeren. Noodlokalen, zeecontainers en caravans deinden, strips en kabels klapperden tegen de wanden. Zelfs de met jeruzalemsteen beklede synagoge had er last van. Herzl en Gabi werkten in stilte aan de laatste balken tot Herzl zei: 'Ik had een radiootje mee moeten nemen, maar misschien is dat niet gepast in een gebedshuis.' Hij vertelde over de crèche die hij gebouwd had, wat hij 'prachtig werk' noemde. Weer heerste er stilte en Gabi probeerde zich tot zijn Schepper te wenden, zachtjes, zwak van hart, hij wist wat hem te doen stond maar hij kon het niet voor elkaar krijgen.

Na een paar minuten zei Herzl: 'Dat is dat.' En daarna: 'Kom naar de crèche. De kinderen zijn naar huis. Ik wil een paar dingen in orde maken die Nechama me gevraagd heeft.'

Ze liepen tussen de grote modderplassen door die de grond op de heuveltop sierden. Op de caravans waren de orders van de autoriteiten te zien. Het was bitter koud en buiten was niemand te bekennen. Gabi vroeg zich af of dit de juiste timing was, besloot dat het dat was, dit was het moment, deed zijn mond open en toen klonk het melodietje van een Nokia. Natan Eliav, secretaris van A, wilde Herzl voor een paar werken hebben. Herzl zei: 'Zeker, broeder, overleg met dr. Chilik of hij mij wil laten gaan volgende week zodat ik bij jou kan werken.' Tegen Gabi zei hij: 'Ik zweer het je, ik zou hier moeten komen wonen met al het werk dat jullie me geven.'

In het noodlokaal van de crèche deden ze wat aan de deuren en aan de stopcontacten, vulden een gat dat onder de ijzeren trap gaapte. 'Ik ben je nog het eind van het verhaal schuldig,' zei Herzl ineens, 'waar waren we gebleven?'

Gabi zei: 'Je vrouw gedroeg zich niet netjes. Je had je zoon van school genomen. Maar je maakte geen schijn van kans.'

'Wallah, je hebt goed geluisterd, hè? Dus ja. Ik had geen schijn van kans. De broers van mijn vrouw hadden me nog diezelfde avond te pakken. Ik heb er geen idee van hoe ze wisten waar ik heen was gegaan. Ik wist zelf niet eens waar ik heen ging, ik reed gewoon naar het noorden, kwam in Galilea, ana aärif – weet ik het, ik zag een uithangbord voor een gastenkamer en ben erheen gegaan. Twee uur later waren ze daar. Ze namen de jongen mee. Daarna kwamen ze met knuppels en hebben ze mijn armen aan mootjes gehakt. Weet je wat dat is, mootjes? Ze hebben ze verbrijzeld. Ze zeiden: zodat ik er niet over zou denken om kinderen te stelen of hun zuster te slaan, alsof ik die geslagen had, ik heb haar nooit aangeraakt. Zij was het die zich niet netjes gedroeg. In ieder geval hebben ze de jongen meegenomen en hij huilde nog: "Papa, papa," maar ze waren onvermurwbaar. Ze lieten me daar op de grond achter, overgoten me met zuur dat gaten in mijn kleren brandde en rechts mijn wenkbrauw en wimpers gebleekt heeft – kijk, hier, zie je?' Alsof het nodig was om dat aan te wijzen. 'Gelukkig hield ik mijn ogen stijf dicht en is dat spul er niet in gelopen, anders was ik blind geworden. Ik kan me nauwelijks herinneren hoe ik in het ziekenhuis terechtgekomen ben, ik kan me sowieso nauwelijks wat herinneren, maar het gips is blijkbaar permanent.' Hij keek naar zijn armen, hield ze demonstratief omhoog en zijn ogen vielen op het grote horloge dat zijn pols precies op de rand van het gips omsloot. 'Wow, wow, het is al vier uur, ik moet voor donker wegwezen. Kom, kerel.' Hij haalde een bundel bankbiljetten uit zijn zak en begon honderdjes af te tellen.

'Nee,' zei Gabi zachtjes en hij legde zijn hand op de hand met biljetten. 'Voor het werk aan de synagoge wil ik geen geld. Dat zijn hemelse werken.'

Buiten stonden ze tegenover elkaar in hun jassen. De pompon aan de witte N-Na-Nach-Nachm-Nachman-Me'oeman-keppel van Gabi werd door de wind omhooggeblazen. Herzl omhelsde hem en Gabi omhelsde hem aarzelend terug. 'Je bent een goeie vent,' zei Herzl en Gabi slikte zijn woorden in. Herzl pakte hem bij de schouders en keek hem strak aan. Twee mannen boven op een regenachtige heuveltop. Gabi kon het niet, kon het niet zeggen, ik stel je teleur man, hij fluisterde vanuit zijn weke hart tot zijn God, ik stel je teleur, vergeef me, geef me richting. Herzl bracht zijn gezicht dicht bij het zijne, Gabi kon de ademwolkjes uit Herzls mond tegen de huid van zijn gezicht en de haren van zijn baard voelen strelen terwijl hij met een zachte, onverzettelijke stem zei: 'Ik had gezworen om wraak te nemen, kerel. Maar je bent echt een goede vent. Je hebt het geloof gevonden, echt gevonden, je bent een gelovige. Je hebt voor je daden geboet. Ik heb ook het nodige gedaan, God zij geloofd.' Herzl nam Gabi's gezicht tussen zijn ruwe handen, voelde het mottige baardje en de bleke huid. Hij gaf hem een kus op elke wang en nog een omhelzing.

'Ik heb gezondigd,' zei Gabi. 'Dat is niet goed te maken.'

'Het kan altijd goedgemaakt worden. Ik heb ook gezondigd, Gavriël, mijn broeder. Ik heb niet voor jullie gekookt.'

'Vergeef me.'

'Ik heb het je vergeven, tsadiek, ik heb het je vergeven.'

Met die woorden maakte Herzl een eind aan zijn omhelzing, stapte in zijn terreinwagen, draaide de sleutel in het contact en liet de motor een paar keer brullen. Gabi bleef staan, handen in de zakken, hij had het koud, maar in zijn hart brandde een vuur. De wagen reed weg, Gabi draaide zich om en liep langzaam naar zijn huisje. Het werd algauw donker. Hij zou thee maken. Iets te eten. Het avondgebed bidden. Dank je, kerel, je hebt me geholpen, je hebt me bewaard. Dank je dat je de tsadiek Herzl Weizmann naar me toe hebt gestuurd. Ik ben jouw zoon. De tranen kwamen, overspoelden hem. Hij was gelukkig.

De Maranen

Terwijl Gabi naar huis zweefde op lichtgolven van vergiffenis, maakte Joni zijn gebruikelijke ronde op de cirkelvormige weg. Volgende week zou hij afzwaaien. Wat hij zou gaan doen, wist hij nog niet. Hij overwoog een van de opleidingen te gaan volgen die het ministerie van Welzijn afgezwaaide soldaten aanbood – hij had er iets over gehoord op *Galee Tsahal*, de legerradio, en hij was wel gecharmeerd geweest van een van de beroepen die er genoemd werden, maar terwijl hij zich dieper terugtrok in zijn gewatteerde tankoverall met de met bont afgezette capuchon die zijn kleine hoofd omsloot, kon hij zich niet herinneren welk beroep. Zijn Ray-Ban zat ingeklapt in de borstzak van zijn overal, één pootje naar buiten.

Hij zou deze stilte missen als hij ergens boven aan een rumoerige straat in Netanja zou wonen met zijn beste vriend Ababba Cohen. Zowel de stilte als de chaos. En de Palestijnen en de kolonisten. Zelfs die tegen hem schreeuwden: Otniël en Netta Hirsjzon. En natuurlijk Gitít. Haar miste hij al sinds ze naar het internaat in Sjomron was gestuurd. Hij keek met treurige ogen in de richting van haar ouders' caravan. Ja, in Netanja zou hij Maälè Hachermesj, zoals hij het zijn eerste half jaar hier bij vergissing genoemd had, missen.

Hij dacht terug aan een bizar voorval met Netta Hirsjzon die ochtend. 'Ga weg, gedrochten!' had de schoonheidsspecialiste tegen de soldaten geschreeuwd. 'Ga je schamen! Gespuis!'

De nieuwe chauffeur van de sectorcommandant had haar geschrokken aangekeken.

'Niet op reageren,' had Omer, die midden in een telefoongesprek met het hoofdkwartier was, tegen hem gezegd, terwijl zijn manschappen en die van Joni de overheidsorders ophingen.

Maar Netta had de zwakke plek ontdekt en richtte haar pijlen daarop: 'Jij! Ben je zo opgevoed? Om mensen uit hun huis te zetten? Gezinnen? Kinderen? Je ziet eruit alsof je uit een goed nest komt. Laat ze je niet dwingen zulke misdaden te begaan. Weiger bevel!'

De chauffeur probeerde niet te kijken naar het kleine vrouwtje dat tegen hem stond te schreeuwen. Kapitein Omer zei nogmaals: 'Niet op reageren, zo doet ze altijd.' Het regende, de orders werden nat en scheurden, de wind was ijskoud, Netta dook in haar jas en schreeuwde nog een laatste keer: 'Vijanden!' en ging toen ineens op haar knieën in de modder zitten en braakte. De geschrokken chauffeur attendeerde zijn commandant erop. 'Altijd zo?' vroeg hij. Omer kwam aangesneld, raakte haar schouder aan en vroeg of alles in orde was en toen ze hardnekkig niet reageerde, begreep hij dat ze niet altijd zo deed en bracht haar naar de naastgelegen caravan.

Joni overwoog naar de caravan van Jean-Marc en Netta te gaan om te vragen hoe het met haar was, maar besloot dat het een te beladen dag was voor zulke beleefdheidsbezoekjes. Buiten was er niemand, de schemering viel. Sassons kamelenmerrie was verdiept in een paar grasjes en Condi de hond sloot zich bij Joni aan voor zijn ronde, kwispelend en genietend van zijn gestreel. 'Jou ga ik ook missen,' fluisterde Joni haar toe en hij zag iets uit zijn ooghoek, hief zijn hoofd op en riep: 'Hallo! Wat ben je daar aan het doen? Hé, joh.'

'Laat toch, nou, over een week zwaai je af. Knijp een oogje toe,' vroeg Josh.

'We hebben die orders niet in de regen opgehangen zodat jij ze later weg kunt halen. Het doet er niet toe wanneer ik afzwaai. Dit zijn orders, getekend door de staat Israël.'

'Precies,' glimlachte Josh. 'Dit zijn maar orders van de staat Israël. Er zijn orders die zwaarwegender zijn, van een hogere macht.'

'Dit is verboden,' antwoordde Joni, niet zeker waar de Amerikaan op doelde.

'Verboden?' Josh lachte schamper. 'Wat verboden is, is mensen uit hun huizen zetten. Jouw leger kan ons niet vertellen dat we niet in ons huis mogen wonen. En jij al helemaal niet. Ik ben niet na Nine-Eleven uit Boro Park gekomen om me door iemand als jij te laten vertellen waar ik heen moet gaan. Is dat duidelijk? Dus weg nu, ksssjt...' Josh eindigde met iets snels in het Engels, bedoeld om de kleine Ethiopiër boven de pet en de bontcapuchon van zijn tankoverall te gaan. Maar Joni kende de woorden die die roodharige gebruikte. En zeker het 'ksssjt', dat helemaal in de mode was geraakt sinds het de minister van Veiligheid vorige zomer was ontschoten.

Joni belde Omer en vertelde over Josh. Joni wist precies hoe hij de stilte aan de andere kant van de lijn moest interpreteren, kende de langzaam opborrelende woede van zijn commandant. Meestal was het een snelkookpan, die dichtbleef nadat hij aan de kook was gekomen en dan afkoelde, maar onder de juiste omstandigheden – als hij bijvoorbeeld een mislukte date achter de rug had, of een lekke band in de regen, orders in weer en wind had aangeplakt, hoorde dat een respectloze hufter de soldaat die hem beschermde had uitgekafferd en vernederd – kon kapitein Omer Levkovitsj weleens ontploffen.

Toen Joni ophing, jouwde Josh: 'Wat is er, baby, heb je papa erbij geroepen dat hij moet komen helpen? Is papa bezig en kan hij niet komen?' Josh greep nog een order vast, aan de wand van Sjaoelit Rivlins caravan en rukte hem eraf. Joni liep verder en negeerde Josh' zelfingenomen overwinningskreten achter hem.

Omer arriveerde met zijn team in de jeep en achter hem volgde een pantserwagen vol met nog meer soldaten en gereedschap. Joni wachtte met zijn manschappen bij de toegang, stapte op de treeplank van het pantservoertuig en reed zo, staand, aan de buitenkant, als een magere Messias in een gevoerde tankoverall met een rol met orders diagonaal op zijn rug. De karavaan reed dramatisch langzaam, als om te verkondigen: Let op, hier zijn we, kijk maar wat we gaan doen. De voertuigen parkeerden en braakten manschappen en hun gereedschappen uit, de sterke schijnwerpers op de voorkant werden op het huisje aan de rand van de klif gericht, kokers van licht die de dichter wordende duisternis doorboorden. Omer Levkovitsj riep de manschappen bij elkaar voor een korte instructie. Daarna nam een deel breekijzers op, en anderen mokers van vijf kilo. Omer liep naar de deur van het huisje met het bordje 'bezoekers welkom' en klopte erop. Er kwam geen antwoord – Gabi was gaan bidden.

Josh kwam tevoorschijn en uit zijn mond ontsnapten de woorden: '*What the hell...*' Wat bijna direct werd beantwoord met de herrie van Omers breekijzer dat de deur van het huisje sloopte.

'Ho ho, hoho!!!' gilde Josh. 'Wat zijn jullie aan het doen? Hallo?!!' De soldaten reageerden niet. De een na de ander liep het huisje binnen totdat het helemaal vol stond. Josh probeerde binnen te komen, maar er was geen plaats. In paniek toetste hij een nummer in op zijn telefoon. Binnen was de missie eenvoudig en duidelijk, de mokers sloegen tegen de muren en het houten dak, verbrijzelden ze, sloegen ze uit elkaar. Joni zwaaide met de vijf kilo zware moker naar alle kanten, transpireerde door het zware werk en al die lichamen in de kleine ruimte, hoewel het binnen een paar minuten geventileerd werd toen het in alle windrichtingen opengebroken was. Toen het dak was verdwenen, bleef er alleen de contour van steen en beton over, die Joni ook woedend te lijf ging. Omer stond met verwondering en trots te kijken naar de fantastische soldaat met het laagje zweet op zijn voorhoofd, die binnenkort afzwaaide. Zo moet je dat doen, de jongeren laten zien wat vastbeslotenheid is. Joni leefde zijn frustratie van maanden uit. Hij had deze mensen met zijn lichaam en de kracht van zijn wapen verdedigd, en zij hadden hem beloond met tirannie en zure gezichten. Weliswaar nodigde een deel, misschien zelfs het merendeel, hem uit voor het sjabbatsmaal, brachten hem koekjes en vroegen hoe het met hem ging, maar woorden zoals Josh uitgesproken had, deden pijn, brachten duisternis, en hij wist dat er nog meer binnenskamers gemompeld werd, vooral sinds de affaire met Gitít was ontdekt.

Josh stond hysterisch in zijn telefoon te krijsen. Waar was de blaaskaak van daarvoor gebleven, dacht Joni en hij onderdrukte de drang om hem een glimlach toe te zenden. Josh probeerde binnen te komen in wat het huisje was geweest en een van de soldaten bij zijn arm te grijpen, maar de elleboog van de soldaat schoot naar achteren, raakte Josh' kaak en schakelde hem uit. Hij trok terug, probeerde wat te roepen, maar kon alleen wat gejammer uitbrengen.

Netta Hirsjzon kwam schreeuwend aangelopen: 'Wie is hier verantwoordelijk? Ik eis met de verantwoordelijke te spreken! Met welk recht sloopten jullie een Joods huis? Wat zouden jullie zeggen als ik naar jullie huis kom en het met mokers kapotsla? Fascisten! Tirannen! Voetvolk!

De nazi's zouden trots op jullie zijn geweest!' De soldaten gingen door zonder haar te antwoorden. Ze waren bijna klaar; het huisje was zo klein en hoewel het Gabi bijna een jaar had gekost om het te bouwen, hadden Omer en zijn manschappen er minder dan vijftien minuten voor nodig om het met de grond gelijk te maken.

Netta bedekte haar gezicht met haar handen en bewoog ze van links naar rechts. Josh stond, gehavend en geblesseerd, naast haar in zijn parka en had iets ongeïdentificeerds in zijn hand, dat hij uit het hutje had gered. Otniël en zijn kinderen kwamen erbij, en Chilik, en anderen, die uit hun warme caravans de kou in stapten. De soldaten verlieten de restanten van het hutje, gereedschap in de hand. Er heerste een ongewone stilte. Geen protest, geen geschreeuw, alleen soldaten in donkere uniformen aan de ene kant en inwoners aan de andere kant en de restanten van het bouwsel op de rand van de klif. Otniël zei: 'Omer.'

'Ja?' antwoordde de officier en hij liep op hem toe.

'Waar was dit goed voor? Met welk recht hebben jullie dit gedaan?'

'Otniël, doe niet alsof je van de maan komt rollen. Hier, met deze autoriteit.' Hij haalde een order uit zijn zak. 'De bouwstop van de burgerautoriteiten die de goede huiseigenaren, die nu zo vreselijk verbaasd zijn, al vaak genoeg hebben gekregen, vriendelijk, met duidelijke uitleg dat het geduld binnenkort op zou zijn. Niet alleen is er gebouwd zonder vergunning, zonder navraag te doen, zonder uit te zoeken wiens eigendom het is of de rest van de basale dingen die iedere gehoorzame burger moet regelen voordat hij een huis begint te bouwen, Otniël, hij woont ook nog eens in een beschermd natuurgebied. In beschermde natuurgebieden mogen geen huizen gebouwd worden. De helft van deze nederzetting staat op het terrein van het natuurgebied van de Chermesj. Trouwens, dit is een initiatief van de natuurbescherming om in heel het land de natuurgebieden op te schonen. Het is helemaal niet politiek, dit is om onze natuur te beschermen...'

'Maar waarom zo, een bliksemaanval?' zei Chilik. 'Kon er niet over gepraat worden? Misschien hadden we een vreedzame oplossing kunnen vinden? Waarom komen jullie als dieven in de nacht? De eigenaar is zelfs niet hier.' Hij wendde zich tot zijn vrienden. 'Is iemand Gabi gaan zoeken? Ik zag hem daarstraks in de synagoge.'

'Praten? Met wie wil je praten?' zei Netta.

'Praten?' verklaarde Omer. 'Jullie willen praten? Dan ga je maar naar Beet El en dan ga je met de autoriteiten praten. Waarom wilden jullie niet praten toen we vanochtend de orders ophingen? Wilden jullie praten? Jullie wilden ze verscheuren, jullie wilden ons uitlachen in ons gezicht, en toen...' Omer liep rood aan, zweette, de ader in zijn hals klopte, '... toen de soldaat die jullie beschermt aan die brutale vent vroeg wat hij aan het doen was, had hij de euvele moed om hem te beschimpen en uit te schelden.'

'Wie heeft er gescholden?' vroeg Otni.

'Wie? Josh!' Omer wees naar de Amerikaan, die nog steeds over zijn pijnlijke kin wreef. 'En je moet niet denken dat hij de enige was. Heeft die brutale vrouw ons niet twee minuten geleden uitgemaakt voor nazi's?' Hij wendde zijn hoofd naar Netta Hirsjzon. 'Jullie zijn allemaal gek geworden!' De laatste zin sprak de officier bijna gillend uit, met uitpuilende ogen en een schorre keel. Over het algemeen probeerde hij kalm te blijven en de goede betrekkingen te behouden. Maar vandaag was er iets in hem gebarsten, was het hek van de dam. 'Wie heeft er gescholden, vraagt hij me,' zei hij, haast tegen zichzelf, 'wat een onschuld.' De kolonisten keken elkaar verbijsterd aan. Wat was er met hem aan de hand? Dit alles omdat Josh een neger 'neger' had genoemd? Of was hij bezeten geraakt door linkse ideeën? Misschien was het omdat zijn vriendin hem aan de kant had gezet, of omdat zijn promotie op zich liet wachten? Ineens klonk er gerommel, een geluid dat steeds sterker werd en de woedende stemmen, die met elkaar wedijverden over wie de officier van het IDL voor eens en voor altijd van repliek zou dienen, overstemde. Het was Josh, die in tranen was en met zijn handen gebaarde vanwege zijn stormachtige gevoelens.

Hij schreeuwde: 'Je kunt niet naar mijn huis komen en me vertellen wat ik kan zeggen. Het enige wat ik doe is onze huizen beschermen en een einde maken aan dat gezanik met de orders van jullie. Ik ben door het vuur van de Tora gegaan en ik ben naar Israël gekomen na Nine-Eleven omdat ik de behoefte had om iets te doen, de tijd was gekomen om niet langer te zwijgen. En nou zegt het leger tegen ons dat we weg moeten en de Palestijnen mogen blijven? Dan kom je en sloopt een huis dat we eigenhandig hebben gebouwd, meer dan een jaar lang? Jij vertelt me waar ik kan wonen? Het land is van ons zoals de Tora zegt, zonder bullshit die me zegt wat ik kan doen. En ook hier' – zijn stem ging omhoog en leek meer op het gejank van een hond die een schop gekregen had, het evenbeeld van Omer Levkovitsj' kreet 'Jullie zijn allemaal gek geworden' van een minuut eerder – 'vertellen jullie me wat ik kan doen? Mijn familie is een geslacht van Spaanse Maranen, weet je wat dat zijn? Ken jij je geschiedenis? Je hebt het tegen mij over natuurbescherming? Ze hebben ons Spanje uit gedonderd, als honden, en mijn *ancestors* zijn naar New Mexico gekomen, zijn christelijk geworden, waren bang om Joods te zijn. Het zijn cowboys geworden, maar de gebruiken zijn gebleven – ik zal je er een keer over vertellen als je weer wat *sense* in je hoofd hebt gekregen – en we zijn weer Joods geworden, ik ben naar een jesjiva gegaan, ik heb Tora gestudeerd, ben naar Israël gekomen, ik ben voor niemand bang, en jij hebt het over onzinnige dingen als natuurbescherming?'

Drie soldaten overmeesterden Josh en sloegen hem in de boeien. Hij bleef zich verzetten, een aantal van zijn vrienden probeerde zich erin te mengen, maar werden tegengehouden doordat er andere soldaten op hen af kwamen. 'Maranen! Gedwongenen! Dat is wat we waren, en dat is wat we nu zijn, *don't touch me you piece of shit...*'

'Lefbal!' schreeuwde Omer naar de jonge Amerikaan die in de pantserwagen werd geladen. 'Dat er zulke dingen gezegd worden over mijn soldaten, over het IDL en de Staat accepteer ik niet! Er zijn hier wetten. Ja, wij kunnen jullie zeggen dat jullie die moeten gehoorzamen en dan zullen jullie luisteren. We gaan nieuwe orders ophangen in plaats van de orders die jullie eraf gescheurd hebben, en ik waarschuw jullie. Wee je gebeente als iemand eraan durft te komen. Want dan kom ik terug en begin ik huizen af te breken, en het kan me niet schelen of er op de order staat dat dat pas over tien dagen gebeurt. Ik beslis, en over een jaar of twee jaar, als er op deze heuveltop helemaal niets meer is, als dit alleen maar prachtig en rustig beschermd natuurgebied is, zal niemand zich herinneren of de huizen tien dagen vroeger of later zijn afgebroken.' Omer hief een woedende vuist. 'Ik duld geen gescheld en geschreeuw meer. Ik zet jullie een voor een in de cel voor het hinderen van een soldaat bij het uitvoeren van zijn taak...'

Ineens klonk van verre een bekende hoefslag die steeds dichterbij kwam. Iedereen op de heuveltop herkende het geklop van Killers korte galop, daar werd de bles op zijn bruine voorhoofd zichtbaar, zijn gang vertraagde naar een langzame draf tot hij met het aanhalen van de teugels halt hield. Op zijn rug zat Jehoe en achter hem zat Gabi, de ogen wijdopen gesperd bij het zien van de puinhopen van het huisje, de gewillige soldaten, zijn mede-inwoners, en een aanzwellend gebrul steeg op uit zijn borstkas, uit zijn ribbenkast, het holletje van zijn hart, hoger en hoger vanaf zijn middenrif naar zijn keel en zijn stembanden – een machtige wanhoopskreet, die beantwoord werd door echo's uit de woestijn, kreten van hyena's, het gejank van honden, het gesnik van vrouwen en kinderen en het gehinnik en het opheffen van een been van Killer.

Omer stond zwaar te ademen, zweet parelde op zijn voorhoofd en zijn wangen liepen rood aan. Hij was niet klaar met wat hij van plan was te zeggen, maar Gabi's brul nagelde hem aan de grond. Naast hem stond Joni, eveneens met zweet bedekt en met een luid bonzend hart, terwijl de rest van de soldaten naar de voertuigen liep, gereedschap inlaadden, nieuwe orders uitrolden, een van hen plakte er zelfs een op de stenen rand die de basis had gevormd voor de muur van het huisje. Een ijzige windvlaag liet papieren in het huisje rondwarrelen, blies het straalkacheltje omver, rukte aan een stukje stof.

Joni bleef vastgenageld naast zijn commandant staan. Als hij niet volgende week zou afzwaaien, zou hij in ieder geval gedwongen zijn weg te gaan. Hier blijven was niet mogelijk na zo'n incident. Hij was boos en verward, dankbaar en geëmotioneerd door de steun van Omer die gezien had dat de maat vol was, en tegelijkertijd voelde hij zich bezwaard jegens de geschokte bewoners, misschien was er toch nog een manier te vinden? Hoe moest het met Gabi, waar zou hij deze koude nacht slapen? Hij voelde zich verantwoordelijk voor de bewoners en terwijl zijn ogen over hen dwaalden voelde hij een steek van heimwee naar Gitít die hij terugzag in de gelaatstrekken en haarkleur van haar jongere zusje Emoena; hij kreeg een sentimentele brok in zijn keel.

De verklikker

Iedere vrijdag liep Nir Rivlin van zijn nieuwe huis in Maälè Chermesj A naar C om zijn dochters en zijn zoon te bezoeken. Sinds hij bij Sjaoelit weg was, ging hij niet naar de vrijdagochtendlessen in het centrum voor koosjere kookkunst in Jeruzalem. Hij had in feite de hoop op een certificaat opgegeven; hij zou niet meer op de presentielijsten staan, geen eindexamen doen en geen volledige stage lopen. Hij nam pauze. Met de gitaar op zijn rug stapte hij door de velden, daalde af in de kloof van de Chermesj en liep tussen de plassen door over het zandpad naar de nederzetting.

Het was een heldere ochtend. De dikke wolken waren verdwenen en hadden een frisse, kraakheldere lucht achtergelaten, die Nir graag tussen zijn tanden door naar binnen zoog. Er was veel verkeer op de weg. Met een zwaai weigerde hij aanbiedingen voor een lift. Hij dacht na over de weekafdeling, Sjemot, over Mozes en het brandende braambos, en over de lessen van de rabbijn die hij eergisteren gehoord had. Hij haalde een hand door zijn krullende rode haar, dat hij de laatste tijd had laten groeien, zette zijn nieuwe keppeltje vast, kleuriger dan de eerdere, en streek over zijn verzorgde baard die hij had laten staan. Hij dacht aan het liedje dat hij voor Amalja, Tchelet en de kleine Zvoeli zou zingen, hij was opgewonden ze te zien. Hij legde zijn hoofd in zijn nek, glimlachte naar de hemel: het leven was goed! Als Sjaoelit het nou nog goedvond dat hij terug naar huis kwam, dan zou het leven perfect zijn; hij was ervan overtuigd dat ze er uiteindelijk in mee zou gaan. Omwille van de kinderen. Ze had gelijk gehad toen ze bij hem wegging: hij dronk, was lui, hielp niet, was ongevoelig en had de zaken niet in de hand. Maar ze zou de verandering wel zien. Hoeveel hij in de kinderen investeerde. Hij had al ruim een maand geen druppel alcohol meer gedronken, en met joints was hij bijna helemaal opgehouden. Ze zou toegeven, ze had immers niet om een *get*, een scheidingsbrief, gevraagd en de rabbijn stond aan zijn kant, had beloofd met haar te gaan praten. Misschien zou ze hem vandaag vergeven? Het was bijna Rosj Chodesj, het begin van een nieuwe maand en een nieuw boek uit de Tora, de zon stond aan de hemel – het was de perfecte sjabbat voor een nieuw begin. Of voor vernieuwingen. Hij kwam bij de laatste bocht omhoog en nam die met een uitbarsting van energie, tussen de mod-derplassen laverend, zijn dijspieren trokken zijn lichaam omhoog, huiswaarts.

Nir was het huis uit gedonderd na een nacht vol woede, waarin hij een biertje te veel gedronken had en zijn vuist enkele centimeters naast het oor van zijn vrouw Sjaoelit had laten landen. Zijn vuist had de slaap-kamermuur geraakt en er een bluts in achtergelaten die nog steeds duidelijk zichtbaar was. Sjaoelit keek er iedere keer naar als Nir haar smeekte hem nog een kans te geven. De bluts gaf haar de kracht de aanslag op haar gemoed te weerstaan. Waar die vuist over ging? Nir kon het zich niet herinneren, misschien wist hij niet eens meer dat hij ermee gezwaaid had door de alcohol die in zijn hoofd zwom, maar Sjaoelit wist het maar al te goed: Zvoeli was de hele dag aan het huilen geweest, blijkbaar kwam er een tandje door en misschien had hij ook wel buikpijn gehad. Hij had zich aan Sjaoelit vastgezogen. En toen waren Amalja en Tchelet in de andere kamer gaan ruziën over een haarelastiekje. Sjaoelit had tegen ze geschreeuwd, maar omdat ze Zvoeli aan het voeden was, kon ze niet ingrijpen. Ze had de valse ak-koorden uit de hangmat in de tuin horen komen en had haar man keer op keer geroepen en op het laatst naar hem geschreeuwd. Uiteindelijk was hij met rode ogen binnengekomen en had de deur achter zich dichtgeslagen. 'Wat? Wat? Wat?!! Hoor je niet dat ik aan een liedje probeer te werken?'

Sjaoelit negeerde zijn viervoudige bezwaren. 'Ga even bij de meisjes kijken om te zien wat het probleem is.' De beide meisjes waren aan het gillen en trokken elkaar aan de haren en Zvoeli liet, misschien van schrik, zijn moeders borst los en deed mee aan het algemene gejammer. Nir ging naar de meisjes toe en haalde ze uit elkaar. Zodra hij zich omdraaide, begon de strijd opnieuw.

Hij draaide zich weer om, brulde: 'Ophouden!!!' en trok Amalja hardhandig van Tchelet af. Hij gaf haar een zet naar de ene kant en haar zus naar de andere kant van de kamer.

De meisjes begonnen nog harder te huilen. Zvoeli eveneens. 'Wat doe je?' gilde Sjaoelit. 'Ben je gek geworden?'

'Stil. Blijf in de kamer, dit gaat jou niet aan.'

'Wat wil dat zeggen, dat gaat mij niet aan?' Sjaoelit probeerde naar Tchelet toe te gaan die luidkeels stond te krijsen.

Nir stond in haar weg. 'Ik zei dat je in je kamer moest blijven!' bulderde hij en duwde haar terug de kamer in, een wilde, onvergetelijke blik in zijn rood aangelopen ogen. De meisjes bleven jammeren, Zvoeli krijste, Sjaoelit probeerde weer naar ze toe te gaan en weer gaf Nir haar een duw, zij schreeuwde, hij drukte haar tegen de muur en plantte zijn vuist een centimeter naast haar oor. En daarna, godzijdank, draaide hij zich om en liep weg.

Bij elk bezoek vroeg Nir om vergiffenis en zei dat hij een fout had begaan. Legde uit dat hij een stressvolle periode had doorgemaakt. Wees op de ontmaskering van de mol Zjanja Freud. 'Ik heb een daad gedaan voor het welzijn van de heuveltop toen ik dat geheim ontmaskerde,' had hij een keer gezegd, 'en als beloning word ik weggejaagd?' Zijn afkerige vrouw wierp een blik op de bluts in de muur en gaf geen antwoord.

De nacht dat de bluts was ontstaan, sliep hij in de speeltuin. Midden in de nacht deed hij ineens zijn ogen open en zag een vallende ster, een verontrustende en angstaanjagende gedachte legde hem het zwijgen op: alles was zo vluchtig, het kon allemaal in een seconde voorbij zijn. Niet alleen hier. Overal ter wereld. Maar vooral hier. Alles wat je hebt kun je verliezen. Onze heilige rabbi Nachman van Breslau leert ons om uit te gaan naar de natuur, tussen de bomen te gaan zitten, bij het getjilp van de vogels, het waaien van de wind en de sterren te bekijken, de maan, om met de Heer te praten, Hem alles te vertellen, te schreeuwen, te zingen, te dansen, en om dan gekalmeerd, gelukkig en liefdevol terug te keren naar huis. Met een glimlach was hij in slaap gevallen en in de ochtend naar huis gegaan vol berouw en goede intenties. Sjaoelit had gezegd dat ze uit elkaar wilde gaan. Hij beloofde dat hij niet meer zou drinken. Ze zei dat het niet uitmaakte wat hij deed, ze wilde hem niet in huis hebben. Toen hij aandrong, dreigde ze ermee naar de rabbijn en de buren te gaan en te vertellen wat hij had gedaan. Hij had om een nacht van genade gevraagd. Pak je koffers en ga, had ze gezegd. Hij had snel gepakt en was snel naar buiten gelopen, had zijn koffer naar zijn gedeukte blauw metallic Subaru gedragen.

Woedend en vernederd had hij over de rondweg gereden en was gestopt bij het huis van de familie Asís. Gitít was met een van haar broertjes in de tuin. Nir had het raampje naar beneden gedraaid en haar met een gekromde vinger gewenkt te komen. Toen ze dichterbij kwam, had hij voorgesteld dat ze in de auto zou stappen en een rondje mee zou rijden. Ze had het niet begrepen, hoezo auto, hoezo ineens een rondje meerijden.

'Heb je papa nodig?' vroeg ze.

'Nee, jou.' Nir Rivlin, zijn keppeltje voor op zijn hoofd, keek haar van onderaf aan en glimlachte. En daarna zei hij: 'Ik weet het, van jou.'

'Wat?'

'Met die Ethiopiër.'

Ze zette grote ogen op. Ze probeerde haar paniek te verbergen. 'Wat? Waar heb je het over?'

Een paar minuten nadat hij bot had gevangen bij zijn vrouw, probeerde Nir opnieuw zijn wil op te leggen: 'Als je niet wil dat ik het je vader vertel, dan stap je in voor een rondje.'

'Wat nou, een rondje? Waar heb je het over? Ben je gek geworden?'

Nog een vrouw die vroeg of hij gek geworden was. Misschien was hij dat echt? Heer der wereld.

Hij reed weg. Logeerde een aantal nachten bij zijn ouders in Beet El. Belde iedere dag naar Sjaoelit. Ten slotte ging hij terug en zocht een kamer met aparte ingang in Maälè Chermesj A. Beloofde de eigenaars dat het tijdelijk zou zijn, 'misschien een maand'. Inmiddels woonde hij er al langer. Op een middag, nadat hij weer geprobeerd had Sjaoelit te overtuigen, had ze hem aangekeken met een afstandelijke blik die hij niet kende en met kille stem zelfverzekerd gezegd: 'Nir, ik wil niet met je samenleven, waarom begrijp je dat niet?' Hij was het huis uit gelopen, naar het huis van de buren en had daar Gitít gezien. Hij had voorgesteld dat ze met hem zou trouwen in ruil voor zijn zwijgen. Ze informeerde of hij zijn verstand verloren had. Toen hij mededeelde dat hij het meende, giechelde ze. En toen hij afsloot met een: 'Nou, wat zeg je ervan?', draaide ze zich om en liep weg. Hij ging het huis van haar vader binnen.

Gitít werd naar het internaat De Ideale Vrouw in Sjomron gestuurd.

Generaal-majoor Giora kreeg een paniekerig telefoontje van zijn vriend en beloofde dat hij de ongezeglijke soldaat zou straffen en hem uit de nederzetting zou verwijderen. Maar het tijdstip waarop Joni afzwaaide, stond al voor de deur en zijn commandant Omer Levkovitsj overtuigde de generaal-majoor ervan hem op zijn post te laten tot het zover was en hij beloofde ervoor te zorgen dat er geen enkel verbaal of fysiek contact mogelijk was tussen Gitít en Joni: als zij voor de vrije sjabbat naar de voorpost zou komen, werd Joni naar huis gestuurd.

Gitít vertelde haar vader niets over Nirs oneerbare voorstellen, maar op een van de koude sjabbatavonden waarop ze terug was uit het internaat, de sjabbat waarop de weekafdeling Vajigasj gelezen werd, vroeg Sjaoelit haar buiten de synagoge hoe het met haar ging. Haar 'wel goed' ging vergezeld van een schouderophalen en trieste glimlach, liet veel ruimte voor interpretatie. Sjaoelit legde haar hand met de slanke vingers op Gitíts arm en vroeg: 'Misschien heb je zin om na het avondeten bij mij langs te komen?' Gitít glimlachte maar gaf geen antwoord. Alleen al de gedachte aan de vragen die haar vader zou stellen, zijn argwaan. Ze bleef liever thuis totdat ze op dinsdagochtend weer naar Jeruzalem ging. Maar later, toen het huis stil geworden was, toen haar broertjes en zusjes in slaap waren gevallen en ook haar ouders hun bed hadden opgezocht en de stilte van sjabbat neerdaalde; toen de tijdklok de lamp in de woonkamer uitgeschakeld had en het donker geworden was, dacht Gitít terug aan Sjaoelits uitnodiging. Ze had geen zin om te slapen, er raasden te veel gedachten en gevoelens door haar heen. Zachtjes verliet ze het huis en stapte de duistere nederzetting in. Beilin liep een stukje met haar op en blafte toen ten afscheid, de koude winterse lucht van Tevet vervulde haar met gedachten, herinneringen, heimwee, verlangen, en ze ademde diep in. Toen ze langs het huis van Sjaoelit kwam, wierp ze er een blik op en zag haar buiten op de schommelbank zitten. Sjaoelit zei: 'Goed dat je gekomen bent, ik heb net een pot thee gezet.'

In de jaren dat ze elkaars buren waren, hadden ze niet veel met elkaar gepraat, maar er was iets aan hun nieuwe situatie dat hen verbond. Het verbond van de verstotenen. De vrouwen die gedaan hadden wat niet mocht: de een was van haar man gescheiden, de ander had zich bezondigd aan een verboden relatie. Die eerste avond vertelde Gitít over haar leven 'sinds': ze had het moeilijk op het internaat De Ideale Vrouw, maar ze had het gevoel dat ze dichter bij God kwam en gesterkt werd in haar geloof en haar meningen, dat ze zich koesterde in het gevoel van saamhorigheid van de meisjes als ze samen 'Iedereen aanvaardt' zongen of chassidische dansen dansten; de meisjes waren geweldig, ook de Ethiopische, ondanks dat ze haar aan van alles herinnerden. Sjaoelit knikte en haar oog viel op de afgekloven nagels van het meisje.

De volgende keer dat het internaatmeisje met sjabbat naar huis kwam, ging ze weer langs en weer zaten ze buiten in dikke sweaters en lange rokken te schommelen. Dit keer vertelde ze over Joni. Voordat ze wegging zei ze: 'Je bent de eerste aan wie ik de hele waarheid heb verteld.' Sjaoelit glimlachte en streelde haar. De keer daarna regende het en toen Sjaoelit in de synagoge naar haar glimlachte, kon Gitít bijna niet wachten tot het moment dat haar familie ging slapen. Dit keer, met een kop thee in de kleine keuken en ervoor wakend de kinderen niet wakker te maken, vertelde ze Sjaoelit over het bizarre huwelijks-voorstel van Nir.

Sjaoelit zei niets. Ze stond op om nog wat water uit de warmwater-ketel te schenken en daarna sneed ze taart af. Gitít volgde haar met haar ogen. 'Oi, het spijt me. Dat was een vergissing,' zei ze, 'dat had ik niet aan je hoeven vertellen. Ik denk dat hij een grapje maakte, dat hij niet de bedoeling had...' Haar stem stierf weg. Sjaoelit ging weer op haar plek zitten, dronk langzaam van haar thee, keek in het niets.

'Ik denk niet dat hij een grapje maakte,' zei ze. 'Misschien had hij niet echt de bedoeling om je te trouwen, maar hij wilde iets. Dat blijkt uit het feit dat zodra je nee zei hij naar binnen is gegaan om het je vader te vertellen.' Zvoeli mompelde iets, jammerde even en allebei spitsten ze hun oren, maar verder bleef hij stil. 'Je moet er geen spijt van hebben dat je het hebt verteld,' ging Sjaoelit verder, 'het is belangrijk dat ik het weet. Hij komt hier om vergiffenis te vragen. Soms overweeg ik om hem nog een kans te geven.' Ze keek op. 'Goed, ik ben heel erg moe.'

Ze omhelsden elkaar in de deur en Gitít ging naar huis. Sjaoelit draaide zich om, ging naar bed, hield het kussen tegen zich aan en huilde. Nir was een goede vader. Iedere keer vertelde hij hoe hij ver-anderd was, dat hij begreep welke vergissing hij had begaan, dat hij niet meer dronk, omwille van de kinderen... Niet-aflatende druk. Ze wilde zich niet tot de rabbijn of Otniël wenden, ze wilde hem niet nog meer kwetsen. Ze wilde hem niet bij de meisjes weghouden, want die hadden hem nodig en hij hen. Ook zij had hem nodig. Ze had tot nu toe op het punt gestaan, maar toen ze in bed in het kussen lag te snikken, wist ze dat ze door zou gaan. Alleen was het moeilijk, maar niet onmogelijk; haar moeder had het met zes kinderen geklaard. En nu besefte ze definitief dat Nir niet de man voor haar was. Ze wilde niet dat hij bij haar in bed sliep, ze wilde niet haar leven met hem doorbrengen. Hij zou altijd de vader van haar kinderen zijn en daarmee zou hij genoegen moeten nemen. Morgen zou ze met onbedekt hoofd naar de synagoge gaan, besloot ze, daarmee verkondigde ze openlijk wat haar nieuwe status was, zodat iedereen het wist, en zij ook, dat het definitief was.

'Mama,' klonk ineens het stemmetje van Tchelet, haar middelste kind van drieënhalf. Ze kwam uit haar bed en bracht haar hoofdje naar dat van haar moeder. 'Waarom huil je?'

Sjaoelit barstte uit in nog een golf van tranen en trok het kind naar zich toe. 'Oi, mijn liefje.'

'Waarom huil je, mama?'

'Het is al goed,' zei Sjaoelit, snoot haar neus en probeerde te glimlachen.

'Ben je vudietig omdat papa weg is?'

'Nee, lieve Tchelet van me. Het is goed met me. Kijk, ik ben al opgehouden met huilen, goed? Geef me een kusje en een knuffel.' Tchelet spreidde haar kleine warme armpjes uit en sloeg ze om haar moeders hals. Daarna klom ze in haar bedje en viel in slaap.

De reacties

Nir arriveerde diezelfde kraakheldere koude ochtend met de riem van zijn gitaar over zijn schouder, zijn hoofd vol met liedjes die hij had gecomponeerd voor zijn dochters en voor de baby. Onderweg zag hij Sjaoelit al wandelen met de kinderwagen met de lieve Zvoeli erin, die zijn eerste twee tandjes had en blonde kroeshaartjes. Hij had een stuk komkommer in zijn hand en glimlachte natuurlijk en onvoorwaardelijk zodra hij zijn vader zag. Nir gaf zijn zoon geëmotioneerd een kus, keek op, zag het losse, prachtige haar van zijn vervreemde vrouw en zijn hart trok samen in het besef dat hij niet meer de enige man was die van die aanblik kon genieten. Terwijl hij overwoog wat hij kon zeggen en hoe het gesprek te beginnen, zag hij de ruïnes van het huisje aan de rand van de kloof. Zijn mond zakte open en hij vroeg: 'Wat is dat nou?'

Diezelfde verbijsterde vraag had Moessa Ibrahim diezelfde ochtend ook gesteld. Hij was vlak voor zonsopgang opgestaan, had gebeden, had drie eetlepels olijfolie en een kop thee gedronken, iets gegeten en was op pad gegaan. Het eerste wat hem was opgevallen, was de geur. Wat was er verbrand? Hij kwam bij zijn olijfgaard en daar stond hij enige seconden zonder te begrijpen wat hij zag, zonder te beseffen dat hij perplex was, hij had moeite de verandering die een deel van het landschap van zijn leven ondergaan had, te verwerken. Uiteindelijk klikte er iets in zijn hersens, hij pakte zijn mobiel, drukte de toetsen in en zei tegen zijn slaperige zoon: 'Nimr, kom naar olijfgaard.' Terwijl hij wachtte deed hij niets. Hij wilde niet dichterbij komen. Die bomen, dacht hij, waren hier al honderden jaren voordat hij er was en zouden er naar verwachting nog honderden jaren staan nadat hij gestorven was, bomen van de aarde, niet van Palestina en niet van Israël, bomen die het niet kon schelen wie er was, wie er heerste, wie er op de aarde bouwde. Voor hen waren dat maar vluchtige dingen, de echte wereld bevond zich onder de grond, daar waren ze diep en breed geworteld.

Nimr verscheen in een grijs sweatshirt met 'Assistentie 13 – Wilde Beesten' erop en samen liepen ze naar de gewonde bomen. Twaalf olijfbomen waren verbrand en geveld. Later bleken ook anderen schade te hebben opgelopen: bomen in andere olijfgaarden en andere plantages, autobanden waren lekgestoken, voorruiten kapotgegooid. Nimr en Moessa werkten in stilte, maakten schoon, ruimden takken weg, blusten nog brandende stukken met water, haalden zakken en verbonden de stompen daarmee. Een begrafenisceremonie.

Toen ze klaar waren zei Nimr tegen zijn vader: 'Ga naar huis om te rusten, vader. Ik zal de takken verzagen en hier opruimen.'

Moessa vroeg zijn zoon: 'Denk je dat het Ronni was?' Nimr dacht even na en antwoordde: 'Wie zou het anders kunnen zijn? Wie zou wraak op ons willen nemen?'

'Maar waarom nu? Er is veel tijd voorbijgegaan sinds we met de

Japanners in zee gingen. We hebben al een aantal maanden geleden geoogst, veel olijven, veel geld van de Japanners. In het begin was hij boos. Maar het seizoen is allang voorbij.'

'Ana aärif, we hebben het erover gehad, niet? Hoe hij ons toen lastig bleef vallen. Hij bleef maar bellen. Hij kwam en stond te schreeuwen met dat contract in zijn hand en zei: je hebt getekend... En daarna werd er gezegd dat hij depressief geworden is... De Jood is een slang, hoe kun je daarop vertrouwen?'

Moessa zei geen woord. Streelde alleen verdrietig over een van de zakken. Daarna liep hij langzaam over de resten van de korte asfaltweg, die onlangs door de autoriteiten kapotgetrokken was omdat hij zonder vergunning aangelegd was. Moessa was er diep in zijn hart van overtuigd dat Ronni een eerbaar man was. Dat zei hij niet tegen zijn zoon in de dagen die volgden, toen die samen met zijn kameraden verhit over Ronni en de kolonisten sprak en over de noodzaak om iets terug te doen, maar hij was er niet van overtuigd dat Ronni de dader was. Moessa was oud en wijs genoeg om te weten dat in dit leven, op deze plek, niets zeker was en dat maar heel weinig dingen logisch waren.

Ook later speelden zakken een rol bij de noodvergadering, gehouden in de nieuwe serre die veel complimentjes oogstte, van Chilik Jisraëli's caravilla. Iemand stelde voor dat er een zak-en-as-gebed gereciteerd werd om de sloop te bewenen, dat misschien de aandacht van de Heer der werelden zou vestigen op de onrechtvaardigheid die onder Zijn neus welig tierde, of in ieder geval de aandacht zou trekken van bewoners en burgers. 'Waar zijn we de fout in gegaan?' was de vraag die werd gesteld en er werden een paar mogelijke antwoorden gegeven: het was niet nodig geweest de orders zo demonstratief kapot te scheuren; Josh had Joni niet mogen beledigen; het was een goed idee om vrienden in het parlement en het leger erbij te halen, om de orders op diplomatieke wijze af te handelen.

Langzaam maar zeker ging het een andere richting op. Twijfel aan zichzelf en aanvallen van berouw maakten plaats voor beledigingen, de verwijten en beschuldigingen. Joni was altijd vijandig geweest, Omer Levkovitsj was de duivel zelve, de minister van Veiligheid een ramp en de Jesja-raad zat alleen maar op koers naar de afgrond. En trouwens

– het linkse kamp, de autoriteiten, de regering, de raad, de media, de Amerikanen, de Palestijnen, de politie, het leger – iedereen is tegen ons. Dit keer was het een echte escalatie, voor het eerst in het bestaan van de nederzetting was er een huis afgebroken, het leger had een grens overschreden en de status-quo tenietgedaan. Waarom houden ze zich alleen met ons bezig, en niet met de Palestijnen, die zomaar van alles bouwen zonder vergunning en alles en iedereen aan hun laars lappen? Jean-Marc eiste dat ze ze een lesje zouden leren – eentje die de status-quo met de Palestijnen ook zou beschadigen – 'hij oefent wraak aan zijn tegenstanders en verzoent zijn land, zijn volk'. De aanwezigen keken elkaar eens aan. Maar dan tikte Otniël onder zijn ogen en zei: 'Een oog dat ziet, mensen,' en er werd niet meer over het onderwerp gepraat.

Otniël probeerde zijn vriend de generaal-majoor te bellen, maar hij kreeg hem niet te pakken. Zijn medestander, parlementariër Oeriël Tsoer, was minder toegankelijk geworden sinds hij plaatsvervangend minister van Toerisme was. De vergadering eindigde met een besluitenlijst: een massademonstratie organiseren; een pamflet drukken waarin uitgelegd wordt hoe de verschillende regeringen de voorpost jarenlang hebben gesteund en dat hij daarom niet illegaal kan zijn; fondsen werven en Gabi helpen om zijn huisje opnieuw te bouwen zodat hij een plek heeft om zijn hoofd te ruste te leggen en om te laten zien dat ze doorgingen; en vooral heel snel contact opnemen met alle relevante partijen om de sloop- en demarcatieorders ongeldig te laten verklaren, of in ieder geval enige tijd te laten uitstellen als gevolg van de ontstane crisis, en tijdens het uitstel nieuwe bouwvergunningen zien te verkrijgen voor Gabi's huisje en andere urgente bouwactiviteiten.

Nadat hij de afgehakte takken op een hoop had gelegd en tussen de verbonden stammen had schoongemaakt, ging Nimr Ibrahim tussen de bomen zitten. Er moest een klacht ingediend worden. Het leger moest erbij geroepen worden. Ronni heeft wraak genomen op onze bomen omdat we niet in zijn plannen zijn meegegaan. Er moest tegen het leger gezegd worden dat ze hem moesten arresteren. Hij was vast en zeker geholpen door mensen uit dat dorp. Straks kwam het leger en hij zou het hun allemaal vertellen. Hij moest tegen de mokhtar zeggen dat die met het leger moest gaan praten. Of misschien met Ronni zelf, om tegen hem te zeggen: Wat is dit nou, is dit nodig? Hij leunde tegen een van de met zakken omwikkelde stompen, keek om zich heen, wachtte tot er iets zou gebeuren in reactie op de agressieve actie. Maar er gebeurde niets. Hij dook weg in het sweatshirt van 'Assistentie 13 – Wilde Beesten' tegen de koude wind die opgestoken was. Het enige wat er gebeurde, was dat het verbrand rook, en dat de mieren verheugd waren over de losgewoelde grond. De roep van de muezzin voor het tweede gebed bracht hem op de been en leidde hem naar de moskee. Onderweg ging hij bij zijn vader langs om zich ervan te vergewissen dat hij zich goed voelde. Hij trof hem aan met een sigaret in het sigarettenpijpje. 'Ik heb Ronni gebeld,' zei Moessa voordat Nimr zijn mond open had kunnen doen. 'Hij is sinds gisteren in Tel Aviv. Ik kon het rumoer horen, het getoeter van auto's. Hij is daar, Nimr. Ik geloof niet dat hij brand heeft gesticht.'

Een dag eerder in de voorpost had Ronni de soldaten in hun voertuigen zien arriveren, en het gereedschap dat ze in de regen hadden uitgepakt. Toen de sloop van het huisje begon, zat hij in zijn caravan. Hij had tegen het raam geleund en verbijsterd gekeken: schijnwerpers, soldaten, geschreeuw, het geluid van zwaar ijzeren gereedschap dat op hout klapt. Naarmate de sloop van het nieuwe en prachtige huisje van zijn broer vorderde, des te vastomlijnder werd Ronni's beslissing die gisteren tijdens de afwas al begon te kristalliseren: wegwezen hier. Hij had behoefte aan andere lucht, aan alcohol, aan zee. Hij wilde naar Tel Aviv.

Ronni ging met gebogen hoofd naar buiten. Met alle hoogoplopende gemoederen daarbeneden aan de rand van de kloof lette niemand op hem. Het was nu of nooit. Hij had zijn jas aan, portefeuille in zijn binnenzak en in de portefeuille wat contanten. Hij had geen tas nodig.

Het vrachtautootje van Moran, de distributeur en bevoorrader van Otniëls boerderij, stopte naast hem. 'Jou heb ik lang niet gezien,' zei hij tegen Ronni. 'Jeruzalem?'

'Alles beter dan dit,' zei Ronni tegen hem en hij stapte in.

'Eindelijk doet het leger eens wat,' zei Moran aan het begin van de rit en wierp een voorzichtige blik op Ronni. Hij wist dat het Gabi's broer was, maar niet welke meningen hij erop na hield.

'Ik... Het interesseert me niet zo...' zei Ronni.

'Mij ook niet. Ik kom hier om te werken, ik kom, laad kratten in en vertrek. Er wordt nauwelijks een woord gewisseld. Zeg eens...' – daar kwam de vraag waarvan Ronni wist dat hij zou komen – '... Hoe is het afgelopen met die olijfolie? Dat wil zeggen, ik weet dat de Japanners de fabriek hebben opgezet en zo, maar destijds hadden jullie het met mij over iets kleins, boetiek, ik bedoel maar, is dat misgelopen? Hebben jullie ervan afgezien? Ga je nu naar die vriend van je?'

Ronni wilde er niet over praten. 'Hou op, die Japanners... Japanners hebben alles overgenomen...' zei hij vaag en wendde zijn hoofd af naar de kant van de weg. Hij dacht: wat jammer dat ik niet gedoucht heb voordat ik vertrok. Wanneer heb ik voor het laatst gedoucht? Shit.

'Jammer,' zei Moran. 'Het had een leuk project kunnen zijn. Jullie hadden een goed idee... Samenwerking. Ambachtelijke olie van hoge kwaliteit. Een nichemarkt, maar toch...' Moran bleef praten, maar Ronni luisterde niet. Ze kwamen langs Jeruzalem, waar hij ook al maanden niet was geweest. Hoe eenvoudig kan het zijn, dacht hij. Je stapt in een auto en rijdt weg. Maar dat was hem meer dan een jaar niet gelukt. Ongelooflijk. Het is zo makkelijk om vast te roesten. Het duizelde hem van de aantallen auto's, van de groene akkers naast de snelweg, en van de nieuwe viaducten en de spoorrails die werden aangelegd. Het begon te regenen, de ruitenwissers krijsten bij iedere beweging. De prikkeling in zijn huid, de diepe ademhaling, de spanning in zijn buik, alles wees erop dat hij opgewonden was.

'Zeg eens,' zei Moran nadat hij agressief getoeterd had en 'Jij hoerenzoon!!' had geschreeuwd tegen een bestuurder die hem afsneed bij het kruispunt Latroen. 'Ik ben er altijd nieuwsgierig naar geweest. Die kolonistes, er zijn daar... Nou ja, er zijn er een paar die er best goed uitzien, hè? De oudste dochter van Otni, en ook, je weet wel...'

Ronni schoot Moran niet te hulp. Hij was nog steeds een beetje boos omdat hij hem een paar minuten geleden niet had toegestaan te roken.

'Ik bedoel maar, je bent seculier, toch? Gabi is een neo-orthodox, maar jij niet, toch? Gabi is een goeie vent trouwens. Harde werker, rustig, deed vaak wat extra's voor me... Hoe dan ook, is er daar nog wat "actie" te vinden? Als je begrijpt wat ik bedoel.'

Ronni voelde vermoeidheid. 'Geen enkele, geloof me.' Ronni was de laatste tijd bijna helemaal opgehouden aan seks te denken, verrassend genoeg. Hij vroeg zich af waarom. Misschien door zijn depressiviteit, misschien was er iets op de heuveltop dat iedere lust wegnam. In het begin had hij nog zijn bekende jachtinstinct gevolgd, had signalen afgegeven en gewacht op een reactie. Er was die sexy linkse demonstrante geweest, dan was er Sjaoelit Rivlin op wie hij een oogje had laten vallen en heel even had gedacht dat hij kans maakte toen ze haar man het huis uit gegooid had, en natuurlijk de mooie Gitít met die geschiedenis met de Ethiopiër. Uiteindelijk was dat ook maar een loze seculiere fantasie gebleken: dat onder de oppervlakte van een kleine en behoudende gemeenschap sterke lusten stromen, dat je alleen maar aan de oppervlakte hoeft te krabben om erbij te komen. Uiteindelijk had Ronni zich overgegeven aan de uitgebluste sfeer en had hij maar af en toe een kortstondig verlangen naar een vrouwelijk lichaam – een blanke ronde heup, een gladgeschoren oksel.

'Wat zeg je? Helemaal niks? Ga weg, broeder.'

Het was vreemd. Ronni begreep precies wat Moran wilde weten. Maar voor het eerst van zijn leven bekeek hij het van de andere kant, van de kant die het kinderlijke enthousiasme voor geheimen niet begreep, of de noodzaak om een andere waarheid te ontdekken dan die al zichtbaar was. Om te weten dat mensen lusten hebben en daaraan toegeven.

Een ritmische melodie klonk in het voertuig en liet Ronni schrikken. 'Mai, liefje!' zei Moran.

'Papa,' klonk een schattig stemmetje. 'Ik ben hier. Ik ben thuis.'

'Prachtig, Mai, liefje. Wat heb je vandaag gedaan?'

Wat vliegt de tijd, keerde Ronni terug naar zijn eerdere gedachten. Het is al 2010, ja allah. Zo'n lange tijd dat hij het gevoel nauwelijks meer kende en zelfs geen medelijden meer had met zichzelf. Ronni Cooper als monnik, wie had dat gedacht. Religie, mijmerde Ronni terwijl Moran een gesprek met zijn achtjarige dochter voerde, is een interessant maatschappelijk experiment om het gegeven dat alle mannen verslaafd zijn aan seks en agressie een plek te geven. In het afgelopen jaar had hij geleerd dat in ieder geval waar het de seks betrof, religie iedere neiging verstikte.

Hij merkte dat naarmate hij er verder van verwijderd raakte, zijn brein werd ingenomen door een nieuwe manier van denken, of misschien wel een oude. De eenvoud van het leven op de voorpost, de duidelijke wetten en de orde die ze voorschreven – bij tijd en wijle hadden ze hem betoverd. Maar onderweg naar Tel Aviv jubelde zijn lichaam van verwachting en verrasten de overpeinzingen over seks hem vanuit de duistere kelder waarin ze al die tijd opgesloten hadden gezeten, als om het punt te benadrukken: het was niets voor hem.

Mai vertelde haar vader iets over haar juf en daarna speelde ze een liedje op de piano, dat Ronni maar ternauwernood herkende. Daarna kwam Morans vrouw aan de lijn, die berichtte dat Mai door haar pianojuf geprezen was. Moran zei dat hij bijna thuis was en blies handkusjes in de auto. Toen hing hij op en zei tegen Ronni: 'Nou, hoe zit dat met Otni's dochter, is dat niet wat? Ze ziet eruit als eentje die onder die spijkerrokken van haar spettert. Ze ziet eruit alsof ze gloeiend heet is, gloeiend heet!'

De kleuterleidster

Gavriël Nechoesjtan kleedde zich in feestelijk wit, sloeg een talliet om, deed zijn ogen dicht en wiegde in de richting van het stukje muur naast het raam dat uitkeek op de kloof van de Chermesj. Sjabbatavond was altijd goed, maar deze was bijzonder; de synagoge was mooier dan ooit, uitnodigend, zo met die rustieke houten balken en het dak dat zich niets aantrok van de lichte regen die onophoudelijk viel. De liefde en steun en het aanbod van alle hulp die hij van iedereen had ontvangen, hadden hem geraakt. Hij had natuurlijk ook van alle kanten loftuitingen gekregen over het opknappen van de synagoge, en al had hij geprobeerd die naar Herzl Weizmann af te buigen, hij was de held van de dag en hij zou een ereplaats krijgen bij de oproepen voor de Tora morgen.

Er zijn sjabbats die een groter gevoel van heiligheid hebben, en dit was er een van: een nieuw boek, weekafdeling Sjemot, het brandende braambos. De sfeer in de nederzetting was hard, het trauma van de sloop van het huisje hing in de vochtige lucht, de tranen stonden de mensen in de ogen tijdens het bidden. Er waren mensen uit A en B gekomen en ook van nog verder weg, om zich solidair te betonen en steun te geven, de synagoge was vol en warm. Gabi's tere hart liep over van verborgen gevoelens van diepe pijn gemengd met vervoering, hij wiegde fervent, klapte in zijn handen, stralend gezicht, groot en geprezen is de levende God, de Eerste en aan Zijn begin ging niets vooraf. En ook, besefte hij ineens: een sjabbat zonder Ronni. Zonder zijn zure, zeurderige aanwezigheid. Het had even geduurd om tegenover zichzelf te kunnen erkennen dat dat een grote opluchting was, en het viel hem op dat zijn gebed vrijer en dieper was.

Midden in het gebed ging hij naar buiten, liep de korte afstand naar de rand van de kloof en ging op de natte richel van de rots zitten. Motregen viel prettig op zijn nek, maakte zijn baard nat, de tranen stroomden uit zijn ogen. Jij bent de ware, man, jij bent de rechtvaardige, je hebt mij genomen, een nietige mens, hebt me tegenover deze gigantische woestijn neergezet, je hebt me de weg gewezen, hoe lieflijk ben je. En als je mij mijn huis hebt afgenomen, zoals je me mijn zoon hebt afgenomen, dan moet je daar een goede reden voor hebben gehad. Hij stond op voor het Amida-gebed. U bent te allen tijde machtig, Heer. U laat het waaien en U laat het regenen. U bent heilig en Uw naam is heilig. Hij reciteerde het Me'een Sjeva en de psalm 'De Heer is mijn herder, het ontbreekt mij aan niets'. Hij keerde terug naar de synagoge voor het Alenoe Lesjabeach.

Na het gebed, na een nog meer schouderklopjes, kussen op de hand en sjabbat-sjalomwensen, verliet hij de synagoge en liep het pad af. Gisteren, nadat hij dakloos was geworden, had ongeveer iedereen hem uitgenodigd om bij hen te komen logeren, en hij had de nacht doorgebracht in de caravan van Josh en Jehoe. Nu bedacht hij dat Ronni niet in zijn caravan was en overwoog even daar te gaan slapen, maar terwijl hij nog delibereerde over zijn volgende stap en zijn hoofd ophief naar de hemel die begon te druppelen, hoorde hij iemand zijn neus snuiten. Hij bleef staan waar hij stond en luisterde aandachtig. De zachte zwarte nachtlucht omgaf hem. Nog een snuif. En een heel klein giecheltje. En daarna: 'Vrede zij met jullie, engelen van dienst, engelen van de Allerhoogste...' Hij fronste zijn wenkbrauwen. Het was geen verrassing, het was de tijd waarop dat lied gezongen wordt, wanneer families om tafel zitten en de sjabbat verwelkomen. Maar deze stem klonk helder, dichtbij. Hij kwam niet uit een huis, maar uit een tuin. Iemand zat in de tuin en zong het lied met een heldere hypnotiserende stem. Gabi stopte om te luisteren. Het was niet zijn bedoeling en hij wilde het niet doen, hij wilde zijn buren niet stiekem bespieden, niet naar de vrouw luisteren, niet wijken van zijn eenheid met zijn God en zijn pad om zelf de sjabbat te ontvangen. Maar iets in de stem maakte dat zijn voeten aan de grond genageld waren en hij zijn oren spitste. Het was niet haar bedoeling haar stem openlijk te laten horen, ze zondigde niet, ze zong met een zachte zoete stem, als voor een kind. Hij keek om zich heen in de diepe duisternis en zong in zijn hart het lied mee.

Het was het huis van de Rivlins, het was Sjaoelit, die zomaar voor Zvoeli aan het zingen was. In de synagoge was het hem al opgevallen dat ze er anders uitzag, zonder te beseffen dat dat door het losse haar kwam, het afleggen van de hoofdbedekking van de getrouwde vrouw. Hij zei tegen zichzelf: Genoeg, ga nu naar huis, en exact op dat moment klonk een gil uit het huis en meteen daarna: 'Mammie! Mammie!' Een tweede gil voegde zich bij de eerste: 'Mammie, help! Waar ben je!' Sjaoelits dochters huilden en gilden, hun moeder riep: 'Amalja? Tchelet? Wat is er? Wat is er? Kom maar hierheen, ik zit buiten!'

'Mammie, kom hier, help!!' klonk het huilend.

'Wat is er? Ik kan niet komen, ik zit Zvoeli buiten te voeden, wacht even. Kalmeer en vertel me wat er aan de hand is.'

'Mammíé-íé,' klonk het tweevoudige gejammer van binnen, en werd daarna versterkt met een nieuw, scherp gekrijs.

'Oi,' zei Sjaoelit. Zvoeli begon te huilen, Sjaoelit suste hem: 'Sssss… sssss…' Het gegil hield aan. Gabi keek rond in de vredige nederzetting die de sjabbat diep in haar gedachten opgenomen had. Hij liep door het tuinhekje. 'Sssss… Zvoeli, even wachten…' suste Sjaoelit haar baby. Ze hoorde iets en keek op, verrast. Gabi mompelde 'sjabbat sjalom' en haastte zich naar de gillende meisjes binnen.

De tweede keer dat Gavriël die avond het lied 'Vrede zij met jullie, engelen van dienst' hoorde, was Sjaoelits stem niet gedempt, maar klonk krachtig en gevoelig. Ze werd ondersteund door de stemmen van haar glimlachende dochters en die van hem. Hij sloot zijn ogen om zijn zintuigen te focussen op de mooie stemmen die verder zongen over de Koning der koningen en Zijn engelen. Toen hij ze weer opendeed zag hij hoe mooi Tchelet en Amalja waren, ze hadden precies dezelfde ogen als hun moeder. En toen ze overgingen naar 'Een ideale vrouw, wie vind die' kon hij zich niet beheersen en keek haar recht in haar ogen. Ze had erop gestaan dat hij bleef. Had gezegd dat er een plek vrij was aan het hoofd van de tafel en dat de wijn en het brood gezegend moesten worden, en als hij geen andere plannen had, als er niet op hem gewacht werd... de meisjes waren nog steeds van slag door het insect en zouden blij zijn met zijn kalmerende aanwezigheid.

Het insect: een harig, veelpotig schepsel van ongeveer een vinger lengte en knalgeel. De heuveltop wemelde van de vreemde beesten, dat wist ieder kind, maar dit was iets bijzonders. Gavriël was zoiets in al zijn jaren op de heuveltop nog niet tegengekomen en zelfs hij, met al zijn mannelijkheid, schrok ervoor terug. Het insect had zich verschanst in een hoekje van de kamer, dicht bij de pop Sjosjanna, die tegen de muur leunde en eruitzag alsof ze door het beest gegijzeld was. Zijn antennes tastten hysterisch in het rond en af en toe deed hij een poging tot vluchten, die werd beantwoord met een gilsalvo van de beide zusjes vanaf het bed, vastgeklampt aan de kussens en met tranen in hun ogen. Gavriël stampte het dier met een welgemikte trap plat – een noodgeval – en nu werd hij geraakt door de warmte en bescheidenheid van de familiekring. Hij was eerder wel uitgenodigd bij families op de heuvel-top, had bij Chilik en Nechama Jisraëli gegeten, bij Otniël en Rachel Asís en bij andere gezinnen waarvan een deel al niet meer op de heuvel woonde. Maar sinds Ronni's komst werd hij niet meer gezien als een vrijgezel die moest worden uitgenodigd en eerlijk gezegd had hij het ook liever zo. Sjaoelit verontschuldigde zich voor de vis die te lang in de oven had gestaan, maar Gabi zei dat de vis geweldig was en compli-menteerde Amalja met de salade die ze gesneden had.

En dat alles dankzij een harig insect en een engelachtige stem. Na het eten was er taart, en na de taart was er koffie. De meisjes verdwenen om in hun eigen kamer te gaan spelen, het gesprek kabbelde voort en toen Zvoeli te drinken vroeg, draaide Gavriël zijn rug toe en concen-treerde zich op *De Meester en Margerita*, op Etgar Keret en op *De koosjere Chinese keuken* van Aharoni. De boekenplanken zagen er altijd hetzelfde uit wat de heilige boeken betrof, maar onderscheidden zich met de seculiere boeken. Sjaoelit legde Zvoeli in zijn wiegje en vroeg: 'Wil je buiten zitten?' Ze keerden terug naar de schommelbank. Ze had dit niet gepland; deze avond, net zoals de rest van haar leven de laatste tijd, rolde van de ene gebeurtenis in de andere, van een brandje blussen naar het oplossen van een probleem, een eindeloze vermoeiende aaneenschakeling van gebeurtenissen. Maar later, voordat ze insliep, bedacht ze dat de beslissing om haar haar te bevrijden uit hun gevangenschap bij haar meer losgemaakt had dan haar haar alleen.

Gabi en Sjaoelit spraken voorzichtig. Ze hadden nooit meer dan één of twee zinnen met elkaar gewisseld. Ze complimenteerde hem met de synagoge. 'Eindelijk geen lekkage in de vrouwenafdeling,' glimlachte ze. 'En dan de crèche. Alle respect. Je bent vast en zeker heel trots.'

'Dat was ik niet,' zei hij. 'Herzl Weizmann en zijn arbeiders hebben het meeste werk gedaan. Hem komen de complimentjes toe, en aan degenen die hem de opdracht hebben gegeven en hem hebben gefinancierd, dat is de raad, de commissie, ik weet niet...'

'Wat vertel je me nou. Deze plek opbouwen met je handen moet je vast en zeker verschrikkelijk trots maken.' En na die woorden dachten ze allebei direct aan zijn huisje. Sjaoelit legde twee vingers op zijn arm, haalde die weer weg en fluisterde: 'Oi, het spijt me.'

'Er hoeft je niks spijten,' zei tegen haar, opgewonden door het gebaar. 'Moge God genadig zijn...'

Een moment van stilte ter herinnering aan het huisje. Ze overwogen een openingszet voor een politieke discussie: gemopper over het leger, de regering, de toestand, de voortdurende benadeling van de kolonisten. Schijnbaar was de stilte voldoende en ze lieten hem voorbijgaan.

'Weet je,' zei Sjaoelit, 'je hoeft sjabbatavond niet alleen door te brengen. Je mag hier komen wanneer je maar wilt.'

'Dank je, je bent een tsadieka, Sjaoelit,' zei hij en hief zijn ogen aarzelend op naar de rossige krul die over haar voorhoofd hing, daar twee seconden bleef hangen en dan achter het oor werd gestopt met een slanke vinger, nog altijd voorzien van een ring, die er keurig verzorgd uitzag door de manicure van Netta Hirsjzon. 'Meestal ben ik niet alleen. Mijn broer is hier.' Zijn stem klonk donker. 'Hij is alleen vandaag weggegaan. Of eigenlijk gisteren...'

Gisteren. Moran was van zijn route naar zijn mosjav in Sjaron afgeweken en had hem in de stad afgezet. Ronni was op een drukke hoek uitgestapt en had verwonderd om zich heen gekeken, liet de indrukken hem aan het duizelen maken: de opwinding, het vreemde, de grootte, de herrie; goeie God, de bevrijde borsten! Ze sprongen hem in het oog, smeekten om aandacht, staken naar voren onder truitjes van wol en katoen. Hij liep in de richting van het strand, zonder echt na te denken.

Het geluid van een fietsbel rukte hem uit zijn visioen en daarna volgde de bron: 'K'ssammak! Kijk waar je loopt, lul!'

'Hou je bek!' reageerde Ronni instinctief, zijn klauwen klaar om te slaan, maar de fietser reed door, het neurotisch knipperende rode achterlichtje werd steeds kleiner.

'*Oh my God*, die fietsers zijn levensgevaarlijk. Alles in orde?' klonk een vrouwenstem. Ronni draaide zich half om en aanschouwde een engel. Oké, een beetje gezet, maar zulk bruin steil glanzend haar, zulke volle lippen. Goed, haar neus was een tikje aan de grote kant, maar ze had ogen om in weg te smelten, lichtbruin van kleur, waarin hij treurigheid, hoop en de neiging tot flirten ontwaarde. Hij stelde zich haar voor op handen en voeten, haar achterwerk verwachtingsvol omhooggestoken.

'Wat een klootzak,' beaamde hij, terwijl hij de rest van haar lichaam met dezelfde blik probeerde in zich op te nemen. Onderweg hiernaartoe had hij erover gepeinsd hoe seksueel uitgeblust hij was geweest op de heuveltop en hier hadden Tel Aviv en haar inwoners minder dan tien minuten nodig om het beest in hem uit zijn winterslaap te wekken.

'Het belangrijkste is dat alles in orde is,' zei zij en hij: 'Zeg, wil je ergens een kopje koffie drinken, om te kalmeren?' Zijn blik was al op zoek naar een plekje. 'Waar zijn we eigenlijk? Ah ja, Ben Goerion...' Maar ze liep snel verder, zij het niet voordat ze met haar lichte ogen een blik vol verachting op hem had geworpen.

Nou ja, te gezet, troostte Ronni zichzelf, en dan die neus – kom op zeg. Wat een typisch Tel Avivs snobisme! Terwijl hij zich herpakte en zijn weg naar het strand vervolgde, bedacht hij: ja allah, vroeger pakte ik dat anders aan. Toen lukte het me binnen een paar minuten om tenminste met ze te praten. Ik ben vergeten hoe het moet. Ik ben volledig verwoest. Op het strand bij het Sheraton zat hij in een ligstoel die hij voor tien sjekel had gehuurd en keek naar de golven. Er waren weinig meisjes, en ze waren bezet, maar de uitgesproken contouren van hun borsten waren een verrassing, bijna een schok. Maandenlang had hij niets gezien dat hierop leek en nu kon hij zijn ogen er niet van losrukken. De zee was woest.

Misschien is het goed om roestig te zijn, mijmerde hij. De roest beschermt je, omgeeft je. Roest is niet alleen maar vuil, maar een voortdurend moment van aanvaarding. Hij viel in slaap en toen hij wakker werd van de kou, waren de mensen die eerder op het strand waren geweest verdwenen en was er alleen het pikkedonker. Hij ging naar Bar Baraboesj. Nam plaats aan de bar. Hij kende er niemand. Hij bekeek het café eens goed, bleef hangen bij de veranderingen: nieuwe stoelen, en een plank met flessen, een tap voor Duits bier uit het vat. Wat een stuk van mijn leven heb ik hier doorgebracht, dacht hij, en na een tijdje: ik mis de stilte een beetje. Misschien heb ik genoeg gehad van de grote stad. Misschien verlang ik terug naar mijn caravan, de meest miserabele caravan in de bezette gebieden.

Daar ontmoette hij de kleuterleidster, Rina. Ze begon met hem te praten. En bleef praten. Urenlang. Buiten regende het en binnen had niemand haast om ergens naartoe te gaan. Ze was niet zijn type, niet qua uiterlijk, niet qua beroep en niet qua karakter. Maar hij vond het aangenaam om met haar te praten. Ze vertelde hem over theesoorten. Over yogasoorten. Kinderliedjes. En ze analyseerde de huizenmarkt in Tel Aviv. Hij dronk een biertje, ging toen over op koffie en ten slotte naar lauw water uit de kraan. Iedere keer dat hij naar buiten liep om te roken, zat ze binnen op hem te wachten, totdat het zo hard regende dat hij ophield met roken en bij haar bleef, en bij haar verhalen over vaders bij de kleuterschool, die haar probeerden te versieren, de nieuwe biologische winkel in het winkelcentrum Gan Haïr, een goddelijke ijssalon die hij beslist moest uitproberen. Zijn er vaders die haar proberen te versieren? vroeg hij zich af.

Hij vertelde haar dat hij geen slaapplek had en ze nodigde hem weliswaar niet bij zich in bed, maar bood hem aan dat hij in haar kleuterschool kon slapen als hij beloofde zich om zes uur schaars te maken. Zo kwam het dat Ronni zijn eerste nacht sinds tijden in Tel Aviv doorbracht in een kleuterschool aan de Sjlomo Hamelechstraat, halverwege Ben Goerion en Arzolorov, een zoete slaap op meerdere kindermatrassen die tegen elkaar aan gelegd waren. Hij werd gewekt door haar telefoontje om zes uur 's ochtends, haar schorre, vriendelijke stem die zei: 'Goedemorgen, wil je alsjeblieft je biezen pakken?' Hij deed zijn belofte gestand, ruimde op en vertrok. Die vrijdag bracht hij door met wandelen, op bankjes zitten aan de lanen, aan zee en zich verwonderend: waar is de koortsachtige voorbereiding voor sjabbat? Waar zijn de kookgeuren, het indopen van servies in het mikwe? Waar zijn de auto's, die op het laatste moment stofwolken veroorzaken? Waar is de stilte die alles steeds verder overwint? De duisternis, de witte kleding, de glimlachjes in de synagoge?

Hij wist precies waar dat alles was. Op zondag zou hij teruggaan, na nog twee nachten in Tel Aviv: op vrijdagavond had hij nog een ontmoeting met Rina, niet echt gepland ondanks het uitwisselen van telefoonnummers de avond ervoor. Dit keer hadden ze een andere basis, niet langer een man en een vrouw die elkaar toevallig in een bar tegenkwamen om een paar uur met elkaar rond te hangen en misschien te zien waartoe het zou leiden. Dit keer praatten ze met een bredere samenhang, dit keer spraken ze over het verleden, over het heden, maar diepgaander dan pogingen om indruk te maken met 'ik woon in een caravan op een heuveltop in de bezette gebieden' of 'ik ben een kleuterleidster aan de Sjlomo Hamelechstraat'. Dit keer legden ze bekentenissen af: 'Mijn caravan is de meest miserabele caravan in de bezette gebieden, en ik heb geen idee wat ik daar eigenlijk doe', en: 'De stad verstikt me en ik weet niet of ik er aan het eind van dit jaar financieel goed genoeg voorsta of genoeg energie heb om door te gaan.' De tijd ging snel, het bier stroomde, er verschenen zelfs wat oude stamgasten van Bar Baraboesj die zich Ronni herinnerden. Een van hen vertelde dat Israël inmiddels op een nieuwe aandrijfstof functioneerde, iets dat te maken had met ijsdranken met gemengde zoetzure smaken. Dat herinnerde Ronni eraan dat hij Ariël al heel lang niet had gesproken.

Aan het eind van de date stuurde de kleuterleidster hem naar bed in haar afgesloten kleuterschool aan de Sjlomo Hamelech, tot laat op sjabbatochtend. Hun ontmoeting na het uitgaan van sjabbat was inmiddels vooraf gepland en toen durfden ze ook wat over de toekomst te praten.

Het keppeltje

Sinds het opblazen van de moskee op Second Life en zijn ongecontroleerde braakaanval was Jakir er niet meer naartoe gegaan. Zowel uit angst door de interne politie van het spel ontdekt te worden als uit berouw over de daden en weerzin tegen de uitspraken van King Meïr en zijn kompanen van de Joodse ondergrondse, maar ook uit tijdgebrek, omdat hij de bestelsite van de boerderij bijhield, archeologisch onderzoek deed en midden in het schooljaar zat. Nog afgezien van het bidden, af en toe helpen op het land en bij de verzorging van zijn jongere broertjes. Maar ondanks al zijn drukke bezigheden was hij een vijftienjarige met de wereld aan zijn voeten, een grote nieuwsgierigheid, sterke twijfels en helemaal opgewonden door ontdekkingen, mogelijkheden, nieuwe en afwijkende meningen en gedachten. Hij was zich door wat er op Second Life was gebeurd – de agressie, het doordringen in de privésfeer en de vernedering van anderen, de gevoelens van verhevenheid waardoor vandalisme werd gelegitimeerd – zeer ongemakkelijk gaan voelen, besefte hij. Zo zat hij niet in elkaar. Hoe hij dan wel in elkaar stak, wist hij niet. Maar als je vijftien bent, als dit jouw venster op de wereld is en je vingers je urenlang de krochten van het internet binnenvoeren, dan valt er veel te ontdekken en ook veel te veranderen.

Het begon met muziek. Van de relipop van Evjatar Banaj naar zwarte rappers naar clips op YouTube naar blogs naar uitzendingen op internetradio met de koptelefoon omdat mama klaagde over 'die herrie', en het ging door tot en met Jom Kippoer waarbij hij een hoofd vol gedachten had die niets met het Kol Nidree of de andere gebeden van doen hadden. Gesprekjes met Moran over 'wat vinden jullie seculieren van ons?' en vandaar naar fora over biologische groenten en fora over groentebewegingen, fora over yoga en sites van de Liberalen. Meer gesprekjes met Moran over seculieren en links activisme, gedachten over 'wat doe ik eigenlijk hier op de heuveltop zonder vrienden van mijn eigen leeftijd', en vanaf daar was het maar een kleine stap om in Jeruzalem een bescheidener keppeltje te kopen in plaats van zijn grote gebreide keppel zoals zijn vader had. Papa zag het niet, maar Gitít wel. Ze vroeg schamper of hij zijn verstand verloren had, of hij bij de *light orthodoxen* hoorde, bij wie je het keppeltje niet ziet, of hij zich soms schaamde? Hoezo, schamen? Maar hij bleef heel veel interessante dingen lezen. Hij bekeek Gitít als ze van het internaat terugkwam en het leek hem ineens vreemd, het gemak waarmee ze wist wat juist was, het onvermogen om iets in twijfel te trekken.

Uiteraard waren veel van de dingen die Moran hem vertelde een ver-van-mijn-bed-show; een wereld aan de andere kant van de kloof, waarvan hij niet dacht dat hij zich er zou kunnen aanpassen, en waarvan hem ook veel van de manieren buitenissig en vreemd toeschenen. Hij hield tenslotte wel van zijn leven, van zijn familie, van de synagoge en het gebed. Maar hij hield er ook van om vragen te stellen. Op een avond kwam hij op een forum van neotwijfelaars en toen hij opkeek van het scherm was het al twee uur 's nachts en stond zijn brein in brand. Het gevolg was dat hij een spelletje met zichzelf begon te spelen; kleine, nietszeggende overtredingen beging op sjabbat: hij schreef in een schrift, stak het fornuis voor twee minuten aan, luisterde naar een liedje via de koptelefoon… Gitít kwam steeds meer doordrongen van het geloof en steeds vaster in haar overtuigingen van het internaat terug. Soms, als hij bevangen was door twijfels, benijdde hij haar. Dacht hij dat hij ook een opleiding moest krijgen die hem zelfvertrouwen gaf en zijn twijfels kon wegnemen.

Jakir las op de site van de Oudheidkundige Dienst een officiële mededeling over twee waardevolle munten uit de periode van de Bar Kochba-opstand, die in een grot bij de Chermesj waren gevonden. Hij meldde het zijn vader en Otniël belde meteen Dovid op. 'Ja, dat klopt,' beaamde de oudheidkundig expert, 'dat zijn jouw munten. De laatste twee.'

'Nou,' zei Otniël opgewonden, 'kunnen we verkopen?'

'Wat verkopen?'

'Die munten, wat dacht je dan?'

'Waar zijn ze? Bij jou?'

'Nee, die vent van de Oudheidkundige Dienst zei dat ze ze wilden onderzoeken, maar als ik die mededeling goed begrijp, hebben ze dat inmiddels gedaan. Dus nu komen die munten mij toe?'

Otniël hoorde een langzame grinnik aan de andere kant van de lijn.

'Ja, ik geloof dat jij die munten krijgt. Laat me proberen om met iemand daar te praten.'

Otniël kneep zijn ogen stijf dicht. Hij was inmiddels woedend op iedereen – op de Oudheidkundige Dienst, op Dovid, op zichzelf omdat hij Dovid erbij betrokken had. 'Dus wanneer krijg ik ze terug?'

'Hoe moet ik dat weten? Wacht maar af. Tot nu toe heb je ook gewacht, nietwaar?'

Otniël deed zijn ogen open en keek Jakir aan. Hij sprak op zeer rustige toon in het apparaat, maar daaronder was de spanning duidelijk hoorbaar. 'Ik begrijp niet waarom je die achterlijke gladiolen onze munten hebt laten prijsgeven. Eerst hou jij ze maandenlang bij je. Nu hebben zij ze te pakken en vertellen ons precies dat wat we al wisten.'

'Ik heb niks gelaten, dat was een vergissing, heb ik je gezegd.'

Otniël verbrak het gesprek, haalde het visitekaartje van de man-in-het-pak uit een la en toetste het nummer in. Er werd niet opgenomen. Hij probeerde het nogmaals en werd verbonden met de secretaresse. Die verbond hem door met een andere secretaresse, die niet wist waarover hij het had en hem doorverbond met weer een andere, die wél wist waarover hij het had, maar zei dat meneer nu niet aanwezig was en er niemand anders was die hem kon helpen. 'Probeer het morgen nog eens,' adviseerde ze, 'of liever nog: volgende week.'

Otniël klapte zijn mobiel dicht en keek zijn zoon langdurig aan. Uiteindelijk stond hij op en zei: 'Kom, mijn zoon, we gaan naar Jeruzalem.'

In een winderig Jeruzalem zochten ze de kantoren van de Oudheidkundige Dienst aan de Sokolovstraat, die vanuit Keren Hajesod loopt, want Otniël herinnerde zich het gebouw nog uit zijn jeugd. Ze liepen van gebouw naar gebouw; vonden taal noch teken.

'Papa, waarom heb je niet tegen me gezegd dat je niet weet waar het is, ik had het op internet zo kunnen vinden.'

'Maar ik weet wel waar het is. Het is hier. Ergens.'

Ze checkten de parallel lopende Mendele Mocher Sfarimstraat en vroegen het aan voorbijgangers, totdat ze een oude buurtbewoner troffen, die vertelde dat hier ooit, vele jaren geleden, het Instituut voor Munten en Amuletten gevestigd was geweest.

'Zie je wel?' zei Otniël.

'Wat moet ik precies zien?' antwoordde zijn zoon.

De buurtbewoner wist niet wat het nieuwe adres was, niet van het Instituut voor Amuletten en ook niet van de Oudheidkundige Dienst. Na een paar telefoontjes reden ze naar het Nieuw Mamilla-complex. Ze zaten bijna twintig minuten bij het kantoor te wachten, totdat Otniël een rel begon te schoppen. Dat hielp. Er werd gezegd dat ze zich bij de eenheid Roofpreventie moesten vervoegen, die zich bezighield met de munten uit de grot bij de Chermesj. Maar die eenheid had geen apart kantoor, er was wel het Oudheidkundig Museum en daar waren ook wel kantoren, maar het was niet helemaal duidelijk of... Otniël schopte nog een rel.

Als het uiterlijk van de kolonist met zijn grote keppel, baard, tsietsiet en modderige werkschoenen voordelen heeft, is het wel dat iedereen bang van hem wordt als hij een rel schopt.

Uiteindelijk belandden ze bij de meneer die op bezoek was geweest in de nederzetting. Hij droeg weer een pak en was nog steeds bebrild, beleefd en kleurloos. 'Ah, goedendag heren,' zei hij, 'Maälè Chermesj C, toch?' Otniël knikte. Hij straalde geen vriendelijkheid uit, alleen afwachting. Dus hij zei: 'Ik heb mijn munten nodig.'

'De munten zijn niet hier,' zei de man.

'Hoe bedoel je, niet hier?'

'Ze zijn niet bij ons. Ze waren bij de Oudheidkundige Dienst. Daar zijn de laatste checks uitgevoerd en het was de bedoeling dat ze naar ons overgebracht zouden worden, en dat wij ze terug zouden geven aan meneer...' hij bladerde in de papieren op zijn bureau, 'meneer Dovid... aan jullie. Maar we hebben ze nog niet ontvangen van de OD.'

'Hoe bedoel je, we hebben ze nog niet ontvangen van de Oudheidkundige Dienst? Waar is die dienst? Vertel het me en ik ga ze zelf wel halen. Wat is dit voor bureaucratie? Het zijn mijn munten. Jullie hebben gezegd dat je klaar was met het onderzoek, de authenticiteit en leeftijd is vastgesteld, jullie hebben er mededelingen over gedaan op internet. Nu moeten jullie ze teruggeven aan de eigenaars. Wat is dit voor geneuzel?'

Het hielp niet.

Onderweg naar huis, op de uitvalsweg van Jeruzalem, zagen ze Ronni Cooper met zijn duim omhoog staan en ze namen hem mee.

'Dank je wel, tsadikiem,' zei hij en nam een hap van een bagel met za'atar.

'Het is een eer, het is een eer, chabibi. Geloofd zij Zijn naam.'

Na het kruispunt begonnen ze af te dalen in de richting van de woestijn, de heuvels werden geler, ze passeerden een nieuwe wijk die steeds verder uitgebouwd werd, als een soort gigantische octopus. Daarna volgden meer gelige heuvels bestrooid met olijfbomen en niet-vijandige of voormalig vijandige Palestijns dorpen, en na een paar kilometer was daar de wegversperring die verkondigde: vanaf hier beginnen de bezette gebieden. Daar was de lucht grijzig, de taxi's geel gekleurd, de nummerborden van de vrachtwagens wit, het landschap strekte zich uit en Otniël vroeg aan Ronni: 'Vertel eens, vadertje, hoe zat dat nou eigenlijk met die olie?' Zoals altijd twijfelde Ronni, bijna onbewust, welk antwoord het beste paste qua tijd, plaats en vooral de persoon. Informatie is plasticine: het materiaal blijft hetzelfde, maar de manier waarop het aangeboden wordt, kan veranderd: gekneed, platgeslagen of bol gemaakt.

'Hoe zou het in elkaar zitten,' antwoordde Ronni, 'het komt erop neer dat je niet op Palestijnen kunt vertrouwen. Zo zit het.'

Otniël keek voorzichtig in de spiegel. Maakte hij een grapje?

Ronni ging verder: 'Het zat zo. Ik had een pracht van een voorstel voor die Arabier, ik nam zijn perserij, die al jaren niet meer in gebruik was, en zei tegen hem: laten we hier opnieuw gaan produceren, breng je olijven, die van de buren, dan maken we de oude originele, ambachtelijke olie met het stof en de rook van waterpijpen, net als vroeger. Mensen in Tel Aviv zullen daar dol op zijn, laten we samen wat geld verdienen. In het begin kuste hij mijn voeten, zei dat zijn grootvader zich van vreugde in zijn graf zou omdraaien, dat ik een tsadiek was. Alles was in kannen en kruiken, winkels in Tel Aviv, financiering, marketing, het ontwerp voor de etiketten met het embleem van molenstenen zoals in Italië, zodat de mensen zouden weten wat een pure en smakelijke olie ze kochten...'

'Een mooi idee,' zei Otniël. 'Ik ben er niet zo weg van dat je zakendoet met Palestijnen en ze op de been houdt, ja? Maar het idee, dat is goed.'

'En toen kwamen die Japanners, we hadden getekende contracten en alles...'

Otniël zoog lucht tussen zijn tanden naar binnen en klokte afkeurend met zijn tong: 'Tsk...'

'En die verrader heeft over me heen gezeken en is met ze in zee gegaan. Zonder verblikken of verblozen. Waarom, omdat het Japanners zijn? Omdat ze geld hebben? Maar wat weten Japanners nou van olijfolie, vertel me dat eens? Wat weten zij nou van marketing en verkoop? Al die linkse blaaskaken uit Tel Aviv hadden we in onze broekzak; die kwamen bier bij me drinken toen ze twintig en dertig waren en zouden olie bij me komen proeven als ze veertig en vijftig zijn. Maar nee, daar komen de Japanners met hun grote machines en die vent raakt erdoor verblind, hoe kon hij er niet door verblind raken, die Palestijn...'

Op de derde nacht in de afgesloten kleuterschool van Rina voelde hij zich bijna thuis. 's Ochtends ruimde hij de matrassen en de lakens op en maakte zich om zes uur, zoals ze gevraagd had, uit de voeten naar de Sjlomo Hamelechstraat. Zelfs de zon piepte door de wolken en begeleidde hem naar een café op de boulevard. Hij was alweer aan Tel Aviv gewend, maar ging naar het busstation en nam een bus naar Jeruzalem. Onderweg dacht hij aan Rina en aan zijn nachten in haar afgesloten kleuterschool en in zijn hoofd begon zich een plan te vormen.

'Psss...' zei Otniël. En Jakir dacht: wat had jij gedaan als een internationaal Japans bedrijf een perserij bouwt en aanbiedt om je olijven te kopen – was je dan bij die naïeveling gebleven die je de yuppen van Tel Aviv had beloofd? 'Kon je hem niet aanklagen,' vroeg Otniël, 'andere telers vinden? Luister, ik wil nog een keer olijfbomen planten. Het zal wel een paar jaar duren voordat ze vrucht dragen, met Gods hulp, maar...'

'Met Gods hulp,' knikte Ronni. 'Ik weet het niet, ik ben er een beetje klaar mee.'

'Tsk...' klakte Otniël afkeurend en hij dacht: hoe krijgen de gojiem en de Arabieren het voor elkaar om alles in te pikken dat de Heilige, gezegend zij Hij, aan ons heeft beloofd, terwijl de wereld zwijgt. Hij zei: 'Met Gods hulp komt het goed, maak je geen zorgen. Zoals je al zei, wat weten Japanners nou van olijfolie?' In de stilte die volgde herinnerde Jakir zich een artikel over Matsumata dat hij op een economische site had gelezen; hij herinnerde zich de details niet, maar wel dat de Japanners heel goed wisten wat ze deden.

De zwangerschap

De zon kwam tevoorschijn na lange dagen van zware regen. Als zonnebloemen richtten de mensen zich ernaartoe, koesterden zich in haar licht en haar warmte, ook al waren de dagen nog winters en kil en stond Poeriem bijna voor de deur. Joni rekte zich die ochtend uit in de deuropening van zijn caravan, zijn uniformshirt, tot twee knoopjes aan de hals dichtgeknoopt, liet een magere, gebruinde borstkas zien, even glad als het water van een visvijver; zijn witte rijen tanden verwijderden zich van elkaar in een grote ochtendgaap. Zijn laatste week dienstplicht in Maälè Chermesj was aangebroken en de woede van een aantal inwoners was sinds de gebeurtenissen van de week ervoor nog niet gaan liggen. Maar een steek van heimwee vroeg om nog een laatste blik op zijn meisje voordat hij vertrok. Vandaag zou hij beginnen zijn schamele bezittingen in te pakken, bedacht hij, en herinnerde zichzelf eraan het gevechtsvest terug te vragen van de kolonisten dat hij had beloofd aan een van zijn goede vrienden, aan Ababba Cohen, die voor de krijgsraad moest verschijnen vanwege verloren uitrusting.

De kleutertjes kwamen naar buiten voor een eerste wandelingetje sinds de regen. De grotere kinderen Amalja en Boaz hielpen Nechama. De kleuterleidster duwde een bolderkar met daarin de allerkleinsten, Jemima-Me'ara en Zvoeli, terwijl de rest eromheen liep. Een paar kinderen waren gegroeid, bedacht Joni, ik kan me nog herinneren hoe Sjoev'el Asís, die kleine jongen met zijn staartje in de loopauto, laatst nog kaal in de kinderwagen lag; en Nefesj Freud in een draagzak tegen zijn moeders beroemde boezem gedrukt, en dat was nog niet eens zo gek langgeleden. De grote kinderen waren op school, de vaders en moeders aan het werk, Herzl Weizmann maakte iets kleins af op de veranda van Chilik Jisraëli, die zijn kopje Nescafé dronk in de zon die knipoogde in het raam en dacht: misschien ga ik wel naar de Hebreeuwse Universiteit, ik moet eindelijk het hoofdstuk schrijven over de voorkeursbehandeling van de kibboetsen door de leiding van de Jisjoev, en dan kom ik misschien eindelijk toe aan de beschrijving van hoe de beweging ontdaan werd van haar ideologische en andere bezit. Aan de andere kant van de ruit knabbelde Sassons kamelenmerrie aan de sappige scheuten van een woestijnplant en iets verder naar beneden had Gabi Nechoesjtan ergens nieuwe houten balken, zakken cement, grind en de overige ingrediënten vandaan gehaald die nodig waren voor nog een portie van hetzelfde dat hij een week eerder ook al geserveerd had gekregen door het Israëlisch Defensie Leger.

Condi en Beilin kwispelden toen er een auto langsreed, Elazar zat in zijn bescheiden tuintje te telefoneren, terwijl vanuit de caravan de klanken van radio Breslau hoorbaar waren. De tankauto met water arriveerde haast onopgemerkt, koppelde aan aan de witte watertoren met de slordige davidster erop bij de ingang van de nederzetting, bijna recht tegenover de deur van Joni, die met een hand boven zijn ogen tegen de zon naar de ervaren tankautochauffeur stond te kijken en dacht: zonder het doorzichtige vocht dat op dit moment naar de top van de toren stroomt, zou er hier geen leven zijn. De kinderen kwamen aan bij de speeltuin die naar Sheldon Mamelstein was vernoemd en begonnen zich er vrolijk te verspreiden. De woestijnheuvels in de verte kleurden geel, de nederzetting Jesjoea verscheen aan de andere kant van de rivier, de olijfbomen van Charmisj stonden er zwijgend bij op de pas tussen de nederzetting en het dorp. En toen klonk er een kreet uit een van de caravans, een kreet vol paniek, verrassing, urgentie, erbarmen, dank voor de Schepper der wereld en een allesomvattend geloof: de kreet van Netta Hirsjzon, die gehurkt over de zwangerschapstest had gewaterd, die haar geluidloos recht in haar sproeterige gezicht vertelde: Ja!

Otniël kreeg nee te horen. Na de rel die hij in Jeruzalem had geschopt, werd er navraag gedaan en kwam het officiële antwoord: de gevonden munten waren het eigendom van de staat Israël en bleven daar tot nader order in bewaring. Zoals aangegeven stond op de formulieren die Otniël had ondertekend, waren het terrein, de bodemschatten en alle archeologische vondsten – zowel de roerende als de onroerende – eigendom van de staat. Elke mondelinge uitspraak over mogelijk particulier eigendom van de muntenschat was geheel op het conto van degene die de uitspraak had gedaan en leidde tot geen enkele officiële of geldige verplichting van staatswege. De Dienst was de burger bijzonder dankbaar voor zijn vondst en zou er alles aan doen een paar munten als herinnering aan hem over te dragen en hem behulpzaam te zijn bij het verkrijgen van toekomstige vergunningen voor opgravingen.

Otniël deed de deur van zijn huis open, ging in de januarizon in een van de ligstoelen zitten, kneep met zijn ogen, deed ze dicht, greep zijn baard vast en bleef lange tijd roerloos zo zitten.

Gabi kon zich zijn droom 's morgens niet meer herinneren, hij herinnerde zich zijn dromen zelden. Als hij dat al deed, was het niet meer dan een paar losse surrealistische details, maar hij dacht dat Sjaoelit in zijn droom was voorgekomen. En dat het een tamelijk wilde droom was geweest, aangezien hij nog wat restanten van verse, wilde opwinding bespeurde. Nadat hij laat opgestaan was en snel naar de synagoge ging om het Sjma te reciteren en het Achttiengebed te bidden, voegde hij er voor de zekerheid het Tikkoen Haklali aan toe.

Toen hij uit de synagoge kwam, liep Sjaoelit met haar rode haardos precies voor hem. Dat was geen bijzondere samenloop van omstandigheden: Sjaoelits huis lag het dichtst bij de synagoge en Gavriël kwam de meeste ochtenden naar de synagoge voor het ochtendgebed. Vergelijkbare ontmoetingen hadden ook in het verleden plaatsgevonden, zonder indruk achter te laten. Dit keer schoof er een vlaag van verwondering en een glimlachje van herkenning over hun beider gezichten, en in de fractie van een seconde voordat ze elkaar met 'sjalom' begroetten, wist Gabi dat ook bij Sjaoelit afgelopen sjabbatavond door het hoofd schoot.

Hij vroeg haar hoe het met de insecten in huis was. Zij vroeg hem naar zijn werk. Flarden van zijn droom brachten hem een beetje in verwarring en ook zij gaf blijk van enige opgelatenheid, zonder kinderen om aandacht aan te schenken en de spanning weg te nemen. Ze nodigde hem uit voor een kop thee en maakte voor zichzelf Turkse koffie klaar in een glas, blies op de koffiekorrels die naar boven dreven op de draaikolk van belletjes en dronk voorzichtig. Ze vroeg of hij die ochtend ook geen warm water had gehad. Ze kon op die manier niet wakker worden: zonder warm water kon ze niet tandenpoetsen en zonder tandenpoetsen kon ze niet aan de dag beginnen. Dat was wat het leven hier het moeilijkst maakte: warm water. Hij vertelde dat hij juist ijskoud water nodig had in de ochtend. Als hij zijn gezicht niet met koud water vaste, verdween de slaap niet, ook 's winters, en hij had er last van dat het water 's zomers niet koud genoeg was om hem te wekken. Hij liep naar binnen om de boiler te controleren, maar kon geen probleem vinden; het water was warm. Soms duurt het eventjes voordat het doorkwam na een koude nacht, legde hij uit.

Achteraf probeerde hij te reconstrueren hoe het kwam dat ze het over Mikki hadden gehad. Hij schrok van zichzelf, van haar – zomaar op een doordeweekse dag in de winter met een kopje thee op de schommelbank in de tuin van Sjaoelit Rivlin. Ze vroeg waarom hij niet aanwezig was geweest bij een bruiloft in Maälè Chermesj A. Van binnen was hij blij dat het haar was opgevallen dat hij ontbrak. Hij legde uit dat hij zich ongemakkelijk voelde op bruiloften. Het dansen, de kringen, de liederen, de schijnbaar losgeslagen blijdschap; soms had hij het gevoel, zo vanaf de zijkant, dat die juist wel beheerst, bijna opgelegd was en hij had gemerkt dat hij zich er meestal niet bij betrokken voelde. Van bruiloften waren ze op de een of andere manier bij verjaardagen terechtgekomen. Ze vertelde dat de verjaardag van haar vader, zaliger nagedachtenis, volgende week viel. Ze zei dat het bij iedere verjaardag wel leek alsof de pijn erger werd. Vooral op zijn verjaardag, niet op de dag waarop hij van het leven beroofd werd door terroristen, moge hun naam weggevaagd worden. Jaja, zei Gabi, op een sterfdag richt je je aandacht op het einde, en op het begin van het leven zonder hem. Dat is in feite een herdenkingsdag waarop je jezelf gedenkt. Maar op een verjaardag denkt men aan de tijd die hij had moeten leven; gedenkt men zijn leven, dat er niet meer is. Een verjaardag gedenkt hem.

'Hoe weet je dat?' vroeg ze hem, als iemand wiens warme water ineens doorgekomen was.

'Ik weet het gewoon,' antwoordde hij. Het was ook bijna zijn verjaardag, vertelde hij en hij glimlachte. Zijn glimlach ontblootte zijn grote tanden, kneep zijn ogen samen, hij trok aan zijn vrijgezellenbaard die hoognodig gefatsoeneerd moest worden.

'Maar hoe weet jij het verschil tussen een verjaardag en een sterfdag?' hield ze aan. Hij vertelde haar over Mikki. Weliswaar was die niet dood, God zij dank, maar Gabi herdacht ieder jaar de dag van het afscheid, de dag waarna hij zijn zoon nooit meer had gezien, als ware het een sterfdag. Hij legde niet uit waarom hij hem niet kon zien of met hem praten, schoof de verantwoordelijkheid af op zijn ex door te zeggen dat ze naar de andere kant van de wereld was gevlucht, dat ze een beetje vreemd was en dat hij van haar zelfs geen contact mocht zoeken.

Hij vertelde dat hij zich ieder jaar, tegen het eind van de herfst als Mikki's verjaardag eraan kwam en de wereld donkerder werd en de dagen somberder, verschrikkelijk voelde. Dit jaar zou Mikki acht worden, vertelde hij Sjaoelit, die met flonkerende ogen zat te luisteren, de eerste inwoner van de heuveltop die hem over Mikki hoorde. Net zoals voor Gitít, had Sjaoelit iets waardoor je je blootgaf, iets dat je ertoe bracht de meest intieme verhalen te vertellen. Hij praatte over Mikki en een scherpe pijn legde hem het zwijgen op, maar hij stopte niet: je kon je niet losmaken van de pijn om een kind. Het verlangen. Het berouw over iedere ruzie, over elke weigering. Het gemis dat zo onpeilbaar was, een nachtmerrie waaraan geen einde kwam. Hij probeerde Anna niet de schuld te geven. Zij had niet het geloof in de Heer der wereld dat haar de kracht gaf om ermee om te gaan.

'Bij een les van een rabbijn die ik ooit hoorde,' zei Sjaoelit, 'vertelde hij dat het verlangen de motor van de wereld is. Het begin en het eind. Je zou kunnen breken door alle pijn die er in verlangen zit. Wat er ook gedaan wordt, wij zijn een gebroken kruik. Rabbi Nachman haalde muziek uit zijn verlangen. Het hart klopt en ontspant. Verlangen komt en gaat.'

Binnen ging de telefoon en Sjaoelit verdween in het huis. Gabi hoorde 'Ja, Chedva,' en 'wat een dag, om gek van te worden, niet?' En daarna een stilte die drie zinnen duurde, en toen: 'Prima, Chedva, natuurlijk, ik zal er zijn.' Gabi stond op, liep naar het toegangspad en zag Joni, die iets torste. Een golf woede overspoelde hem; ze hadden hem verteld met hoeveel enthousiasme Joni de sloop van zijn huisje had aangevoerd. Gabi draaide zich om en zag Sjaoelit uit het huis komen met in haar handen een dienblad met een pot thee en sesamkoekjes. Ze vertelde dat ze 's middags een teamvergadering had op school; was dat teleurstelling die hij hoorde in haar stem? En was dat teleurstelling omdat hun gesprek was onderbroken? De thee en de koekjes vertelden hem dat ze nog wat tijd samen hadden.

Ze ging weer naast hem zitten en vertelde over het verlangen naar haar vader, de pijn. Ze schonk nog meer thee in. Bood nog een koekje aan, trok een gezicht van: ik heb geen puf nu, toen de telefoon opnieuw rinkelde. Na iedere onderbreking herinnerde ze zich waar ze gebleven was, hoorde elk woord. En begreep het. Ze voelden zich verwante zielen.

'Ik denk altijd aan de keuzes die we maken,' zei hij. 'Uiteindelijk is er niets toevallig, er moet iets zijn dat richting geeft, want hoe kunnen de dingen anders goedkomen. Alle keuzes die ervoor gezorgd hebben dat Anna en ik op hetzelfde moment op dezelfde lijn van de ondergrondse waren en alles wat er sindsdien gebeurd is: ons samenzijn, de terugkeer naar Israël, een kind verwekken...' Hij kwam altijd bij die gedachte uit, keerde ze om, vroeg zich af of een reeks gebeurtenissen die ontsproten was aan andere beslissingen van hem tot een ander einde hadden geleid.

'Je moet jezelf niet kwellen over keuzes die je gemaakt hebt. We zijn zo nietig. We kunnen geen invloed uitoefenen op de dingen. Ook rabbi Nachman heeft zoons verloren in zijn leven. Het is goddelijke Voorzienigheid. En op een goeie dag komt hij weer bij je terug, dat zul je zien.'

Hij knikte. 'Dat klopt, ik heb ingezien dat iemand de dingen stuurt,' zei hij, 'het kan niet anders. Anders kun je niet leven. En op het moment dat ik dat inzag, viel alles op zijn plaats. Toen keek ik terug op mijn leven en zag ik overal de Voorzienigheid... Ook als ik door de vallei van de schaduw van de dood loop, vrees ik niet, want U bent met mij. De pijn wordt er niet minder om, maar je snapt dat het deel uitmaakt van iets logisch. En zo word je volwassen. Het is niet voor niets dat ik hier ben. Ik heb een missie in de wereld. De Heer der wereld heeft me niet voor niets zo beproefd...'

'Zo is het precies,' zei Sjaoelit op het moment dat Netta Hirsjzon het pad op kwam en naar hen toe liep; haar gezichtsuitdrukking verried dat ze geen acht sloeg op de situatie, de intimiteit, de droefheid, of op de ontmoeting, die weliswaar niet geheim of onbetamelijk was, maar desondanks niet bepaald gewenst en waarschijnlijk voor de nodige opgetrokken wenkbrauwen zou zorgen. Netta trok geen wenkbrauw op, maar zei: 'Vrienden, 't is feest!' En in antwoord op hun gesloten gezicht, het moment dat bedorven was, ging ze verder: 'Genoeg gehuild, gekweld en gerouwd. Binnenkort is het Poeriem en ik organiseer een feestje. Laten we Poeriem bij ons vieren, en ook dat het vijf jaar geleden is dat wij hierheen zijn gekomen. En ons verenigen tegen de uitzettingen, de sloop en de orders. Aan iedereen laten zien dat we samen gelukkig zijn en ook,' op haar gezicht verspreidde zich een glimlach terwijl ze van de ene toehoorder naar de andere keek, haar ogen sloot, haar hoofd omhoogknikte, 'ik ben in verwachting, gezegend zij Zijn kostbare en goede naam!'

'Gefeliciteerd! *Mazal oevracha*, geluk en zegen! Gezegend zij Zijn naam!' zei Sjaoelit. 'Laat ons maar weten wanneer het is, we zullen er zijn!' Ze keek op haar horloge en stond geschrokken op om Zvoeli te halen. Gabi stond op en zei tegen Netta: 'Gefeliciteerd, geloofd zij Zijn naam.' Onderweg naar huis voelde hij een mengeling van opluchting, verwondering, opwinding en een soort verlangen naar Sjaoelit dat inmiddels begon te ontkiemen, naar haar rode haar, haar begripvolle ogen, haar talent om te luisteren, en hij vroeg zich af of ze alleen haar gezin bedoeld had toen ze zei 'we zullen er zijn', of dat hij daar ook bij hoorde. Netta ging verder iedereen het goede nieuws te brengen over het grote feest en haar opwindende zwangerschap.

De storing

De duisternis kwam van beneden aangeslopen. Tussen de struiken en de rotsspleten, uit de dalen in het oosten, uit de zoutkloof, de diepten van de Chermesj, kroop ze steeds verder op en overwon de arme, rammelende generator. Het vierkante groene kistje dat licht, warmte en kou verzorgde, de levensadem vormde van de computers, telefoons, fornuizen en televisietoestellen, dat in China was geboren en jaren van misbruik, verwaarlozing, vervuiling had overleefd, en brandstoffen die helemaal geen diesel waren omdat dat op was, die hittegolven en sneeuwbuien en zelfs een paar stenen te verduren had gekregen, ging dit keer, zoals dat heet, gewoon kapot.

Maälè Chermesj zonk weg in het hart van de duisternis. Het merendeel van de bewoners sliep. Gavriël Nechoesjtan, die met gesloten ogen Tikkoen Chatsot bad ten overstaan van de Heilige, gezegend zij Hij, hoorde de stilte, het einde van het geratel, deed zijn ogen open om helemaal niets te zien en boven het niets een paar sterren, een flintertje maan en het flonkerende Jesjoea aan de andere kant van de rivier. Hij liep naar beneden, drukte op de knop, controleerde het een en ander, wachtte, vulde de tank bij met diesel en drukte nogmaals op de knop. Ondanks zijn boosheid liep hij naar Joni en klopte op de deur en de soldaat schoot zonder morren met klapperende tanden in zijn gewatteerde tankoverall, tornde tegen de wind in en kwam erbij staan, drukte op de knop, controleerde het een en ander, wachtte, vulde de tank met diesel en drukte nogmaals op de knop. En daarna zei hij: 'Misschien is hij dit keer definitief naar z'n mallemoer.'

De kou drong heel langzaam door tussen de dekens, de koelkasten vielen stil, de gloeidraden in de leuke nachtlampjes in de kamers van de kinderen gingen uit, van her en der klonk het gesnik van kinderen, kreten van schrik, sussende woorden en het fluiten van de wind. Er werden meer dekens uitgedeeld, knuffels gegeven en de volgende generaties kropen in het bed van eerdere generaties. Een paar mannen stommelden rond in het donker, haalden sokken en schoenen uit de hoek van de kamer en jassen van de garderobe, gingen naar buiten, de grote duisternis in, zochten hun weg naar de generator en mopperden onder hun snor dat dit toch zo niet kon, hoelang moest je wel niet wachten voordat de elektriciteit werd aangesloten, hoe kon het dat er nog geen kabels getrokken waren vanaf A, die hufterige functionarissen van de afdeling Elektriciteit van de burgerautoriteit hadden het niet goedgevonden, en dat leger – schandelijk, en dan nog die godsliederlijke wind... Ze drukten op de knop, controleerden het een en ander, wachtten, deden er nog wat diesel bij en drukten nogmaals op de knop. En toen zeiden ze: 'Misschien is hij dit keer definitief naar z'n mallemoer.' Ze gingen terug, kleedden zich uit, gleden in bed, kropen tegen hun vrouw aan, streelden en deden hun ogen dicht.

Ronni bevroor. Het moge duidelijk zijn dat hij niet onder zijn dekbed vandaan kwam. Het was veel te koud, hij veronderstelde dat er genoeg vrijwilligers waren, wat wist hij nou van generatoren. Wat doe ik hier, peinsde hij. Het afgelopen jaar was die gedachte hem duizenden keren door het hoofd gegaan en de afgelopen paar dagen krachtiger dan ooit, sinds hij terug was uit Tel Aviv. Uiteindelijk had hij daar op kindermatrasjes in een afgesloten kleuterschool geslapen, zich in dekens gewikkeld die niet warm genoeg waren, zomaar wat rondgezworven, een aardige vrouw ontmoet, haast knap, maar een kleuterleidster. Het was niet het hoogtepunt van zijn leven geweest, maar hij had zich thuis gevoeld. Hij was zichzelf weer geworden. Tel Aviv had het vermogen in hem wakker gemaakt heel even van buitenaf te kijken wat hij op de heuveltop deed: hij hing maar wat rond, had geen energie om te werken. Het was hem te koud. Het was hem te warm. Hij was aan het doordraaien. Hij was gefrustreerd, hij luisterde naar de radio. Verzonk in een depressie. Er was een tijd geweest dat hij zichzelf had getracht te overtuigen dat het zo beter was. Waarom hard werken zoals ik deed als je op een heuveltop kon zitten en naar het prachtige landschap kon kijken, je ogen sluiten en alleen maar 'zijn'. Maar nu was de slaap hem ontglipt en was er een nieuwe helderheid over hem gekomen, die hij niet kende; hij deed zijn ogen wijdopen zonder iets te zien en dacht: het is te zwaar, deze wereld van Maälè Chermesj C, te duister. Als hij zou willen blijven, moest hij erin opgaan en er deel van worden. En dat kon hij niet. Hij had naar preken, interpretaties, lessen geluisterd – en hij begreep het niet. Hij keek naar zijn broer, naar diens glanzende ogen. Zag dat hij opgewonden was, het licht zag, maar zelf zag hij wat hij nu zag: helemaal niks.

Bij een van zijn toevallige ontmoetingen in Tel Aviv had iemand hem de oortjes van een iPod gegeven en gezegd: 'Luister.' Het was een akoestisch nummer geweest. Gitaarmuziek. Een mooie melodie. Het had hem rillingen bezorgd over zijn hele lichaam. Ja, ook hier was er gitaarmuziek en mooie melodieën, maar als de klanken vanuit de witte oortjes direct je hersens penetreerden, voelde het anders. Het was troostend. Om deel uit te maken van de kudde, ook al was je alleen in die kudde, dat was alles wat hij kon en dat was goed genoeg, zolang het zíjn kudde was. Hij glimlachte stralend en voelde de luchtdruk in zijn ingewanden oplopen, liet een luide, knetterende scheet en hoopte dat die hem een beetje zou verwarmen. Hij herinnerde zich het gezegde uit zijn jeugd en vroeg hardop, in het duister: 'Wie heeft er eentje laten vliegen?' En gaf zichzelf lachend antwoord in de stille, ranzige caravan.

Ondertussen speelde zich een geschiedenis af van liefde en duisternis. Na de pogingen om wat aan de generator te doen, moest de een na de ander zijn nederlaag toegeven. Nadat de ijskoude wind wat was gaan liggen, verliet Gavriël zijn post en besloot de lange weg naar huis te nemen, zodat hij langs Sjaoelits caravan zou komen. Hij was niet van plan bij haar naar binnen te gaan, alleen om van een afstandje te checken, een blik te werpen, om te zien of alles rustig was, of de stroomstoring het leven in huize Rivlin niet had ontwricht. Toen zijn voeten in het grind knarsten op het hellinkje naast het tuinhekje hoorde hij de deur open- en dichtgaan en voetstappen in het donker.

'Ah, jij bent het,' zei Sjaoelit met gedempte stem. 'Wat is er aan de hand?'

'Niks. Er is een stroomstoring. De generator is uitgevallen en we krijgen hem niet gefikst, het blijft de hele nacht zo. Ik wilde alleen… Alles goed hier? Met de kinderen? Heb je genoeg dekens?'

Haar glimlach zag hij niet, maar haar korte lachje hoorde hij wel. Ze fluisterde: 'Dank je. Ja, ik geloof van wel. Als ik ze kan vinden, in het donker…' Hij lachte met haar mee. En zocht samen met haar naar de dekens in de kast. En rook de warme, soezerige geur van haar haar, veroorzaakt door de onderbroken slaap. En hoorde de zachte, regelmatige, rustgevende ademhaling van haar kinderen. En stapte op haar voet, hoorde haar een onbeheersbare lachbui onderdrukken, die veranderde in een serie snelle, gesmoorde ademhalingen.

Kaarsen vonden ze niet; lucifers wel. Zij maakte thee op de gasbrander. Hij zat op de bank en zij in de fauteuil bij het blauwe matige vlammetje onder de ketel. In de duisternis spraken ze over duisternis: Egyptische duisternis; de duisternis die over de wereld buiten neerdaalt en het licht dat binnenin oplicht; het voortdurende conflict tussen binnen en buiten; de plaag van de duisternis waarmee de dood heel het land sloeg. En de duisternis was tastbaar – duisternis kun je betasten. Na een serie gapen, die niet zichtbaar waren maar wel goed voelbaar, zei Gavriël: 'Wil je niet gaan slapen?'

'Maar al te graag… Het is hier te koud… maar ik wil ook verder praten… Wil je meekomen?'

De hartslag tussen de zinnen. De koude lucht die met ieder woord warmer werd, met iedere ademtocht. Het geklop in Gabi's pols, in zijn ader. Natuurlijk wilde hij meekomen. Zij stapte onder het dekbed en hij zat opgewonden en verlegen op de rand van het bed. Ze praatten zachtjes, erop bedacht de kinderen niet te wekken, wiens gezamenlijke ademhalingsmarathon geen moment stopte.

'Goed, dit wordt 'm niet,' zei ze uiteindelijk.

'Wat wordt 'm niet? Je voelt je ongemakkelijk, je wilt dat ik ga. Natuurlijk, excuus…' Hij stond op van de rand van het bed en ze zei: 'Nee, suffie, het wordt 'm niet dat jij niet bent toegedekt. Kom onder de deken. Het bed is groot genoeg. Ieder aan een kant. Denk je dat dat mag? Misschien moeten we een vraag stellen via de mobiele V&A-service van rabbi Aviner? Stuur maar een sms: "Mogen gescheiden man en gescheiden vrouw het bed delen, elk aan een kant, zonder aanraken, zonder elkaar te zien"...' Haar lach onderbrak haar woorden, klaterend en vol vreugde. Gabi kon zich haar tanden en ogen alleen maar voorstellen en misschien omdat ze er dit keer niet in slaagde zich te beheersen, schrok Zvoeli met een scherpe kreet wakker. Sjaoelit voedde hem en neuriede net zolang tot hij weer in slaap viel.

'Als je zo blijft neuriën, val ik ook nog in slaap.'

'Dan val je in slaap.'

Maar in slaap vallen deed hij niet, want hij zei iets en zij antwoordde; zo gingen ze door, wie weet hoe lang – een uur? Langer? Onder het dekbed voelde Gabi een zoetheid in zijn hele lichaam, voelde de warmte in de lucht tussen hen in, en er waren momenten van stilte en misschien van slaap, van wakker zijn, zonder te praten, alleen ademen. En toen raakten de vingers zijn hand aan. Zijn lichaam trilde. Ze streelde de rug van zijn hand met haar vingers, zo aangenaam, en verboden. Maar er zijn dingen die toegestaan zijn, zelfs als ze verboden zijn, mits de bedoelingen zuiver zijn en het geloof volmaakt.

Een van de keren dat zijn ogen opengingen, begon het licht een beetje te gloren en dat leek hem niet gepast, dus stond hij voorzichtig op en sloop weg.

De actie

's Winters zijn er soms zulke mooie dagen dat zelfs de koudste nachten erin oplossen en bijna vergeten raken. Een stralende zon glimlachte boven de heuveltop, dreef bijna de spot met de ontberingen van de nacht; de weersvoorspelling berichtte over een naderend koufront, maar zij trok zich er niets van aan. Er stond geen zuchtje wind, de temperaturen stegen. Ronni Cooper zat in de deuropening, zijn voeten op het ijzeren trapje vol opgedroogde modder, zijn eerste ochtendsigaret tussen de vingers, een kopje Nescafé aan zijn voeten, zijn ogen, al dichtgeknepen tegen het aanwezige licht, knepen nog verder dicht bij het horen van de melodie van de Nokia aan het voeteneind van het bed.

'Hallo?'

'Rina hier.'

'Rina!'

En nog voor het goed en wel middag was, was hij op weg naar Tel Aviv.

Kapitein Omer Levkovitsj had zichzelf uitgenodigd en kwam een rondje maken, in zijn hand de dagvaarding voor Josh, die moest verschijnen om gehoord te worden door de politierechter voor verstoring van de openbare orde en het belemmeren van een militair bij de uitvoering van zijn taken. Omer wist dat Josh niet zou verschijnen, en dat niemand zijn komst zou afdwingen wegens gebrek aan tijd en mankracht, maar hij zette een gezicht op alsof hij hem zocht, liep naar het gesloopte huisje, registreerde de nieuwe muren en het begin van de heropbouw, negeerde dat – wat kon hij eraan doen? – ging naar Joni en overhandigde hem de dagvaarding. 'Als je tijd hebt, vind hem dan een geef het aan hem. Jalla, ik kan niet geloven dat je gaat. Ik krijg zin om te huilen.'

Joni had geen tijd om Josh te vinden. Hij moest zich over tweeënzeventig uur melden op de keuringskazerne en wat hem het meest dwarszat, was dat hij zich verrekend had en hij onderbroeken tekortkwam. En het was al te laat om nog te wassen. Dus droeg hij nu zijn lange onderbroek zonder gewone onderbroek eronder en had hij twee exemplaren in redelijke staat te luchten gehangen voor de komende twee dagen. Wat hem verder dwarszat, waren zijn gedachten aan Gitít en of het hem zou lukken afscheid van haar te nemen. Hij wist dat het bijna Poeriem was en vroeg zich af of zij voor het feest naar huis zou komen. En het derde ding dat Joni bezighield was de emotionaliteit van commandant Omer, die maar bleef mompelen dat hij het niet kon geloven dat hij afzwaaide, en wat hij zonder hem aan moest, waarom tekende hij niet bij, al was het maar voor een paar maanden, en dat hij zin had om te gaan huilen. En de vierde en voorlopig laatste kwestie die de jonge Ethiopische soldaat aan zijn hoofd had, was operatie 'Bigtan en Teres' waarover kapitein Omer hem begon te briefen.

Operatie Bigtan en Teres was een geheime operatie om de voorpost

Maälè Chermesj C te ontdoen van haar inwoners en gebouwen. De geplande uitvoeringsdatum was over twee dagen, op Joni's laatste dag in het leger. Eigenlijk stond hij voor morgen gepland, maar de bevelhebber had het een dag verschoven in verband met een misverstand in de afstemming met de oproerpolitie. Operatie Bigtan en Teres, legde Omer de details uit, zou een samenspel worden van grote aantallen manschappen in groen, blauw en zwart uniform met Hummers en pantservoertuigen, een contingent genie met D9's om de gebouwen te slopen, een team psychologen, twee militaire ambulances en een heli met de bevelhebber van het hoofdkwartier en de minister van Veiligheid. In navolging van het succes met de sloop van het huisje, was besloten op te houden met die onzin. De harde aanpak had zichzelf bewezen. À la minute binnenkomen, slopen, ontruimen en wegwezen. Geen onderhandelingen, geen spelletjes. Er waren genoeg spelletjes gespeeld gedurende de jaren en iedereen had er tabak van: van het gerechtshof, de bevelhebber, de minister van Veiligheid tot aan de president van de Verenigde Staten aan toe. De voorpost verdween niet van de voorpagina's, bleef in ieders keel steken als bewijs van de onmacht van de minister van Veiligheid tegenover het leger, van de regering tegenover de kolonisten, van de Amerikaanse regering tegenover de Israëlische en van wie je ook maar wilt tegenover die je ook maar niet wilt. Genoeg. Het kwam iedereen de strot uit.

Als Omer enthousiast werd, ging hij blozen. Hij legde Joni uit waarom hij er genoeg van had: de plek, de mensen, de spot die men met hem dreef. Eens, toen hij nog maar pas in dit gebied zat, had hij gedacht dat het hem zou helpen vooruit te komen in het leger als hij de belangen van de kolonisten verdedigde en hun belangen tot de zijne maakte, maar hij was er niet meer van overtuigd dat dat klopte. Hij moest commandant zijn, geen politicus. Missies uitvoeren: een snelle en geslaagde ontruiming. Joni begreep niet hoe het kon dat een gecompliceerde militaire operatie op zijn schouders moest rusten op zijn laatste dag als soldaat, waarom ze hem niet nog een dag extra hadden kunnen verzetten, zodat hij in alle rust naar huis kon gaan. Maar hij bleef trouw aan zijn leger en zijn commandant. Hij beloofde de nodige voorbereidingen te treffen, wat niet al te veel werk was, aangezien de troepen bij verrassing zouden arriveren. 'Het klopt dat het misschien geen verrassing zal zijn, want ze hebben de slooporders voor die datum. Aan de andere kant hebben ze in het verleden meerdere orders gehad, dus ze zullen vast en zeker geloven dat het niet echt gaat gebeuren.'

Terwijl ze, tegen de muur geleund en op het metalen bed gezeten, in Joni's caravan zaten te praten, klonk buiten het gepiep van een grote vrachtauto die achteruit begon te rijden. 'Wat is dat?' vroeg de officier. De sergeant haalde zijn schouders op.

'Wat is dat, Herzliko?' wilde Omer een minuutje later van Herzl Weizmann weten, die buiten stond en met zijn ingegipste armen een vrachtwagen loodste met daarop een gigantische hijskraan. Op de zijkant van de vrachtwagen stond: Israëlische Elektriciteits Maatschappij. Omer kreeg geen antwoord en herhaalde: 'Wat moet dit voorstellen?'

Herzl draaide zich om. 'Ah, meneer de officier,' glimlachte hij. 'Hoe gaat het?'

Omer probeerde het voor een derde keer te vragen, dit keer in pantomime.

'De elektriciteitsmaatschappij,' verklaarde Herzl dat wat zonneklaar was.

'Dat was me opgevallen,' zei Omer, 'maar wat komen ze doen?'

'Het lijkt me dat ze de nederzetting eindelijk komen aansluiten op het elektriciteitsnet. Dat werd tijd, niet?'

'Maar...' Omer kon en wilde het feit dat de nederzetting binnenkort geen elektriciteit meer nodig had, niet openbaar maken, en natuurlijk was Herzl Weizmann niet de juiste persoon om die waarheid te horen te krijgen, '... waar komt dit vandaan? Dat wil zeggen, wie...'

'Luister,' zei Herzl, 'ik weet alleen maar wat ik weet.'

'En wat weet jij?' vroeg Omer.

'Dat Natan Eliav me belde en verzocht vanochtend hiernaartoe te komen om de jongens van de elektriciteitsmaatschappij te helpen en een paar funderingen voor ze te maken.'

Omer draaide zich om en liep weg terwijl hij wat intoetste op zijn mobiel. Er ontstond een toeloopje rondom de vrachtwagen en er waren vreugdekreten te horen. 'Hoe toepasselijk, met Poeriem,' zei Netta Hirsjzon, die rollen karton onder haar oksels gestoken had, 'aan de Joden was licht en vreugde! Vertel me eens, waarom trekt Bezek lijnen naar hier via de weg? Celkom bezit de grond en de Palestijnen met hun

Pal-Tel overbelasten de ontvangst de hele tijd, om nog maar te zwijgen over de prijs...'

De bataljonscommandant, de brigadegeneraal, de regimentsgeneraal en de generaal-majoor waren allen verbaasd. De minister van Veiligheid wist van niks. Zijn assistent Malka dacht dat hij iets had horen verluiden over elektriciteit en een voorpost, maar wist het niet zeker. Het hoofd van de Sjabak tastte in het duister. Het rondje telefoontjes bracht Omer al snel de volgende informatie: plaatsvervangend minister van Toerisme, Oeriël Tsoer, had zijn volle gewicht in de schaal gelegd bij zijn partijgenoot – en buurtgenoot uit Jeruzalem die naar dezelfde synagoge ging en met wie hij jaren geleden in dezelfde lichting op de jesjiva had gezeten – de minister van Energie, die nou net die ochtend met de minister van Infrastructuur om tafel had gezeten vanwege een vergelijkbare, zij het andere kwestie en hem ervan had overtuigd een tijdelijke vergunning af te geven om vanaf Maälè Chermesj A een elektriciteitskabel te spannen naar de voorpost Maälè Chermesj C, waar de generator het had begeven.

'Weten al die mensen dat de voorpost over twee dagen wordt neergehaald?' vroeg Omer aan zijn bataljonscommandant.

'Zeker,' antwoordde de bataljonscommandant. 'Maar er wordt de komende dagen een koufront verwacht. Ze wilden ze niet zonder elektriciteit laten zitten. Je kunt Israëlische burgers niet zo blootgesteld laten aan de ontberingen van de natuur. We zijn tenslotte mensen, nietwaar? Het is simpeler om een kabel te spannen vanaf A dan een nieuwe generator te brengen. Niemand heeft geld voor een generator. Het papierwerk voor de vergunningen om nu een generator neer te zetten, met die bouwstop, is niet te overzien. Bovendien, ze zullen hierdoor hun waakzaamheid wat laten varen. Ze verwachten geen ontruiming twee dagen nadat ze zijn aangesloten op de elektriciteit. Toch?'

'Maar de ministers en de generaal-majoor weten ervan?' probeerde Omer desondanks.

'Ja, ja, iedereen weet het. Dat wil zeggen, voor zover nodig...'

Omer verbrak de verbinding en keerde zich weer naar het oploopje. Naast hem zei Joni: 'En nú denken ze eraan om het hier aan te sluiten op de elektriciteit? Kassammo.' Netta Hirsjzon liep naar het mededelingenbord bij de speeltuin.

Omer volgde haar met zijn blik, zijn ogen toegeknepen. 'Kom, Joni, laten we eens kijken wat ze daar doet.'

Ze hing een grote poster op naast de slooporder die er stevig bij hing. Ze merkte dat Omer en Joni achter haar stonden en negeerde hen, maar toen vroeg ze Joni even met een vinger het papier vast te houden zodat zij er een punaise in kon drukken.

'Wat is dat, Adlojada?' vroeg de soldaat. Netta negeerde de vraag, maar Joni las verder op de poster. 'Ah! Dat is op mijn laatste dag hier. Je geeft een afscheidsfeestje voor me?'

Netta hield zich bezig met de punaises en gaf geen antwoord, maar toen besloot ze om een eind te maken aan de zwijgban en wendde zich tot Joni. 'Natuurlijk, kom maar, waarom niet, misschien kun je je verkleden als mens.' En toen richtte ze zich tot Omer: 'Misschien kun jij je verkleden als een soldaat van het IDL die de burgers van de staat bewaakt tegen de Arabieren in plaats van ze uit hun huis te zetten. Ga je schamen, deze week is het sjabbat Zachor – gedenk: gedenk wat Amelek aan Israël deed. De haat van Amelek.'

Omer, die de uitnodiging vluchtig las, moest grijnzen. 'Je organiseert dat hier in de speeltuin? In het midden van de winter? Ben je gek geworden? Heb je niet gehoord dat er een koufront aankomt?'

'Kijk even aan wie je vraagt of ze gek geworden is. Ik heb het gehoord. Ik ben niet bang. Het vuur in ons hart zal ons verwarmen. Kom, geniet, er zullen verrassingen zijn, het wordt leuk. Lekker ontspannen samen met je volksgenoten, wat wil je nog meer?'

Netta had een bescheiden budget losgekregen van Natan Eliav en van Otniël. Ze gaf Zjanja Freud de taak hamansoren en andere hapjes te maken, belde naar een bedrijf voor versterkers om een dj en geluidsapparatuur te huren, vond een beschikbaar voertuig met bestuurder die haar naar Jeruzalem kon brengen om prijzen te kopen voor de verkleedwedstrijd en ratels voor het lezen van de Megilla. En daarna richtte ze zich op het vermaak van de avond: ze belde Coco die ergens in de jaren zeventig had meegedaan met het Eurovisie Songfestival toen ze uitkwam voor Frankrijk, neo-orthodox was geworden, naar Israël geëmigreerd, in Maälè Chermesj A woonde en regelmatig optrad als countryzangeres, samen met een Amerikaanse buurman die uitstekend banjo speelde. Helaas had Coco kanker gekregen, moge de Heer genadig zijn, en werd ze behandeld in het Hadassa-ziekenhuis in Jeruzalem. Ze zou, met Gods hulp, over een paar maanden weer gaan optreden. Dus engageerde Netta de 'Bewonersband', een bruiloftsorkest uit A, die beloofden er een gezellige boel van te maken en korting gaf 'vanwege de verjaardag van C'.

Omer bekeek de aankondiging met een mengeling van verbijstering en waardering. 'Adlojada!' verkondigde het. 'Twee dagen van drank en plezier! Groot Poeriemfeest! Vijf jaar Maälè Chermesj C! Laten we ons verenigen tegen de boze Haman en het ontruimingsdecreet! Er zij licht en vreugde voor de Joden in het land Israël! Verkleden! De Bewonersband!' Hij verschoof zijn blik enige centimeters naar links, van de uitnodiging naar de slooporder: beide hadden dezelfde datum: 28 februari 2010 en ook de Hebreeuwse datum: 14 Adar 5770, om te voorkomen dat er onbegrip zou ontstaan; maar de boodschap verschilde nogal. Wat een schizofrenie, dacht hij. Hij liet zijn hoofd in verwondering hangen.

'Kom toch, kom toch.' Netta's toon was milder geworden. 'Dan vieren we ook dat we aangesloten zijn op de elektriciteit en het afscheid van Joni, als je dat wilt. En ook...' Vol trots streelde ze over haar buik. Het zou nog even duren voordat die ging bollen, maar de hele heuveltop wist al van haar zwangerschap, over hoe de Heilige, gezegend zij Hij, haar gebeden had verhoord, over het kweeperendieet van haar acupuncturiste, over het advies van de rabbaniet om haar mans naam te veranderen in Jisraël en om Bracha aan haar eigen naam toe te voegen, en over de zegening die ze voor haar had uitgesproken over water uit de Jordaan. 'Geprezen zij Zijn naam,' mompelde Netta, hief haar ogen op naar de hemel en de beide soldaten volgden instinctief haar blik. Daarna deed ze haar capuchon op en vertrok.

Het feest

In de loop van de nacht daalde de vorst neer over de heuveltop en bij het aanbreken van de ochtend schitterde hij met miljoenen flonkeringen tussen klonten aarde, op gereedschappen, cactussen, omgekieperde loopauto's en autoruiten. De dag deed zijn ogen open, gaapte wijd en er gingen uren voorbij voordat hij de kou van zich afgeschud had. Na de ochtendmisselijkheid sneed Netta Hirsjzon een peer in partjes voor zichzelf, dronk appelsap met heel kleine slokjes, en voordat ze de deur uit ging, deed ze nog het laatste verstelwerk aan haar verkleedkostuum en lukte het haar zelfs nog wat geïrriteerde reacties achter te laten op het veel te linkse medium van het internet. Haar echtgenoot Jean-Marc herdacht het wonder van Poeriem bij het tafelgebed door het toevoegen van Kol Hanissim – alle wonderen – en daarna verorberde hij een ontbijt van eieren en geroosterd brood, beet in een croissant met boter en jam en had ook nog ruimte voor cornflakes met melk.

'Ik dacht dat ik degene was die geacht wordt vreetbuien te hebben,' zei Netta.

'Ik ben nog uitgehongerd van de vasten,' gebruikte Jean-Marc als excuus.

De synagoge was feestelijk en vol. Chilik deed dienst als voorzanger en sprak de dankzegen uit het Achttiengebed, en ging verder met: 'In de dagen van Mordechai en Ester', gevolgd door het lezen van de weekafdeling Amelek. Daarna sprak hij de zegen 'die ons heeft opgedragen de Megilla te lezen' en 'die wonderen doet' en 'die ons leven heeft geschonken en ons in staat heeft gesteld dit tijdstip te beleven'. En toen werd de Megilla gelezen, de ratels ratelden boven de hoofden van de mannen in gebed en sloegen Haman en zijn tien zoons; lippen mompelden saamhorig, de geconcentreerde opeengepakte lichamen ontdooiden de bevroren lucht die van buiten binnengeslopen was. En aan het einde klonk 'de God die voor ons strijd voert' en het lied 'De roos van Jaäcov juichte en was blij'.

Otniël en Chilik hadden een onderonsje in de hal van de synagoge. In de afgelopen dagen was er absolute radiostilte geweest vanuit het leger. Otniël was er de man naar zich daar zorgen over te maken en Chilik de man om dat positief op te vatten. 'Ze durven toch niks te doen met Poeriem, en al helemaal niet zonder vooraankondiging,' zei Chilik.

'Kijk eens naar de datum die daar staat,' zei Otniël en hij wees naar de slooporder die op de muur van de synagoge hing. De 14e Adar stond erop als absolute, definitieve datum waarop de bewoners uit hun huizen moesten zijn. 'Dat is vandaag. En die stilte van hun kant, ik weet het niet. Ik heb gisteren geprobeerd Giora te bellen om hem een fijne Poeriem te wensen en even poolshoogte te nemen. Maar hij heeft me nog niet teruggebeld. Dat is niks voor hem.'

'Ze durven het niet,' oordeelde Chilik, 'ze hebben er niet aan gedacht dat het Poeriem is omdat het een stel achterlijke gladiolen is, en dat is ook niet voor het eerst. En als ze het toch wagen: het is Poeriem, het feest van de wonderen en het herroepen van decreten.'

'Het zint me niks,' mompelde Otniël Asís met zijn baard in zijn linkerhand, terwijl hij zijn rechterhand liefdevol in de nek legde van een jongen, gekleed in een T-shirt van Vrede Nu, met een kaal hoofd van rubber op zijn hoofd, een rond brilletje op zijn neus, een clipoorbel van zijn moeder en lurkend aan een vredespijp die uit zijn mondhoek hing; zijn zoon Jakir, verkleed als linkse rakker. In zijn hand had hij een menukaart die Moran voor hem had meegebracht uit een café in Tel Aviv. Er stonden onder andere garnalen en zeevruchten op. Kinderen en volwassenen wilden dat zien, bladerden met geamuseerde en geschokte gretigheid door het menu. 'Ze hebben het gewaagd om Gabi's huisje te slopen,' bracht Otniël in herinnering, 'ook toen zei je dat ze het niet zouden wagen, toch?' Volgens hem kon je niet vertrouwen op de status-quo of op logica, want die golden niet meer.

'Dat was een andere kwestie. Natuurbescherming. Staatsbosbeheer. En bovendien, zouden ze ons aansluiten op de elektriciteit voordat ze gaan ontruimen?' zei Chilik. Otniël was niet overtuigd: 'Ik zeg het je – ze zijn iets van plan.' Hij kende de autoriteiten al te lang, wist dat je er niet op kon vertrouwen, met hen moest je de waakzaamheid niet laten varen.

Er ontsproot een plan in zijn brein. Hij herinnerde zich een buitengewoon incident dat een paar jaar eerder in Sjomron had plaatsgehad. Uit zijn ooghoek zag hij Ronni, verkleed met een krullenpruik en een ronde plastic bril, en hij liep op hem af. Zonder enige inleiding fluisterde hij hem het idee in zijn oor. Ronni lachte alsof hij een vermakelijk Poeriemverhaal had gehoord en nam een slok uit zijn flesje bier. Otniël zei dat hij het meende. Ronni nam nog een slok en dacht na. Otniëls idee klonk krankzinnig, maar dat kon juist een kans zijn. Het was zijn laatste dag, hij wilde in goede gemoede van iedereen afscheid nemen, dus waarom zou hij niet ook netjes afscheid nemen van Moessa

Ibrahim? Ze hadden tenslotte een aantal maanden samengewerkt, samen gehoopt, een soort vriendschap onderhouden, zou je zelfs kunnen zeggen. Ja, hij was teleurgesteld over de nare manier waarop zijn onderneming was geëindigd, voelde zich bedrogen, maar goed, het was Poeriem. 'Maar ik ga niet alleen,' zei hij tegen Otniël.

'Misschien je broer?' stelde Otniël voor.

'Om de dooie dood niet,' antwoordde Ronni.

Otniël dacht na en zag toen het antwoord recht voor zijn ogen: 'Hier, neem die knul van Vrede Nu mee. Ideaal!' Hij legde zijn hand op zijn zoon Jakir.

'Jouw zoon?' Ronni trok een Harry Potterachtige wenkbrauw op. 'Goeie God, ben je niet bang om hem?'

'Er zijn massa's militairen in de omgeving. Dat gaat wel goed. Bovendien, voor de extra veiligheid, neem dit maar mee.' Otniël tilde de zoom van zijn shirt op en toonde zijn Desert Eagle Mark VII die in zijn broekband gestoken zat.

Het verschil in benadering tussen Otniël Asís en Chilik Jisraëli vertegenwoordigde min of meer de verdeelde opvattingen van bijna alle bewoners op de heuveltop: angst voor de macht, blindheid, het opportunisme en misschien ook de sluwheid van de minister van Veiligheid en zijn troepenmacht enerzijds, en geloof in de rechtvaardige manier van de Heilige, gezegend zij Hij, die ze op deze feestdag zou beschermen, helemaal na de vasten, de boetegebeden, het reciteren van het Anénoe, het Avinoe Malkenoe en de giften aan de armen van gisteren anderzijds. Daarom werden iedere keer dat er buiten de toegangspoort het geluid van een motor te horen was, de ogen bezorgd opgeheven, werd er gewacht totdat het voertuig zichtbaar werd en hun identificatie goed nieuws bleek te zijn.

De eerste die arriveerde in zijn grote auto was Herzl Zimmermann, die samen met twee van zijn arbeiders onmiddellijk begon de speeltuin klaar te maken voor het feest: een toneel, frames voor licht en geluid, elektriciteit, tijdelijke demontage van uitstekende toestellen, het spannen van een laken in het midden van de speeltuin om de mannen van de vrouwen te scheiden.

De volgende die arriveerden waren vier eigengereide vruchtbare geiten; een nieuwe aanwinst voor Otniëls boerderij. Door alle zorgen was hij bijna vergeten dat ze zouden komen en hier waren ze dan in volle pracht, enige tientallen kilo's zwaar, met hun ruige vacht en uiers vol goeds. En niet alleen dat, uit de cabine stapte een prachtige Hollandse meid op houten klompen, een glanzende blonde pruik op het hoofd, zwaar in de make-up met engelachtige nepwimpers, in een popperige, Europees aandoende jurk. De ogen moesten even wennen en zoeken, ergens in het achterhoofd zoemde iets van herinnering aan de gelaatstrekken en het feit dat het Poeriem was – het was Gitit!

Joni kreeg bijna een hartinfarct bij het zien van die knappe Hollandse met haar gladde huid, en tegelijkertijd verstoorde het hem. De troepen zouden de volgende ochtend arriveren, Omer nam zijn mobiel niet op, iedereen hier liep er verkleed bij en was in feeststemming, de kou drong door tot in zijn botten, ondanks zijn tankoverall, berenmuts en dubbele lagen hemden en lange onderbroeken. Er klonk weer het geronk van een motor, Joni keek op en met zijn één meter zesenzeventig zag hij de auto van het bedrijf van de geluidsapparatuur uit Jeruzalem, waarvan de mensen snel kisten uitlaadden, belichting en luidsprekers ophingen en alles aansloten op de elektriciteit en het mengpaneel. Daarna arriveerde de Bewonersband, een viertal bebrilde kolonisten met dezelfde gehaakte keppeltjes in verschillende kleuren, goedkope zwarte colberts, smalle dassen met pianomotief uit de jaren tachtig, die snel een soundcheck uitvoerden en daarna iets gingen drinken.

Muziek schalde uit de luidsprekers, die in de hoeken van de speeltuin waren neergezet. 'Als het Adar wordt' – een of andere medley van Poeriemliedjes. Zilverkleurige wolken pakten zich samen in de lucht. Omer nam eindelijk op toen Joni belde en gaf een update. Men wachtte op definitieve goedkeuring. Er werd spoedoverleg gevoerd bij de Generale Staf: wel ontruimen op een feestdag, niet ontruimen op een feestdag. Wel een heli in de lucht, geen heli in de lucht. Alsof deze operatie niet al dagenlang voorbereid was. Alsof ze niet hadden geweten dat het een feestdag was en dat door uitstel de orders die door het Hooggerechtshof van de staat Israël uitgevaardigd waren, ongeldig zouden worden. Omer vroeg Joni zich geen zorgen te maken. 'Ik maak me geen zorgen, broeder,' zei Joni met klapperende tanden. 'Morgen zit ik op de keuringskazerne, actie of geen actie.'

'Welke actie?' vroeg een grote pinguïn hem. Het was Sjaoelit Rivlin, die samen met een Pippi Langkous met oranje vlechten en dito sproeten – haar oudste dochter Amalja – bij de caravan van het IDL arriveerde om kleurrijke Poeriemcadeautjes uit te delen.

'Gewoon, er is een actie voor een stereoapparaat dat ik wil kopen, een cadeautje voor het afzwaaien.' Zijn aarzelende glimlach liet zijn witte tanden zien.

'Waarom ben je nog niet verkleed?' vroeg Amalja laatdunkend en hij antwoordde: 'Uhhh, straks ga ik me verkleden...'

'Als wat?' hield het meisje aan.

'Amalja, dat is geheim!' antwoordde mevrouw Pinguïn en ze knipoogde vanuit haar bonten hoofd. Ze lieten de cadeautjes achter en vertrokken hand in hand naar de speeltuin die steeds voller werd. Flessen wijn en bier stonden op de tafel in de hoek, naast borden met Cheetos en ribbelchips, want zoals Raba, de Amoraïet, had gezegd in de Talmoed: met Poeriem moet een mens zo dronken worden dat hij het onderscheid niet meer weet tussen 'gezegend zij Mordechai' en 'vervloekt zij Haman' – Ad-Delo-Jada.

De Bewonersband kwam het toneel op en opende met 'Roos van Jaäcov'. Chananja Asís van elf-en-een-half was met veel karton en zilverpapier veranderd in een puntig ruimteschip. Tot zijn teleurstelling had hij er maar de derde plaats mee gewonnen in de verkleedwedstrijd. Bigfoot de Sneeuwman, de vijfjarige Boaz Jisraëli, gewikkeld in een laken met gaten voor de ogen en stukjes opgenaaide wollen garen, was juist erg tevreden met zijn vierde plaats. Gavriël Nechoesjtan was de basketbalspeler Kareem Abdul-Jabbar, met sportsokken en hoge basketbalschoenen, een groenig trainingspak, zweetbandjes om zijn hoofd en polsen en onder zijn arm een lekke basketbal die ooit van Sjimi Gottlieb was geweest. Zijn broer Ronni antwoordde 'Harry Potter' als de kinderen hem vroegen als wie hij was verkleed en Elazar Freud was Herzl met een zwart pak en een zwarte baard – tot vlak voordat hij uit huis vertrok dacht hij nog als koning David te gaan, maar hij kon geen scepter vinden, of een rossige baard. Jean-Marc Hirsjzon was officier – hij had zijn reservistenuniform uit de kast gehaald en op zijn borst een rij lintjes en onderscheidingen van oorlogsveteranen gespeld, evenals de zilveren gevleugelde panter van de commando's.

Weer ronkte er een auto en iedereen keek om. Het was de Subaru van Nir Rivlin maar. 'Hoe rechtvaardig is de Heer,' fluisterde Netta elke keer dat het niet de vijandelijke horden bleken te zijn. Maar het was niet Nir Rivlin die achter het stuur zat, het was Rambo, met bloederige littekens, opgepompte spiermassa's, gescheurde kleren, een kogelriem en plastic mitrailleur. Hij werd versterkt door twee gewapende driejarigen: Nefesj Freud als agent en Sjoev'el Asís als cowboy, uitgerust met klapperpistolen en al, die Cheetos at onder zijn opgeschilderde snor. Ook Josh kon tot het rijtje gerekend worden als Arabische terrorist, zijn rode haar grotendeels bedekt door een kaffiya en vastgeplakt op zijn bovenlip een grote plastic snor. De Bewonersband ging over op een vrolijk chassidisch nummer, en vervolgens op een rockuitvoering van 'Ik ben Poeriem'.

Gabi-Kareem Abdul-Jabbar volgde de ontmoeting tussen Nir-Rambo en Sjaoelit de pinguïn gespannen. Hij voelde zich net als toen hij kind was en bij een feest in een hoekje stond, elke beweging van zijn geliefde volgend, terwijl hij vol angstige spanning wachtte op een slowdance. Wat is er met me aan de hand, vroeg hij zich af. Als de pinguïn langsliep of hem een half glimlachende blik toewierp, werden zijn knieën week.

Rachel Asís was Sneeuwwitje en haar man Otniël – met behulp van een ongehoorzame krul, een zwarte hoed die van een rabbijn had kunnen zijn, een rood glitterpak en oogmake-up – was Michael Jackson. En naast hun Hollandse dochter en hun zoons – de linkse rakker, het zilveren ruimteschip en de cowboy – hadden ze ook nog een veertienjarige archeologe in kakikleding met een vergrootglas – Dvora – en een rode paprika, uitgedost in een kostuum van speciaal rubber, op maat gemaakt en knalrood geverfd; het kostuum waarmee Emoena van zes de tweede plaats in de verkleedwedstrijd won.

Joni vond een bruin-wit gestreept sweatshirt en haalde uit de kast met veiligheidsitems een paar echte handboeien, waarvan hij er een om zijn linkerpols vastmaakte – hij was een gevangene. Jehoe was koningin Ester, geschminkt en met woeste slaaplokken, zijn paard Killer droeg een kerstmuts uit Bethlehem. Zjanja Freud had zich verkleed als supermarktkassière in een witte jasschort, een grote bril, opgestoken haar en het mantra 'heeft u een klantenkaart?' Chilik, Nechama en

Sjnioer Jisraëli hadden zich gezamenlijk als bruid verkleed. De baby's Zvoeli Rivlin en Jemima-Me'ara Jisraëli hadden allebei een klein zonnebrilletje en speelgoedgitaar gekregen en waren gebombardeerd tot rockband. Netta Hirsjzon had van thuis professionele cosmetica meegebracht en hielp de kinderen te schminken en vervolgens werd ze ceremoniemeester: ze verwelkomde de gasten, benadrukte de gebruiken nog eens, adviseerde om naar hartelust te eten en te drinken en bedankte iedereen die had meegeholpen. Zijzelf was verkleed als een oranje tijgerin, in een dikke vacht met scherpe klauwen.

De eerste plaats was voor Tchelet Rivlin van drie, verkleed als maiskolf, uitgedost in een lichtgele jurk waar Sjaoelit wekenlang geduldig rij na rij maiskolven op had genaaid; een echte maisjurk. Het was Tchelets idee geweest en ze had er samen met haar moeder aan gewerkt, inclusief de hoofdbedekking van warme fleece die zo gemaakt was dat hij precies paste en de openingen voor ogen, neus, oren en mond op de juiste plek zaten. Perfect, zoals Netta Hirsjzon beaamde toen ze de prijs uitreikte: een Tora, feestelijke Poeriemgeschenken, en twee kaartjes voor het centrale Adlojadafeest in het congrescentrum Binjanee Ha'oema in Jeruzalem diezelfde avond, met een optreden van de chassidische zangers Avraham Fried en Mordechai Ben-David.

De jeep van Omer was nou net de enige die ze niet hoorden. In dit stadium was het feest in volle gang, na de toespraken en de verkleedwedstrijd was de band op een groter volume weer gaan spelen. De lege flessen wijn stapelden zich op aan de kant, de lucht werd donker van de wolken, de doordringende kou was bijna vergeten dankzij de lichaamswarmte van de twee kleine samenscholingen – die van de vrouwen en de mannen. Ronni-Harry Potter vertelde zijn broer Gabi-Kareem Abdul-Jabbar dat hij had besloten de nederzetting te verlaten, maar Kareem was meer gefocust op het feliciteren van Sjaoelit de pinguïn met haar dochters overwinning bij de verkleedwedstrijd. Mevrouw pinguïn bedankte hem en fluisterde dat Nir-Rambo Tchelet-Maiskolf vanavond mee zou nemen naar het optreden in het congrescentrum, dus misschien wilde Kareem even bij haar aanwippen? Naast het scheidingslaken had Jehoe-koningin Ester een onderonsje met Josh de Arabische terrorist, Joni de gevangene wierp snelle blikken op Gitít de wulpse

Hollandse, onder het streng toeziend oog van Otniël-Michael Jackson, en Elazar Freud-Herzl stond met Jean-Marc de officier te praten, feliciteerde hem met de zwangerschap van Netta de tijgerin en pakte Nefesj de agent op, die in huilen was uitgebarsten. Tranen brandden ook Chananja Asís het ruimteschip in de ogen, die ervan overtuigd was geweest dat hij de eerste plaats zou winnen, en hij werd getroost door Rachel-Sneeuwwitje. Poeriem op z'n best. En toen arriveerden de soldaten.

Het vuur

Een helikopter hing roerloos in de lucht. Alle ogen richtten zich erop, op de heli en op de Jeep David van kapitein Omer Levkovitsj en daarna werden er bezorgde blikken uitgewisseld. Otniël traceerde Ronni en zei tegen hem: 'Het is tijd. Jullie moeten op weg.' Harry Potter wierp een lege blik op Michael Jackson die tegen hem stond te praten, in zijn hand het zoveelste Adlojada-flesje bier. Toen herinnerde hij het zich. 'Ach! Juist! Je meende het serieus, toch?'
'Ja,' antwoordde Otniël.
'Nee, want het is Poeriem, en zo, en wie weet wat...'
'Serieus,' bevestigde Otniël.
Ronni zocht Jakir de linkse rakker op en zei tegen hem: 'Kom, we gaan.'
Jakir, die zelf ook een paar glaasjes ophad, antwoordde: 'Jalla.'
Otniël zei: 'À propos jalla, neem die Arabier ook mee.' Hij wees op het met een kaffiya gesluierde gezicht.
'Wie, Josh?' antwoordde Jakir.
Het drietal ging op weg.

Na de Jeep David van Omer arriveerden de Hummers. En de pantservoertuigen. En de D9's. Een massieve en luidruchtige colonne. Het mengpaneel van het bedrijf uit Jeruzalem liet de melodie 'En ook Charbona' van de Bewonersband nogal verrassend overgaan in een nummer van de rockband Masjina.
Michael Jackson vroeg hoe dit kon gebeuren. En de bruid op haar huwelijksdag zei dat het niet te bevatten was. De tijgerin brulde on-

recht. Sneeuwwitje schreeuwde: 'Op zo'n manier? Op een feestdag? Schamen jullie je niet?' Michael Jackson haalde zijn telefoon tevoorschijn en belde naar zijn vriend, de bevelhebber. Geen kiestoon en geen antwoord. De Bewonersband zong 'Ze reed naar Palestina op een tweebultige kameel'. Rambo zei: 'Wat een puinhoop,' en het was onduidelijk of hij prettig aangeschoten was van de wijn of zich zorgen maakte over de ontwikkelingen, Kareem Abdul-Jabbar ging op zoek naar zijn pinguïn, de gevangene werd gesommeerd zich bij zijn commandant te melden, maar ook hij had wat gedronken, het was godverdomme zijn laatste dag in het leger, hij mocht toch zeker wel een beetje feesten. De honden sloegen aan, de colonne kwam tot staan, soldaten en oproerpolitie stapten met stoïcijnse gezichten uit de voertuigen.

Harry Potter, een rossige Arabier en een linkse rakker naderden het Palestijnse dorp. De linkse rakker had Poeriemcadeautjes bij zich: een ritselende zak winegums, vier soorten amandelen, chocolade-kokoskoekjes van Zjanja Freud en nog meer lekkers voor de mensen in het dorp. Jakir en Josh hadden het op gedempte toon over iets technologisch en Ronni liep zwijgend voor hen uit, met een sigaret, zijn gedachten bij Rina de kleuterleidster en haar afgesloten kleuterschool, waar hij zijn nachten in Tel Aviv had doorgebracht. Zijn blik werd ineens door de woestijnleeuwerik getrokken, die plotseling boven de dode heuvels vloog – zou die naar warmere landen vliegen? Hij dacht terug aan zijn laatste gesprek met Moessa. Moessa had hem gebeld en verteld dat zijn bomen in de olijfgaard in brand gestoken waren en Ronni had aangevoeld dat Moessa hem daarvan verdacht, dat hij belde om uit te vissen waar hij was, maar hij was in Tel Aviv. Hij had Moessa beloofd erachteraan te gaan. En dat had hij ook echt geprobeerd, maar hij was tegen een muur van zwijgzaamheid op gelopen die hem deed denken aan de kibboets: blijkbaar wist iedereen wie het gedaan had, maar God verhoede dat iemand daarover zou praten met de buitenwereld. En Ronni was de buitenwereld. Dat gevoel kreeg hij zelfs van Gabi: Laat het, steek je neus er niet in, laat ons onze eigen zaken afhandelen. Ronni vroeg zich af in hoeverre zijn eigen broer deel uitmaakte van de kongsi op de heuveltop, en wat hij eigenlijk wist. Hij gooide zijn peuk op de zachte grond en er gleed een bittere glimlach over zijn gezicht. Hij was niet achterlijk. Hij had hier een jaar gewoond, kende het klappen van de zweep. Het was niet moeilijk te bedenken wie de aangewezen persoon was voor zulke bijzondere missies, of het nu gebeurde op eigen initiatief of in opdracht van de gemeenschap. De zwijgzame jongeman boven op een paard dat Killer heette, Jehoe.

Maar Ronni bevroedde maar de halve waarheid; Jehoe was er niet alleen geweest.

In Charmisj was het een slaperige, winterse dag, die verstoord werd door de luidruchtige muziek van de Joden. Een vrouw keek door het keukenraam, zag het drietal naderen en riep haar broer erbij. Haar broer keek door het keukenraam, belde een vriend en binnen de kortste keren stond er ondanks de kou een groepje geïnteresseerden nieuwsgierig, verwonderd, geamuseerd en verontrust te kijken naar het drietal Joden, of twee Joden en Arabier, die naar hen toe gelopen kwamen.

In de speeltuin in Maälè Chermesj C die naar Sheldon Mamelstein was vernoemd, zei iemand: 'O-o, kijk nou eens,' en daarmee doelend op de uitrusting om demonstraties uiteen te drijven: helmen, wapenstokken, grote doorzichtige plastic schilden. De soldaten en politieagenten luisterden naar de instructies en stelden zich op tegenover de groep verklede figuren. Agent Nefesj Freud trok zijn vader aan de mouwen en vroeg: 'Wie zijn dat, die ook als agenten verkleed zijn?' Kapitein Omer klom op het toneel en vroeg om de microfoon. Op dat moment pas hield de band op met het spelen van hun versie van een langzame wals.

Er heerste stilte terwijl Omer zijn keel schraapte en zei: 'Hallo... Goedenavond allemaal. Het spijt me dat ik jullie Poeriemfeest kom verstoren. Maar de regering van Israël heeft besloten deze illegale nederzetting te ontruimen. Tien dagen geleden zijn hier slooporders opgehangen, om jullie de kans te geven hier rustig en zonder confrontaties te vertrekken. Vanochtend hebben we opdracht gekregen hiernaartoe te komen en degenen te helpen die nog niet zijn vertrokken. Ik verzoek jullie mee te werken en ons te helpen deze ontruiming kalm en respectabel te laten verlopen. Als jullie ervoor kiezen niet mee te werken, zal er een gepaste reactie volgen. En ik zeg jullie dit nu, zodat er niet gezegd kan worden dat ik het niet gemeld heb. Wij zijn sterker, we zijn voorbereid en we zullen slagen. Dank u.'

De stilte duurde nog enkele seconden voort. En toen begon het ge-schreeuw. En het gespuug. Mensen renden van hot naar her. De lakens die de mannen van de vrouwen scheidden werden naar beneden ge-haald en vertrapt. Paniekerige telefoontjes. En tranen. En hoezo. En waarom precies nu. Wat een ongevoeligheid. Wat een smerige provo-catie. En waarom vallen jullie juist over ons, terwijl de Arabieren he-lemaal door het dolle heen gaan met bouwen.

De helikopter hing in de lucht, observeerde. Een D9 kroop langzaam de helling van de heuvel af, voorbij de speeltuin, en ging af op de eerste caravan die hij van rechts tegenkwam. 'Wacht, wacht, wacht, waarom kunnen we er niet even over praten?' Bij Chilik Jisraëli, met rouge op zijn wangen en mascara op zijn wimpers, viel het kwartje. Strompelend op hoge hakken, in een bruidsjurk, het boeket nog in zijn hand, pro-beerde hij achter de grote bulldozers aan te rennen. Maar de bulldozers luisterden niet. Netta de tijger en Rachel-Sneeuwwitje sloegen in on-geloof een hand voor hun open mond toen de bak van de D9 het dak van de caravan raakte, dat het met een gigantisch, hartverscheurend gekraak begaf.

'Wat is dit nou???' brulde de tijger, tot in het diepst van haar wezen geschokt. 'Weigert bevel! Schurken!' Jehoe-koningin Ester probeerde galopperend op zijn paard Killer-Kerstman de bulldozer in te halen en eerder te zijn, maar het lukte hem niet. Kapitein Omer stond met ge-kruiste armen te kijken naar wat er gebeurde.

'Heb je geen hart? Je bent een Haman!' gilde een vrouw tegen hem van achter haar kostuum. Nee, antwoordde hij bij zichzelf, ik heb geen hart. Ik heb geen mededogen. Ik heb er genoeg van. Heel even wierp de bestuurder van de D9 hem een blik toe en hij gebaarde met zijn hand: doorgaan, doorgaan. En de D9 ging door, sloopte de caravan, inventaris en al. Het klonk als het gigantische kermen van een olifant.

De gevangene pakte de hand van de Hollandse meid en trok haar hard mee; zij, met knikkende knieën, haar hoofd verward, liet het toe. Haar vader was druk met zijn pogingen de bevelhebber te pakken te krijgen die de actie leidde vanuit de helikopter in de lucht, terwijl haar moeder zich erop moest concentreren haar kleine broertjes en zusjes niet uit het oog te verliezen. Ze liep achter de gevangene aan. Hij kwam bij de wachttoren, liep de trap op en zij kwam achter hem aan, haar hand nog steeds in de zijne. Boven in de toren keerde hij zich om, greep haar vast, zoende haar op haar lippen en zei: 'Ik ben echt, helemaal, volkomen gek geworden zonder jou.' Ze gaf geen antwoord, zoende alleen terug en trok met een slanke vinger een lijn langs zijn hals. Hij stak een hand uit naar haar wulpse Hollandse borst. Zij bevroor, hield hem niet tegen, kon het niet. Ze zat in een droom. Ze was rein; die ochtend op het instituut was ze naar het mikwe geweest en had zich zelfs gecontroleerd op menstruatiebloed. Zonder speciale reden, had ze gedacht. Beneden klonk er geschreeuw, tumult, brullende motors, krakend polyester, traangas, maar zij was een wulps Hollands meisje, gekidnapt door een gevangene en meegenomen naar een hoge toren. Zijn kleine hoofd met de dichte krulletjes was tussen haar borsten, hij had haar bh opzijgeschoven en verzuchtte: 'Helemaal, compleet gek,' en zij hield hem niet tegen, hield hem niet tegen.

Jakir Asís was de eerste die de groep mensen in het oog kreeg die het drietal dat naar Charmisj stapte, stond op te wachten en hij attendeerde zijn wandelpartners er snel op. Ronni probeerde het signaal te geven dat ze in vrede kwamen door een hand op te steken en te zwaaien, te glimlachen, en daarna ook de andere hand in de lucht te steken. Maar toen de dorpelingen Ronni herkenden onder de krullenpruik en achter de fopbril en naast hem een Jood die verkleed was als Arabier en nog een die er bizar uitzag, begon het te rommelen. 'Dat is Ronni,' zei iemand, 'wat denkt die klojo waar hij mee bezig is, wat komt hij hier doen? En dan ook nog iemand meebrengen die verkleed is als hadji? Is hij gek geworden?'

Sinds de aanslag op de olijfgaarden was Ronni Cooper niet populair in Charmisj. Hij was de hoofdverdachte vanwege zijn connectie met de olijven en zijn mislukte onderneming. Het onderzoek van de afdeling Verijdeling van Staatsondermijning van de Sjabak had bestaan uit een inspectie van de getroffen olijfgaarden en een korte ondervraging van Moessa Ibrahim; de bewoners van Charmisj hadden geen reden iemand anders dan Ronni te verdenken. Ook al had Moessa hem gebeld en beweerd dat hij in Tel Aviv was. Misschien was dat een alibi? Misschien was hij weggegaan om verdenking te ontlopen? Misschien had hij huurlingen in zijn plaats gestuurd? Het was immers bekend dat hij gefrustreerd en gedeprimeerd was door het mislukken van zijn business.

'Wij hebben hier geen Joden nodig,' zei Nimr. Net als vele anderen in het dorp hechtte hij geen geloof aan de Ronni's alibi. Hij wilde reageren op de agressie van de kolonisten. Zijn vader Moessa, die naast hem stond, vond dat ze op Ronni konden wachten om te horen wat hij te zeggen had. Ronni had toch beloofd om navraag te doen wie de bomen had gemold en misschien kwam hij nu het antwoord brengen?

'We hebben geen Joden nodig die zich verkleden als een hadji,' zei een andere jongen en hij wierp een steen in een lange baan die ongeveer een meter achter Josh eindigde en de Israëlische missie deed opspringen.

'Rustig aan!' instrueerde Ronni, het hoofd van de missie. 'Het is al goed. Nog even en ze begrijpen dat we met goede bedoelingen komen. Zodra ze mij herkennen, komt alles in orde. Laat het zien, toon ze de geschenken.' Hij zwaaide met zijn handen. 'Moessa! Moessa!' riep hij. 'Ik ben het, Ronni! Geen stenen gooien...' Een volgende steen landde ongeveer twee meter links van hen. 'Nee! Salaam!!'

'Moeten we het pistool trekken?' vroeg Jakir. Zijn hart klopte zo hard dat hij het in zijn keel kon voelen.

'Nee! Hoe kom je erbij?' riep Ronni. Maar Josh pakte een steen op en gooide die terug.

'Moge jullie naam weggevaagd worden, hoerenzonen,' schreeuwde hij. '*Go fuck yourselves, you Arabs!* En dan straks niet verbaasd zijn dat we jullie eigendommen vernielen.'

'Josh, rustig. Dit gaat fout, niet gooien...' Een salvo stenen landde om hen heen als reactie op de steen die Josh had gegooid, er klonken kreten waarin Ronni de woorden *roech*, verdwijn, en *jahoed*, Jood herkende. Josh pakte nog een steen op en gooide hard. Een plotselinge windstoot voerde van achter hen het geluid van een ontploffing mee, en een flard van het liedje 'Er waait een koude wind' en ook een paar – wat is dat nu? – verdwaalde vlokjes sneeuw.

Jehoe geeft me een zaag. Hij giet benzine uit. Zo doe je dat met die kerel. Man, je stelt ons wel op de proef. Je wilt zien uit wat voor hout we gesneden zijn. Je stuurt de soldaten om mijn huis af te breken, het werk mijner

handen. Hier, dan kun je het krijgen, misbaksels. Dan leer je wie wij
zijn. Ik ruik het hout van het huisje dat ik eigenhandig heb gebouwd, een
heel jaar lang heb ik eraan gewerkt en dan komen ze en hebben het lef...
Ik doe mijn ogen dicht en zaag. Hier. Jehoe klapt de Zippo open. Josh is
autoruiten kapot aan het slaan en banden aan het leksteken. Nir houdt de
wacht, zodat hier niemand komt. Jehoe heeft ons stiekem georganiseerd,
op de restanten van het huisje. Otniël heeft ons samen gezien en vast en
zeker geweten waarover we het hadden. Zo doe je dat. Hier, verraderlijke
Palestijnen, als je met goede bedoelingen komt, krijg je een mes in je rug.
Ronni heeft jullie geld gegeven – mijn geld – en jullie hebben hem verneukt.
Hebben het geld in de vullisbak gegooid, Ronni in de vullisbak gegooid,
mijn reis naar Uman in de vullisbak. Onbeschofte vlerken. En daarna
slopen jullie me ook nog mijn huis? Zagen, zagen met de ogen dicht, hard.
Het braambos brandt. U bent Heilig en Uw naam is Heilig. Ik betast mijn
bezwete nek, mijn natte shirt vol zaagsel. Wij zullen niet getroffen worden.
Wij zullen niet verneukt worden. Want ons heeft U verkozen en verheven.
Ik raak mijn gezicht aan en ruik de brandende bomen.

De steentjes die Josh door de lucht had laten vliegen, raakten een jongen die aan de rand van de groep stond, en het rumoer dat uit de richting van de Palestijnse menigte klonk, voorspelde weinig goeds. Nog meer jongelui kwamen uit hun huizen, bewapend met stokken. Van alle kanten kwamen stenen aangevlogen. Ronni keek verbaasd achterom naar de heuveltop, waar onduidelijke geluiden vandaan kwamen van kreunend ijzer en willekeurige knallen. 'Fuck,' zei hij en dook in elkaar. Van het sturen van geschenken zou niets meer terechtkomen. 'Kom, we gaan terug voordat ze helemaal beginnen door te draaien. Josh, ophouden met gooien!'

Het kabaal op de heuveltop was zo immens dat niemand erg had in het drama dat zich vlak bij Charmisj afspeelde. Zelfs Otniël, die een paar minuten eerder het drietal dat de helling af liep nog had gevolgd, was nu helemaal gefocust op zijn geschreeuw tegen Omer en de D9 – niet dat ze hem hoorden. Dit keer sprong er niemand op de D9 – de zwangere Netta zat voorovergebogen aan de kant verschrikkelijk over te geven, Ronni was op missie in vijandelijk gebied en Moessa was thuis. Beilin en Condi blaften nijdig tegen de soldaten.

Pippi Langkous rende de ene kant op, het ruimteschip de andere, Bigfoot kwam tevoorschijn en de verklede legerofficier wilde wel, maar het voelde vreemd om in dit kostuum de strijd aan te binden met echte soldaten van het IDL. Herzl schudde zijn hoofd alsof hij niet kon geloven dat zijn droom in duigen viel, en de rockband van de baby's barstte gelijktijdig uit in een symfonie van gejammer; de dronken Rambo kon maar niet besluiten of hij zijn gezin zou helpen of verzet zou bieden aan de soldaten, dus stond hij voorlopig, als tussenoplossing, naast de tafel met wijn en bleef hij uit het plastic bekertje drinken, zijn hoofd meedeinend op de rapmuziek die de dj ineens besloten had te draaien. De wind blies koud en de tijger stond op na het overgeven om met hese stem te roepen: 'Nee! Nee! Nee! Hoe kunnen jullie je hier niet voor schamen!! Stelletje belialsgebroed!' Kareem vroeg mevrouw Pinguïn of ze in orde was, de gevangene die gek geworden was, zoog in de toren aan de borsten van de Hollandse meid, en ineens ging Rambo te midden van alles zitten om gevoelige akkoorden aan te slaan op een gitaar. Er werd nog meer traangas afgeschoten, wat de kleintjes in paniek bracht en de volwassenen deed stikken; de D9 was klaar met het slopen van de eerste caravan, egaliseerde de grond, schudde de graafbak af, maakte zich op voor zijn volgende doelwit, bewoog zich traag voort op zijn rupsbanden, met de gemeenschap achter zich aan. Tchelet Rivlin, het maiskolfje, stond beledigd naast de speeltuin te huilen, want ze was haar ouders kwijt, de Tora die ze had gewonnen, had ze laten vallen, de Poeriemcadeautjes lagen overal en nergens en niemand hield zich bezig met de winnares van de verkleedwedstrijd.

De wachttoren schudde. Misschien kwam het door de grote bulldozers die de grond in trilling bracht, of door een verdwaalde steen, maar het was genoeg om de Hollandse meid uit haar droom te rukken. Nee, onmogelijk. Niet met een soldaat van het ontruimingsleger en zeker niet terwijl dat leger de huizen van Joden afbrak. Ze schoof het kleine dichtbegroeide hoofd van de gevangene weg, trok haar bh recht, knoopte haar jurk dicht, klom uit de wachttoren, terwijl ze op haar tepels nog zijn ijverige tongetje kon voelen, de vochtigheid van zijn speeksel en hoe haar lichaam ontwaakt was, maar ze stopte het allemaal weg, achter slot en grendel die nog lange tijd afgesloten zouden blijven. Zonder zelfs maar een laatste verlangende blik achterom sloot ze het verhaal af.

Maiskolf Tchelet Rivlin vond haar moeder en haar vader terug. Haar kleine handjes werden door de hunne verwarmd en ze glimlachte naar de hemel. Zachte vlokjes landden op haar mooie gezichtje.

De inwoners van Charmisj raakten op dreef, kregen meer zelfvertrouwen en kwamen achter de ongenode gasten aan. De knallen en de rook uit de richting van de heuveltop vertelden hun dat er iets gaande was, en als er iets gaande was, betekende het dat de Palestijnen het te verduren kregen, zelfs als de kolonisten het eerst voor hun kiezen kregen. Ze naderden het drietal. Iemand naast Nimr schoot twee keer in de lucht als waarschuwing. Nimr zelf haalde een revolver tevoorschijn en schoot twee keer in de lucht. Waarom was een van de Joden een hadji? En waarom had die ene een rubberen kale kop en droeg Ronni een krullenpruik en een nepbril? Drijven ze de spot met ons? Zijn ze dronken?

Ze waren dronken. Ze strompelden en probeerde te vluchten. Ze waren vreselijk bang. Jakir huilde van angst en boosheid op zijn vader. Ronni had het opgegeven zijn vredelievende bedoelingen kenbaar te maken. Josh bleef stenen keilen en schelden. Ze renden in de richting van de voorpost. Toen Jakir de schoten en de knallen hoorde, gooide hij de geschenken weg, haalde de Desert Eagle tevoorschijn, haalde de veiligheidspal eraf en schoot in de lucht. Ronni schrok van de harde knal en gilde: 'Wat doe je? Ezel!' De achtervolgers vlogen alle kanten uit – net als Zjanja Freuds koekjes die uit de gescheurde zak vielen – maar daarna zetten ze de achtervolging opnieuw in en met nog meer snelheid. Ronni zweette, maar om de een of andere reden deed hij zijn pruik en bril niet af. Ook Josh bleek gehecht aan zijn kaffiya en Jakir aan zijn linkse accessoires. Over zulke dingen denk je niet na als je rent voor je leven. Jakir schoot nogmaals in de lucht, en het schot verontrustte de achtervolgende Palestijnen even, maar daarna waren er ook van hun kant schoten en knallen te horen.

'Genoeg, klaar met schieten,' gromde Ronni buiten adem, 'we zijn er bijna.' Waarop Josh zich omdraaide en een handvol stenen smeet. De Palestijnen verzamelden zich met hernieuwde krachten en verhoogde adrenaline. Ineens kwamen er banden ergens vandaan die werden aangestoken en zwarte, stinkende rook steeg op in de koude lucht. Josh brulde: 'Schiet ze door hun kop,' en Ronni reageerde: 'Ben je gek geworden?' Jakir richtte en loste een laatste schot naar de hemel, terwijl hij met trillend hart dacht: dit is het niet waard, ik wil niet doodgaan voor zulke onzin.

En toen hield de sneeuw op met aarzelen en begon serieus te vallen: dikke, trage, donzige, koninklijke vlokken.

Soldaten, agenten en inwoners keerden hun hoofd naar de schoten die uit het zuiden klonken en zagen een woedende Palestijnse menigte aandenderen uit de richting van Charmisj en zwarte rook opstijgen. 'What the fuck?' mompelde Omar Levkovitsj op exact hetzelfde moment dat een D9 de elektriciteitsmast raakte, de muziek ophield en de verlichting doofde. Er klonk een serie ontploffingen, er sprongen vonken uit de elektriciteitskabels, jammerkreten van paniek stegen op, iedereen keek overal naartoe, schreeuwend, huilend, en alleen de sneeuw bleef onverstoord geruisloos neerdwarrelen, als Mordechais purperen mantel.

Het eind

De sneeuw lag drie hele dagen over Maälè Chermesj C, bedekkend, sussend. De stilte bevroor alles, de vredigheid vertraagde, de heuvels rondom flonkerden wit, de lagergelegen woestijnachtige landschappen verderop droegen bij aan de sfeer met een lichtere beige kleur dan normaal, weerspiegeld in de hemel, die erdoor verbleekte en de zon verblindde die er zwakjes doorheen piepte, het hoofd deemoedig gebogen.

En in die stilte klonk alleen een hamer, kloppend, pokpokpok: Gabi liet zijn huisje herrijzen. En het gejuich van de kinderen die sneeuwballen maakten in de speeltuin van Mamelstein, tassen op de grond legden en op hun achterwerk van de helling van de heuveltop gleden.

Ronni Cooper bracht de eerste nacht na het Poeriemfeest door in de vrijgezelle caravan van Josh en Jehoe, tevens het tijdelijke huis van Gabi. Hij was gegrepen door de gedachten en de opwinding van de gebeurtenissen van de laatste paar dagen, door de telefoongesprekken met Rina en het bliksembezoek aan Tel Aviv, door de gesloopte caravan, die de laatste paar maanden zijn huis was geweest, door de vredesmissie naar Charmisj, die hij had geleid en die was geëindigd in chaos en problemen, maar uiteindelijk – zag hij nu in – exact dat had bereikt wat Otniël vanaf het begin voor ogen had gehad.

Ondanks de adrenaline en de tollende gedachten viel hij in slaap op het moment dat hij zijn hoofd op het kussen legde. De volgende ochtend stond hij op in een witte wereld en bewonderde hij haar zuivere schoonheid. Rina belde op en ze brachten de dagen vol sneeuw door met een lang, diepgaand gesprek. Zodra auto's de heuveltop konden verlaten, ging hij naar Tel Aviv. Toen ze elkaar ontmoetten, deelden ze een onhandige omhelzing en een aarzelende kus op de wang. Tijdens de lunch gingen ze door met het ontwikkelen van hun idee: een bar-nachtclub die 'De School Is Uit' zou gaan heten en die 's nachts zou worden geëxploiteerd in Rina's kleuterschool aan de Sjlomo Hamelechstraat. Rina benadrukte telkens weer – alsof ze zichzelf ervan moest overtuigen – dat hun relatie strikt zakelijk zou zijn. Ze moest inkomen genereren, omdat de gemeente haar liet stikken, de kinderen bij de kleuterschool weggingen en haar uitgaven er niet minder op werden. Ze was verwikkeld geraakt in schulden maar wilde de zaak niet sluiten, ze hield van haar werk, dit is wat ze kon en waar ze goed in was. Ronni was ervan overtuigd dat De School Is Uit een hit zou worden. De klanten zouden weg zijn van het kleuterschooldecor, omdat het geen decor was maar de echte inrichting van de locatie. Mensen waren dol op authenticiteit. Hij zou een kleine bar neerzetten in een van de hoeken. Hij zou ervoor zorgen dat aan het eind van iedere nacht de school ontdaan zou zijn van peuken en biervlekken, en het er fris en netjes uit zou zien. Hij dacht zelfs dat het hem met de hulp van wat contacten uit zijn verleden kon lukken een semi-officiële vergunning van de gemeente te krijgen. Hij was opgewonden, want hij wilde dit. Want het paste bij hem. Ja, beloofde hij Rina, het is alleen zakelijk, duidelijk. Maar ze namen afscheid van elkaar met een lange blik en een langdurige omhelzing, en toen Ronni later door de straten van Tel Aviv liep, wist hij dat hij niet alleen opgewonden was door de zaak en zijn thuiskomst, maar ook, of voornamelijk, door haar lichaamswarmte en bruine ogen.

Bij zijn volgende en laatste bezoek aan Maälè Chermesj C – na de sneeuw, nadat de winden zijn gaan liggen, na zijn definitieve beslissing naar Tel Aviv terug te gaan – zal hij een zwarte pup meebrengen dat het teefje van Rina's beste vriendin had geworpen. Een fantastische pup, rustig, klein en wollig, waarvan Ronni besloot dat het een geweldige partner en kameraad zal zijn voor zijn broer. Een afscheidscadeautje. Gabi zal met een glimlach reageren. Hij zal de hond onder zijn kin kietelen en snel een schotel met water neerzetten en nog eentje met hüttenkäse, die de hond met zijn ruwe tongetje oplikt. Amalja en Tchelet zullen helemaal dol op hem zijn, zal Gabi bedenken. Hij zal beseffen dat zijn broer om hem heeft gedacht, heeft gevonden dat hij een kameraad nodig heeft om de eenzaamheid te verdrijven. Na-ja, dat mag hij denken, hij gaat zijn gang maar. Als hij nu nog niet begrepen heeft dat ik nooit alleen ben met de Heer der wereld, dan zal hij het wel nooit begrijpen. En het is een leuke hond, echt waar. Hij zal het hier goed hebben. We moeten een naam voor hem verzinnen, samen met de meisjes. Gabi zal tegen Ronni zeggen dat het op zijn lijf geschreven is, De School Is Uit. Hij zal hem alle goeds toewensen. En zijn broer zal hem antwoorden: 'Weet je wat? Die Breslauer van je, met die pompon aan het puntje, is jou ook op het lijf geschreven. Dit keer zal het je lukken om het vast te houden, en ook dat het huisje er maar snel weer mag staan. Ik zweer het je, broertje.' Ze zullen elkaar lang omhelzen en Gabi zal zich licht, licht, licht voelen als een ballon.

Ronni zal tevreden zijn over het bezoek aan zijn jongere broer. Op weg naar buiten zal hij stoppen en een blik werpen op de olijfgaarden van Moessa Ibrahim. Wat voorbij is, is voorbij. Zijn blik zal over de restanten glijden van de caravan die van hem is geweest, de caravan van de familie Gottlieb, die kwam kijken en gewond raakte, de caravan die op een dag bij vergissing was gearriveerd, was gebleven, genationaliseerd, geplunderd, bevolkt, verlaten, opnieuw bevolkt, opnieuw verlaten en ten slotte gesloopt door de tanden van een stuk mechanische uitrusting van de genie van het Israëlisch Defensie Leger. De caravan had een slecht karma gehad. Misschien was het goed dat dit zijn lot was geworden.

De jongen van het elektriciteitsbedrijf zal uitleggen dat er kortsluiting was geweest, waarschijnlijk begonnen in de caravan die gesloopt was en die van improvisaties aan elkaar had gehangen. De elektricien begreep niet wat voor soort installatie het was geweest, het was volstrekt amateuristisch werk, en gevaarlijk, het was een geluk dat ze er zo goed vanaf waren gekomen. Hij zal een nieuw schakelpaneel monteren en een super-de-luxe stoppenkast die een nieuwe tri-gefaseerde wereld naar de heuveltop zal brengen: zonder stroomstoringen, zonder het wegvallen van de spanning of twee keer na moeten denken over boilers, waterkokers, airco's en fornuizen, of over het kwijtraken van computergegevens. 'Zeg alleen tegen die vent van die gesloopte caravan,' zal de man Otniël Asís en Chilik Jisraëli die hem begeleiden, verzoeken, 'dat hij het kalm aan moet doen met blootliggende draden en geïmproviseerde contacten, en dat hij het straalkacheltje niet de hele tijd aan moet laten staan.'

'Zeker, zeker,' zal Otniël beamen en de techneut een klopje op zijn schouder geven. Uiteraard zullen ze er geen woord over reppen tegen Ronni Cooper, want Ronni zal geen elektriciteit meer gebruiken op de heuveltop. Als ze al iets tegen Ronni zeggen, zal Otniël denken, dan is het een dubbel, diepgevoeld woord van dank: één keer voor de blootliggende kabels, de improvisaties en de brandende straalkachel die ertoe hebben geleid dat we nu een fantastische elektrische installatie hebben; en één keer voor de naïeve tocht naar Charmisj met geschenken, die een oproer ontketende bij de Palestijnen, met stenen, brandende autobanden en schoten in de lucht, waardoor de inzet van het leger zich van de voorpost naar Charmisj verplaatste, waardoor de ontruiming uitgesteld raakte naar een nog onbekende datum die – zo is er beloofd – 'volgende week' zal worden vastgesteld.

Maar 'volgende week' zal het kabinet vallen door een motie van wantrouwen, ingediend door de centrum- en linkse politieke partijen naar aanleiding van een corruptieschandaaltje. De minister van Veiligheid zal zijn energie en focus helemaal richten op de concurrentiestrijd voor de positie van partijleider en op andere interne strubbelingen (waarbij 'ksssjt!' de populairste opmerking is die tegen hem wordt gebruikt). En als Malka, zijn trouwe assistent voor Nederzettingszaken hem en passant een papier voorlegt waarmee vergunning verleend wordt voor de verharding van de weg tussen Maälè Chermesj B en C, zodat de veiligheidstroepen zich daar makkelijker kunnen bewegen, zal hij dat tekenen zonder zelfs maar te vragen waarover het gaat.

De bevelhebber op het hoofdkwartier, Giora, zal meedraaien in de dienstrotaties en een hoge positie krijgen bij de inlichtingendienst. Hij zal Omer Levkovitsj meenemen, die een goede indruk op hem heeft gemaakt tijdens het verloop van de gebeurtenissen, hij zal hem bevorderen tot majoor en ze zullen hun dagen doorbrengen in een rustig kantoor in een nette buurt, ergens in het centrum van burgerlijk Israël, in het hart van de consensus, met voertuigen voorzien van airco en prettige werktijden. Ook in de Verenigde Staten zullen de plaatselijke verkiezingen dichterbij komen. De peilingen zullen een verlies laten zien van de presidentiële partij en wanneer de verkiezingen voorbij zijn – die inderdaad een verlies zullen opleveren – zal er in Californië een krachtige aardbeving plaatsvinden. Tegen de tijd dat iedereen onder het puin vandaan zal zijn gehaald en het stof van de kleren zal hebben geklopt, zal niemand zich Maälè Chermesj C of de reportage in *The Washington Post* nog herinneren, en zelfs de hoofdredacteur, die het plan had opgevat Jeff McKinley ernaartoe te sturen voor een reportage van 'een jaar later', zal daarvan afzien vanwege bezuinigingen op de buitenlanddesk en de oekaze van bovenaf zich te focussen op binnenlands nieuws. Daaruit volgt natuurlijk dat McKinleys plaatsing in het Heilige Land zal worden beëindigd, dat hij een lange reis door Birma gaat maken, verliefd zal worden op een plaatselijke, getrouwde schone, in de problemen komt en zal worden ontslagen.

Niemand zal tijd hebben om zich met een kleine, onbelangrijke voorpost bezig te houden.

Zesendertig bronzen munten uit de tijd van de Bar Kochba-opstand, die gevonden waren in een grot bij de Chermesj, zullen begraven liggen in de depots van de Oudheidkundige Dienst. Van de twee kostbaardere, zilveren munten zal er een worden overgedragen aan het Israël Museum en de andere zal worden verkocht op een veiling in New York voor 42.000 dollar. Otniël zal zichzelf wel willen slaan dat hij dat geld is misgelopen, maar God zij dank, heeft hij nog vijf munten in zijn zak zitten. Ja, natuurlijk, wat had je dan gedacht? Hij is een sluwe vos, oud en wijs genoeg om te weten dat je nooit je hele schat weg moet geven. Toen hij met Dvora naar de grot was gegaan, nog voor Dovids eerste bezoek, had hij een paar munten schoongemaakt en er een paar bewaard waarop hij Joodse symbolen en het opschrift 'Heilig Jeruzalem' had herkend. Toen Dovids bemoeienis op een teleurstelling begon uit te draaien, had Otniël besloten hem niets over deze andere munten te vertellen. Gelukkig maar. Hij zou andere contacten aanboren, dit keer met grote voorzichtigheid, en bij de juiste persoon terechtkomen: een handelaar in antiquiteiten die van wanten wist. Drie van de vijf munten waren zilveren sjekels uit de tijd van de Bar Kochba-opstand: twee uit het tweede jaar, en een uit het vierde. Het kapitaal dat hij ermee zal verdienen, zal precies op tijd komen.

De sneeuw met Poeriem zal voor verschuivingen zorgen op de biologische boerderij. Door de gebeurtenis zal de oogst van asperges, paddestoelen, rucola en de cherrytomaatjes mislukken. Daarnaast zullen Moran vanuit het veld en Jakir vanaf de website een enorme toename melden in de vraag naar producten van biologische geitenmelk. En als om het proces helemaal af te maken, zal Gabi besluiten dat hij er genoeg van heeft te fungeren als manusje-van-alles. Hij zal Otniël vragen om opheldering over zijn status, zijn loon en afbakening van zijn taken.

Aan het eind van een vergadering van het viertal bij Otniël thuis met thee en ribbelchips, een paar weken na Poeriem, zal besloten worden te focussen op het ontwikkelen van de geitenboerderij en -melkerij en zal er zelfs een vijfjarenplan met meerdere stappen neergekrabbeld worden, deels gefinancierd uit de opbrengst van de munten, met als doel de stal uit te breiden tot tweehonderd geiten of meer. Otniël zal zich bezighouden met het terugschroeven van de gewassen en het vervolg daarvan, de verkoop of opheffing (zij het dat hij wel zal blijven telen voor eigen gebruik om de rucola en cherrytomaatjes te leveren voor de verfrissende salade van Rachel). Gabi zal een opleiding volgen op het gebied van de geiten- en schapenhouderij, wat Otniël ook nieuwe geitjes zal opleveren. Jakir zal zijn bezigheden op het internet afbouwen en Moran zal direct aan de detailhandel gaan leveren, voornamelijk in het midden van het land. Gabi zal verantwoordelijk worden voor de kroon op het werk: het verbeteren van de melkerij, aanschaf van nieuwe installaties, ontwikkelen van nieuwe lijnen eersteklas kazen: jong, jong belegen, belegen, yoghurt, hangop, met kruiden, met bacterieculturen en met verschillende schimmels. Hij zal toezien op alle stadia van bereiding: van het pasteuriseren en het verkazen tot en met het verpakken. Zijn beloning zal drastisch omhooggaan, inclusief vergoedingen, secundaire arbeidsvoorwaarden en scholing.

Kaasmakerij Gitít zal groei beleven dankzij de listeriahysterie die Israël in de loop van het jaar in zijn greep zal krijgen; als gevolg van een niet eenduidige miskraam die misschien wel, misschien ook niet verband hield met de listeriabacterie, zullen er inspecteurs van het ministerie van Volksgezondheid uitgezonden worden naar grote en kleine melkerijen door het hele land en daar in veel gevallen schokkende aantallen van die bacterie aantreffen. Tonnen kaas zullen van de planken worden gehaald, wat weer leidt tot een stroming bij de consument om biologische kazen van kleine producenten te kopen. Maar als een gevolg van een onderzoek van een van de grote kranten, waarin wordt gewaarschuwd voor ongepasteuriseerde biologische kazen die niet lang genoeg zijn gerijpt, zal het publiek in verwarring raken en hongerig achterblijven. Dat vacuüm zal opgevuld worden door de kazen van Kaasmakerij Gitít: een kleine, biologische melkerij, die juist wel gepasteuriseerde melk gebruikt vanwege een beslissing die Otniël aan het begin van de rit heeft genomen, ver voordat allerlei experts begonnen te beweren dat pasteurisatie de goede enzymen vernietigde en de smaak kapotmaakte. Otniël meed zulke connaisseurs als de pest, al sinds het conflict dat feitelijk tot het ontstaan van Maälè Chermesj C had geleid. Hoe het ook zij, de vraag zal met duizenden procenten stijgen en de kazen van Gitít zullen in Israël wijd en zijd bekend worden als je van het, ook als alle ophef rond de listeriahysterie weer wat is gekalmeerd.

Als Gabi zich in de uitdijende stal en de melkerij te opgesloten voelt, zal hij de kudde gaan hoeden. Eens, langgeleden, verveelde hij zich met de geiten, maar nu zal hij van elk moment genieten. Hij zal ervan houden om uit de gebouwen de wind in te stappen, om zich lichtvoetig en vrij te voelen, niet aan een plaats gebonden. Misschien zal hij het gevoel hebben dat het tijd is om zijn horizon te verbreden. Net als Abel, net als voorvader Avraham, als koning David en Mosje Rabbenoe. Op de weidegronden, in het gezelschap van de oude geiten, de jonge bokjes en de herdershond zonder naam – Amalja had 'Koesji', 'zwarte' voorgesteld en Sjaoelit 'Cosby', maar voor Gabi's gevoel paste dat niet – zal hij rust vinden, zal hij de Voorzienigheid voelen, zal hij zich afzonderen en met zijn God babbelen, zal hij bidden, zingen en blij zijn, want door vreugde zal je gebed de Tempel van de Koning binnenkomen. Altijd door vreugde? Misschien niet altijd, want het verlangen is oneindig, het lijden is een groot goed, aangezien de bedoelingen van de Heer, moge Hij geprezen zijn, altijd ten goede zijn. Iedere dag zal hij over de heuvels, de velden en ruw terrein lopen, zal hij in de schaduw rusten, op de wortelknolletjes van de harige reigersbek knabbelen, zal hij van zijn beesten houden en zij van hem, en 's avonds laat zal hij, zo God het wil, Sjaoelit omhelzen. De naamloze hond zal door zijn neusje zuchten en zich met gesloten ogen aan hun voeten nestelen, zij zal met haar betoverende stem voor hem zingen, haar rode haar zal hem aan zijn neus kietelen en zijn hart zal in zijn borstkas zwellen.

Er zal een nieuwe wind waaien, dagen zullen ten einde komen, het leven zal doorgaan: de kinderen zijn groot worden, de gelovigen zullen hun gebeden zeggen, de Romeinse olijfbomen, in elk geval de meeste, zullen overleven zoals ze dat al duizenden jaren doen – al sinds lang voor en nog lang na de mensen die er nu hun beperkte tijd doorbrengen. De oudere Palestijnen, die alles al gezien hebben, zullen hun dag net als altijd beginnen met twee lepels honing en drie lepels olijfolie (te mild en te helder, aangepast aan de Japanse smaak), soldaten zullen komen en gaan, naar boven klimmen en weer naar beneden, afzwaaien en opkomen, in de ochtend zullen ogen worden opengeslagen, zal de zon boven de woestijn opkomen, 's avonds ondergaan achter de heuvels en zullen de oogleden worden gesloten. En in de tijd tussen het een en het ander is er werk, gebed, rust en liefde.

Een beeld in mineur, dus, uit de tijd van na de sneeuw: winter op de heuveltop, buiten is het koud en stil, een paar kinderen op fietsjes, Beilin blaft verveeld en een monotoon geluid klinkt steeds opnieuw: pokpokpok-pak, het geluid van Gabi's hamer, die op zijn gemak spijkers slaat in houten balken die met elkaar wanden zullen vormen, zijn huisje weer tot leven zullen brengen, het huisje dat er eens was, toen niet meer, en nu weer terugkomt. Hij hamert en hamert met eindeloos geduld en met het gehamer op de achtergrond komen gedachten op, komen herinneringen op, aan mensen die er waren en er nu niet meer zijn, die overleden zijn, die hun taak vervuld hebben; aan de enige, grote, machtige en heilige God, die alles ziet en alles weet; aan een nietige heuveltop te midden van nergens, te midden van overal, met een paar rotsblokken, een paar stekels en een paar zielen.

Verklarende woordenlijst

Adar – twaalfde maand in de joodse kalender. Valt in februari/maart.

Adlojada – optocht met versierde en opgetuigde wagens, sinds 1912 gehouden met Poeriem. Eerst heette het 'carnaval', maar in 1923 werd die naam vervangen door Adlojada, een verwijzing naar de Babylonische Talmoed, die over Poeriem zegt dat men zo dronken moet worden tot men het verschil niet meer weet (Adlojada) tussen de gezegende Mordechai en de kwade Haman.

Agoera – munteenheid. Een honderste sjekel.

AHBORIS – afkorting van de keuringsonderdelen van dienstplichtigen, met een score van 1 t/m 5, waarbij 5 het slechtst is: a: algemeen, h: hart, b: bovenste ledematen, o: onderste ledematen, r: reflexen, i: intellect, s: (geestelijke) stabiliteit.

Amoraïet – Amoraïem (mv.) Aanduiding voor de geleerden in Palestina en Babylon die tussen ±200 en 500 bijdroegen aan de totstandkoming van de Talmoed.

Av – vijfde maand van de joodse kalender. Valt in juli/augustus.
9e Av: de treurdag ter herdenking van de vernietiging van de Tempel.

Bar Kochba – Sjimon bar Kochba was een joods verzetsleider die tussen 132 en 136 een opstand leidde tegen het Romeinse Rijk van keizer Hadrianus.

Beilin – Josef/Jossi Beilin, was vanaf 1992 staatssecretaris van Buitenlandse Zaken in de regering van Sjimon Peres en begon in het geheim de onderhandelingen voor het Israëlisch-Palestijnse verdrag van Oslo.

Bné Akiva – orthodoxe zionistische jeugdbeweging.

Chameets – gedesemde/gegiste waren. Voor het begin van Pesach worden de laatste restjes gegiste waren ceremonieel verbrand.

Chassidisme – joods-religieuze beweging, ontstaan in Oost-Europa in de achttiende eeuw.

Condi – afkorting van Condoleezza Rice, Amerikaans minister van Buitenlandse Zaken ten tijde van de Oslo-akkoorden.

Davar – landelijk dagblad (in het Hebreeuws) van 1925 tot en met 1996. Het was het orgaan van de Zionistische Arbeidersbeweging.

DHGZH – De Heilige, Gezegend Zij Hij – in het Jodendom een voor zichzelf sprekende afkorting.

Djellaba – jurkachtig gewaad, gedragen door mannen en vrouwen in de Arabische wereld.

Drie Weken – drie weken van rouw, beginnend op 17 Tammoez (zie aldaar) en eindigend op 9 Av, waarin getreurd wordt om de vernietiging van Jeruzalem en de Tempel.

Een oog dat ziet, een oor dat hoort en al je handelingen worden opgeschreven – parafrase van een citaat uit Misjna-traktaat Avot 2:1. 'Rabbi zegt […]: Let goed op drie dingen, dan kom je niet licht in overtreding van een gebod: weet wat boven je is; weet dat er een oog is dat toeziet en een oor dat luistert; weet dat al je daden in een boek opgeschreven worden.' (vertaling: Siach Jitschak, p. 194, Amsterdam 1993, 4e druk)

Eloel – zesde maand in de joodse kalender. Valt in augustus/september.

Fromme – orthodoxe persoon (als zodanig herkenbaar aan de kleding).

Glattkoosjer – de meest strikte vorm van koosjer (zie aldaar). Glatt refereert aan de longen van een geslacht rund, die glad zijn als het dier geen tuberculose had op moment van slachten.

Goesj Emoeniem – 'Blok van Gelovigen', een beweging die streeft naar een Groot-Israël. Groot-Israël is het land dat volgens de Tora door God aan de Joden was gegeven, inclusief de gebieden waar de Bijbelse tien stammen woonden, en bestrijkt het huidige Israël, Gaza, de Westelijke Jordaanoever en delen van Syrië, Libanon en Jordanië. De beweging werd in 1974 officieel opgericht (maar bestond al langer) door leerlingen van rabbi Tsvi Jehoeda Kook (zoon van Avraham Jitschak Kook), die tot aan zijn dood in 1982 de leider van de beweging bleef.

Gojiem – goj (ev.) niet-jood.

Haärets – landelijk dagblad met linkse signatuur.

Harav – bijnaam van Avraham Jitschak Kook.

IDL – Israëlisch Defensie Leger.

Ijar – tweede maand in de joodse kalender. Valt in april/mei.

Jamiet – agrarische nederzetting ten zuiden van de Gazastrook. In 1977 na het Camp David-akkoord moest het worden ontruimd. De nederzetting is in 1982 ontmanteld.

Jediot – *Jediot Acharonot*, een landelijk dagblad.

Jesja-raad – raad voor Jehoeda, Sjomron en Aza (Gaza), een buitenparlementaire, goedgeorganiseerde partij/lobby die de belangen behartigt van de kolonisten en veel gehoor vindt bij de regering; voortgekomen uit Goesj Emoeniem.

Jesjivat Hesder – militaire dienst in het IDL, die wordt gecombineerd met Talmoedstudie waardoor jongens uit orthodoxe kringen hun militaire dienst kunnen vervullen. Tot voor kort konden ze vrijstelling krijgen op grond van hun orthodoxe levenswijze.

Jisjoev – 'bewoning', de term voor de joodse bewoners in Palestina voordat de staat Israël gesticht werd.

Jom Kippoer – Grote Verzoendag, de dag waarop boete gedaan wordt voor begane zonden. Er wordt die dag gevast. Jom Kippoer valt tien dagen na Rosj Hasjana en de periode heet ook wel Ontzagwekkende Dagen.

Josef ben Matitjahoe – in Europa bekend als (Titus Flavius) Josephus. Hij leefde van 37 tot ± 100. Hij was een Joods-Romeinse geschiedschrijver die vooral bekend is door zijn *Oude Geschiedenis van de Joden* en *De Joodse Oorlog.*

Kach – partij van Meïr Kahane, die er extreem rechtse ideeën op nahield. Kahane was afkomstig uit New York, waar hij de Jewish Defense League had opgericht om joden te beschermen tegen neo-nazi's. Na een terreuraanslag door een Kach-aanhanger in Chevron in 1994 werd de partij verboden en sindsdien wordt Kach gezien als terroristische organisatie. Meïr Kahane werd in 1990 in New York vermoord.

Kaffiya – (geruite) doek, door Arabische mannen op het hoofd gedragen. De geruite variant staat ook wel bekend als 'Palestijnensjaal'.

Kahanisten – aanhangers van het gedachtengoed van Meïr Kahane en de Kach-partij (zie aldaar).

Kasjroet – de regels omtrent het koosjer eten, waarbij melk en vlees strikt gescheiden gehouden worden.

Kiddoesjwijn – bij de ceremonie ter inwijding van sjabbat worden wijn en brood gezegend. Wijn voor deze gelegenheid is een speciale soort (verzwaarde) wijn.

Kook, Avraham Jitschak (uitgesproken als Koek) – de eerste Asjkenazische opperrabbijn in Palestina onder het Brits Mandaat. Hij leefde van 1865 tot 1935 en stichtte de zionistische jesjiva Merkaz Harav. Een groot denker, kabbalist en Tora-geleerde. Hij staat ook bekend als 'Harav' – de rabbijn. Een van de meest invloedrijke rabbijnen van de twintigste eeuw.

Koosjer – etenswaren die goedgekeurd zijn volgens de regels van het kasjroet.

Korach – Exodus 6:21 en Numeri 16. Korach en 250 volgelingen betwisten het gezag van Mozes en Aäron, worden door Mozes voor een godsgericht gedaagd en dan door hemels vuur vernietigd.

Maranen/Marranos – ook wel bekend als cryptojoden. De Hebreeuwse term is *anoesiem*, ofwel 'gedwongenen'; Spaanse en Portugese joden die onder dwang gedoopt zijn en later teruggekeerd tot het Jodendom, of in het geheim de joodse religie blijven aanhangen.

Megilla – (boek)rol. Bij het Poeriem-feest wordt het boek Ester gelezen en telkens als Hamans naam wordt genoemd, wordt er herrie gemaakt, opdat zijn naam niet te horen zal zijn.

MIJN GOLANI DEPORTEERT GEEN JODEN – Een tijdlang is het een punt van discussie geweest of dienstplichtige soldaten ingezet mochten worden bij de ontruiming van illegale nederzettingen. Vanuit de gelederen werd daartegen geprotesteerd, o.a. door het dragen van T-shirts met vergelijkbare teksten.

Mikwe – bad van bepaalde afmetingen, (deels) gevuld met regenwater voor rituele reiniging, niet alleen van mensen, maar ook van al het vaatwerk dat direct contact maakt met voedsel tijdens de bereiding of nuttiging ervan.

Minjan – gebedsquorum van tien volwassen mannen. Zonder minjan kunnen sommige onderdelen van de gebedsdienst niet worden uitgevoerd.

Mitswa – een gebod/wet binnen de joodse wetgeving, maar ook een term voor een goede daad, een daad van barmhartigheid.

Mitswot hanida – 'nida' betekent 'menstruerende vrouw'; naam van een traktaat uit de Misjna (Tohorot) over rituele onreinheid door menstruatie en bevalling. Mitswot hanida zijn de geboden rondom menstruatie en rituele reiniging.

Mosjav – coöperatieve landbouwnederzetting, maar zonder het collectieve aspect van een kibboets.

N Na Nach Nachm Nachman Me'oeman – leuze van de volgelingen van rebbe Jisroel Ber Odesser (1888?-1994), die sinds 1984 een subgroep vormen binnen het Breslauer chassidisme.

Nachman van Breslau – (1772–1810), ook wel bekend als Nachman van Bratslav of Nachman van Breslov, een van de grote vernieuwers van de chassidische beweging. Zijn leer heeft geleid tot het Breslauer chassidisme.

Nisan – eerste maand in de joodse kalender, valt maart/april.

Ontzagwekkende Dagen – de tien dagen van Rosj Hasjana tot en met Jom Kippoer.

Ops room – ruimte van waaruit militaire operaties worden gecoördineerd.

Orot – boek van rabbi Kook, uitgegeven in 1920, waarin hij vanuit religieuze optiek ingaat op thema's als nationalisme, nationaliteit en vaderlandsliefde. Het is een basistekst van het religieus zionisme geworden.

Pesach – het joodse paasfeest, waarbij gevierd wordt dat het volk Israël uit de Egyptische slavernij verlost werd. Als aandenken aan het ongedesemde brood dat men toen meenam, is het traditie om geen enkele vorm van gedesemde waar in huis te hebben tijdens Pesach.

Pinchas – zie: Zimri.

Poeriem – in Nederland ook wel bekend als het Lotenfeest, waarbij joden vieren dat ze niet meer belaagd worden door vijanden als Haman (het verhaal van Ester in de Bijbel). Het feest gaat gepaard met veel kabaal, verkleedpartijen en drank en is het enige joodse feest waarbij men aangemoedigd wordt om dronken te worden. Valt in februari of maart. Zie ook: Adlojada.

Rabbaniet – vrouw van een rabbijn, die (vaak) vrouwen van advies dient.

Rosj Chodesj – het begin van de nieuwe maand.

Rosj Hasjana – joods Nieuwjaar, op 1 Tisjri. Tisjri valt in september/oktober.

S5 – reden van afkeuring voor militaire dienst. Zie: ahboris.

Sabra – Hebreeuws woord voor cactusvijg, maar ook de benaming voor Israëliërs.

Seder – maaltijd op de vooravond van Pesach, waarbij de hagada wordt gelezen, een collectie verhalen, gebeden en psalmen die het verhaal vertellen van de uittocht uit Egypte. Tijdens deze maaltijd wordt een aantal specifieke gerechten gegeten, waaronder het 'bittere kruid' als herinnering aan de bittere tijd van de slavernij.

Sefer Hamidot – ook wel bekend als het Alef-Betboek. Voor het eerst in 1821 uitgegeven verzameling van praktische adviezen van rabbi Nachman van Breslau (zie aldaar). De adviezen zijn op basis van de Tora (de eerste vijf boeken van het Oude Testament), gevat in puntdichten en alfabetisch gerangschikt.

Sivan – derde maand in de joodse kalender. Valt in mei/juni.

Sjabbat – zaterdag, de rustdag in de joodse traditie. Sjabbat begint een uur voor zonsondergang op vrijdagavond (sjabbatavond) en eindigt (gaat uit) op zaterdagavond, een uur na zonsondergang, of wanneer de eerste ster aan de hemel zichtbaar is.

Sjabbat Chazon – de sjabbat voor de treurdag 9 Av. Deze sjabbat heet Chazon (visioen) omdat de Haftara (de weekafdeling uit de Profetieën) Jesaja 1:1 wordt gelezen, dat begint met 'Visioen van Jesaja, zoon van Amots'.

Sjabbatsbrieven – teksten met uitleg over de weekafdeling (zie aldaar) van de Tora en/of andere overpeinzingen gekoppeld aan de religieuze leer.

Sjavoeot – het Wekenfeest en het Feest van de Eerstelingen, waarbij de eerst geoogste gewassen als offerande naar de Tempel werden gebracht. Het valt zeven weken na Pesach.

Sjevat – elfde maand in de joodse kalender. Valt in januari/februari.

Sjikse – niet-joodse vrouw.

Sjiv'a – eerste week van zware rouw, waarbij de familie bijeenkomt in het huis van de overledene en troostbezoek ontvangt.

Sjma – afkorting van het gebed 'Sjma Jisraël' – het 'Hoort Israël' (Deuteronomium 6:4).

Sjoelchan Aroech – vierdelige, meest gezaghebbende halachische codex (verzameling rechtsregels) door Joseef ben Efrajim Caro (Venetië 1565).

Talliet – gebedsmantel. Er zijn twee vormen: de grote gebedsmantel, die omgeslagen wordt voor de gebedsdienst, en de kleine gebedsmantel (talliet katan, of kortweg aangeduid als tsietsiet), een ponchoachtig kort gewaad dat streng orthodoxe mannen onder hun kleding dragen, waarbij de kwastjes (vaak) over de bovenkleding hangen.

Tammoez – vierde maand in de joodse kalender, valt in juni/juli.

Tenach – letternaam van Tora (wet), Neviiem (profeten) en Ketoeviem (geschriften): de joodse Bijbel.

Tevet – tiende maand in de joodse kalender, valt in december/januari.

Tikkoen Chatsot – het Herstel van Middernacht. Wordt vooral in Sefardische en chassidische kringen elke nacht na middernacht gereciteerd als teken van rouw omdat de Tempel in Jeruzalem is vernietigd.

Tikkoen Haklali – een aantal psalmen die gereciteerd worden als boetedoening voor alle zonden, maar vooral de zonde van 'verloren zaad' (nachtelijke zaadlozing). Dit gebed is in het leven geroepen door rabbi Nachman van Breslau en hoort bij de ritus van zijn volgelingen.

Tsadiek – rechtvaardige, wijze; tsadieka (vrl.) tsadikiem (mv.).

Tsietsiet – tsietsiot (mv.) Kwastjes aan de hoeken van de gebedsmantel (talliet). Tsietsiet is ook wel de benaming voor de talliet katan, de kleine gebedsmantel (zie aldaar).

Voorpost – benaming voor een nederzetting die illegaal is of waarvan de status onduidelijk is.

Weekafdeling – de Tora is verdeeld in vaste weekafdelingen. Iedere week wordt een specifiek stuk uit de Tora gelezen, met de bijbehorende Haftara, een stuk uit de Profetieën. De weekafdelingen vormen een jaarcyclus. Elke weekafdeling heet naar de beginwoorden van het stuk dat moet worden gelezen.

Za'atar – kruidenmengsel op basis van hysop.

Zeved Habat – 'het geschenk van een dochter'. De Sefardische naam van de ceremonie waarbij een dochter haar naam krijgt. Vergelijkbaar met de Briet Mila bij jongetjes, maar zonder besnijdenis. In Asjkenazische kringen is dit ritueel bekend als 'Simchat Habat' (de vreugde van een dochter).

Zimri – zoon van Salu, die samen met een Midjanitische vrouw gedood wordt door Pinchas vanwege afgoderij. Pinchas wordt hiervoor rijkelijk beloond (Numeri 25).

Zohar – een verzameling commentaren op de Tora (de vijf boeken van Mozes), veelal beschouwd als het belangrijkste werk van de joodse mystiek, de zogeheten kabbalistiek. Geschreven in klassiek Aramees en klassiek Hebreeuws. Voor het eerst verschenen in Spanje in de dertiende eeuw. Het wordt toegeschreven aan rabbi Sjimon bar Jochai, die in de tweede eeuw leefde.